JN157054

事業承継法務のすべて

［第2版］

日本弁護士連合会
日弁連中小企業法律支援センター［編］

一般社団法人金融財政事情研究会

第２版発刊にあたって

本書は、中小企業において事業承継問題が深刻さを増し、2017年12月に中小企業庁にて「事業承継ガイドライン」の改訂がなされるなどの状況下において、2018年３月、弁護士がこの問題に関与することの重要性に鑑み、事業承継の法務に関する手引書として発刊されました。

それから３年が経過し、中小企業の事業承継問題は一層深刻さを増しております。特に、後継者不在の企業が多く取り残されており、2025年までに約127万者に達する可能性があるといわれております。これら後継者不在企業が事業を承継するにおいて、M&Aの手法の重要性が増しており、中小企業庁においては2020年に「事業引継ぎガイドライン」を改訂して「中小M&Aガイドライン」を新たに策定しております。2021年６月９日には、中小企業庁と日本弁護士連合会はこの中小企業の事業承継に関し、M&Aおよび経営資源の引継ぎについて連携を拡充する内容の共同コミュニケ「中小企業の事業承継・引継ぎ支援に向けた中小企業庁と日本弁護士連合会の連携の拡充について」を発表いたしました。2021年度から、事業承継・引継ぎ支援センターと弁護士会の連携強化に向けての取組みも開始されております。

このような著しく変化する事業承継問題を受け、本書は、近年重要性を増しているM&Aに関し、「中小M&Aガイドライン」に準拠した内容に改訂したほか、M&A実施後の中小企業の発展のためになすべきこと、すなわち「ポスト事業承継」における法務対応について新たに掲載しております。好評をいただいた初版と同様に基本的事項から説明をしておりますので、事業承継において発生する法律問題の解決に際し、弁護士だけではなく中小企業の支援団体にもお役に立てるかと思われます。

本書をご活用いただき、中小企業のために弁護士や支援機関が関与し、多くの公正で円滑な事業承継が実現できることを祈念しております。

2021年７月吉日

日本弁護士連合会　会長　**荒　　中**

第2版はしがき

2018年に初版を発刊してから３年が経過いたしました。わずか３年しか経過していないにもかかわらず、中小企業の事業承継問題はさらに深刻さを増しております。

近年の中小企業庁の対応においても、2017年12月に「事業承継ガイドライン」の改訂がなされた後、2020年には、2016年に制定された「事業引継ぎガイドライン」を早くも改訂して、「中小M&Aガイドライン」を新たに策定しております。さらに2021年４月28日付けにて、事業承継問題に対するM&Aを中心とする対応について取りまとめた「中小M&A推進計画」が発表されました。税制においても、2018年に事業承継税制「特例措置」が創設され、2019年には個人版事業承継税制も創設されています。さらに、2019年には中小企業経営円滑化法が改正され、遺留分に関する民法の特例について個人事業主にも適用されることとなりました。また、改正民放（債権法・相続法）も施行されております。

このような諸施策がこれまで講じられてきましたが、後継者不在の中小企業は未だに多く残っており、2025年には、経営者の年齢が平均引退年齢たる70歳に至る企業が約127万者に達し、廃業の危機にあるといわれております。

他方において、事業承継・引継ぎ支援センターによる中小企業のM&Aは実績を伸ばしており、また、近年は中小企業のM&Aを扱うマッチング業者も急増しており、インターネットプラットフォーム上にてマッチングを実施するプラットフォーマーも活動しております。これらマッチング業者等によるM&Aをいかに適切に実施するか、ということが新たな課題となってきております。

さらに、親族内承継等の事業承継を円滑に行うことのみでなく、事業承継によって、新しい経営者による新しいビジネス展開の機会が生じたのであれば、積極的に新たな事業展開を始めることが有意義であるということが唱えられ、この「ポスト事業承継」においていかに法的支援を行っていくかということが、われわれ弁護士にとって課題となってきております。

本書は、好評をいただいた初版の基本的事項から丁寧に説明するスタイルを維持しながら、各項目において新しい情報をアップデートするとともに、特に第三者承継（M&A）においては、近年の重要性に応じ、新しく構築された「中小M&Aガイドライン」に依拠する形に全面的に改訂いたしました。また、「ポスト事業承継」における法的支援のあり方について新たな章を講じて論じております。巻末の「トラブルチェックシート」も現経営者版と後継者版にて改訂を実施しております。

初版はしがきでは、「今後の10年間は「事業承継」問題の解決に非常に重要な時期となります。」と記載しました。近年の事業承継問題の変化の早さからすると、「今後の10年間」ではなく、「今後の７、８年間」と書くべきであったかもしれません。本書刊行時を基準とすると、「今後の５年間」が非常に重要な期間となっていると考えられます。これからわれわれ弁護士が、他の士業の方々や中小企業支援団体の方々と連携して、事業承継問題を抱えている中小企業にどれだけ多く関与することができるか、どれだけ多く法的支援を行うことができるかが、中小企業の事業をどこまで残すことができるかにかかっており、その後の日本経済・社会の構造にも大きな影響を及ぼすことになるのではないか、と思います。多くの弁護士が本書を参考にしながら、多くの事業承継問題に取り組んでいただくことを切に願っております。

最後に、本書の執筆や原稿の精査を快く引き受け、すみやかに対応してくださった執筆者の方々に心より感謝申し上げるとともに、初版に引き続き、本書の発刊に多大なご配慮やご示唆をいただいた株式会社きんざいの池田知弘氏をはじめ関係者の方々に厚く御礼申し上げます。

2021年７月吉日

編　者　一　同

発刊にあたって（初版）

中小企業における経営の承継の円滑化に関する法律が平成20年5月に成立してから10年近い歳月が流れました。中小企業の企業数は国内企業の99.7%を占めておりますが、その数は平成21年の420.1万者から平成26年は380.9万者に減少しております（2011年版・2017年版中小企業白書）。日本経済を支える中小企業の事業承継問題は、団塊の世代の経営者引退が迫るなか、ますます重要な意義を有しております。

日弁連中小企業法律支援センターが全国の中小企業１万5000社を対象に実施した弁護士の需要に関するアンケート調査の結果である「第２回中小企業の弁護士ニーズ全国調査報告書」でも、企業の「困りごと」の内容の第６位に事業承継が位置しており、中小企業の経営者が事業承継問題に悩んでいる状況です。しかしながら、同報告書によれば、弁護士に相談をしているのは約１割にすぎず、弁護士の関与が不十分な状況です。

事業承継は、相続問題、会社法の問題、経営者保証問題、事業再生問題、M&Aに関する問題など、法律問題が複雑に絡み合っております。また、引き継がせるなかでの人の衝突も予想されるところであり、これらの問題を解決して事業の円滑な承継を実現するのは容易なことではございません。

本書は、事業承継に関する法律問題に実際に携わっている日本弁護士連合会の日弁連中小企業法律支援センター委員および幹事が、平成28年12月公表の「事業承継ガイドライン」の利用ができるように、書式なども充実させたうえで解説を行っております。

本書をお読みいただくことで、事業承継において発生する法律問題が具体的に理解でき、弁護士だけではなく中小企業の支援団体にもお役に立てるかと思われます。

本書をご活用いただき、中小企業のために弁護士や支援機関が関与し、多くの円滑な事業承継が実現できることを祈念しております。

平成30年１月吉日

日本弁護士連合会　会長　**中本　和洋**

「事業承継法務のすべて」発刊にあたって（初版）

中小企業・小規模企業は、企業数でみればわが国企業数の99％以上を、その雇用の数はわが国全体の労働者の77％を占めており、わが国経済・社会の基盤といえる存在です。優秀な技術や優れたアイデアを活かして積極的な事業活動を行い、わが国の成長の原動力となることが期待されています。

他方で、現在、中小企業の事業承継の問題への対応が待ったなしの状況にあると認識しています。そのいちばんの背景は中小企業経営者の高齢化の進展です。経営者の平均引退年齢は一般的に70歳前後といわれていますが、今後10年の間に、70歳（平均引退年齢）を超える中小企業・小規模事業者の経営者は約245万人となり、うち約半数の127万人（日本企業全体の1/3）が後継者未定です。現状を放置すると、中小企業・小規模事業者廃業の急増により、2025年頃までの10年間累計で約650万人の雇用、約22兆円のGDPが失われるなど、日本経済全体にとってきわめて深刻な影響を与えることが懸念されています。

しかしながら、それらの事業承継にあたって生じる、多岐にわたるさまざまな課題への対応には、往々にして困難が伴います。後継者候補不在の問題、承継を躊躇させるような経済的負担の問題（贈与・相続の場合の税負担、買取りの際の資金負担等）だけでなく、いざ承継の手続を進めるに当たっては、自社株式や事業用資産に関する遺留分の問題や、第三者への承継の場合には、M＆Aの相手方が見つからない等、さまざまな問題などがあり、これらに適切に対応することが重要となります。

こうした問題に対応するため、中小企業庁では、事業承継ネットワークを通じた現経営者の「気付き」の機会の提供、事業引継ぎ支援センターにおける売り手・買い手のマッチング等のM＆A支援、事業承継時の負担を軽減するための事業承継税制、承継後の経営革新等を支援するための補助金の交付等の多様な施策を実施しており、事業承継の前後にわたる、切れ目のない支援を充実させていっているところです。

もっとも、このような制度を真に効果的なものとしていくためには、弁護士をはじめとする士業専門家の方のご協力もまた、不可欠です。たとえば、相続に伴って生じる遺産分割にかかわる法的問題への対応、マッチング後の具体的なＭ＆Ａにおける交渉、その後の法的手続を進めるには、専門家である弁護士の方のサポートが重要と思われます。また、事業所の統廃合等を実施する企業や、経営状態が悪化して金融機関対応が必要となる企業も少なからず想定されるところであって、これらのケースにおいても弁護士の方が果たすべき役割は大きいと考えます。

こうしたことをふまえれば、弁護士会が関連団体・士業と連携して行う取組みはもとより、個々の弁護士の方々における対応もきわめて重要であると考えております。

本書は、平成28年に中小企業庁が策定した「事業承継ガイドライン」に準拠しつつ、より実務的に事業承継を進める方法を解説することを企図して執筆されたものと承知しています。本書には、これまで事業承継問題に取り組んできた弁護士の方にとっては、その実務が一冊にまとめられ、折に触れて参照することで、より実務を円滑に進めることができるような書籍に、一方で、これから本格的に事業承継の実務に携わることとなる弁護士の方にとっては、今後の案件遂行にあたってのよきマニュアルとなることを願っております。

上記のとおり、本書は各地域において中小企業の事業承継問題に取り組む多くの弁護士の方にだけでなく、そのほかの士業の皆様や金融機関等の中小企業支援機関の方々のご参考となる書籍となることが期待されます。中小企業を支援する立場にあるより多くの方々に読まれ、活用され、今後の中小企業の事業承継支援の発展に資することとなりますことを、心から祈念しております。

平成30年１月

中小企業庁長官　**安藤　久佳**

はしがき（初版）

本書は、現在の日本の中小企業における、いや、日本社会・経済全体における最大の問題といってよい「事業承継」問題について、具体的に実践するための手引き書です。平成28年12月に中小企業庁は10年ぶりに「事業承継ガイドライン」を大幅に改訂いたしました。改訂というよりも、まったく新しいガイドラインを策定したと評価してよいものと思います。それだけ、現在、「事業承継」問題は重大問題と認識され、かつ、さまざまな対応が求められている問題として認識されているものと思います。

日本弁護士連合会では、平成21年10月に「日弁連中小企業法律支援センター」を設置いたしました。当時、日本の企業の99％以上を占める中小企業の多くは、法的サービスを受ける機会が十分にあるとはいえない状況にありました。同センターは、このような状況をふまえ、中小企業による法的サービスの利用を促進するとともに、組織的かつ全国的な法的サービスの提供による中小企業支援態勢を確立・発展させることを目的として設立したものです。

本センターでは、平成28年、創業支援問題とともに「事業承継」問題の対応を図るチームとして、本センター内に創業・事業承継プロジェクトチームを立ち上げました。そして、その活動の成果の一部について、平成29年９月に東京大学安田講堂にて実施された第20回弁護士業務改革シンポジウムにおいて「事業承継における弁護士の役割と、他士業・他団体との連携」をテーマに分科会を行い、「事業承継」において弁護士がどのように対応するのか、また支援団体の連携がいかに必要かについて検討し、問題提起を行いました。当日、会場には約620名もの弁護士・中小企業支援団体の関係者が参加され、一定の成果をあげたものと思います。

「事業承継」問題は、弁護士にとっては古くて新しい問題です。古くから、中小企業オーナーたる社長の相続問題として、後々の相続争いとならないように、会社を継ぐ相続人とそうでない相続人との利害調整について、遺留分に留意しながら遺言書を作成するなど業務を行ってきました。また、第三者に会社を譲渡する場合には、Ｍ＆Ａにおけるわれわれ弁護士の実務経験が非常に役立ちます。さらに、債務超過企業の場合の対応としては、事業再生の実務経験に基づき負債処理をしながら事業承継を進めることになります。このように従前から個々の弁護士が培ってきた実務を結集することによって、現在、社会的に大問題となっている「事業承継」問題に、十分に対応することができると思います。

本書は、「事業承継」問題をあらためて整理した中小企業庁作成の「事業承継ガイドライン」に依拠しながら、多様な場面における対応方法について、これまでの弁護士実務をふまえたうえで整理し、さらに実務にすぐに利用できる情報を多く掲載しております。なるべく書式を多く掲載することで、迅速な対応に応ずる必要性に耐えうる実務書となっているつもりです。なお、本書をご利用される場合には、「事業承継ガイドライン」、「経営者のための事業承継マニュアル」および「事業引継ぎガイドライン」(いずれも中小企業庁制作・中小企業庁ホームページにて入手可能)を適時ご参照ください。

今後の10年間は「事業承継」問題の解決に非常に重要な時期となります。できるだけ多くの弁護士が本書を活用して「事業承継」問題に取り組んでいただけることを願っております。また、「事業承継」問題においては関係者の連携が重要です。他の士業の方々や中小企業支援団体の方々、金融機関の方々においても本書をお手にとっていただき、「事業承継」問題の具体的解決方法を参考としていただき、われわれ弁護士とぜひ連携して個々の中小企業における「事業承継」問題を解決していければと願っております。

最後に、短期間にて本書の執筆や原稿の精査を快く引き受けてくださった執筆者の方々に心より感謝申し上げるとともに、本書の発刊に多大なご配慮やご示唆をいただいた株式会社きんざいの池田知弘氏をはじめ関係者の方々に厚く御礼申し上げます。

平成30年1月

編　者　一　同

■ 編者紹介（50音順・所属は2021年６月現在）

安部　史郎（あべ　しろう）

〈主な著書・論文等〉日本弁護士連合会 日弁連中小企業法律支援センター編『中小企業法務のすべて』（商事法務、2017）（共著）、東京弁護士会労働法制特別委員会 企業集団／再編と労働法部会編著『M＆Aにおける労働法務DDのポイント』（商事法務、2017）（共著）、『ケーススタディ事業承継の法務と税務』（ぎょうせい、2018）（共著）

〈事務所〉馬場・澤田法律事務所（東京弁護士会）

石川　貴康（いしかわ　たかやす）

〈主な著書・論文等〉『破産管財実践マニュアル〔第２版〕』（青林書院、2013）（共著）、全国倒産処理弁護士ネットワーク編『私的整理の実務Q＆A140問』（金融財政事情研究会、2016）（共著）ほか

〈事務所〉コンパサーレ法律事務所（千葉県弁護士会）

杉浦　智彦（すぎうら　ともひこ）

〈主な著書・論文等〉日本弁護士連合会 日弁連中小企業法律支援センター編『中小企業法務のすべて』（商事法務、2016）

〈事務所〉弁護士法人横浜パートナー法律事務所（神奈川県弁護士会）

髙井　章光（たかい　あきみつ）

〈主な著書・論文等〉「ケース事例からみた中小企業の事業承継とM＆A実務の留意点」、「事例に学ぶ！中小企業の事業承継」日本弁護士連合会編『日弁連研修叢書現代法律実務の諸問題令和元年度研修版』（第一法規、2020）、『ゼロからわかる事業承継M＆A90問90答』（税務研究会、2020）（共著）、『ケーススタディ事業承継の法務と税務』（ぎょうせい、2018）（編著）ほか

〈事務所〉髙井総合法律事務所（第二東京弁護士会）

吉岡　毅（よしおか　たけし）

〈主な著書・論文等〉「中小企業事業承継の実務対応～中小企業経営承継円滑化法を踏まえて～」銀行法務21・2008年9月増刊、「事業承継関連法の解説―専門家向けテキスト―」（独立行政法人中小企業基盤整備機構、2019）（共著）、「経営承継円滑化法の民法の特例における法的課題―推定相続人に未成年者・成年被後見人

が含まれる場合―」金融法務事情2101号、「民法（相続法）の改正と事業承継」同2107号
〈事務所〉奥・片山・佐藤法律事務所（第一東京弁護士会）

■ 執筆者紹介（50音順・所属は2021年6月現在）

飯田　匡崇（いいだ　まさたか）
〈事務所〉西野法律事務所（愛知県弁護士会）

池田　耕一郎（いけだ　こういちろう）
〈主な著書・論文等〉日本弁護士連合会 日弁連中小企業法律支援センター編『中小企業事業再生の手引き』（商事法務、2012）（共著）、日本弁護士連合会 日弁連中小企業法律支援センター編『中小企業法務のすべて』（商事法務、2017）（共著）ほか
〈事務所〉池田耕一郎法律事務所（福岡県弁護士会）

池田　曜生（いけだ　てるお）
〈主な著書・論文等〉「中小企業等の事業承継と民事信託の活用」銀行法務21・814号、日本弁護士連合会 日弁連中小企業法律支援センター編『中小企業法務のすべて』（商事法務、2017）（共著）
〈事務所〉おかやま番町法律事務所（岡山弁護士会）

今井　丈雄（いまい　たけお）
〈主な著書・論文等〉豊洲月島会著『倒産債権の届出・調査・確定・弁済・配当マニュアル』（三協法規出版、2017）（共著）、野村剛司編著『実践フォーラム破産実務』（青林書院、2017）（共著）、全国倒産処理弁護士ネットワーク編『破産実務Q&A220問』（金融財政事情研究会、2019）（編集・執筆担当）ほか
〈事務所〉今井法律事務所（千葉県弁護士会）

大平　昇（おおひら　のぼる）
〈事務所〉大平昇法律事務所（香川県弁護士会）

大宅　達郎（おおや　たつろう）

〈主な著書・論文等〉『M＆A実務の基礎』（商事法務、2015）（共著）、『特定調停を用いた経営者保証ガイドラインの成立事例報告』ＮＢＬ1030号（商事法務、2014）（共著）ほか

〈事務所〉大江・田中・大宅法律事務所（東京弁護士会）

尾田　知亜記（おだ　ちあき）

〈主な著書・論文等〉「代表者を同じくする２社の金融債務である主債務を、特別清算により整理を行うと同時に、早期に事業停止をし、資産価値の劣化を防ぐことによりインセンティブ資産300万円を確保しながら『経営者保証ガイドライン』を用いてリース債務の保証債務を含む代表者の保証債務を整理した事例」事業再生と債権管理152号（2016年４月５日号）（共著）、「経営者保証ガイドラインの概要・出口対応における意義――廃業支援における積極的活用を期待して」銀行法務21・805号（2016）（共著）

〈事務所〉弁護士法人しょうぶ法律事務所（愛知県弁護士会）

金山　卓晴（かなやま　たかはる）

〈主な著書・論文等〉『地域金融機関における中小企業の法律問題対策Ｑ＆Ａ⑥―創業支援』銀行法務21・790号（2015）（共著）、日本弁護士連合会 日弁連中小企業法律支援センター編『中小企業法務のすべて』（商事法務、2017）（共著）

〈事務所〉あさひ法律事務所（第一東京弁護士会）

久野　実（くの　みのる）

〈主な著書・論文等〉名古屋中小企業支援研究会・日本公認会計士協会東海会・全国倒産処理弁護士ネットワーク中部地区 編『中小企業再生・支援の新たなスキーム』（中央経済社、2016）（共著）、日本弁護士連合会 日弁連中小企業法律支援センター編『中小企業法務のすべて』（商事法務、2017）（共著）

〈事務所〉弁護士法人東海総合（愛知県弁護士会）

久保井　聡明（くぼい　としあき）

〈事務所〉久保井総合法律事務所（大阪弁護士会）

日本弁護士連合会弁護士業務改革委員会企業コンプライアンス推進ＰＴ所属

坂川　雄一（さかがわ　ゆういち）

〈事務所〉はばたき綜合法律事務所（大阪弁護士会）

日本弁護士連合会弁護士業務改革委員会企業コンプライアンス推進ＰＴ所属

佐藤　三郎（さとう　さぶろう）

〈事務所〉佐藤三郎法律事務所（第一東京弁護士会）

日本弁護士連合会弁護士業務改革委員会企業コンプライアンス推進ＰＴ所属

高橋　理一郎（たかはし　りいちろう）

〈主な著書・論文等〉日本弁護士連合会 日弁連中小企業法律支援センター編『中小企業事業再生の手引き』（商事法務、2012）（共編）、Ｒ＆Ｇ横浜法律事務所編『モンゴル法制ガイドブック』（民事法研究会、2014）（共編）、Ｒ＆Ｇ横浜法律事務所編『戦略的株式活用の手法と実践』（民事法研究会、2019）（共著）ほか

〈事務所〉Ｒ＆Ｇ横浜法律事務所（神奈川県弁護士会）

土森　俊秀（つちもり　としひで）

〈主な著書・論文等〉東京弁護士会 弁護士研修センター運営委員会編『弁護士専門研修講座――事業承継支援の基礎知識』（ぎょうせい、2019）（共著）、『フロー＆チェック企業法務コンプライアンスの手引』（新日本法規出版、加除式）（編集代表）

〈事務所〉奥・片山・佐藤法律事務所（東京弁護士会）

堂野　達之（どうの　たつゆき）

〈主な著書・論文等〉日本弁護士連合会 日弁連中小企業法律支援センター編『中小企業再生のための特定調停手続の新運用の実務』（商事法務、2015）（編集・執筆担当）、『フロー＆チェック企業法務コンプライアンスの手引』（新日本法規出版、加除式）（編集代表）

〈事務所〉堂野法律事務所（東京弁護士会）

2021年度東京弁護士会副会長

徳永　響（とくなが　とよむ）

〈事務所〉法律事務所徳賢（福岡県弁護士会）

日本弁護士連合会弁護士業務改革委員会企業コンプライアンス推進ＰＴ所属

中澤　未生子（なかざわ　みおこ）

〈主な著書・論文等〉日本弁護士連合会 日弁連中小企業法律支援センター編『中小企業法務のすべて』（商事法務、2017）（共著）、『なぜあの会社の女性はイキイキ働いているのか』（同友館、2018）（共著）、『リスク回避のための事業承継実務の進め方』（同友館、2018）（共著）

〈事務所〉エマーブル経営法律事務所（大阪弁護士会）

鍋谷　博志（なべたに　ひろし）

〈事務所〉富山みらい法律事務所（富山県弁護士会）

日本弁護士連合会弁護士業務改革委員会企業コンプライアンス推進ＰＴ所属

濵田　諭（はまだ　さとし）

〈事務所〉弁護士法人みなみ総合法律事務所（宮崎県弁護士会）

日本弁護士連合会弁護士業務改革委員会企業コンプライアンス推進ＰＴ所属

林　一樹（はやし　かずき）

〈主な著書・論文等〉長野県弁護士会編『不動産登記訴訟の実務』（第一法規、1995）（執筆担当）、日本弁護士連合会 日弁連中小企業法律支援センター編『中小企業法務のすべて』（商事法務、2017）（執筆担当）ほか

〈事務所〉林一樹法律事務所（長野県弁護士会）

林　朋寛（はやし　ともひろ）

〈事務所〉北海道コンテンツ法律事務所（札幌弁護士会）

日本弁護士連合会弁護士業務改革委員会企業コンプライアンス推進ＰＴ所属

東　健一郎（ひがし　けんいちろう）

〈主な著書・論文等〉日本弁護士連合会 日弁連中小企業法律支援センター編『中小企業のための金融円滑化法出口対応の手引き』（商事法務、2013）、JPBM医業経営部会編『Ｑ＆Ａ地域医療連携推進法人の実務』（中央経済社、2017）ほか

〈事務所〉弁護士法人東法律事務所（熊本県弁護士会）

髭野　淳平（ひげの　じゅんぺい）

〈主な著書・論文等〉大阪弁護士会中小企業支援センター編『ヒアリングシートを使った中小企業の法律相談マニュアル』（民事法研究会、2017）（共著）、企業

実務研究会編『Q & A 会社トラブル解決の手引き』(新日本法規、加除式)
〈事務所〉フロントロー法律事務所(大阪弁護士会)

松本　宗大(まつもと　むねひろ)
〈事務所〉松本宗大法律事務所(第一東京弁護士会)
日本弁護士連合会弁護士業務改革委員会企業コンプライアンス推進ＰＴ所属

矢田　茂明(やだ　しげあき)
〈事務所〉田中法律事務所(徳島弁護士会)
日本弁護士連合会弁護士業務改革委員会企業コンプライアンス推進ＰＴ所属

八掛　順子(やつがけ　じゅんこ)
〈主な著書・論文等〉日本弁護士連合会 日弁連中小企業法律支援センター編『中小企業の事業再生の手引』(商事法務、2012)(共著)、「食品表示に関する法——最近の改正法を中心に」LIBRA2016年4月号(共著)
〈事務所〉八掛法律事務所(東京弁護士会)

山田　尚武(やまだ　ひさたけ)
〈主な著書・論文等〉『赤字会社を驚くほど高値で売る方法』(幻冬舎、2015)、全国倒産処理ネットワーク中部地区ほか編『中小企業再生・支援の新たなスキーム——金融機関と会計・法律専門家の効果的な協働を目指して』(中央経済社、2016)(共著)ほか
〈事務所〉弁護士法人しょうぶ法律事務所(愛知県弁護士会)

幸村　俊哉(ゆきむら　としや)
〈主な著書・論文等〉『中小企業の事業承継　M&A 活用の手引き』(経済法令研究会、2016)(編集・執筆担当)、第二東京弁護士会事業承継研究会 編『一問一答　事業承継の法務』(経済法令研究会、2010)(編集代表、執筆)
〈事務所〉東京丸の内法律事務所(第二東京弁護士会)

横田　亮(よこた　りょう)
〈主な著書・論文等〉日本弁護士連合会 日弁連中小企業法律支援センター編『中小企業法務のすべて』(商事法務、2017)(共著)
〈事務所〉横田合同法律事務所(岡山弁護士会)

渡邉　敦子（わたなべ　あつこ）

〈主な著書・論文等〉日本弁護士連合会 日弁連中小企業法律支援センター編『中小企業法務のすべて』（商事法務、2017）（編集・執筆担当）、全国倒産処理弁護士ネットワーク編『私的整理の実務Q＆A140問』（金融財政事情研究会、2016）（執筆担当）

〈事務所〉渡邉綜合法律事務所（東京弁護士会）

目　次

第1部
事業承継の重要性

第2部
事業承継に向けた準備の進め方

第3部
類型ごとの課題と対応

第4部
第三者承継：中小M&Aガイドライン

第5部

事業承継の円滑化に資する手法

第6部
個人事業主の事業承継

第7部
ポスト事業承継

第8部
事業承継をサポートする仕組み

■ 書式目次

第 1 部

事業承継の重要性

1　中小企業の事業承継を取り巻く現状

中小企業は、日本の経済・社会を支える存在である。中小企業庁の公表データによれば、中小企業は日本の企業数の約99％（小規模事業者は約85％）を占め、従業員数においても全体の約69％（小規模事業者は約22％）を占めている（いずれも平成28年時点）。

ところが、中小企業を取り巻く環境は決して良好ではなく、消費動向の急速な変化、取引先企業の海外展開等により、厳しい環境に置かれている中小企業は少なくない。さらに、経営者の高齢化が進み、中小企業数は平成26年には約381万者（小規模事業者も含むため「者」と表記される）であったところ、平成28年には約358万者となり、直近２年間で約23万者減少しており、平成24年（約385万者）から平成26年（約381万者）の減少数が約４万者にすぎなかったことに比べると減少幅は大きく広がっている（数字はいずれも「総務省・経済産業省経済センサス調査」による）。

さらに、令和２年に始まった新型コロナウイルス禍は多くの中小企業に大きな影響を及ぼし、中小企業はさらに厳しい経営状態にある。

2　経営者の高齢化傾向

中小企業の高齢化傾向は近年さらに進んでおり、全国の社長の年齢分布では70代以上の社長が28.1％となっており、その比率は大きくなる傾向にある（図表１－１参照）。

さらに、中小企業経営者の年齢分布（図表１－２）においていちばん多い年齢層は23年間にて、47歳から69歳に移動しているが、平均引退年齢（図表１－３）は、ここ10年ほどは中規模企業で約67歳から68歳、小規模事業者で約70歳で変化が止まっていることから、いちばん多い年齢層はすでに平均引退年齢に達している状況となっている。よって、令和７年までに平均引退年齢（70歳）を超える中小企業経営者は約245万人となり、そのうち約半数の127万人（日本企業全体の３分の１）が後継者未定となるといわれている（図表１－４）。

図表1－1　社長の年齢分布

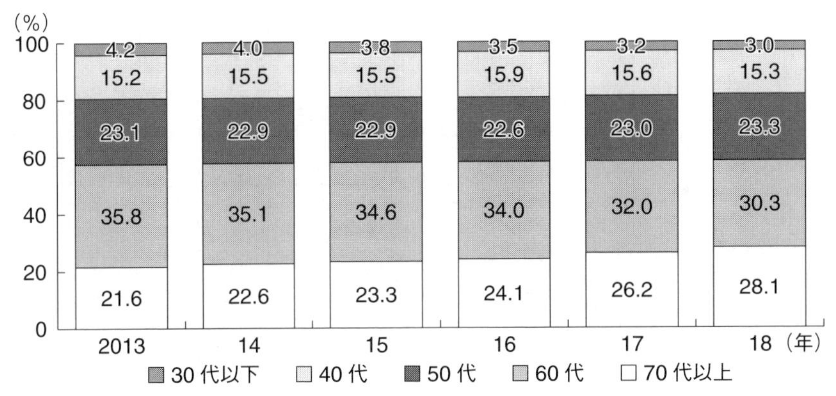

出所：中小企業白書2020

図表1－2　中小企業の経営者年齢の分布

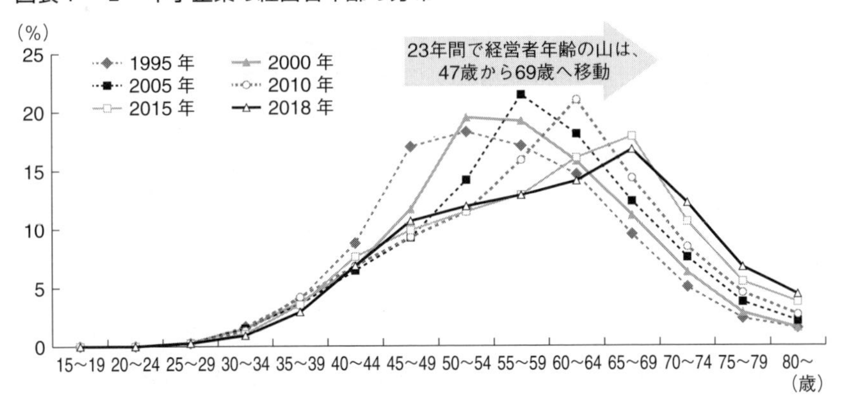

出所：中小企業白書2019

3　後継者確保の困難化

従前において、経営者は親族を後継者に据える傾向にあったが、近年においては、少子化や価値の多様化による職業選択の幅が拡大したことなどから、親族が企業内におらず、親族への経営承継が困難な状況が多くなってきている。さらに、事業環境が不安定であることなどから、従業員から経営者

図表１－３　経営者平均引退年齢の推移

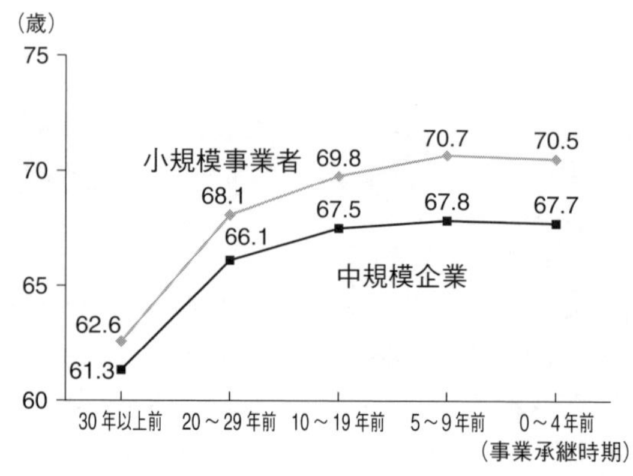

出典：中小企業庁委託調査「中小企業の事業承継に関するアンケート調査」（2012年11月、野村総合研究所）
出所：事業承継ガイドライン掲載

図表１－４　中小企業経営者の2025年における年齢

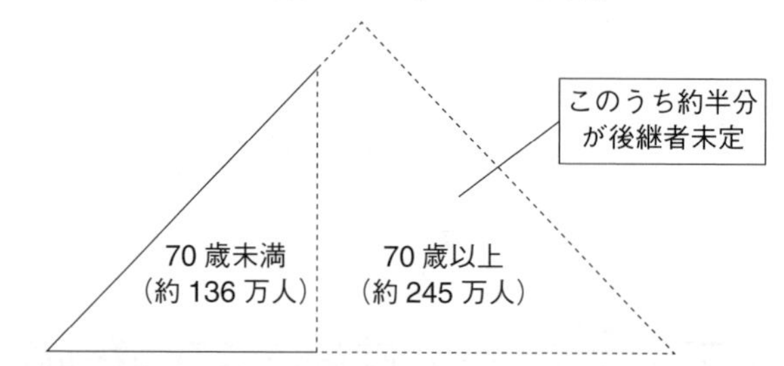

平成28年度総務省「個人企業経済調査」、平成28年度（株）帝国データバンクの企業概要ファイルから推計
出所：経済産業省近畿経済産業局産業部中小企業課
「中小企業・小規模事業者向け事業承継の集中支援について（平成31年２月）」

を登用することも困難な状況に至っている。また、中小企業経営者の52.6％が廃業を予定しており、現時点において、すでに休廃業や解散した企業数は、毎年４万件を超えている（図表１－５、図表１－６）。

図表１－５　アンケートの回答による類型化と構成比

（単位：％）

分類		アンケートの回答による定義	2019年調査（n＝4,759）		2015年調査（n＝4,104）	
決定企業		後継者は決まっている（後継者本人も承諾している）	12.5		12.4	
未定企業［事業承継の意向はあるが、後継者が決まっていない企業］	後継者は決まっていない	後継者にしたい人はいるが本人が承諾していない	22.0	5.1	21.8	3.4
		後継者にしたい人はいるが本人がまだ若い		4.6		6.0
		後継者の候補が複数おり誰を選ぶかまだ決めかねている		2.7		3.5
		現在後継者を探している		7.6		7.7
		その他		2.0		1.2
廃業予定企業		自分の代で事業をやめるつもりである	52.6		50.0	
時期尚早企業		自分がまだ若いので今は決める必要がない	12.9		15.9	

出所：日本政策金融公庫総合研究所「中小企業の事業承継に関するインターネット調査」（2020年１月）

図表１－６　休廃業・解散企業の現状

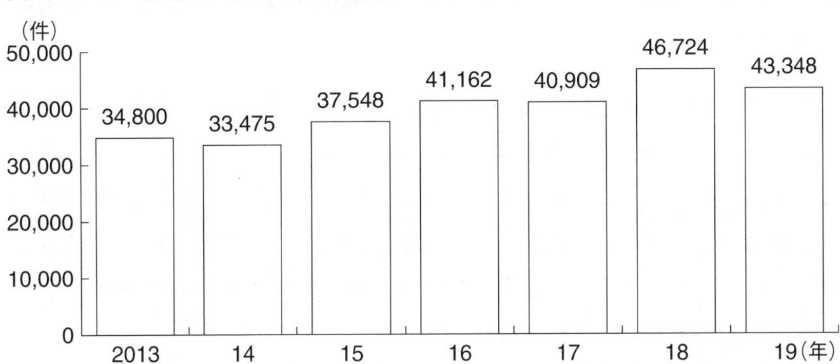

注：１．休廃業とは、特段の手続きをとらず、資産が負債を上回る資産超過状態で事業を停止すること。

２．解散とは、事業を停止し、企業の法人格を消滅させるために必要な清算手続きに入った状態になること。基本的には、資産超過状態だが、解散後に債務超過状態であることが判明し、倒産として再集計されることもある。

出所：中小企業白書2020

4　事業承継ガイドラインと中小 M&A ガイドライン

中小企業庁は、事業承継の重要性が認識されるに至った平成18年に、「事業承継ガイドライン」を策定し、早期に計画的に事業承継を進めることの重要性を訴えてきた。しかしながら、その後、10年を経て、いまだ事業承継が進んでおらず、さらに中小企業を取り巻く環境の変化等から、親族内承継ではなく第三者に経営を委託する、または会社や事業を売却する第三者承継の重要性がクローズアップされるに至り、平成28年12月に全面的に事業承継ガイドラインを改訂した。さらに、平成29年３月にはこの新しい事業承継に対応した「経営者のための事業承継マニュアル」を策定し公表している。

なお、この事業承継ガイドラインの全面改訂に先立ち、重要性を増してきた第三者承継に対応するために、平成27年３月に「事業引継ぎガイドライン～M&A 等を活用した事業承継の手続き～」を策定・公表しているが、近年、事業承継局面は後継者不在の多くの企業の対応策としての M&A の重要性が高まっていることから、令和２年３月に「事業引継ぎガイドライン」を全面的に改訂し、「中小 M&A ガイドライン―第三者への円滑な事業引継ぎに向けて―」を新たに策定・公表している。

5　事業承継ガイドライン・中小 M&A ガイドライン活用の意義

「事業承継ガイドライン」においては、事業承継に向けた準備について５つのステップに分け、段階的に準備を進めるなかで、親族内承継であるのか、従業員承継であるのか、または、第三者への会社・事業の売却であるのかを見極め、それぞれの承継手続を実行するための準備を行うこととしている。これは、承継手続を行ううえでの一つのモデルではあるが、その一連の手続のなかにおいては示唆に富む指摘が多くなされている。

さらに、検討の結果として承継が困難であることとなった場合として、円滑な廃業手続についても言及するとともに、これまでは事業承継の対象外としてきた、負債が過大な中小企業のケースについても、事業再生手法等によって負債処理をしながら事業承継を進めることを提案しており、より現実的な対応ができる内容となっているものと思われる。親族内承継において主に問題となりうる株式の承継と相続の問題についても、新たに種類株式の利用や信託の利用を提案するなど、幅広い手法について提案している。

このように、「事業承継ガイドライン」は、さまざまな状況にある中小企業に対し、より多くの中小企業が事業承継を進めることができるように、そ

図表１－７　経営者保証解除に向けた支援フロー

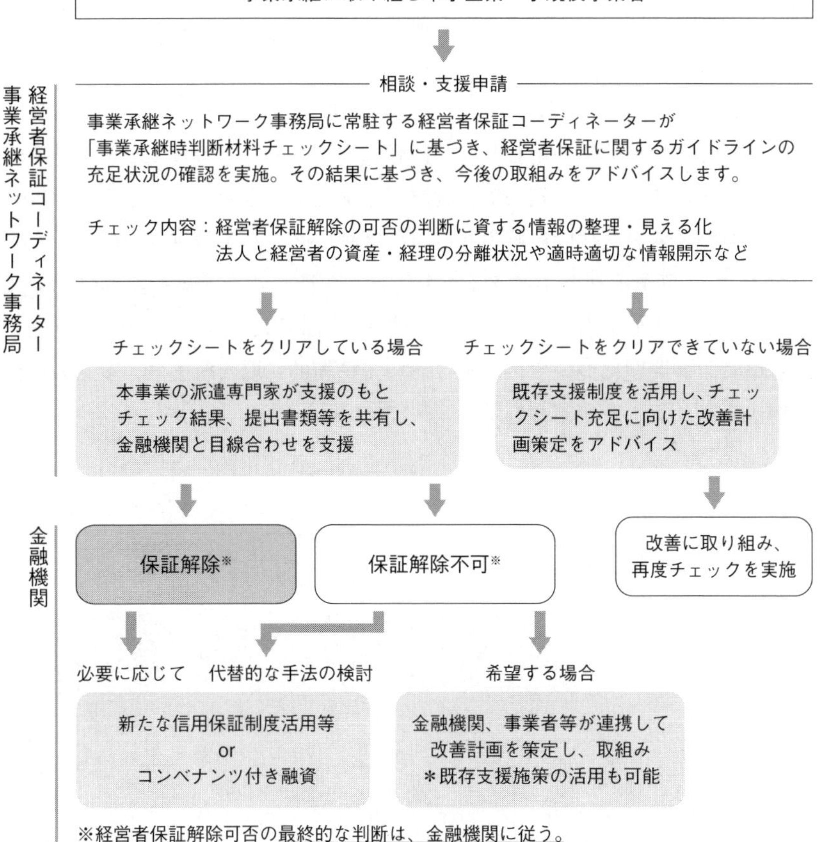

出所：中小企業庁作成パンフレット

注：事業承継ネットワーク事務局は、2021年４月１日に事業承継支援センターと統合し、「事業承継・引継ぎ支援センター」となっている。

の指針の提示を試みているものである。

さらに「中小 M&A ガイドライン」は、近年増加している民間の中小企業マッチング業者による M&A 手続を中心としながら、ありうべき健全かつ円滑な中小企業の M&A 手続を示すものであり、今後さらに活発化することが予想される中小企業の M&A 手続において重要な指標となるものである。

また、令和元年12月には事業承継局面における経営者保証の承継に関し、「事業承継時に焦点を当てた「経営者保証に関するガイドライン」の特則」が経営者保証に関するガイドライン研究会から公表されていることも、今後の事業承継を進めるにおいて特筆すべき事由である（図表１－７）。

本書は、この「事業承継ガイドライン」および「中小 M&A ガイドライン」をさらに実務的に利用しやすい内容にするべく、その各項目における作業内容について、より詳細な実務的解説を加えるとともに、できるだけ実務的に必要な手続を具体的に解説し、そのために必要な手続書式を提示したものである。「事業承継ガイドライン」等は、実際に事業承継の場面において利用してこそ価値があるのであり、本書を適宜利用しながら、喫緊の課題である事業承継問題について、全国において積極的に取り組まれ、多くの解決事例が生まれることが望まれる。

第 2 部

事業承継に向けた準備の進め方

第1

5ステップ

1　新しい「事業承継ガイドライン」

従来の旧「事業承継ガイドライン」（平成18年版）では、事業承継を円滑に進めるためのものとして、「事業承継計画の立案」と「具体的対策の実行」の２つのステップで構成される「事業承継フローチャート」が示されていた。

これに対し、新しい「事業承継ガイドライン」（平成28年版20頁。以下、このガイドラインを単に「事業承継ガイドライン」という）では、さらに各段階を意識できるよう詳しく、図表２－１のとおり５つのステップで構成されるよ

図表２－１　事業承継に向けたステップ

事業承継に向けたステップ

ステップ１　事業承継に向けた準備の必要性の認識

ステップ２　経営状況・経営課題等の把握（見える化）

ステップ３　事業承継に向けた経営改善（磨き上げ）

（ステップ２・３：プレ承継）

親族内・従業員承継　／　社外への引継ぎ

ステップ４　事業承継計画策定　／　マッチング実施

ステップ５　事業承継の実行　／　M&A等の実行

ポスト事業承継（成長・発展）

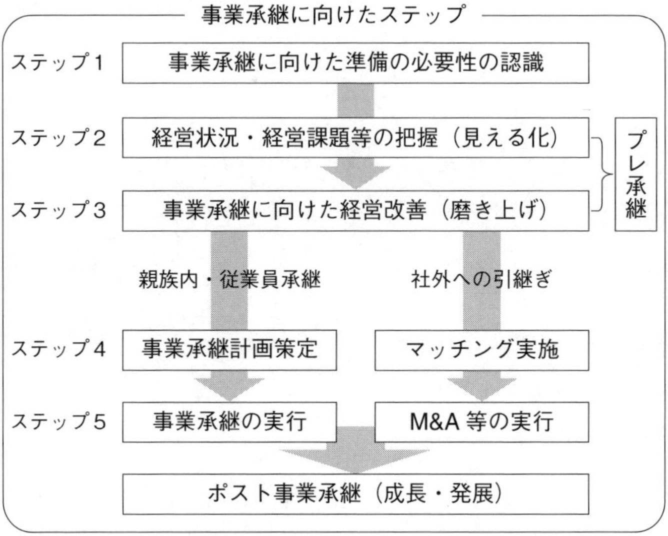

出所：事業承継ガイドライン20頁

うになった。また、途中からの手続が大きく異なる「親族内・従業員承継」と「社外への引継ぎ」とに分けて２つの流れを意識できるものとされている。加えて、事業承継の事前準備段階としてステップ２で「見える化」を、ステップ３で「磨き上げ」をキーワードとして織り込み、それらを「プレ承継」と明示し、事前準備の重要性を意識できるものとしている。また、ステップ５の実行の後の段階にも「ポスト事業承継（成長・発展）」を明示し、事業承継はそれで完了ではなく、後継者による中小企業の成長・発展に向けた新たな取組みが期待されることを意識させるものとなっている。

2　ステップ１（準備の必要性の認識）

⑴　事業承継問題の特徴

事業承継は、経営者の個人的な問題でもあり、経営者の「死」を想起させる事柄でもあるので、外部の者に相談しにくい、逆に外部の者からも言い出しにくいという性質がある。

また、親族内承継や企業内承継では特に、後継者教育等の準備に時間がかかるものであり、計画的取組みの必要性が高い。「事業承継マニュアル」でも10年計画のひな型が例示されている。

事業承継は、人（経営）の承継、資産の承継、知的資産の承継の３要素からなる。それぞれ、経営、法務、税務、会計が複雑に絡み合い、さらに資金の課題も発生する専門的な知見を要する、複合的かつ広範囲の問題という性質がある。

⑵　経営者・後継者

「事業承継ガイドライン」21頁では、上記の特徴をふまえ、さらに踏み込んで「経営者が概ね60歳に達した頃には事業承継の準備にとりかかることが望ましく、またそのような社会的な認識を醸成することが大切である」としている。

⑶　支援機関

上記のとおり、事業承継においては専門的な知見が必要となり、また、税制等の改正が比較的短いスパンで行われるため、各専門家自身も研修などで自己研鑽や最新情報の収集が必要である。

また、上記のとおり事業承継は専門的な知見が必要で、複合的かつ広範囲な問題であるため、各専門家が一人で対応することはむずかしい。そこで、各専門家はチームを組んで対応することが望まれる。

⑷　国の施策（サポートする仕組み）

これまでの事業承継支援策のなかでも、特に指摘されてきたのが、中小企業自身の事業承継の準備の必要性に対する認識の不足である。しかし、上記のとおり事業承継の問題は個人的な色合いが強いものであり、支援機関としてもアプローチがむずかしいものであった。そこで、事業承継ガイドラインでは、新たなツールとして「事業承継診断」が提案された。これには支援機関がヒアリングして行うことを想定した「事業承継診断票（相対用）」と中小企業自身が行うことを想定した「事業承継自己診断チェックシート」と題された「事業承継診断票（自己診断用）」の２種類が用意されている。

上記のとおり、事業承継の問題は専門的な知見が要求される複合的かつ広範囲の問題である。これまでも各支援機関は個別の要請に単発に取り組んできたが、上記の５つのステップを切れ間なく進めるためには、地域に密着した支援機関をネットワーク化し、連携させることが重要である。そこで、都道府県のリーダーシップのもと、事業承継のネットワークが構築されることが期待されている。

3　ステップ２（見える化）

⑴　経営改善の必要性――見える化の前提として

事業承継においては、これまで会社を強力に牽引してきた先代経営者が一線を退き、能力も未知数で経験も少ない後継者に交代することから、承継後しばらくは会社の業績や信用状態が悪化することが多い。そのため、事業承継に向けて、経営状況や経営課題等を把握し、これをふまえて事業承継に向けた経営改善に取り組み、中小企業の足腰（基礎体力）を固めておく必要がある。また、後継者のやる気を引き出すという観点からも、跡を継ぎたくなるような経営状態まで引き上げておかなければならない（事業承継ガイドライン20頁）。

⑵　現状把握のプロセスと視点

a　現状把握の目的

事業を後継者に円滑に承継するためのプロセスは、経営改善のために、経営状況や経営課題、経営資源等を「見える化」し、現状を正確に把握することから始まるとされている（事業承継ガイドライン21頁）。円滑な事業承継に向けた取組みとして、承継後の後継者が、現在を起点に、将来のありたい姿の実現に向けて、そのギャップを埋めていくことができるようにしなければならない。そのために、まずは起点となる現在の状況を正確に把握する必要がある。

b　現状把握のプロセス

具体的な作業として、経営者や経営幹部、主要な従業員からのヒアリング、製造・販売等の現場の検証、客観的資料の収集などにより、①会社の経営に関連する事実を広く洗い出す、②会社を取り巻く社会経済状況の変化や競合の動向などの外部環境、強みとなる経営資源などの内部環境を整理する、③その結果を報告書に取りまとめるなどし、先代経営者や後継者、従業員、外部の第三者などと共有できるかたちにアウトプットする、ことが必要となる。このように、経営の現場にある目にみえない情報（暗黙知）を整理し、目にみえる情報（形式知）としてアウトプットする作業を「見える化」という。

c　現状把握の対象と視点

現状把握の対象は、現在の会社の事業内容や財産、財務状況などがあるが、それだけでは足りない。現状把握の目的は、これからの外部環境の変化を見据え、承継後の経営で活用していく強みや克服しておきたい弱みを整理することにある。そこで現状把握では、下記の多角的な視点から、会社の経営状況をとらえることが必要となる。

まず、第一の視点は、自社の過去から現在に至るまでの時間軸のなかで現状をとらえる視点である。後継者に承継させたい事業がある企業ならば、商品・サービスを生み出した創業期、その商品・サービスが顧客の支持を受けて事業が拡大する成長期、その事業が軌道に乗り、安定的に利益を生み出す成熟期、あるいは、その事業の魅力が失われて利益が減少していく衰退期のいずれかのライフサイクルにあると考えられる。これまでの経緯や財務状況を時系列で整理することにより、企業の成長に伴って形成されてきた経営理念や組織風土、技術やノウハウなどの目にみえない経営資源の価値や、積み残された経営課題が顕在化する。

第二の視点は、外部環境との関係で自社の現状をとらえるという視点である。自社を取り巻く市場環境の変化や競合他社の分析などにより大局的に自社をとらえることで、今後の事業の成長性を予測することが可能となる。また、市場が急成長している場合は、同業他社との違いが明確でなくとも需要をとらえて成長できる場合があるが、成熟した市場では競合とは異なる独自の価値を提供できるかどうかが事業の可能性を大きく左右する。市場や同業他社に関する情報を収集・分析することは、自社の独自の強みや弱みに気づくきっかけとなりうる。

第三の視点は、自社内部の状況を、経営の機能ごと、あるいは、経営資源ごとに細分化して検討する視点である。経営は、営業面（顧客・取引先との関係性、マーケティングなど)、生産面（商品製造のための生産管理やサービス提供のためのオペレーションなど)、財務面（売上げおよび利益の把握、資金繰りなど)、組織面（人材育成、労務管理、チームワークの醸成など）といったさまざまな機能で成り立っている。また、経営資源は、ヒト（従業員、取引先など)、モノ（商品・サービス、会社財産など)、カネ（金融資産、負債など)、情報（技術力やノウハウなど）などで成り立っている。これらの個々の機能や経営資源の内容を個別に把握するだけでなく、これらの機能や経営資源がどのように結びついて優位性を築いているか、といったつながりを意識して整理することにより、目にみえない自社内部の強み・弱みを把握することが可能となる。

以上の現状把握の過程は、弁護士が依頼者や関係者から事情を聴取し、証拠関係を収集し、時系列に沿って事実を整理する過程と非常に類似している。なかでも、会社の設立・会社組織・株式に関する事項、株主や関係会社との関係に関する事項、不動産・動産その他資産に関する事項、取引先や金融機関との契約関係・権利関係に関する事項、人事労務に関する事項、訴訟・紛争・コンプライアンス等に関する事項について、M&Aの法務デューディリジェンスと同様に法律上の問題点や課題を整理しておくことは、現状把握においても有益であり、この点は、まさに弁護士の得意分野といえる。

しかし、現状把握の段階では、会社全体が抱えるさまざまな経営上の問題点や課題を把握する必要がある。そのため、法的な問題点や課題は少し横に置いて、あくまで「経営」という視点で会社の全体像を観察すべきである。そのためには、その会社の経営に最も詳しい経営者自身の認識や考え方を尊重し、理解することが必要であるが、それだけでなく、会社の経営状況を診断するさまざまな視点やフレームワークを熟知した中小企業診断士等の専門家と協力し、多角的な視点で経営状況をとらえ直すことが有益である。これにより、経営者自身の主観だけではとらえきれない現状を専門家の目で客観的に整理することができ、経営者自身が認識していない会社の強みに気づくこともできる。

⑶ 会社の経営状況の「見える化」

a 事業の「見える化」

事業承継においては、まず承継の対象である会社の事業そのものの「見える化」に最優先で取り組むべきである。事業の「見える化」とは、その事業のビジネスモデル（収益を生み出す仕組み）とこれを支える経営資源のつながりを整理し、第三者と共有できるかたちにアウトプットすることである。これにより、経営者と後継者、あるいは従業員や社外の専門家等の関係者が、会社の現状について情報を共有し、承継後の経営に向けて取り組むべき課題を明確化することができる。

事業承継ガイドラインで紹介されている「事業価値を高める経営レポート」や「知的資産経営報告書」「ローカルベンチマーク」は、多角的な視点から自社のビジネスモデルや経営資源を客観的に整理・分析し、アウトプットするためのツールであり、事業の「見える化」に活用できる。これらは、あくまでアプトプットのツールにすぎず、基本的な作成のプロセスは、前述の現状把握における「見える化」のための作業とほぼ同じである。

⒜ 「事業価値を高める経営レポート」および「知的資産経営報告書」

いずれも、自社の知的資産を「見える化」し、強みとして把握・活用するためのツールである。知的資産とは「従来のバランスシート状に記載されている資産以外の無形の資産であり、企業における競争力の源泉である、人材、技術、技能、知的財産（特許・ブランドなど）、組織力、経営理念、顧客とのネットワークなど、財務諸表には表れてこない目にみえにくい経営資源の総称」であると定義されているが、要するに「目にみえない自社の強み」のことである。

「知的資産経営報告書」は、文章だけでなく図表や写真を使用して、自社の知的資産経営の状況をより詳しくまとめた報告書であり、「事業価値を高める経営レポート」は、知的資産経営報告書の作成過程を要約したものである。

いずれも具体的な内容は、経営理念（企業ビジョン）、企業概要（沿革、受賞歴・認証・資格等）、内部環境（業務の流れ、強み・弱み）、外部環境（機会と脅威）、今後のビジョン（方針・戦略）、価値創造のストーリー（過去〜現在、現在〜将来）によって構成される。これらの各項目が全体として整合的でつながりのある内容になることが必要である。

また、目にみえない自社の強み（知的資産）が、どのようにして顧客に提供する価値につながるか、という部分を体系的に示す連鎖図（知的資産活用マップ）を作成することにより、第三者にわかりやすく伝えることができる。

さらに、事業承継の場合は、あわせて、添付資料として、先代経営者および後継者がそれぞれ認識している知的資産や、先代経営者と後継者で合意された承継方針、事業承継のスケジュールを記載した承継カレンダーを作成することで、経営者の交代とそのプロセスを社内外の関係者に伝えることができる。

この「事業価値を高める経営レポート」および「知的資産経営報告書」の作成を支援するためには、経営に関する専門的な知識とコンサルティングのスキルが必要であり、中小企業診断士等の専門家の協力が必要である。弁護士としては、これらの作成自体をサポートすることは困難であるとしても、経営者に対して作成を促すとともに、アウトプットされた価値創造のストーリーを理解し、その実現に向けた法律的な支援を考え、実行することが必要である。

「事業価値を高める経営レポート」の作成マニュアル、作成フォーマットは、中小企業基盤整備機構のホームページよりダウンロードすることができる。「知的資産経営報告書」に特定の書式は存在しないが、経済産業省のホームページ上には、実際に企業が作成した「知的資産経営報告書」が開示されており、参考になる。

(b) 「ローカルベンチマーク（通称：ロカベン）」

「ローカルベンチマーク（通称：ロカベン）」とは、経済産業省が策定した地域企業の経営診断の指標であり、企業の経営者等と金融機関、支援機関の対話を深める入り口として利用されることが念頭に置かれている。その内容は、企業の過去の姿を映す財務情報によって事業価値を把握するとともに、企業の過去から現在までの姿を映し、将来の可能性を評価するための非財務情報にも着目し、事業価値の源泉の把握や財務情報の裏付けとすることにより、企業の経営力や事業性を理解、評価する内容となっている。具体的には、経済産業省のホームページ上より「ローカルベンチマークツール」というExcel形式のデータをダウンロードし、マニュアルに従って所定の情報を入力することにより作成する（2018年５月に企業データを更新した改訂版が公開されている）。

財務分析に関しては、「財務分析入力シート」に、過去３期分の財務情報を入力すると、６つの財務指標（図表２－２）が自動的に計算される。そして、財務分析診断結果として、６つの指標を同業種・同規模の企業データとの比較に基づいて分析・評価した結果が、評価点およびレーダーチャートとして表示される。

また、非財務情報については、「非財務ヒアリングシート」に「商流・業務フロー」と「４つの視点」（図表２－３）を記入する。業務フローは実施内容と差別化ポイントを把握し、商流は取引先と取引理由を整理することで、どのような流れで顧客提供価値が生み出されているかを把握する。また、４つの視点については、視点ごとに会社の現状を把握するだけでなく、総括として、現状認識の結果と将来目標（ありたい姿）とのギャップから課題と対応策を明確化する。

このように、「ローカルベンチマーク」は、財務情報に重点を置きながら、その数字を裏付ける非財務情報とのつながりを「見える化」するとともに

図表２－２　財務指標における６つの指標

指　　標	評価項目	算出方法
売上高増加率	売上持続性	(売上高／前年度売上高) − 1
営業利益率	収 益 性	営業利益／売上高
労働生産性	生 産 性	営業利益／従業員数
EBITDA 有利子負債倍率	健 全 性	(借入金 − 現預金)／(営業利益 + 減価償却費)
営業運転資本回転期間	効 率 性	(売上債権 + 棚卸資産 − 買入債務)／月商
自己資本比率	安 全 性	純資産／総資産

図表２－３　非財務指標に対する４つの視点

視　　点	内　　容
経営者への着目	経営理念・ビジョン 経営哲学・考え・方針等
	経営意欲 ※成長志向・現状維持など
	後継者の有無 後継者の育成状況 承継のタイミング・関係
事業への着目	企業および事業沿革 ※ターニングポイントの把握
	強み 技術力・販売力等
	弱み 技術力・販売力等
	IT に関する投資、活用の状況 １時間当り付加価値（生産性） 向上に向けた取組み

関係者への着目	市場動向・規模・シェアの把握 競合他社との比較
	顧客リピート率・新規開拓率 主な取引先企業の推移 顧客からのフィードバックの有無
	従業員定着率 勤続年数・平均給与
	取引金融機関数・推移 メインバンクとの関係
内部管理体制への着目	組織体制 品質管理・情報管理体制
	事業計画・経営計画の有無 従業員との共有状況 社内会議の実施状況 研究開発・商品開発の体制 知的財産権の保有・活用状況
	人材育成の取組み状況 人材育成の仕組み

に、これらの情報を総括することにより、当該企業の課題や対応策を検討するツールとして活用できる。

また、中小企業等経営強化法に基づき、中小企業は、事業所管大臣が事業分野ごとに策定した指針に基づき、人材育成、コスト管理のマネジメントの向上や設備投資等、事業者の経営力を向上させるための取組内容などを記載した事業計画である「経営力向上計画」を作成し認定を受けることにより、税制や金融機関の支援を受けることができるが、この「経営力向上計画」を策定する際の経営分析に「ローカルベンチマーク」の活用が推奨されている。

この「ローカルベンチマーク」は、複雑な財務分析を必要とせず、当該企業の財務情報を入力するだけで自動的に6つの財務指標が算出されることや、非財務情報も所定の項目に入力するだけで作成できることから、アウトプットの資料としては弁護士にも利用しやすいと思われる。しかし、これもあくまでアウトプットのツールであって、その前提となる現状把握の精度によって結果が異なりうるため、いずれにせよ経営全般について深い知識と理解が必要であり、経営支援に精通した専門家との連携が望ましい。

なお、経済産業省のホームページでは、「ローカルベンチマークツール」やマニュアルがダウンロードできるほか、ローカルベンチマーク初心者向けに、対話の流れやコツ、記入の方法がイメージできる動画も公開されているので参照されたい。

b　財務の「見える化」

経営状況を正確に把握するためには、正確な財務情報が必須である。会社の財務状況は、貸借対照表、損益計算書、キャッシュフロー計算書の財務３表によって「見える化」される。そのため、「財務の見える化」は、これらが正確に作成されているというプロセスを確認する作業になる。具体的には、日々の売上げや経費等の数値が正確に入力されていることの確認体制など、組織内の体制を確認するとともに、公認会計士等の専門家により「中小企業の会計に関する指針」や「中小企業の会計に関する基本要領」等をふまえて適正な決算処理が行われているかどうか点検することも必要である。

「財務の見える化」により、正確で適正な決算書が作成・開示されていることが明確になれば、銀行や取引先からの信用を高め、事業承継に伴う資金調達や取引の円滑化にもつながることから、積極的に取り組むべきである。

c　会社組織や法律関係の「見える化」

以上は、主に会社の経営内容に関するものであるが、これを支える組織や人的資源、その他の法律関係についても、主に以下のような観点から、現状と課題を把握し、先代経営者と後継者等が共有する必要がある。

(a)　会社組織に関する事項

把握する事項としては、会社の定款、株券の発行、発行済株式総数、株主構成、株式評価（ただし、税務上の評価）、株主総会開催状況、取締役会等設置の有無、役員構成、取締役会開催状況等である。

事業承継にあたっては、株式譲渡制限の有無（昭和41年の株式譲渡制限制度創設以前に設立された会社のなかには、中小企業でもこれがないままの会社がある)、株主総会・取締役会が適法に開催されているか、名目上の株主・役員の有無、退職慰労金規定の有無などがポイントとなるが、株主・役員の年齢、人間関係等も共有できれば、株主総会や取締役会における意見の予想、株主・役員の引退・死亡による相続、支出すべき役員の退職慰労金の見込み、組織の若返りやスリム化等、後継者が経営を承継した後の経営にも資するところが大きい。

(b) 従業員に関する事項

就業規則、給与や退職金規定等の規則類のほか、従業員の人数、年齢、能力、残業等の勤務状況等を把握する必要がある。経営者とともに役員の若返りのために役員・幹部候補の有無に関する情報を入手できることが望ましいし、労務に関するリスクにも備えるべきであろう。

(c) 会社の事業用資産に関する事項

会社の事業用資産（不動産、機械等の動産、特許等の知的財産権等）の現状と、その使用権限関係（所有、賃借、リース、レンタル等）を把握することは、将来生ずべき大きな支出（修繕費、借地・借家の更新料、機械の更新等）の見込みを立てるうえでも重要である。

(d) 取引先や金融機関に関する事項

各取引先の経営者、取引内容（商品、規模等）や経営状態は、自社の経営を左右するので、できるだけ詳細に把握し共有する必要がある。

金融機関についても、融資・預金関係、取引の経緯、支店長や担当者については、後継者と共有すべきであろう。

(e) 業法に関する事項

会社の業種によっては、それに応じた業法による規制がなされ、会社自体や特定の事業に関して、その規制を遵守するとともに、免許、認可、届出等が要求される場合がある。このような会社では、通常、これらの業法に違反すると行政処分を受け、場合によっては営業停止、免許取消しなど、会社自体の存続が危ぶまれることにもなりかねない。したがって、関連する業法やその関連手続、遵守状況についても把握し共有しておく必要がある。

d 資産の「見える化」

事業承継が課題となる中小企業では、たとえば、経営者個人所有の土地上に会社所有の本社建物や工場が建てられ、土地の賃貸借契約が締結されている、経営者の個人資産が会社の債務の担保に提供されている、経営者個人が会社に金銭を貸し付けている等、会社財産と経営者の個人資産が混同した状態で事業に利用されていることが少なくない。

そのため、後継者に承継すべき経営資源を明確にするためにも、会社財産と個人資産を明確化しておくことが必要である。たとえば、経営者所有の不動産で会社事業に利用しているもの、会社借入れに際しての経営者の担保提供、経営者と会社との間の貸借関係、経営者保証等を確認する。また、経営者が保有する自社株式については数の確認とともに株式評価も行っておくとよい。

この資産の「見える化」では、事業承継の手法（親族内承継、第三者承継・M&A）との関係において将来トラブルになるリスクやその防止策も課題として整理する必要があることから、弁護士が積極的に関与できる部分である。

具体的には、経営者に対するヒアリングと、不動産登記事項や契約書等の裏付資料を確認し、権利関係を整理する。あわせて、過去に経験した事例や判例をもとに想定されるリスクを整理し、取りうる対応策を検討することになる。それだけでなく、「見える化」としては、検討した結果を報告書にまとめ、経営者やほかの専門家と情報共有できるようアウトプットすることが重要である。

⑷　事業承継課題の「見える化」

円滑な事業承継のためには、以上の会社の経営状況の「見える化」だけでなく、承継そのものについての課題も「見える化」し、関係者で共有する必要がある（事業承継ガイドライン23頁）。

具体的には、以下のａ～ｃのとおりである。

ａ　後継者候補についての課題

後継者候補が存する場合は、その候補者が後継者にふさわしいかどうか、能力はどうか、等についてである。経営者として身につけておくべき知識・経験は多岐にわたるため、後継者候補を早期に選定し、課題を「見える化」したうえ、計画的に育成する等の対応が重要である。

後継者候補がいない場合は社内外における候補者の可能性の検討等が重要である。

b　後継者候補に対する関係者の受容状況

後継者は先代経営者等が決めればそれで完結、というものではなく、親族、役員・従業員、取引先や金融機関といったステークホルダーから受容されなければ、承継後の経営が円滑に進まない。したがって、これらのステークホルダーから異論が生じる可能性がある場合は、その対応策を事前に検討する必要がある。

c　事業承継の類型ごとの課題

実際の承継の類型（親族内承継、従業員承継、社外への引継ぎ（M&A）等）に応じ、それを円滑に進めるため、その課題を把握しなければならない。

どのような課題があるかについては、本書第３部「類型ごとの課題と対応」を参照されたい。

4　ステップ３（磨き上げ）

(1)　事業の「磨き上げ」とは

事業承継に向けて、あらかじめ中小企業の体力・体質を強化しておく必要があり、また、後継者が跡を継ぎたくなるような経営状態に引き上げるためにも、より良い状態で後継者に事業を引き継ぐための経営改善や魅力づくりの取組みが必要である。この取組みを事業承継における事業の「磨き上げ」と呼ぶ。

(2)　後継者が跡を継ぎたくなる魅力づくり

後継者候補が跡を継ぎたくなる事業の魅力は人によってさまざまであると考えられるものの、生活の糧を得るための仕事として承継する以上、経済的な収入は重大な関心事である。そのため、後継者が跡を継ぎたくなる魅力づくりの第一として、財務状況の改善が重要である。

もっとも、財務状況が良好であっても、後継者が自分の力を発揮してやりがいを感じる事業と思えなければ、承継したいという意欲は生まれないであろう。そのため、第二に、後継者でも経営に力を発揮できる仕組みづくりとしての経営改善も重要である。

さらに、後継者は、事業承継の対象となる事業に将来性があり、かつ、自分がかかわることで事業の将来をより良いものにできると確信できてはじめて、事業承継に意欲をもてる。そのため、第三に、将来的な事業展開に向けた経営改善も重要になる。

(3) 事業の「磨き上げ」の具体的内容

a 本業の競争力の強化

事業承継ガイドラインでは、「磨き上げ」の内容として、まず、本業の競争力強化をあげ、そのためには、「強み」をつくり、「弱み」を改善する取組みが必要であるとし、たとえば、自社シェアの高い商品・サービス等の拡充等が考えられるとしている（事業承継ガイドライン25頁）。

しかし、既存業務と並行して、これらすべてに取り組むことは困難であり、また、漠然と取り組むだけでは、競争力の強化にはつながりにくい。したがって、競争力の強化のためには、自社が競合他社を卓越し、顧客から支持される独自の価値（収益の源泉となるもの）を正確に理解し、重要度の高いものから優先順位をつけて取り組むべきである。

また、その際、「弱み」を克服するよりも「強み」を強化する取組みのほうが有効である。なぜなら、「弱み」を克服するには時間がかかるうえ、モチベーションも上がりにくく、仮に克服できたとしても、競合他社を卓越するような価値を提供できるレベルに引き上げることは困難を伴うからである。また、「強み」と「弱み」は表裏一体の関係にあることも多く、「弱み」を克服しようとした結果、「強み」を失うこともある。

このような本業の競争力強化の取組みには、前述の「事業価値を高める経営レポート」や「知的資産経営報告書」を活用し、強みとなる知的資産を活用した事業ストーリーを作成することや、「経営力向上計画」を策定・実行することが有効である。「経営力向上計画」とは、中小企業・小規模事業者等が作成する、人材育成、コスト管理のマネジメントの向上や設備投資等、事業者の経営力を向上させるための取組内容などを記載した事業計画である。平成28年７月に施行された中小企業等経営強化法では、中小企業・小規模事業者等による経営力向上のための取組みの支援措置として、「経営力向上計画」の認定を受けた事業者は、機械および装置の固定資産税の軽減（資本金１億円以下の会社等を対象、３年間半減）や金融支援等（低利融資、債務保証等）の特例措置を受けられることとしている。

計画の作成にあたっては、現状把握のプロセスによって「見える化」した会社の状況を「現状認識」の項目に整理する。そのうえで、現状をふまえて経営力の向上に取り組むべき内容を「経営力向上の内容」として列挙し、「経営力向上の目標及び経営力向上による経営の向上の程度を示す指標」の項目には、数値で測定できる指標を記載する。たとえば、新商品の投入による売上げの増加を経営力向上の内容とする場合は、「売上高増加率」を指標として設定し、現状の数値、計画終了時の目標、伸び率を記載する。さらに、これらの内容と整合するかたちで「経営力向上を実施するために必要な資金の額及びその調達方法」「経営力向上設備等の種類」を記載する。

なお、「経営力向上計画」は書式が簡略化されており、弁護士にも利用しやすいと思われる。とはいえ、何を経営力向上の内容とすべきかは経営に関する専門的な知識経験が不可欠であるから専門家との連携が必要である。

経営力向上計画の書式および記載例については、中小企業庁のホームページを参照されたい。

b　経営体制の総点検

事業承継ガイドラインでは、事業承継後に後継者が円滑に事業運営を行うことができるよう、事業承継前に経営体制の総点検を行う必要があるとし、その内容として、従業員のやる気の向上、ガバナンス・内部統制の向上、そして、経営資源のスリム化に取り組むこと、が重要であるとしている。

このような経営体制の総点検は、財務面、生産面、営業面、人事面というように、会社の機能ごとに課題や問題点を整理し、改善に取り組むことが効率的である。そして、現状把握において整理し、「見える化」した経営上の問題点や課題のなかには、株主構成や経営権に関する問題、生産面や営業面においては商品に不良があった場合の問題や取引先との契約上の問題、財務面においては金融機関等との資金調達に関する問題、人事面においては従業員との間の労務上の問題、その他にもさまざまな法律上の問題が含まれているはずであり、これらは弁護士が関与すべき「磨き上げ」の重要な内容である。

もっとも、経営体制の総点検に取り組む目的は、より良い状態で後継者に事業を引き継ぐためである。そのためには、先代経営者と後継者が、将来の承継後の円滑な事業運営に向けて、どのような経営体制で臨むべきかを明確化し、先代経営者が社内に求心力を有している段階で、後継者が経営しやすい体制を構築するために重要なことから優先的に実行していく必要がある。たとえば、事業承継の実行時点では、後継者の経営能力がいまだ十分ではないと考えられる場合は、先代経営者のワンマン体制から、周囲が経営者をサポートしてチームとして事業活動を行う体制に改善していくことが重要となる。そのような組織体制に移行するにあたり、長時間労働やサービス残業などの労務上の問題が阻害要因となっている場合には、こうした問題に優先的に対処する必要がある。

このように、事業の磨き上げにかかわる弁護士としては、事業承継という目的に向けたさまざまな経営改善の取組みのなかで、その会社にとって何が重要であるかを理解し、それをふまえて、法務面のサポートを行うという姿勢が求められる。

c　経営強化に資する取組み

事業承継ガイドラインでは、足元の財務状況をタイムリーかつ正確に把握することが適切な経営判断につながり（財務経営力の強化）、財務情報を経営者自らが利害関係者（金融機関、取引先等）に説明することで、信用力の獲得につながる（資金調達力の強化、取引拡大の可能性）とされている。

具体的には、「財務状況をタイムリーかつ正確に把握する」については、税理士等の専門家の協力を得て「中小企業の会計に関する基本要領」等を活用した適正な会計処理を行うとともに、月次の試算表を作成する、「財務情報を経営者自らが利害関係者に説明する」については、先代経営者や後継者が財務状況を理解し、定期的に金融機関等に説明をする、等の方策が考えられる。

この点、財務情報の数字は、過去の経営に対する結果を表すものであるから、ことさらに過去の数字に一喜一憂する必要はない。むしろ、過去に行ってきた取組みが、結果として数字に反映されているかどうかを検討することが重要である。たとえば、新商品の投入や営業上の対策の結果が売上げに表れているか、生産性を高めるために実施した5S（整理、整頓、清掃、清潔、躾）活動が不良ロスを減少させ、材料費や人件費の削減につながっているか、などである。そのためには、各取組みの成果を、どのような数字をもって判断するのかをあらかじめ決めておき、その数値を確認しながら、過去の取組みを見直すことが重要である。このようにして、過去の取組みを財務情報で評価し、次の取組みにつなげることが財務経営力の強化に役立つ。

また、財務情報を利害関係者に説明することによって、資金調達力を強化し、取引拡大を図るためには、経営者自らが、過去の取組みの成果がどの数字に表れているかを、金融機関や取引先にわかりやすく説明することが重要である。過去の取組みが成果として数字に表れていることが金融機関や取引先に理解されてこそ、新たな設備投資のために新規融資を受けることができたり、販路開拓への協力を得られたりするからである。この点については、事業再生等の場面で弁護士が金融機関に対して再生計画の実現可能性を説得的に説明する場合と類似している。最低限の財務に関する知識は必要であるが、財務情報の数字が、どのような取組みによるものか、第三者に対して、根拠を示して論理的に説明する際には、弁護士としての日常業務で培われたスキルを活用できる。

d　業績が悪化した中小企業における事業承継

(a)　総　　説

これまで、事業承継に際して、あらかじめ中小企業の体力・体質を強化し、後継者が跡を継ぎたくなるような経営状態に引き上げるための経営改善（磨き上げ）について述べてきた。ただ、すでに経営状態が悪化し、債務整理等の事業再生を行う必要がある中小企業においては、その必要性、緊急性はより顕著であり、また、その対応策も抜本的なものが求められる。

(b)　業績改善（利益向上）と債務調整

経営の悪化した中小企業の財務状況を改善し立て直すことは、円滑な事業承継のためにきわめて重要だが、まず注意すべきなのは、「業績改善（利益向上）」と「債務調整」を分けて考えることである。

すなわち、窮境に陥った中小企業とは、①利益があげられない、②債務（対金融機関の負債）が過剰である中小企業である。経営を立て直す（事業再生）には、①で黒字を出していくこと、②で過剰な債務を調整する必要がある。重要なのは②よりも①である。事業が赤字であれば債務の返済原資すら出せず、早晩倒産してしまう。しかし、事業が利益を安定的に出せれば、負債が大きくても、今後生み出せる利益に比して過剰な負債部分をカットすれば、事業は存続できる。

経営の苦しい中小企業は、①の業績改善すなわち利益向上に取り組まなければならない。①で安定して利益を出せる見通しが立てば、②の債務調整は手続に時間や手間がかかるものの、おのずから実現は可能である。

(c) 事業承継と事業再生

事業承継と事業再生は密接に関連する。

まず、事業承継が事業再生を促す面がある。たとえば、業績不振は経営者が顧客のニーズの変化に即応できないことが原因であることが多い。昔は「つくれば売れる」時代であったが、いまは顧客のニーズにきめ細やかに対応する必要があるといわれることもある。若い世代の子息子女や役員・従業員、あるいは社外の第三者が事業を承継すれば、現経営者とは違った視点や感性で売上げをてこ入れできる可能性が開ける。

また、現経営者が業績不振の責任を明確にして退任をし、後継者に譲ることにより、事業にメスを入れて抜本的な改革（たとえば、大胆なリストラなど）を行うことが容易になる面がある。さらに、対金融機関負債の一部免除を受けるにあたっては、金融機関から経営者責任を厳しく問われるケースが多く、事業承継は経営者責任を明確にする一つのあり方である。

このような意味で、事業承継自体が事業再生すなわち業績改善の大きなチャンスであるといえる。

他方、事業再生が事業承継を促す面もある。業績改善により利益を安定的に出せる経営体質に変えていくことは、親族や役員・従業員を安心させて承継に前向きにさせるし、第三者承継（M&A）において対価を増大させ、金融機関からの債務免除等を受けやすくなる要因となる。

(d) 業績改善（利益向上）の進め方

(i) 窮境原因の分析・除去と経営改善計画の策定・実行・検証

経営の苦しい会社であれば、まず窮境原因を把握・分析することである。

方法としては、財務面では、キャッシュの流れに着目して、支出を細目ごとに円単位で明らかにし、売上げに貢献していない無駄なコストは何かを洗い出すのが有用である。また、部門別・商品別・得意先別・営業担当者別等に分けて、それぞれの損益を明らかにすると赤字の原因が明確になる。生産性を悪化させている要因（時間的・空間的な無駄の発生）については、現場の従業員によるブレインストーミングやアンケート、意見交換等により明らかにする方法が考えられる。

窮境原因が明らかになれば、次に窮境原因を除去するための経営改善計画を策定する必要がある。具体的な方策について、内容・期限・責任者を明確にして実行し、その結果を検証していく必要がある。

(ii) 生産性の向上

業績改善のためには、生産性の不断の向上が欠かせない。事業承継を機に、新しい経営者がこれまでと異なる視点や発想で取り組むことも有益である。生産性の向上には、売上げの向上（提供する商品サービスの価値の向上）と効率の向上（コスト削減）という２つの側面がある。

売上げの向上にあたっては、①新規顧客層への展開、②商圏の拡大、③独自性・独創性の発揮、④ブランド力の強化、⑤顧客満足度の向上、⑥価値や品質の「見える化」、⑦機能分化や他社との連携、⑧ITの利活用、などが考えられる。

効率の向上にあたっては、①空間コストの削減（5Sや動線・レイアウト改善による無駄の削減など)、②時間コストの削減（計画的な業務割当てや事務作業の改善による時間効率の向上、多能工や外部委託の活用など)、などが考えられる。

以上の点は、下記の資料が事例が豊富であり、参考となる。

・経済産業省「中小サービス事業者の生産性向上のためのガイドライン」（平成27年１月、平成28年２月改訂（事例追加））

・財務省関東財務局「生産性向上・人材投資事例集」（平成30年２月21日）

(iii) キャッシュアウトの抜本的な削減

中長期的には売上げや付加価値の向上が重要であるが、経営が苦しい状況においては、まずはキャッシュアウトするコストを見直して削減することが急務である。売上げは外部環境に左右されるが、費用は自社でコントロールできるし、わずかな経費の削減でも売上げに換算すると効果が大きい。また、現経営者が退任する事業承継の局面では、経営者責任をとることと引き換えに、抜本的な費用削減の策を講じる好機である。

コストの抜本的な削減の一つとして、人件費の削減がある。「人財」という言葉があるように、事業において人は最大の資産であり、悩ましい問題である。きちんとした分析もせずにやみくもに給与を一律カットすれば優秀な人材もモチベーションが落ちてしまうが、経営状況が厳しければ、収益に貢献している人材とそうでない人材を選別して、後者に退職してもらうことも検討する必要がある。無論、退職勧奨にあたって強要といわれないように注意して行い、経営者自らが会社の窮境を説明して誠意ある対応を尽くさなければならない。

また、社長、役員やその親族に対して、働きに見合わない固定費などが支払われていればカットすべきだし、事業の収益に貢献しない遊休資産があれば、売却処分してキャッシュを捻出すべきである。賃借している事務所や工場の賃料が高ければ、賃料相場の安い場所に移転して、スペースを節約することも検討すべきである。

さらに、仕入れ・外注コスト削減のために、相見積りによる仕入先・外注先の選別も検討されるべきである。もっとも、相見積りにあたっては、やみくもに金額の削減だけを追求しないように注意する必要がある。長年の取引関係により、無償でサービスを受けられたり、支払を猶予してもらえたり、ほかでは得られない貴重な情報を教えてもらえる等の、金銭ではかえられない利益が享受できる場合もあるからである。

(iv) 窮境状況における業績改善のポイント

① 数字の結果にこだわること（少なくとも窮境を脱するまでは）。

② 迅速果敢な決断と実行が鉄則である。早く実行すればそれだけ利益があがりキャッシュがたまるのと同じである。

③ 多くのことを同時並行でバランスをとりながら実行する。

④ 費用削減は効果を見極めて行わなければならない。「このコストがなくても売上げは減らないか」がメルクマールとなる。

⑤　小さなコストより大きなコストのほうがカットしやすい。ただし、小さなコストカットの地道な継続も大切である。

⑥　リストラに聖域は設けない。社内の常識の枠を取り払ってみる。

⑦　経営改善策を策定し実行を主導するメンバーは、複数が良いが人数は限定すべきである。「３人寄れば文殊の知恵」だが「船頭多くして船山にのぼる」は避けたい。

(e)　過剰債務の調整（条件の変更、債務額の一部免除）

(i)　短期的なリスケジュール

過剰な債務（対金融機関の負債）を調整するためには、まず金融機関との間でリスケジュール（返済条件の変更）の合意をして、経営改善に取り組むのが王道である。

リスケジュール（リスケ）は、元本は据え置きにして、１回当り６カ月刻みで（６カ月後を元本一括返済期日とする）１年から２、３年程度続くのが一般的である。金融機関にリスケに応じてもらうには、財務資料を提出し、将来の返済の見通しを示す必要がある。

リスケ中でも約定利息は支払わなければならない。また、すべての金融機関に一律にリスケを受ける必要がある。リスケ中は新規融資を受けられなくなることに注意しなければならない（逆にいうと、金融機関から新規融資を受けられない状況になったら、リスケの申込みを考えるタイミングである）。

リスケとは、経営改善で利益をあげるまでの間に、暫定的に元本の返済猶予という支援を受けるものであり、リスケ中に経営改善に取り組んで結果を出していかなければならないことを肝に銘じる必要がある。

(ii)　中長期的な債務の調整と債務免除

リスケ中に経営改善が果たされ、中長期的に対金融機関負債を分割で完済できるメドが立てば、そのような返済計画を合意することになる。

しかし、負債が過剰で完済の見通しが立たないような場合には（一概にはいえないが、「税引後経常利益＋減価償却費－設備投資額」の７、８割程度を返済原資として10～15年程度で完済できるかが一つのメルクマールと思われる）、完済可能な額以上の負債額について一部免除を受ける必要が出てくる。

(iii) 法的再生（法的整理）と私的再生（私的整理）

債務免除の方法としては、大きく法的再生（法的整理）と私的再生（私的整理）がある。

法的再生（民事再生手続）は、金融機関、取引先も含めた全債権者の多数決（議決権者の過半数および議決権総額の２分の１以上の同意）により負債の免除が受けられる。債権者による法的権利行使も制限することができるし、否認対象行為があれば監督委員が否認することができる。

他方、取引先の債務も一律カットするため、取引先の信用を失うこと、風評被害のリスクというデメリットが指摘される。また特に初動段階では、取引先対応などで代理人弁護士が相当に労力を割かなければならない場合が多い[1]。

したがって、民事再生手続は①スポンサーが早期について、信用補完や資金支援を受けられる、②日銭商売で資金繰りに支障がない、③ニッチな分野を押さえていて売上げが落ちるリスクが少ない、④一部の債権者から法的権利行使がなされたかなされるおそれがあり、それにより事業に支障が生じるおそれがある、⑤否認対象行為が存在し、その行為を否定して損失を回復することが事業の存続に必要である、といった事情がある場合に有用である。

私的再生は、金融機関のみとの間で債務の返済条件について協議し、全金融機関との間で同意を得て債務の一部免除を受け、取引先には秘密にする手法である。取引先を巻き込まずに事業価値を維持できるという点から、債務免除は私的再生を選択するのが一般的である。

(iv) 債務免除が成立する要件

金融機関から債務の一部免除を受けるのは、きわめてハードルが高いことを覚悟すべきである。

一般論としては、①再建計画の実現性、②財産隠しや粉飾決算も含めた徹底した情報開示（透明性）、③経営者責任の明確化、④清算価値の保障（破産するよりも弁済額が大きい）、⑤自助努力、⑥債権者間の衡平性、などが求められる。

1　債務者代理人として民事再生手続の申立てをするにあたっての詳細は、東京弁護士会倒産法部編『民事再生申立ての実務』（ぎょうせい、2012年）を参照されたい。

③については、金融機関から現経営者の退任を求められるケースが多いので、事業承継は一つの契機となりうる。

(v) 債務免除を受けるスキーム

中小企業が金融機関から直接債務免除を受けるケースもあるが、多くは第二会社方式という手法が使われる（図表２－４参照）。

第二会社方式とは、別会社（新会社）に事業を引き継がせて、負債の一部を返済して残余の債務の免除を受け、元の会社（旧会社）は清算するという

図表２－４　第二会社方式のスキーム

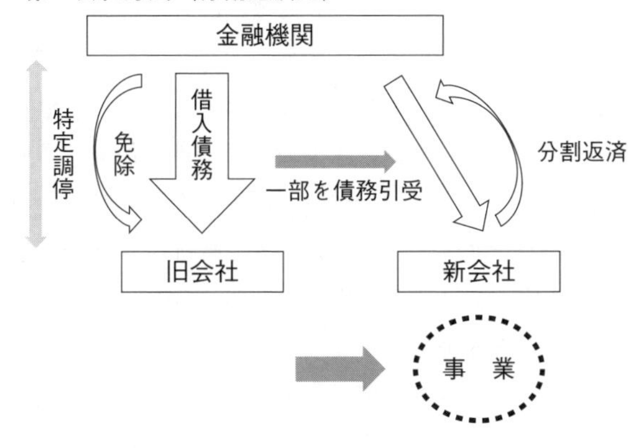

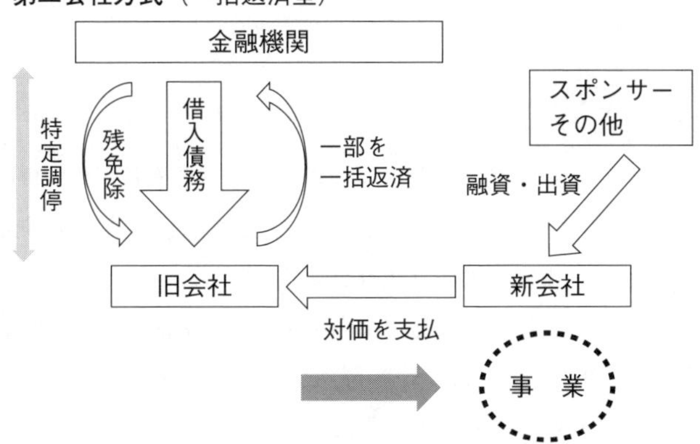

スキームである。

事業に価値（将来にわたって営業利益を出せる見込みがあれば、最低でもその営業利益の数年分となる。詳しい算定は公認会計士等の専門家に相談すべきである）があるのであれば、その価値に相当する額から必要な経費を控除した額を金融機関に弁済する必要がある。

金融機関に対する弁済方法によって、分割返済型（スポンサーなど事業譲渡代金の拠出者がいない場合に、負債の一部を新会社が債務引受して分割返済する）と一括返済型（スポンサーなど事業譲渡代金の拠出者がいる場合に、新会社が旧会社に事業承継の対価を支払って、旧会社がこの対価を原資に金融機関に一括返済する）がある。一括返済型のほうが金融機関の理解を得やすく、事業承継の対価となる資金の調達がむずかしい場合には、分割返済型も魅力的であるが、金融機関を説得するハードルが高くなる。

第二会社方式のメリットとしては、①旧会社を法的に清算するので債権者（金融機関）が債務免除をするにあたって無税償却（免除額を税務上の損失として処理すること）を受けやすい、②偶発債務を遮断できるのでスポンサーとしてもお金を出しやすい、③事業承継という観点からも、新しい経営者による出発というイメージを発信しやすくなる、といった点がある。

第二会社方式で注意すべき点としては、①事業承継の対価を適切に算定してその分は債権者（金融機関）に弁済する（公認会計士等の専門家に相談して評価算定書を作成してもらうのが望ましい）、②債権者に対して不公平な弁済をしない、③債権者（金融機関）と誠実に協議をして理解を得る、④法人格否認、詐害行為、商号続用等による債務承継等の責任を追及されないように留意する、といった点である。

⒱ 私的再生で債務免除を受けるための手続

私的再生により債務免除を受けるためには、①債権者（金融機関）が無税償却できる、②信用保証協会の求償権放棄を受けられるようにするため（ほとんどの中小企業は信用保証協会付融資を受けている）、第三者機関を介在させた準則型の手続を踏む必要がある（準則型私的整理手続とも呼ばれる）。

準則型私的整理手続には、事業再生ADR、地域経済活性化支援機構（REVIC）、中小企業再生支援協議会などの制度がある。

このなかで、中小企業再生支援協議会は、各都道府県に設置された中小企業再生支援協議会が公正中立な第三者としての立場から、窮境に陥った中小企業を事業面、財務面で詳細に調査して窮境原因等を分析し、債務者企業が同協議会の支援を受けて作成した再生計画案を金融機関に提示し、債務者企業と金融機関の債務調整を行うものである[2]。

これらの準則型私的整理手続は，中立公正な第三者機関が金融機関との調整機能を発揮する点がメリットであり，特に中小企業再生支援協議会は、金融機関から活用を薦められることが多い。ただし、手続の間に資金繰りが維持できて資金ショートを回避できることが条件となる。

近時、新たな運用が開始されて注目されているのは特定調停制度である[3]。これは，簡易裁判所において調停委員を介した協議を行う手続である。簡易迅速で，スケジュールや計画内容を柔軟に設定できる等の利点があるが，申立て前に債権者（金融機関）との間で入念に事前調整できることが鍵となる。

5　ステップ4（計画の策定）

(1)　事業承継計画の策定（親族内承継、従業員承継の場合）

a　事業承継計画の重要性

事業承継は、会社の経営を、だれが、いつ、どのように承継するのかを決めるとともに、その実行に向けて、法務や税務、資金調達等の観点からも十分に検討されたうえで進めなければならない。このように事業承継は、多面的で複雑な検討を要するものであるため、これを確実かつ円滑に実行するためには、具体的な実行計画（アクションプラン）を立てることが必要不可欠といえる。これを「事業承継計画」という（事業承継ガイドライン28頁）。

このような事業承継計画は、すでに述べたとおり、人（経営）の承継（後継者の選定・育成）、資産の承継（自社株・事業用資産の承継）に関するものが主たる要素ではある。しかしながら、事業承継自体が会社の生きた事業の維

2　中小企業再生支援協議会については、日本弁護士連合会日弁連中小企業法律支援センター編『中小企業事業再生の手引き』（商事法務、2012年）第4章を参照いただきたい。

3　特定調停制度に関しては日本弁護士連合会が会員向けに策定した手引きを参照いただきたい（日本弁護士連合会ホームページ参照）。

持・発展を目的とするものであるところから、単にこれらの承継に関する手続計画ではなく、事業の過去と現状の分析を通じた自社の強み、経営課題等を十分に認識したうえで、その強みを伸ばし、経営課題を克服するための事業計画（経営計画）と密接にかかわるものであり、すでに述べた「見える化」（ステップ２）および経営改善（ステップ３）の内容をふまえて策定されるべきである。

また、事業承継計画の策定に先立ち、先代経営者がこれまでに築いてきた会社の経営理念や価値観、事業目的、社会や地域における存在意義などを明文化することなどにより再確認し、後継者や従業員と共有することも重要なプロセスといえる。

これらのプロセスについては、専門的知見を要する事項も含まれるので、先代経営者や後継者のみならず、弁護士、税理士、公認会計士らの専門家と十分に協議したうえで進めることが重要である。

b　事業承継計画の内容

(a)　中長期目標の設定

すでに述べたとおり、事業承継に際しては、後継者が承継後も円滑に会社経営を維持・発展できるよう、経営状況や課題等の「見える化」（ステップ２）、経営改善（ステップ３）の作業が行われるべきとされている。しかしながら、これらのプロセスで作業が完結するのではなく、その後も自社の状況や外部の環境変化も織り込んだうえで、継続して取り組む必要がある。そこで、事業承継ガイドラインは、自社の現状とリスク等の把握を基に中長期的な（たとえば10年後の）方向性・目標を設定すべきものとしている（事業承継ガイドライン29頁）。

(b)　２つの側面

事業承継への対応としては、会社側として取り組むべきものと、先代経営者や後継者個人に関するものの双方を含む。そのため、事業承継計画の策定にあたっては、会社における計画としての側面と、先代経営者や後継者に係る個人の承継の側面を有するものの２つから検討されなければならない。

(c) 会社自体に関する計画

(i) 事業について

前述のとおり、会社の事業については、自社の強みを伸ばし、経営課題を克服したうえ、事業を維持発展するための中長期的な目標を設定する。たとえば、現在の事業の維持か拡大か、事業領域にとどまるか否か、等のイメージを描き、売上げ・利益・シェアなどの具体的な指標で示すことが考えられる。

(ii) 組織体制について

この事業に関する具体的な目標を実現するため、会社の組織体制等のあり方についても検討が必要であり、具体的には、次の観点での整理が有益である。

- 人的資源　従業員や役員についてどのような組織運営体制にすべきか
- 物的資源　現状分析をふまえて設備や技術をどのように強化すべきか
- 知的財産　目にみえない技術やノウハウをどのように活用すべきか

この整理に従って、事業承継計画に、たとえば、取締役会や監査役の導入、役職員の職制や給与規定等の制定・変更、設備投資計画、知的資産の管理方法等の時期や規模等を記載する。

(iii) 資本政策

以上の計画の策定とともに、株主構成の今後のあり方について検討する必要がある（資本政策の策定）。

具体的には、迅速かつ安定的な意思決定を優先する観点から自社株（議決権）を後継者に集中させるのか、一定の牽制やネットワークの利用等を期待して一定程度分散させるか、従業員持株会を設けるのか、東京中小企業投資育成株式会社などの第三者株主を入れるか、無議決権株式などの種類株式を利用するか、相続人等に対する売渡請求等、後継者以外の者が保有する自社株の買取りの方策を導入するか、など、現状や将来の見通しという観点からさまざまな資本政策が考えられる。

事業承継計画の策定に際しては、これらの点についての基本方針を決定し、具体的なアクションプランに落とし込むことになる。たとえば、従業員持株会の設置、増資、種類株式の導入、自社株の買取り等を行うのであればその時期や手続（株主総会、定款変更等）、自社株を分散させるのであればその時期、方法、株主となる者とその株式数、についても整理しておく必要がある。

(d) 先代経営者・後継者個人に関する計画

親族内承継や従業員承継の場合は、上記中長期計画のなかで、人（経営）の承継、自社株や事業用資産等の承継における課題の対応策を落とし込んでいくことになる（それぞれの課題と対応策については、本書第３部第１「親族内承継」、第２「従業員承継」を参照されたい）。

(i) 人（経営）の承継

親族内承継や従業員承継においては、後継者の選定・育成、会社をめぐるステークホルダー（役員や従業員、取引先、金融機関等）による受容、というプロセスを経る必要がある。そこで、後継者については、社内における部署ローテーション、段階的な権限委譲により責任者としての経験を積ませる、社外セミナーを利用した研修等のスケジュール、あるいは、後継者であることを外部に周知する、等を盛り込む。

また、経営者の交代スケジュールについても記載する。先代経営者の引退、後継者の経営者就任に関し、たとえば、社長・会長、代表取締役や取締役の就退任の時期や手続（取締役会、株主総会)、役員報酬の額や退職金の支払時期・金額等である。

(ii) 自社株・事業用資産等の承継

会社関係で資本政策を計画したら、先代経営者から後継者個人への自社株や事業用資産の承継について、具体的な時期、方法を検討することになる。たとえば、方法については生前贈与か売買か持株会社を通じた取得か、取得の手続と費用を検討する。その際、たとえば後継者が先代経営者の推定相続人の場合には他の推定相続人の遺留分が問題となりうるし、その他遺言や信託、種類株式の活用等、各種法的手続の検討が必要となることから弁護士による支援が不可欠である。また、その際の税負担への対応（自社株等の価額算定、課税関係や特例の利用等）も必要であるから、税理士や公認会計士の関与も必要といえる。

そして、これらの法律・税務・会計の専門家による分析や助言をふまえて、自社株や事業用資産の取得のためのスキームを決定し、具体的な時期と必要となる手続を事業承継計画に反映していく。

(iii) 負債・保証・担保の処理

現在、多くの中小企業においては、会社が金融機関から融資を受ける場合、経営者個人が保証したり個人資産を担保提供したりすることが多いため、事業承継（経営者が先代経営者から後継者に交代）の際には、その処理を迫られることになる。したがって、その処理の時期や方法についても、事業承継計画に落とし込むことになろう（経営者保証に関するガイドラインの活用等。詳しくは、本書第３部第１「４　債務・保証・担保の承継」）。

(e) 資金調達

以上、会社の関係では、新規事業の立上げ、組織体制の変更（リストラ等）、設備投資、自社株の買取り、先代経営者の退職金等について、一定の資金手当が必要となる。

また、先代経営者や後継者個人に関する資産の承継（自社株等の承継、保証・担保の処理）についても、その取得資金や納税資金等の資金需要が発生する。

そこで、これらの資金需要への対応についても、金融機関からの融資、増資等の方策について、あらかじめ検討のうえ、事業承継計画のなかで十分に手当がなされる必要がある。

(f) 事業承継計画策定における留意点

(i) 有 効 性

そもそも事業承継計画は、それが実行されれば想定する効果が実現できるものでなければならない。そのためには、会社法や定款、有効な契約に基づく手続や権利義務の移転であることが必要となる。また、取引先や金融機関との契約に違反しないことも必要である。

(ii) 実行可能性

次に、適法・適式な事業承継計画であっても、それが実際に実行可能でなければならない。たとえば、実現のために第三者の合意が必要な場合にはその合意が、合意ができても資金が手当できなければ実行には至らない。したがって、事業承継計画の策定に際しては、具体的な実行の場面を想定し、実行可能性を検証する必要がある。

(iii) 安定性

最後に、適法かつ実行可能であるとしても、承継後に安定的に事業が継続できなければ意味がない。たとえば、承継後に相続人間で紛争が生じたり、想定外の課税が生じて資金に窮したりするようでは、後継者が経営に専念することができない。

そのため、事業承継に際しては、既存株主や後継者以外の推定相続人、役員、従業員、取引先、金融機関といったステークホルダーによる受容がきわめて重要である。これは単に法的に有効な手続を実行したというだけでなく、感情面も含めて真に納得していることが望ましい。そうでなければ、たとえ事業承継時において有効に実行できたとしても、事後的に紛争に発展してしまう可能性が残るからである。

また、ステークホルダーから受容されていない場合には、経営は無事に承継できても、円滑な継続が困難となり、ひいては事業そのものの価値が毀損され、結果として事業の存続が困難となる事態も考えられる。

(g) 事業承継計画の書式

事業承継計画の参考例として、事業承継ガイドラインの事業承継計画様式を紹介する。当該書式は、独立行政法人中小企業基盤整備機構のホームページから入手可能である。

また、当該書式を用いた記載例（書式２－１）を参考にされたい。

(2) 第三者承継における承継計画（M&A）

a 承継計画の概要

第三者承継は、承継先を自社の外部に求めることから、候補者の募集（マッチング）と承継条件の交渉という２点において、親族内承継・従業員承継と大きく異なる（なお、従業員承継においても自社株等の価額については利害が対立する構造といえる）。

その一方で、第三者承継においても、ステップ２（見える化）、ステップ３（経営改善）の検討は非常に重要である。なぜなら、これらの手続をふまえ、自社の財務状況や事業の強み・経営課題を把握し、かつ中長期の事業計画を策定して一定の磨き上げを行うことにより、承継候補者の現れる可能性が高まるとともに、候補者との承継条件の交渉においても有利に働くからである。

そのため、第三者承継における承継計画の概要は次のようになる。

① 自社の現状分析（見える化）による強みと経営課題の把握 ② 自社の中長期における事業計画を通じた成長可能性（事業価値）の把握 ③ 上記②をふまえた望ましい承継候補先と承継条件の内部検討 ④ 承継候補先の募集（マッチング） ⑤ 承継候補先との条件交渉 ⑥ 利害関係者（株主、債権者、従業員等）への説明、協議、交渉 ⑦ 第三者承継（M&A 等）の実行

もっとも、以上は一般的なプロセスであり[4]、具体的なプロセスは、各事案に応じて臨機応変に決定すべきものである。

b　マッチング

第三者承継における承継候補先は、まず先代経営者の人脈を通じて検討されることが通常である。その際には、同業他社が検討されることが多いが、上述の自社の現状分析や中長期的な事業計画を検討する過程で、同業他社に限らず、自社の強みに興味を示す可能性のある他の候補企業が浮かび上がることも多い。そのため、親族や従業員に後継者が見つからない企業においても、専門家の支援を受けながら、ステップ２およびステップ３のプロセスを十分に検討することが重要である。

しかし、そのような自社内での検討を行っても承継候補先が見つからない場合には、マッチングを専門とする仲介会社の支援を受けることや、オンラ

4　第三者承継の一般的なプロセス、および仲介会社や士業専門家の役割については、中小企業庁『中小 M&A ガイドライン―第三者への円滑な事業引継ぎに向けて―』（2019 年３月公表）にも詳しく記載されている。

書式２－１　事業承継計画（記載例）

事業承継計画表

社名	ニチベン株式会社	後継者	(親族内)・親族外

基本方針

①日弁太郎から日弁一郎への親族内承継（太郎の子として他に花子と二郎がいるが経営承継意思はない）
②４年目に代表権を一郎に移転し、太郎は代表権のない会長に就任。７年目に会長退任。
③親族が保有する株式を早期に太郎に集約。
④株式評価や税務対策について税理士・公認会計士の助言を得ながら事業承継税制を利用しつつ進める。
⑤各種契約、会社法上の手続、遺言書作成、関係者間の利害調整等について弁護士の助言を得ながら進める。

	項目	現在	1年目	2年目	3年目	4年目	5年目	6年目	7年目	8年目	9年目	10年目
事業計画	売上高	8億円				10億円			12億円			
事業計画	経常利益	4千万円				5千万円			6千万円			
会社	定款・株式・その他	株式価値の算定 中期経営計画策定	定款変更（株券不発行・種類株式発行） 役員退職慰労金規程		中期経営計画見直し	太郎に退職慰労金支給		中期経営計画見直し				
現経営者	年齢	65歳	66歳	67歳	68歳	69歳	70歳	71歳	72歳	73歳	74歳	75歳
現経営者	役職	代表取締役社長				取締役会長			相談役			
現経営者	関係者の理解	家族会議	従業員へ承継計画を説明取引先・金融機関に説明									

	後継者教育												
	株式・財産の分配						自筆証書遺言作成 ※4						
	持株（%）		80%	95%	90%	85%	30%	25%	20%	15%	10%	5%	0%
				親族から株式取得									
後継者	年齢		35歳	36歳	37歳	38歳	39歳	40歳	41歳	42歳	43歳	44歳	45歳
	役職			取締役副社長			代表取締役社長						
	後継者教育	社内	工場	営業	営業	管理部門	管理部門						
		社外	外部研修	経営者育成塾			経営者勉強会						
	持株（%）			5%	10%	15%	70%	75%	80%	85%	90%	95%	100%
				普通株を毎年贈与（暦年課税制度）→ ※1			事業承継税制 ※2 ※3	普通株を毎年贈与（暦年課税制度）→					
補足	※1　親族から全株式を取得後、種類株式発行会社（無議決権・優先配当）とし、株式無償割当により既存株式の２割相当の無議決権・優先株式を割当て。 ※2　花子と二郎にはそれぞれ無議決権・配当優先株式を生前贈与 ※3　金融機関から資金調達 ※4　法務局における遺言書の保管制度を利用。												

【注意】計画の実行にあたっては専門家と十分に協議したうえで行ってください。

インで売主と買主をマッチングするM&Aプラットフォームなどが有用である。また、各地にある事業承継・引継ぎ支援センターは、専門家の紹介と仲介業者の紹介の双方の機能を有することから、身近にM&Aに精通した弁護士や税理士などの専門家がいない中小企業にとって有益な存在といえる。

c　承継先および承継条件の合理性

第三者承継においては、承継先の合理性と承継条件の合理性の確保がきわめて重要となる。

すなわち、経営者は、従業員や取引先、債権者等の利害関係者の利益も十分に考慮したうえで承継先を選定し、承継条件を決すべきであり、そのためには、承継先の選定プロセスが合理的なものであるかという観点と、ステップ2（見える化）およびステップ3（磨き上げ）を通じて得られた事業価値の評価と比較して、承継条件（承継対価）が合理的なものであるかという2つの観点からの検討が必要となる。

そして、現経営者は、仲介業者を通じて候補先を探す場合においても、これらの観点をふまえて、自らのみならず他の利害関係者の利益にもかなう承継先を選定すべきである。

d　第三者承継における留意点（専門家関与の重要性）

第三者承継においても、上述のとおりステップ2およびステップ3の重要性は親族内承継・従業員承継と異ならず、それゆえ当該プロセスにおける専門家支援の重要性も異ならない。

加えて、従業員や株主、取引先、金融機関等の理解を得るためには、承継先の合理性と承継条件の合理性があることを、これらのステークホルダーに対して十分に説明する必要があり、そのためには事業価値の算定資料や交渉プロセスを記載した資料が有用である。

さらに、仲介業者は、自社の幅広いネットワークを用いて承継候補先の募集をするため、マッチングという点において有益であることは間違いないが、他方で、仲介業者が譲渡側（売り手）と譲受側（買い手）の双方を代理する場合には、利益相反となるリスクが存在する。そのため、仲介業者との契約に際しては、このような利益相反のリスクを理解したうえで、仲介手数料、専任契約か否か、契約期間、途中解約の可否、テール条項（契約終了後一定期間内にM&Aが実現した場合にも仲介業者が手数料を取得する条項）などについて協議・交渉することが必要といえ、状況に応じて複数の業者と比較すること（セカンドオピニオンの取得）も検討に値する（中小M&Aガイドライン57頁以下参照）。

以上の点から、第三者承継においても、経営者の判断をサポートする専門家（弁護士や税理士・公認会計士等）の早期の関与が必要不可欠といえる[5]。

6　ステップ5（事業承継の実行）

⑴　実行の流れ

事業承継の実行については、前述の事業承継計画に沿ってなされることになる。

これらの事業承継の実行プロセスは、親族内承継や従業員承継においては、後継者の育成、環境整備、先代経営者（および株主）と後継経営者との間で自社株・事業用資産の譲渡というかたちで行われるのが通常である。ただし、債務超過企業の事業承継においては、会社資産は後継経営者が設立する新会社に譲渡し、過大な金銭債務等は既存の会社で整理する方法をとる場合があり（いわゆる第二会社方式）、この場合の事業承継の実行主体は、既存の会社と後継経営者が設立した会社といえる。

一方、第三者承継に際しては、通常、自社株の譲渡という方式をとる場合と、事業譲渡や会社分割などの資産の移転（承継）をとる場合がある。これら第三者承継における実行主体は、前者であれば株主、後者であれば会社およびその経営者といえるが、後者においても株主総会の特別決議が必要であることから株主も実行主体と整理できる。

⑵　実行の際の留意点

事業承継の実行に際しては、親族内承継、従業員承継、第三者承継のいずれにおいても、合理的な契約に基づき適法に実行する必要がある。すなわ

5　中小企業庁が公表した「中小M&A推進計画」においては、地方の小規模等のM&Aについて弁護士による必要な支援を充実させるために、2021年度中に、事業承継・引継ぎ支援センターと弁護士会の連携強化に向けて、地域の実情に応じて弁護士の紹介やお互いの人材育成等を行う組織的な取組みを開始する旨が示されている。

ち、事業承継に関する契約の内容が合理的なものであるとともに、法律および契約における諸規定を遵守し、適法・有効に実行されなければならない。

また、個人や会社の重要な資産が移転するため、税務上の観点で不測の事態が発生しないかについても十分に確認がなされたうえで実行する必要がある。

したがって、事業承継の実行に際しても、弁護士や税理士、公認会計士等の専門家の関与が必要不可欠であり、たとえ規模の小さな事業承継であっても、これら専門家の関与なくして実行することは、法的安定性を欠いた取引となる可能性が高く、新旧経営者や利害関係者にとって望ましいものとはいえない。

コラム

経営者の家族への情報の開示

円滑な事業承継のためには、弁護士等の専門家の関与のもと、準備の必要性の認識、経営状況・課題等の把握と改善、事業承継計画策定と実行というプロセスを経て進めることが重要、とされる（事業承継ガイドライン20頁以下）。しかしながら、経営者の家族への対応については、専門家であっても的確なアドバイスはむずかしい。

たとえば、業績が好調な中小企業の場合、オーナーである先代経営者が保有する自社株の評価額が高くなるため、後継者にこれらを承継しようとする場合には、弁護士としては、遺留分侵害による相続紛争を防止するため、経営承継円滑化法の「民法の特例」の説明をするわけだが、概して、先代経営者や後継者の反応は芳しくない。「民法の特例」の適用を受けるために必要な除外合意等をするにあたっては、後継者以外の推定相続人に対して、自社株の評価だけでなく、先代経営者の個人資産の状況も開示せざるをえないのだが、先代経営者は（後継者も）、とりあえずは「寝た子を起こしたくない」ということから、これらの情報開示に消極的な場合が多いのである。特に、相続法改正が成立した後は、贈与後10年を過ぎれば、原則として遺留分侵害額請求を受けなくなる、ということから「民法の特例」の話はほとんど立消えになる。

他方、事業承継税制のうち、贈与税の納税猶予については、当面、他の推定相続人が知らない間に先代経営者と後継者だけで適用が可能であるため、手続がめんどう、という以外にはさほどの抵抗はないようである。ただ、先代経営者が亡くなって相続税の申告をする際には、贈与を受けた自社株については贈与時の価額で相続財産に合算されることになるため、必ず他の相続人にも知られることになる。しかも、事業承継税制は、納税猶予を受ける後継者以外の相続人にはメリットがないため、その時点で、家族関係が険悪になったり、最悪の場合、相続紛争が生じたりする。

このような状況は、先代経営者死亡後の会社経営に悪影響を及ぼすことになりかねず、先代経営者自身も望んでいないと思われる。われわれ専門家としては、先代経営者や後継者に対し、良好な家族関係や円滑な事業承継のために、適切な情報開示が必要であることを、根気よく説明し、納得してもらうことが重要かと思われる。

第2

廃　業

1　事業承継場面における廃業の位置づけ

現在行っている事業の継続性に不安があったとしても、「見える化」「磨き上げ」を行うことで、事業承継が可能となることもある。

また、事業再生の手法を活用することで事業の全部または一部を第三者に承継させることは可能であるから、簡単に廃業を決断する必要はない。

しかし、なんらかの事情で事業承継を断念して廃業を選択する場合もある。

その場合に大切なことは、取引先や従業員などの関係者に迷惑をかけずにできるだけ円滑に廃業することである。

債務超過に陥ってからの廃業となれば取引先や金融機関等の関係者に対して、負担を強いることになりかねないので、経済的に余裕のある段階で廃業を決断して、準備を行うことが大切である。債務超過になると保証債務の履行請求が気になり廃業の決断が遅れがちになるが、そうすると関係者に対してさらに大きな負担を強いることになるので、先送りは好ましくない。

また、廃業を進めるに際しては、従業員、取引先、金融機関等さまざまな利害関係人との関係を考慮して進めなければならないが、これらを経営者一人で行うことは困難であり、弁護士、税理士、公認会計士等の専門家の関与が不可欠である。相談を受ける弁護士は可能な限り早い段階で相談（廃業を決断するかも含めて）に乗り、他士業と連携しながら進める必要がある。

相談を受けた弁護士としても、前述したように廃業の前に事業承継や事業再生の可能性を検討し、仮に廃業を決断した場合には、経営者に対して、廃業の手段を説明し、適切な手段を選択したうえで、計画的な準備を進めることになる。

2　円滑な廃業に向けた準備

(1)　廃業や廃業後の生活をサポートする仕組み

a　廃業コストの把握と準備

廃業を行うためにも一定のコストがかかることを認識して、事前にその準備を行う。

廃業コストについては、一部の民間金融機関で事業整理支援ローンなどの名称で取扱いを行っているが、融資を受けるためには一定の条件が必要であり、また担保提供や連帯保証を求められるのが一般である。

融資である以上は最終的には借入金を弁済する必要があり、返済の見通しについても検討が必要である。

廃業を決断しても、そのコストはできる限り自己資金でまかなうよう早い段階から準備することが望ましい。

b　小規模企業共済制度の活用

廃業を選択した場合にはその後の生活資金の確保も重要である。

中小企業の経営者は十分な年金をもらえないことも多いため、事業継続中から廃業を含めたリタイアに備えた老後の生活資金の準備をすることが大切である。

その際に小規模企業の経営者や事業者であれば「小規模企業共済制度」を利用することをお勧めする。

独立行政法人中小企業基盤整備機構が運営しているので信頼性も高く、掛け金について所得控除の対象となり、共済金の受取りに際しての税務上のメリット（退職所得扱い）もあるからである。

また、小規模企業共済の共済金受給権は法律上差押えが禁止されているので、たとえば、保証債務が多額にあり、破産を選択せざるをえない場合でも保持できる。

c　廃業へのサポート

廃業するか否かについて専門家としての弁護士が相談を受けた場合は、経営者が廃業を決断するに至った理由、具体的には会社の事業や債務の状況を把握して、後継者の有無や再生の可能性も含めて検討していくことになる。

そのうえで、経営者が廃業の決断をした場合は、円滑な廃業を進めるために早期の債務整理（借入金の返済等）、廃業資金の確保、取引先・金融機関・従業員への説明等を計画的に実施していくことになる。

⑵ 廃業の手法

a 各手続の概要と手続選択

⒜ 事業者等の廃業手法（通常清算、特定調停、特別清算、破産）

事業承継ガイドラインは、やむをえず事業承継を断念し、廃業を決断した場合、債務超過に陥り倒産することがないよう、余力のあるうちに事業を清算することが望ましいとする。相談を受けた弁護士としては、まず、事業継続の可能性がないかを検討すべきであるが、ここでは事業継続が困難であるとの結論に至った場合の廃業の手法について説明する。

廃業の手法としては、通常清算、特定調停（後述する廃業支援型特定調停スキーム）、特別清算、破産がある。

通常清算とは、解散した会社の法律関係を整理、決済し、その財産を処分する手続であり、裁判所の監督外で行われ、従前の取締役が解散決議後、清算人として手続を遂行する。債務整理の必要がない場合の廃業手続である（会社法475条以下）。

これに対し、債務整理が必要な場合は、私的整理手続ないし法的手続による清算を行う。私的整理を行う場合には、後述する廃業支援型特定調停スキーム選択の可否を検討すべきである。廃業支援型特定調停スキームは、弁護士が債務者の代理人として、対象債権者である金融機関債権者との債務調整交渉を行い、対象債権者の同意が得られる見込みを得た段階で、簡易裁判所に特定調停の申立てを行い、調停を成立させて、金融機関の債権の整理を行い、その後は、通常清算（場合によっては特別清算）により廃業処理する手続である。

法的手続としての廃業手続は、特別清算と破産である。

特別清算は、清算手続に入った株式会社について、清算の遂行に著しい支障をきたす事情があり、または債務超過の疑いがあると認めるときに、裁判所の特別清算開始命令によって、裁判所の監督のもとに行われる清算手続である（会社法510条以下）。裁判所の監督下に行われる点では破産と同じであ

図表２－５　廃業手続の選択

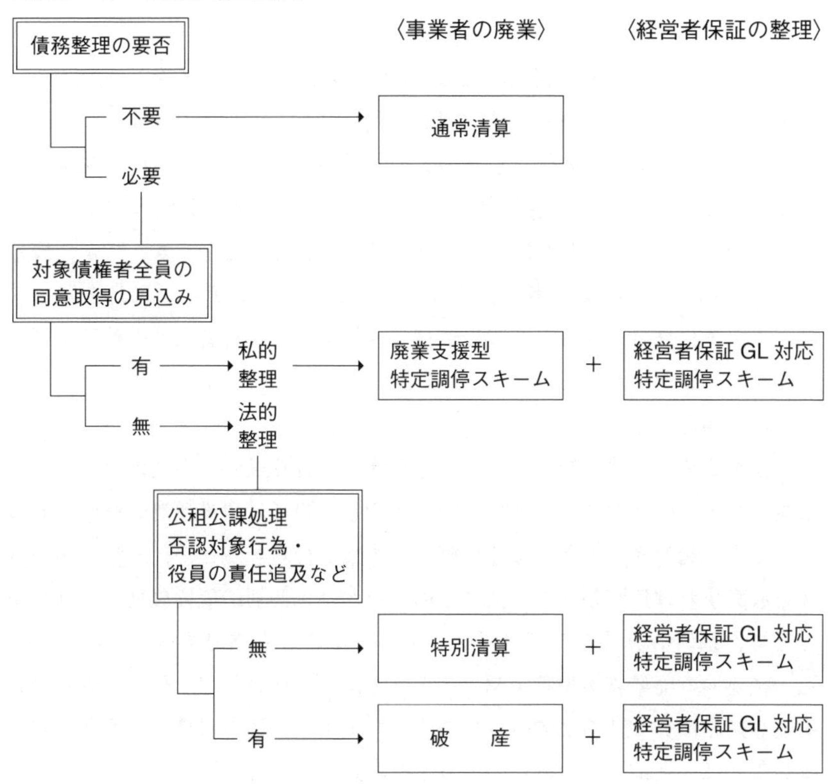

る。しかし、特別清算では、清算株式会社の財産管理処分権は、制限は受けるものの、清算株式会社が選任する清算人に帰属し、そのため破産よりも高額な資産処分が期待できるという債権者にとってメリットがあること、また、債務者には、破産、すなわち倒産による廃業という風評を避けることができるメリットがある。

廃業の相談を受けた弁護士としては、債権者および債務者の利益のためには、破産は最終的な選択肢であると意識し、手続を選択すべきである。なお、特別清算は株式会社のみを対象とする手続であるので、株式会社以外の会社の廃業を特別清算手続で行うには、事前に株式会社への組織変更（有限会社の場合は株式会社への商号変更）が必要となる。

いずれの手続を選択すべきかは、事案によって異なるものの、おおよそ図２－５のフローチャートの考え方で整理できると思われる。

(b) 経営者の保証債務整理のための経営者保証ガイドライン

事業者の廃業にあたり、債務整理が必要な場合、事業者の債務につき連帯保証をしている経営者の保証債務の処理が必要となる。事業者の手続選択いかんにかかわらず、経営者保証の処理は「経営者保証に関するガイドライン」（以下「経営者保証ガイドライン」という）によることができ、特定調停の利用が適切である。経営者保証人にいわゆるインセンティブ資産を残すには、主たる債務者である事業者の債務整理係属中に経営者保証の整理を行う必要があることに注意を要する（経営者保証ガイドライン７(3)③）。

b　通常清算

廃業を決めた株式会社について、通常清算を行う場合の手続の流れの概要は後記(a)～(g)のとおりである。廃業を決断した際に、債務超過の疑いがある場合でも、超過額が大きくなく債権者の放棄が得られるとか、経営者等の債権を放棄すれば債務超過が解消する場合などは、個別に債権放棄を受けるなどして、通常清算手続で簡易迅速に清算することも検討すべきである。また、後述する廃業支援型特定調停スキームにより債務整理を行った後の清算手続も通常清算を基本とすべきである。弁護士が、通常清算を行ううえで必要なことは、従前の法律関係の清算と財産処分、債権者への弁済等につき、廃業のために行うべき事項を依頼者と協議してリストアップし、リストアップした各事項の対応スケジュールと担当者を決め、計画に沿って処理するよう指導することである。

(a) 株主総会における解散決議

廃業の場合は、株主総会にて解散決議を行う（会社法309条２項11号、招集通知の例として書式２－２参照）。なお、株主が経営者あるいはその家族のみのような会社の場合、株主総会は株主全員の同意により省略可能である（会社法319条）。

解散決議がなされると、会社の権利能力の範囲は縮小され、清算の目的の範囲内においてのみ存続するから（会社法476条）、解散の株主総会までに会社の営業活動は終了させる。営業所の閉鎖、取引先との契約関係の清算、清算手続にかかわらない従業員との雇用契約の終了など営業活動にかかわる関係の処理が必要となる。

解散決議により清算株式会社となる。清算人が会社を代表する（会社法483条）。清算人は、解散前の取締役が就任するか、解散決議を行う株主総会で選任する。清算人の人数は１人でも足りる。定款または株主総会で清算人を定めないときは、すべての取締役が清算人となる。清算人の任期は、定めはなく、清算結了までとなる。

解散決議後の各種手続としては、解散と清算人の登記申請（会社法926条、928条）や所轄税務署長への解散届（法人税法15条、20条、同法施行令18条）が必要である。

書式２－２　臨時株主総会招集通知（通常清算）

令和○年○月○日

株　主　各　位

東京都中央区○○町○丁目○番○号
○○株式会社
代表取締役　　○　○　○　○

臨時株主総会招集ご通知

拝啓　ますますご清祥のこととお慶び申し上げます。
さて、当社臨時株主総会を下記のとおり開催いたしますので、ご出席下さいますようご通知申し上げます。
なお、会議の目的事項中、第一号議案の決議には、総株主の議決権の過半数を有する株主のご出席を必要と致しますので、当日ご出席願えない場合は、お手数ながら後記の参考書類をご高覧下さいまして、同封の委任状用紙に議案に対する賛否をご表示いただき、ご捺印（お届出印）のうえ、ご返送下さいますようお願い申し上げます。

敬具

記

１．日　時　　令和○年○月○日（○曜日）　午前○時
２．場　所　　東京都中央区○○町○丁目○番○号○○ビル６階

(b) 債権者に対する公告・催告

清算株式会社は、解散決議後、遅滞なく、債権者に対し、一定の期間内にその債権を申し出るべき旨を官報に公告し、かつ、知れている債権者には、

格別に催告する（会社法499条）。

清算株式会社は、原則として、催告期間内において債務の弁済はできない。例外として、少額の債権や担保権付債権に対し裁判所の許可を得ることで弁済ができる（会社法500条）。

(c) 株主総会における解散決議日における貸借対照表の承認など

清算人は、就任後遅滞なく、清算株式会社の財産の現況を調査し、清算決議の日における財産目録および貸借対照表を作成して、株主総会で承認を受けなければならない（会社法492条）。

(d) 現務の結了、債権の取立て、債務弁済など

清算株式会社の権利能力は、清算の目的の範囲内に限定されるから、清算人の主たる業務は、現務の結了、債権の取立て、債務の弁済、残余財産の分配となる。継続中の契約関係や事務処理を終了させ、債権の取立てや資産処分を行い、催告期間満了後に債権者に対する債務を弁済する。

(e) 残余財産の分配

債権者に対する弁済を行い、残余財産があるときには、株主に残余財産を分配する（会社法504条以下）。

(f) 決算報告承認に係る株主総会

清算株式会社は、清算事務が終了したときは、遅滞なく、法務省令で定めるところにより、決算報告を作成し、株主総会で承認を得る（会社法507条、会社規則150条）。清算人会設置会社における、株主総会招集のための清算人会議事録（会社法491条、298条４項）および株主総会議事録は書式２－３、書式２－４を参照されたい。なお、書式２－５は法律上の手続ではないが、株主が多数あるいは親族以外であるような場合に会社の清算が終了したことを知らせる挨拶の通知である。

清算結了に伴う各種手続としては、清算確定申告、清算結了登記（商業登記法75条）および清算結了届の税務署への提出がある（法人税法15条、20条、同法施行令18条）。

書式2－3　決算報告承認に係る株主総会（清算人会議議事録）

清算人会議事録

日　時　　令和○年○月○日　　午前○時○分
場　所　　東京都新宿区○○○丁目○番○号
　　　　　○○法律事務所内
　　　　　○○株式会社清算事務所
　清 算 人 数　　1名　　　　監 査 役 数　　3名
　出席清算人数　　1名　　　　出席監査役数　　3名
　定款の規定に基づき清算人○○○○は議長席につき開会を宣し、直ちに議事の審議に入った。

議　案　　清算第○回株主総会招集並びに総会付議事項の件

　議長は本議案を付議し、令和○年○月○日の解散決議以降の清算手続きの経過並びに清算結了をしたい旨を説明するとともに、当会社の清算結了に関する必要事項を決議するための清算第○回株主総会を開催並びに同総会における付議事項を下記のとおり行いたい旨を諮ったところ、清算人及び監査役全員一致をもって承認可決された。
1．清算第○回株主総会招集
　①　開催日時：令和○年○月○日（○）午前○時
　②　場　　所：東京都中央区○○町○丁目○番○号○○ビル○階会議室
2．清算第○回株主総会付議事項
　①　清算結了決算報告書承認の件

　以上をもって本日の議事を終了したので、議長は午前○○時○○分閉会を宣した。
尚、議事の経過及び結果を明確にするため、議長は本議事録を作成し、出席清算人及び出席監査役は下記に記名捺印した。
　　　令和○年○月○日

○○株式会社清算人会
議　　　長
清　算　人　○○　○○
出席監査役　○○　○○

書式2－4　決算報告承認に係る株主総会（株主総会議事録）

清算第○回株主総会議事録

　令和○年○月○日午前○時○分、東京都中央区○○町○丁目○番○号○○ビル○階会議室において、清算第○回株主総会を開催した。

定刻、清算人○○○○は議長席につき開会を宣し、出席株主数及びその所有する議決件数を次のとおり報告し、本総会は適法に成立した旨を告げた。

発行済株式総数	○○株
議決権を有する株主数	○○名
その議決件数	○○個
本日出席株主数（委任状共）	○○名
その所有議決件数	○○個

決議事項

第１号議案　　清算結了決算報告書承認の件

議長は、本議案を上程し、清算結了に至るまでの経過を詳細に説明するとともに、別紙決算報告書に基づいてその内容を詳細に説明してその審議を求めたところ、出席株主から特段の質問もなかったため、賛否を諮ったところ、出席株主の過半数の賛成により承認可決された。

以上をもって全議案の議決を終了したので、午前○時○分議長は閉会を告げた。議事の経過及びその結果を明確にするために本議事録を作成し、議長及び出席清算人及び出席監査役は記名捺印する。

令和○年○月○日

○○○○株式会社　清算第○回株主総会
議　　長
清 算 人　○○　○○
出席監査役　○○　○○

書式２－５　清算結了決算報告書承認通知

令和○年○月○日

株 主 各 位

東京都中央区○○町○丁目○番○号
○○株式会社
清算人　○○　○○

清算第○回株主総会決議のご通知

拝啓　ますますご清祥のこととお慶び申し上げます。
さて、本日開催の当社清算第○回株主総会において、以下のとおり決議されましたのでご通知申し上げます。

敬具

記

決議事項

議　案　　清算結了決算報告書承認の件

本件は、原案とおり承認可決され、会社清算結了の決議が決定いたしまして、このあと清算結了登記して当会社を閉鎖する予定でございます。

当社は○年の創業以来○年の長きにわたり、幾多の苦難を乗り越えて、その歴史を重ねてまいりましたが、この度、会社を清算結了するに至りました。永い間ご支援を賜りました株主の方々に対しまして皆様の今後のご健勝をお祈りいたしております。

以上

(g) 重要資料の保存（会社法508条1項）

清算人は、清算結了の登記から10年間清算株式会社の帳簿等の重要資料を保存する義務がある。清算結了により、会社の事務所がなくなり、置場がない場合には、倉庫業者と10年間保管後廃棄処分する契約をする方法も考えられる。

c 特別清算

特別清算は、清算株式会社が、清算の遂行に著しい支障をきたす事情があり、または債務超過の疑いがあると認めるときに、清算人は特別清算の申立てを行い、裁判所の監督の下清算手続を行うものである（会社法510条）。

特別清算の手続の流れは以下のとおりである。

(a) 特別清算開始の申立て

・特別清算開始原因：清算の遂行に著しい支障をきたすべき事情があると認められるか、債務超過の疑いがあるときである（会社法510条）。債務超過の疑いがあるときは、清算人には特別清算開始申立義務がある（会社法511条）。

・申立権者：債権者、清算人、監査役または株主である。特別清算を予定して、解散決議を行う場合、従前の取締役に加え、またはそれに代えて弁護士を清算人に選任することもある。

・管轄：原則として清算株式会社の本店所在地を管轄する地方裁判所である（会社法868条1項）。

・手続費用の予納：手続費用は、清算株式会社の事業内容、資産および負債その他財産の状況、債権者の数などによって定められるが（会社法888条3項、会社非訟事件等手続規則21条1項）、後に述べる協定型と和解型で金額が異なることが一般であるから、あらかじめ裁判所に問い合わせるべきである。

書式2－6　特別清算申立書

特別清算申立書

令和○年○月○日

○○地方裁判所　民事第○部　御中

申立代理人弁護士　○○　○○

〒000-0000　東京都品川区○○○丁目○番○号○○ビル○階

被申立会社　株式会社○○

申立人　被申立会社代表清算人　○○　○○

〒000-0000　東京都中央区○○○丁目○番○号○○ビル○号

○○法律事務所

上記代理人　弁護士　○○　○○

電話　00-0000-0000　FAX　00-0000-0000

申立ての趣旨

東京都品川区○○○丁目○番○号○○ビル○階に本店を有する株式会社○○について特別清算を開始する。

申立ての理由

第1　会社の概要

1　会社の目的

(1)　定款記載事項

申立会社の目的は、次のとおりである。

①

②

(2)　事業内容等

申立会社の事業内容は、○○である。

2　資本の額　○○万円

3　発行済株式総数　○○株

4　株　主

別紙「会社概要」記載のとおり株主数は2名であり、所有株式数は次のとおりである。

①　□□株式会社　1300株

②　○○　○○　100株

5　資産・負債及び財産の状況

別紙「貸借対照表・損益計算書」（過去3年分）記載のとおり

6　債権者数及び債務額（令和○年○月末日現在）

債権者総数　○○名

債務総額　○○○○万○○○○円

(1) 別除権付債権者

別紙「別除権付債権者一覧表」記載のとおり、債権者数○○名、債務額合計○○○○万○○○○円である。

(2) リース債権者

別紙「リース債権者一覧表」記載のとおり、債権者数○○名、債務額合計○○○○万○○○○円である。

(3) 租税等債権者

別紙「租税等債権者一覧表」記載のとおり、債権者数○○名、債務額合計○○○○万○○○○円である。

(4) 従業員関係

別紙「従業員関係債権者一覧表」記載のとおり、債権者数○○名、債務額合計○○○○万○○○○円である。

(5) 一般債権者等

別紙「一般債権者等一覧表」記載のとおり、債権者数○○名、債務額合計○○○○万○○○○円である。

7 役　　員

別紙「会社概要」記載のとおり、役員数は4名である。

8 従 業 員

別紙「会社概要」記載のとおり、申立会社の従業員数は10名（役員4名を含む）である。

9 営 業 所

別紙「会社概要」記載のとおりであり、同所は○○○○が賃借している。

第2　業務の状況

1 会社の経歴及び業界における地位

(1) 会社の沿革及び経歴

申立会社は、親会社である株式会社□□の取引先であった△△【株式会社】が令和○年○月に特別清算を行った際、同社の営業譲受の依頼があったことから、令和○年○月○日に新会社として分離独立させ、優良商権を引き継いだものである。

(2) 業界における地位及び同業他社の状況

販売先である株式会社××は、ミセスブランドの小売業界の中では屈指の販売実績を残しており、同社に卸売を行っている◎◎◎◎社の中で、申立会社は約○パーセントのシェアを占める。

2 事業の状況

(1) 過去1年間の状況

申立会社の事業年度は○月1日から○月末日までであり、毎年○月末日に決算を行っている。

申立会社の事業の推移は、別紙記載のとおりである。

(2) 資金繰りの状況

令和○年○月から同○年○月までの資金繰り状況及び令和○年○月から○月までの資金繰り予定は、別紙記載のとおりである。

第3　解散に至った事情

1　解散に至った事情は、次のとおりである。

(1)　申立会社の事業内容及び取引形態

申立会社は、婦人服の製造及び卸売等を業としており、繊維製品等の輸入商社である□□株式会社（以下、「□□」という。）の子会社である。

申立会社は、主に□□より生地その他の原料を購入し、婦人服を製造した上で卸売している。

(2)　□□の民事再生手続開始申立

□□は、過大投資による有利子負債の増加、多額の貸倒発生による信用不安の発生等によって取引金融機関２行からＬ／Ｃ開設の拒絶を受けて業務遂行が困難となり、令和○年○月○日に○○地方裁判所に民事再生手続開始申立を行った（○○地方裁判所令和○○年（再）第○○○○号）。

(3)　仕入不能

親会社□□の民事再生申立により、生地等の仕入れが不能となり、他からの仕入れもその見込みがない。

(4)　解散決議

申立会社は、令和○年○月○日、解散決議を行うとともに○○○○を清算人に選任する旨決議した。

第４　特別清算の開始原因及び特別清算の見込み

1　開始原因

直近の決算期である令和○年○月期決算における貸借対照表上は、資産の部合計２億1914万2388円に対し、負債の部合計１億7727万9595円と、見かけ上は債務超過とはなっていないが、資産の部に計上されている「…」とは実際上は○○であり、実質的には債務超過状態である。

さらに、令和○年○月○日現在で作成した別紙「非常貸借対照表」によれば、資産計7407万4000円に対し、負債計１億8045万円であり、大幅な債務超過となっている。

2　特別清算の見込み

会社は、今後、債権者との交渉により、債権者全員ないしは法定多数の者から、債権の一部免除あるいは猶予を得て、残額を弁済することの同意が得られる見込みである。つまり、特別清算の見込みがある。

よって本申請に及んだものである。

第５　会社財産に関してされている他の手続又は処分

なし

第６　労働組合の有無等

なし

第７　会社の設立又は目的である事業について官庁その他の機関の許可の有無等

なし

疎　明　方　法

甲第１号証
甲第２号証

添　付　書　類

1　甲号証原本ないし写し
2　委任状

以上

1　委任状
2　定款の写し
3　取締役会の議事録の写し
4　商業登記簿謄本
5　債権者一覧表
6　貸借対照表・損益計算書

(b)　特別清算開始命令

特別清算開始命令は特別清算開始原因があり、会社法514条各号に定める事由がないときに発せられる（会社法514条）。特に特別清算による清算結了の見込みや特別清算が債権者の一般の利益に反しないことの要件（会社法514条2、3号）は、申立て時に総債権額の一定割合の債権者から特別清算開始についての同意書の提出があることによって判断する場合がある。そのため、申立て時には債権者から同意書を取り付けておく必要がある。

(c)　裁判所の監督および調査

特別清算開始命令がなされたときは、清算手続は裁判所の監督に属する（会社法519条）。具体的には、裁判所は清算事務および財産の状況の報告を月間報告書提出を命じ、その他清算の監督上、必要な調査を命じる（会社法520条）。

また、財産の処分、借財、訴えの提起、和解または仲裁合意、権利の放棄、その他裁判所の指定する行為について、裁判所の許可を要することとなる（会社法535条1項）。裁判所は、監督委員を選任し、会社法535条1項の許可にかわる同意をする権限を付与することができる（会社法527条）。監督委員は裁判所が監督する（会社法528条）。

清算人が作成する解散決議日の財産目録および貸借対照表（会社法521条）や各清算事業年度の貸借対照表（会社法494条）を裁判所に提出をしなければならない（会社非訟事件等手続規則26条）。

(d) 債権者集会

債権者集会は、会社債権者をもって構成され、会社債権者団体の意見を決定する権限を有する総債権者団体の議決機関である。清算株式会社は、特別清算の実行上必要がある場合にはいつでも招集することができる（会社法546条）。

債権者集会は、清算人の調査結果等の報告のための債権者集会（会社法562条）と協定の申出のための債権者集会がある（会社法563条）。両者は同一期日に行われるか、前者については、他の方法で債権者に周知させることが適当であるとして、省略されることもある（会社法562条ただし書）。債権者集会は裁判所が指揮をする（会社法552条１項）。

(e) 協定型と和解型

特別清算手続で債務免除を受ける方法としては、協定と個別和解の方法がある。協定は、債権者集会における決議によるが、個別和解は、各債権者との個別和解による清算である。債権者の数が少なく、対象債権者全員の同意が得られる場合には、債権者集会を開催して決議を行うことなく、個別和解方式による清算する。以下、それぞれについて述べる。

(f) 協　定

清算株式会社は、債権者集会に対し、協定の申出を行う（会社法563条）。協定とは、協定債権について債務の減免、期限の猶予その他の権利変更の内容を定めたものであり、権利変更の内容は、原則として、協定債権者の間で平等であることが必要である（会社法565条）。

協定債権とは、清算株式会社の債権のうち、一般先取特権その他一般の優先権がある債権、特別清算の手続に関する清算株式会社に対して生じた債権および特別清算の手続に関する清算株式会社に対する費用請求権を除いた債権である（会社法515条３項）。協定債権は、債権額の割合に応じて弁済される（会社法537条）。

協定可決の要件は、出席議決権者の過半数の同意と議決権総額の３分の２以上の同意である（会社法567条）。債権者集会において可決された協定は、協定不許可事由がない限り、裁判所は認可決定を行う（会社法569条）。認可決定は確定により効力を生じる（会社法570条）。

書式２－７　協定案（特別清算）

令和○年（ヒ）第○○○号特別清算事件　　清算株式会社○○株式会社

協　　定　　案

１　協定債権の免除

⑴　清算株式会社○○株式会社（以下「会社」という。）は、協定債権者に対し、第２項に定める初回弁済を行い、初回弁済と同時に、協定債権者より特別清算手続開始決定日（以下「開始決定日」という。）以降に発生する利息及び遅延損害金の全額の免除を受ける。

⑵　会社は、第２項に定める初回弁済後（第３項に定める中間弁済を行った場合は中間弁済後）、本協定認可決定確定日（以下「協定確定日」という。）から１年以内を目処に、換価可能な全資産の換価・処分・回収（以下「全資産の換価」という。）を終了させ、また第５項の未確定債権の金額を確定させた上で、全資産の換価により得た金員から、公租公課その他一般の優先権ある債権等会社法515条３項括弧書内記載の債権（以下「優先債権等」という。）に対する弁済原資を控除した後の金員を弁済原資（以下「最終弁済原資」という。）として、第４項に定める最終弁済を行い、最終弁済と同時に協定債権者は協定債権から既弁債額を控除した残債権の支払を免除する。

２　初回弁済

会社は、協定債権者に対し、協定確定日に会社が有している現預金総額の２分の１相当額（ただし、１万円以下は切り捨てる。）を弁済原資（以下「初回弁済原資」という。）として、協定確定日から１ヵ月以内の日（以下「初回弁済日」という。）に、以下の①及び②に定める初回弁済額を弁済する。初回弁済額は、その全部を債権元本に充当する。

①　協定債権額が100万円以下の協定債権者

別表１記載の協定債権額が金100万円以下の協定債権者に対しては、同表記載の協定債権額全額

②　協定債権額100万円超の協定債権者

別表②記載の特別清算債権額が金100万円を超える協定債権者に対しては、次のa）及びb）の合計額。ただし、初回弁済日の20日前までに、後記第５項の未確定債権者の協定債権額が確定し、その確定した協定債権額が金100万円を超える場合には、b）の金額は、同債権者及び別表２記載の協定債権者それぞれの金100万円を越える協定債権の部分の金額に基づく按分計算によって算定した額とする。

a）　金100万円

b）　初回弁済原資の金額から、上記①による弁済額及び上記②a）による弁済額を控除した後の残額

３　中間弁済

会社は、初回弁済から最終弁済までの間の会社が指定する日（以下「中間弁済日」という。）において、資産の換価の状況等に応じ、裁判所の許可を得て、中間弁済日の20日前の日（以下「中間弁済期準備」という。）に会社が有している現預金総額の２分の１相当額（ただし、１万円以下は切り捨てる。）を中間弁済原資として、中間弁済期

準備に協定債権の残額を有する協定債権者に対し、中間弁済を行うことができる。
この場合の各協定債権者に対する中間弁済額の算定については、第２項の定めを準用する。
会社は、中間弁済を複数回行うことができる。

４　最終弁済

⑴　会社は、初回弁済後（中間弁済を行った場合は中間弁済後。）、協定確定日から１年以内を目処に、全資産の換価を終了させ、かつ第５項の未確定債権の金額を確定させるものとする。

⑵　会社は、全資産の換価が終了し、かつ第５項の未確定債権の金額を確定させたときは、そのときから１ヵ月以内に、最終弁済原資をもって、最終弁済日に協定債権の残額を有する協定債権者に対し、最終弁済を行う。
最終弁済においては、最終弁済原資の金額に、第２項による初回弁済総額及び第３項による中間弁済総額（中間弁済を行った場合に限る。）を加えた合計額を弁済することのできる金額として、第２項を準用して、各協定債権者に対する債権弁済額を改めて算定し、これから各債権者に対する第２項による初回弁済額及び第３項による中間弁済額（中間弁済を行った場合に限る。）を控除した残額を最終弁済する。ただし、１円未満の端額は切捨てる。

５　未確定債権の措置

別表３記載の未確定協定債権者から会社に対し、同表の請求額欄記載の金額を請求する○○金返還請求訴訟が提起され、現在同訴訟が○○裁判所に係属中である。
上記未確定協定債権者の会社に対する債権が存在することが確定したときは、確定した協定債権の内容及び金額に応じて、前期第１項ないし第４項の定めを適用する。この場合に、上記未確定協定債権者に対する弁済日が、上記各項に定める弁済日より遅れた場合であっても、遅延損害金は付さないものとする。

６　弁済の場所・方法

⑴　本協定に基づく弁済は、清算人事務所（東京都中央区○○町○丁目○番○号○○ビル○階）において行う。ただし、弁済の方法として、協定債権者が特定の銀行預金口座への振込送金を文書で求めたときは、その指定口座宛に、会社の費用負担で振込送金する。

⑵　本協定に基づく弁済日に上記⑴号の弁済の場所において弁済金を受領せず、かつ同日までに特定の銀行預金口座への振込送金を文書で求めなかった協定債権者に対しては、会社は当該弁済金を、東京法務局に供託する。

７　追加弁済

第４項による最終弁済後、新たに会社財産が発見されたときは、これを清算人が換価したうえで、その換価費用その他の優先債権等を控除した残額を追加弁済総額として、これを第１項⑵号により、最終弁済と同時に免除を受けた各協定債権者の協定債権の残額の金額に基づき按分計算によって算定した額を追加弁済する。この場合、前記追加弁済の範囲においては、第１項⑵号による免除の効力は失われるものとする。
注：別表は省略した。

以上

(g) 個別和解

協定債権者との合意により債権の弁済と債務免除を行うものである。すべての対象債権者と債務免除について合意が可能な場合に行う。親会社などが債権者である場合や、後述する廃業支援型特定調停スキームにより、特定調停で弁済内容は合意したものの、債務免除は特別清算手続により行う場合には、個別和解方式（債権者集会を開催しない）で行う。和解には裁判所の許可またはこれにかわる監督委員の同意が必要であり（会社法535条１項４号）、これを欠く和解は無効である（同条３項）。

協定は、協定債権者間で平等であることが必要であるが（会社法565条）、個別和解は平等である必要はなく、たとえば親会社などについて他の債権者よりも弁済率を低くすることも可能である。また、協定による主債務免除の効力は保証債務の付従性の例外として保証人に及ばないが（会社法571条２項）、個別和解の場合にはかような例外規定がないため、主債務を免除することにより保証債務も消滅するので、債権者としては、資力ある保証人が存在する場合には、あらかじめ保証人から弁済を受け、その残債務を免除の対象とするなどの配慮が必要となる。

書式２－８　和解条項（特別清算）

和　解　条　項

1　清算株式会社は、債権者に対し、○○として金○円の支払義務があることを認める。
2　清算株式会社は、債権者に対し、前項の金員のうち、金○円を支払う。
3　債権者は、清算株式会社に対し、清算株式会社から前項の金員の弁済を受けたときは、１項の金員の残金につき、その債権を放棄する。
4　清算人は、２項の弁済後、清算株式会社に新たな財産が発見されたときは、速やかにこれを換価し、債権者に対し、換価代金から必要な費用を控除した残額を支払う。この場合においては、債権者が３項の規定により行った債権の放棄は、新たにされた弁済の限度で効力を失うものとする。
5　債権者と清算株式会社とは、本和解条項に定めるほかに何らの債権債務がないことを確認する。

(h) 特別清算の終了

特別清算が結了したとき、または特別清算の必要がなくなったとき、清算人などは、特別清算の終結の申立てを行い、裁判所から特別清算終結決定を得る（会社法573条）。特別清算の結了とは、協定や個別和解による弁済を完了し、清算株式会社の資産および負債がなくなることである。

なお、特別清算開始命令後において、協定の見込みがないとき、協定の実行の見込みがないとき、特別清算によることが債権者の一般の利益に反するときのいずれかの事由が生じたときにおいて、清算株式会社に破産手続開始の原因となる事実があると認められると、裁判所により職権で破産開始決定がなされる（会社法574条１項）。協定が否決されたときや協定の不認可決定が確定したときも、職権による破産開始決定がなされることがある（同条２項）。

d　廃業支援型特定調停スキーム

(a) 概　　要

特定調停は、日本弁護士連合会が、平成29年１月27日、「事業者の廃業・清算を支援する手法としての特定調停スキーム利用の手引き」（以下「廃業支援型特定調停スキーム」という）を策定・公表し、その内容や同スキームを利用する場合に必要な書式一式を日弁連ホームページに掲載している。廃業支援型特定調停スキームは、日弁連が最高裁判所、中小企業庁などの関係団体と協議のうえ策定した簡易裁判所の特定調停手続を利用して、事業者（法人または個人事業者）の廃業・清算の手続の進め方を定めたものである。そして、同手引きは、令和２年２月19日、実質的な中身は変えずに全体的な構成を見直し、体裁をそろえる改訂がされた。廃業支援型特定調停スキームにおいては、原則として、事業者とその経営者保証人の債務を一体として整理することを予定しているが、事業者のみの債務整理にも利用可能である。なお、特別清算を利用できるのは株式会社に限られるが、廃業支援型特定調停スキームの利用に限定はない。

廃業支援型特定調停スキームの利用方法は、特定調停において、事業者の債務について免除を受け、債務超過を解消したうえで通常清算を行う方法と、特定調停では事業者の弁済方法について合意し、債務免除については、別途特別清算手続において行う方法がある。別途特別清算の申立てを行うのは、金融機関から要請される場合である。

(b) 廃業支援型特定調停スキームの要件

廃業支援型特定調停スキームを利用するために必要な要件は以下(i)〜(x)のとおりである。なお、個別の要件の解釈や認定については、対象債権者との協議により、柔軟に解釈等が可能な場合も考えられる。

(i) 対象事業者および保証人について

① 主たる債務者である事業者が過大な債務を負い、既存債務を弁済することができないことまたは近い将来において既存債務を弁済することができないことが確実と見込まれること

② 保証人の保証債務の整理も同時に進める一体型の場合には保証人について経営者保証ガイドラインの要件（経営者保証ガイドライン３項および７項(1)ニの要件）を充足すること

(ii) 対象債権者について

事業者（主たる債務者）に対して金融債権を有する金融機関（信用保証協会を含む。以下同じ）および保証人に対して保証債権を有する金融機関を対象債権者とすること。ただし、事業者または保証人の弁済計画の履行に重大な影響を及ぼすおそれのある債権者は金融債権者以外でも対象債権者に含めることができる。

(iii) 債務整理の目的

事業者の早期清算により経済的合理性を図り、もって社会経済の新陳代謝を促進させるとともに、経営者または当該事業者の保証人による新たな事業の創出その他地域経済の活性化に資する事業活動等に寄与するために債務整理を行う場合であること。

(iv) 法的倒産手続がふさわしい場合でないこと

すなわち以下のいずれにも該当しないこと

① 対象債権者間の意見・利害の調整が不可能または著しく困難な場合でないこと

② 否認権行使や役員の責任追及などの問題があること

③ 個別の権利行使の着手が開始されていること

(v) 経済的合理性

事業者の主たる債務および保証人の保証債務について、破産手続による配当よりも多くの回収を得られる見込みがあるなど、対象債権者にとって経済的な合理性が期待できること。

なお、経営者保証ガイドラインが適用される場合では、以下の①の額が②の額を上回る場合には、破産手続による配当よりも多くの回収を得られる見込みがあると考えられる。

① 現時点において清算した場合における事業者の主たる債務の弁済計画案に基づく回収見込額および保証債務の弁済計画案に基づく回収見込額の合計金額

② 過去の営業成績等を参考としつつ、清算手続が遅延した場合の将来時点（将来見通しが合理的に推計できる期間として最大３年程度を想定）における事業者の主たる債務および保証人の保証債務の回収見込額の合計金額）

(vi) 優先債権等の弁済

事業者および保証人に対する優先債権（公租公課、労働債権）が全額支払可能であり、特定調停の対象としない一般商取引債権が金融機関の理解を得て全額支払可能であること。

(vii) 事業者の弁済計画案

次の①～④までのすべての事項が記載された内容であること。

① 財産の状況

② 主たる債務の弁済計画

③ 資産の換価および処分の方針

④ 対象債権者に要請する主たる債務の減免、期限の猶予その他権利変更の内容

(viii) 保証人の弁済計画案

次の①～④までのすべての事項が記載された内容であること。

① 財産の状況

② 保証債務の弁済計画（原則、調停成立から５年以内に保証債務の弁済を終えるものに限る）

③　資産の換価および処分の方針

④　対象債権者に要請する保証債務の減免、期限の猶予その他権利変更の内容

(ix)　事前協議および同意の見込み

対象債権者との間で清算型弁済計画案の提示、説明、意見交換等の事前協議を行い、対象債権者から調停条項案に対する同意の見込みがあること。

(x)　労働組合等との協議

事業者が労働組合等と清算型弁済計画案の内容について話合いを行ったまたは行う予定であること。

(c)　手続の流れ

廃業支援型特定調停スキームを利用する場合、弁護士が行うべきことは大きく3段階であり、相談対応、事前準備と金融機関との協議、特定調停手続である。各段階において弁護士が行うべきことは、概要以下のとおりである。なお、前述したように、廃業支援型特定調停スキームは事業者のみでも利用可能であるが、経営者保証人に保証債務が存在して経営者保証ガイドラインによる整理が可能な場合は一体として整理することができ、それが望ましい。以下は一体型を前提に説明する。

(i)　相談対応

弁護士は、事業者および保証人から、主として次に掲げる事項につき聴取・確認し、関係資料の提供を受ける。事業者の概要（商業登記簿謄本、定款、株主名簿）、当面の資金繰り状況（当面の資金繰り見込表）、公租公課の滞納状況等（公租公課債務一覧表）、債務の状況（債権者一覧表、就業規則退職金規程等）、直近3年間の財務状況（税務申告書等）、事業形態、主要取引先等、企業の体制、人材等の経営資源、窮境に至った経緯、事業再生および事業売却が困難な事情、金融機関との関係、保証人個人の資産・負債。

そして、弁護士は当該事業者が過大債務を負っていることの確認のみならず、経営改善が困難であること、第三者への事業譲渡の可能性が低いこと、早期の事業廃止以外に方法がないことを十分に確認すべきである。

また、金融機関に対する債務以外の優先債権（公租公課、労働債権）が完済できる見込みがあることを確認する。さらに、特定調停の対象としない一

般商取引債務を弁済することについて、特定調停の対象債権者である金融機関の理解を得ることが必要かつ重要である。否認リスク等を回避する必要があるからである。

保証人については、経営者保証ガイドラインの要件を充足することも確認しておく必要がある。

(ii) 事前準備および金融機関との協議

特定調停は事前調整型の手続であり、特定調停申立て時点において対象債権者から調停条項案について同意の見込みが得られていることが必要である。

そのため、弁護士は、調停申立て前に、ア）当該事業者と保証人の将来の清算時の回収見込み額算定し、イ）現時点において清算した場合の事業者の主たる債務の弁済計画案および保証債務の弁済計画案（清算型弁済計画案や調停条項案）を策定し、対象債権者にこれらを提案して協議を重ね、同意の見込みを得る必要がある。

上記アとイを適宜税理士や公認会計士と協力して算定する。金融機関との協議と特定調停申立てのための資料として、申立て時点の（想定）財産目録、（換価した財産がある場合）収支計算書、清算貸借対照表、清算型弁済計画案、調停条項案、保証人の資産目録、調停条項（弁済計画）案、表明保証書・確認報告書等を作成する。

弁護士は、メインバンクをはじめとした金融機関、信用保証協会（代位弁済前でも利害関係人として特定調停に参加）に対し、現状と方針の説明、事業廃止への協力と返済猶予の申入れを行う。

そして、個別に債権者を訪問したり、バンクミーティングを開催したりして、清算型弁済計画案を提示、説明し、意見交換を行い、意見交換の結果をふまえた清算型弁済計画案の修正を行うなどして、対象債権者から調停条項案への同意の見込みを得る。

(iii) 特定調停手続段階

特定調停は、地方裁判所本庁に併置される、相手方の住所等を管轄する簡易裁判所または当事者が合意により定める簡易裁判所に申立てを行う。本庁併置の簡易裁判所とされたのは、専門性ある調停委員をすみやかに選任してもらうためである。主たる債務者と保証人の同時申立てによる一体解決が望ましい。申立書の書式や添付資料については、日弁連のホームページを参照されたい。

事前調整により、対象債権者の同意の見込みを得たうえでの申立てであるから、1、2回の調停期日で終結することを想定している。すべての対象債権者と調停条項につき合意に達すれば調停成立となる。対象債権者が調停条項に積極的に同意はしないものの、調停条項につき裁判所の決定があれば異議を述べない場合には、民事調停法17条による決定を得、異議なく2週間が経過することにより確定する。

3　過大な負債処理を行う場合の経営者の保証債務

⑴　対応方法

主債務において過大な負債処理が必要な場合、経営者個人の連帯保証債務も整理する必要がある。中小企業庁の実施したアンケート調査（事業承継ガイドライン34頁）によれば、廃業時に直面した課題として、「連帯保証の問題」があげられており、円滑に廃業するためには、主債務の整理だけでなく、経営者個人が破産に追い込まれることのないよう、その連帯保証債務の整理についても、計画的に行っていく必要がある。

従前、連帯保証債務を整理する方法としては、民事再生または破産の2つしかなかった。これら2つの方法は、経営者について信用情報が毀損されるほか、一定の手続費用が必要となる等の問題点があり、「破産＝個人財産を含むすべての財産を失ってしまう、取引先に迷惑をかけ、二度と顔を合わせられなくなるという恐怖」等が、事業価値・資産価値が著しく悪化するまでずるずると経営を続ける理由になってしまっており、円滑な廃業への妨げとなっていた。

⑵　経営者保証ガイドラインの概要

そこで、上記懸念を払拭し、破産に抵抗がある経営者の早期廃業への決断を阻害しないために、日本商工会議所と全国銀行協会が共同で設置した「経営者保証に関するガイドライン研究会」において、平成25年12月5日に経営者保証に関するガイドライン（以下「経営者保証ガイドライン」という）と具体的な実務において留意すべきポイントをまとめた「『経営者保証に関するガイドライン』Ｑ＆Ａ」（以下「経営者保証ガイドラインＱ＆Ａ」という）が策定された。

経営者保証ガイドラインは、保証契約時・見直し時の対応（以下「入り口対応」という）と保証債務の整理の際の対応（以下「出口対応」という）について定めた準則であり、法的拘束力はないものの、策定後、主債務者・保証人・金融機関等により尊重されている。このうち出口対応では、破産へのおそれ等を理由として事業再生・事業清算への着手が遅れることを防ぐために、経営者の事業再生・事業清算への早期決断を促すインセンティブとして、破産手続で自由財産として認められる99万円を超える資産（以下「インセンティブ資産」という）を留保できる場合があること、担保を設定していない華美でない自宅については引き続き居住できる場合があることを規定している点に特徴がある。

⑶ 基本的な進め方

経営者保証ガイドラインを利用した経営者個人の連帯保証債務の整理は、主たる債務の整理を放置したままで行うことはできず、債権者との話合いにより主たる債務者および保証債務の整理をするためには、主たる債務の整理と同じ準則型私的整理手続のなかで保証債務の整理を行うことが望ましい。以下では、廃業支援型特定調停スキーム[6]に沿って経営者保証ガイドラインを活用した事例を想定し、説明する。

---

6 日本弁護士連合会は、平成25年12月に「金融円滑化法終了への対応策としての特定調停スキーム利用の手引」（「手引１」）、平成26年12月に「経営者保証に関するガイドラインに基づく保証債務整理の手法としての特定調停スキーム利用の手引」（「手引２」）、平成29年１月に「事業者の廃業・清算を支援する手法としての特定調停スキーム利用の手引」（「手引３」）を策定し、令和２年に３つの手引きが改訂された。ここでは「手引３」に従って記述する。

具体的な３つの手引きの内容は、日本弁護士連合会のホームページ（https://www.nichibenren.or.jp/activity/resolution/chusho/tokutei_chotei.html）参照。また、策定された当時の手引３については、髙井章光ほか「経営者保証ガイドラインと廃業支援型特定調停」事業再生と債権管理156号（2017）100頁参照。３つの手引きの改訂の経緯・運用上の留意点については、渡邉敦子＝桝田裕之＝若槻良宏＝宮原一東「日弁連特定調停の手引の改訂・新設と運用上の留意点」事業再生と債権管理168号（2020）111～126頁参照。

a　手続の流れ（モデル事例）

廃業支援型特定調停スキームを利用して保証債務の整理を行う場合の一般的な流れは、以下のとおりである。

① 廃業の決断

② 一時停止や返済猶予の要請（以下「一時停止等の要請」という）

③ 弁済計画等の資料作成

④ 対象債権者との事前調整・協議

⑤ 特定調停の申立て

⑥ 特定調停成立ないし17条決定[7]

経営者保証ガイドラインに基づく債務整理は、対象債権者の理解を得てはじめて可能となるため、いきなり特定調停の申立てを行うのではなく、事前に十分に対象債権者と協議を行うことが必要である。

b　一時停止等の要請

一時停止等の要請は、当該効力が発生した時点が財産評定の基準時点となる（経営者保証ガイドライン7(3)④イ）b)）。当該基準日より後に保証人が財産を得ても弁済原資にならないので、その時期をいつにするかについて十分検討する必要がある。

書式2－9　一時停止等の要請通知（経営者保証ガイドライン）

令和○年○月○日

対象債権者各位

返済猶予等のお願い

（主たる債務者）　○○　○○
（保　証　人）　○○　○○
（主たる債務者及び保証人代理人兼支援専門家）弁護士　○○　○○

拝啓　時下益々ご清祥のこととお喜び申し上げます。

さて、当職は、令和○年○月○日に、上記主たる債務者及び保証人（住所：○○、生年月日：○年○月○日生）の代理人に就任するとともに、あわせて支援専門家として特定調停手続により主たる債務者の廃業支援及び「経営者保証に関するガイドライ

7　特定債務等の調整の促進のための特定調停に関する法律20条、22条、民事調停法17条に基づく決定をいう。

ン」に基づく保証債務の整理を開始することとなりました。今後、対象債権者の皆様の経済合理性に留意しつつ、主たる債務者の廃業及び弁済計画の策定を目指し、また、保証債務の整理のため、「経営者保証に関するガイドライン」に基づき、保証人の資産内容の開示及び弁済計画の策定を目指します。当職としましては、対象債権者の皆様と協議した上で、特定調停の申立てを行うことを予定しております。

つきましては、本日から調停成立までの間、主たる債務及び保証債務の（元本・元利金[※1]）[※2]の返済のご猶予をお願い申し上げます。対象債権者の皆様におかれましては、特定調停手続に基づく主たる債務者の廃業支援（主たる債務の整理）及び保証人の保証債務の整理にご協力賜りたく、下記の行為を差し控えて頂くようお願い申し上げます。

また、本日現在での債務残高（元本、未収利息、未収遅延損害金等）について当職宛てにご送付をお願いいたします[※3]（残高証明書の発行が望ましいですが、残高が確認できるものであればそれに限定するものではございません。書式も問いません。FAX 送信でも構いません。）。

敬具

記

1　令和○年○月○日における債務の残高を減らすこと
2　弁済の請求・受領、相殺権を行使するなどの債務消滅に関する行為をなすこと
3　追加の物的人的担保の供与を求め、担保権を実行し、強制執行や仮差押・仮処分や法的倒産処理手続の申立てをすること

以上

※1：元本の返済猶予にするのか、金利を含めた元利金の返済猶予にするのか、いずれかを選択する。なお、元利金の返済猶予は、あくまでも事実上の要請にとどまることに留意が必要である。
※2：弁済計画を策定する際は、事案に応じて、対象債権を元本にするのか、基準日時点までの利息損害金にするのか決めることとなる。
※3：債権残高が判明している場合には、適宜省略可能。

c　弁済計画等の資料作成、対象債権者との事前調整・協議

事前調整の段階で、保証人についていえば、経営者保証ガイドラインの要件を満たしていることを説明することになるが、主として経済合理性、インセンティブ資産について多くの意見交換が必要となり、そのうえで調停条項案について対象債権者の一定の理解[8]を得ることになる場合が多い。

8　必ずしも積極的な同意までは必要なく、金融機関の支店の取引担当者レベルの理解が得られており、最終決裁権限者の同意が得られる見込みがあるか、または積極的に同意するわけではないがあえて反対もしない（したがって、民事調停法17条の決定がなされた場合には異議の申立てをしないと見込まれる）ことがうかがえる程度でよいと考えられる。

(a)　**経済合理性**

経営者保証ガイドラインによる債務整理を行うためには、対象債権者にとって経済合理性があることが前提となる（経営者保証ガイドライン7(3)③）。この場合の経済合理性とは、主たる債務および保証債務について破産手続がとられた場合の配当見込額よりも多くの弁済が得られることを意味し、その有無は、主たる債務の整理と保証債務の整理とを一体として判断される。経済合理性は、後述するインセンティブ資産の算定にも関連するため、対象債権者の関心も強く、事前調整の早めの段階から対象債権者と協議し、理解を得る必要がある。

経営者保証ガイドラインＱ＆Ａ・Ｑ７－13によれば、主たる債務者が清算型の場合、以下の①の額が②の額を上回る場合に、経営者保証ガイドラインに基づく債務整理により、破産手続による配当よりも多くの回収を得られる見込みがあるため、一定の経済合理性が認められる。

> ①　現時点において清算した場合における主たる債務の回収見込額及び保証債務の弁済計画（案）に基づく回収見込額の合計金額
> ②　過去の営業成績等を参考としつつ、清算手続が遅延した場合の将来時点（将来見通しが合理的に推計できる期間として最大３年程度を想定）における主たる債務および保証債務の回収見込額の合計金額

①については、実際の回収見込額ないし回収額を算定すればよく、評価額が問題となりうる財産がなければ、比較的スムーズに、清算貸借対照表等を作成することが可能である[9]。一方、②については、過去の営業成績等を参考としても、事業継続した場合の将来の回収見込額を予測して算定し、説得力のあるシミュレーションを作成することはむずかしい場合があり、事案によっては公認会計士・税理士と協働しながら、シミュレーションの作成を行うことが望ましい[10]。対象債権者のなかには、長年の取引があり、主たる債務者および保証人の事情に精通している者もいるため、過去の営業成績が継

9　日本弁護士連合会のホームページから必要な資料や書式をダウンロードできる。

続的に赤字である場合でも、実態のストーリーに沿った現実的なシミュレーションを作成し、経済合理性があることを説明する必要がある。

(b) **インセンティブ資産の確保**

経営者保証ガイドラインを利用すれば、回収見込額の増加額を上限として（対象債権者に経済合理性がある限りにおいて）、自由財産だけでなく、一定期間の生計費に相当する現預金、華美でない自宅等を残存資産に含めることが可能となる。ただし、インセンティブ資産を確保するためには、主たる債務の廃業手続が終了する前に保証債務整理の開始をしていなければならない点に留意が必要である（経営者保証ガイドライン７(3)③、経営者保証ガイドラインＱ＆Ａ・Ｑ７－21）。インセンティブ資産については、保証人はもちろん対象債権者も関心が強い点であり、説得的な説明をする必要がある。

一定期間の生計費に相当する現預金の算出にあたっては、雇用保険の給付期間を参考とし、保証人の経営資質、信頼性、窮境に陥った原因における帰責性等を勘案して個別案件ごとに増減を検討することとし、１月当りの標準的な世帯の必要生計費として、民事執行法令で定める額（33万円）を参考とするとされている（経営者保証ガイドライン７(3)③、経営者保証ガイドラインＱ＆Ａ・Ｑ７－14）。また、平成27年７月31日付Ｑ＆Ａ Ｑ７－14の改定により、「当事者の合意に基づき、個別の事情を勘案し、回収見込額の増加額を上限として、以下のような目安を超える資産を残存資産とすることも差し支えありません」という記載が加わった。

そのため、インセンティブ資産は、雇用保険の給付期間を目安とする（以下「第一基準」という）が、個別に考慮すべき事情がある場合には回収見込額の増加額を上限として当該目安を超える資産を残存資産とする（以下「第二基準」という）ことが可能である。

しかし、この改定がなされた現段階でも、「個別に考慮すべき事情」が、

10 筆者が実際に取り扱った事例（廃業支援型特定調停スキーム改訂前の事例である）におけるシミュレーション作成の方法の詳細は、山田尚武＝尾田知亜記＝尾藤寛也「経営者保証ガイドラインへの実務対応」事業再生と債権管理161号122～132頁を参照。また、詳細なシミュレーションを作成した事例として、山田尚武、尾田知亜記「経営者保証ガイドラインへの実務対応」事業再生と債権管理150号126～135頁参照。なお、これらの方法はあくまで一例である。

「幅のある雇用保険の給付期間のなかで一定期間を何日に設定するかを根拠づける事情」と「上記改定により明確に記載された目安を超えるべき事情」のいずれに当てはまるか判別することは困難である。

そこで、第一基準を原則的に雇用保険の給付期間の最高日数とし、経営者保証ガイドライン7(3)③のイ)・ロ)・ハ)・ニ)・ホ)の事情（経営者たる保証人の経営資質、信頼性、帰責性等）において問題がある場合にのみ日数の削減を検討し、個別の事情（増減含む）は第二基準で考慮、検討することも一案である。

以上のほか、Q＆A７－14のさらなる改定により「一定期間の生計費に相当する現預金に加え、残存資産の範囲を検討する場合において、生命保険等の解約返戻金、敷金、保証金、電話加入権、自家用車その他の資産については、破産手続における自由財産の考え方や、その他の個別事情を考慮して、回収見込額の増加額を上限として残存資産の範囲を判断します。」との記載が加わった。これにより、一定期間の生計費に相当する現預金だけでなく、高齢のために再加入がむずかしい生命保険契約を残存資産としたり、自宅の賃貸マンションの敷金を残存資産として住居を確保したりするということが可能であることが明確に示された。

〈インセンティブ資産検討・確定の流れ〉

① 基準時における資産目録の作成
② 手続費用と公租公課を差し引いても自由財産（99万円）を超える資産がある[11]
③ インセンティブ資産の上限（回収見込額の増加額）の算定
④ インセンティブ資産の目安の確認（雇用保険の給付期間等を考慮）
⑤ 「個別に考慮すべき事情」の有無を確認
⑥ インセンティブ資産の確定→対象債権者へ提案
⑦ 対象債権者との話合いにより確定

---

11 そもそも99万円を超える資産がない場合には、インセンティブ資産の点は問題とならず、自由財産として残せるか、現預金以外の財産を自由財産の拡張対象であるとして残せるかを検討する。

d　特定調停の申立て

事前調整を経て、対象債権者から一定の理解を得ることができた場合には、特定調停の申立てを行う。

書式２－10　特定調停申立書

特定調停申立書

令和○年○月○日

○○簡易裁判所御中

（当事者の住所・名称）
（代理人の住所・名称）
（相手方債権者の住所・名称）

申立の趣旨

申立人の債務額を確定した上、その支払方法の協定を求める。
本件については、特定調停手続により調停を行うことを求める。

紛争の要点

1　申立人の概況
(1)　特定債務者に該当すること
(2)　上記原因が生じた理由
2　債務の種類及び金額
添付書類３の関係権利者一覧表のとおり、金融機関に対し、金融債務を負っている。
3　経済合理性
主たる債務者が、優先債権（公租公課、労働債権）及び一般商取引債権等の弁済を行ったとしても、破産手続による配当よりも多くの回収を得られる見込みがあるなど、対象債権者にとって経済的な合理性が期待できる。
保証人についても、将来の清算時の回収見込額に比べ、現時点の弁済計画案の方が優先債権（公租公課、労働債権）及び一般商取引債権等の弁済を行ったとしても、相手方である債権者の回収見込額が多く、対象債権者にとって経済的な合理性が期待できる。
4　金融機関及び労働組合等との事前協議状況
5　保証人の同時申立ての有無

添付書類

1　委任状
2　資格証明書

3　関係権利者一覧表
4　財産目録及び収支計算書
5　清算型弁済計画案（清算貸借対照表見込み及び早期の清算と清算手続が遅延した場合との回収見込額比較表を含む）
6　調停条項案
7　経過報告書

e　特定調停成立ないし17条決定

廃業支援型特定調停スキームでは、事前調整を経ていることを前提としており、１～２回の調停期日で終結することを想定している。

調停期日において、すべての対象債権者との間で調停条項について合意に達すれば調停成立であるが、一部ないし全部の対象債権者が調停条項について裁判所の決定があれば異議を述べないという段階に達すれば、民事調停法17条に基づいて決定を行い、この決定の告知から２週間以内に異議がなく確定した場合に和解と同一の効力を生じさせる方法にて解決が図られることもある（17条決定）。

書式２－11　調停条項案

調停条項案（相手方○○銀行）

1　弁済計画の基本方針

申立人株式会社○○○○（以下「申立人会社」という。）及び申立人○○（以下「申立人保証人」という。以下、申立人会社及び申立人保証人を併せて「申立人ら」という。）と相手方株式会社○○銀行（以下「相手方」という。）は、申立人らと相手方ほか対象債権者●社（以下併せて「相手方ら」という。）との間における申立人らの弁済計画について、次のとおり確認する。

(1)　申立人会社は、その事業継続が困難であり、事業廃止時期が遅くなることにより、相手方らの債権回収額が大幅に減少する等の不合理を回避するため、その事業を廃止し、適正に資産を換価した上、相手方らに対し、合理性が認められる令和●●年●月●日付将来の見込み清算貸借対照表兼清算型弁済計画のとおり、相手方らに対する債務の一部を返済する。

(2)　申立人保証人は、その所有する不動産を売却し、相手方らに対し、当該売却代金を弁済原資とし、総額●●円以上の額を相手方らの債権額に応じて按分弁済し、相手方らから、上記弁済後の各保証債務について免除を受け、その他の資産は残存資産として申立人保証人が引き続き保有する。ただし、不動産売却代金による弁済総額が●●円に満たなかったときは、残存資産を限度に●●円と不動産売却代金による弁済総額との差額を相手方らに弁済する。

2　債務額の確認

(1)　申立人会社は、相手方に対し、申立人会社が相手方から本日までに借り受けた金員の残債務【注：又は「負担した求償債務の残債務」】として、金●●●円（内訳：残元金●円、未払利息金●円、確定遅延損害金●円）及び残元金に対する令和●●年●月●日から支払済みまで年●パーセントの割合による遅延損害金の支払義務があることを認める。

(2)　申立人保証人は、相手方に対し、申立人会社の相手方に対する前号の債務の連帯保証債務として、金●●●円（内訳：残元金●円、未払利息金●円、確定遅延損害金●円）及び残元金に対する令和●●年●月●日から支払済みまで年●パーセントの割合による遅延損害金の支払義務があることを認める。

3　申立人会社にかかる弁済方法及び債務免除

(1)　弁済方法

ア　基本弁済

申立人会社は、相手方に対し、第２項第１号のうち、残元金●●円を、別紙弁済計画記載のとおり、次の相手方の口座に振り込む方法により支払う。

●●銀行●●支店の●●名義の（普通、当座、通知、別段、●●）預金口座（口座番号●●●●）

イ　申立人会社が本項第１号アの弁済を怠り、その額が●●円に達したときは、当然に期限の利益を失い、申立人会社は相手方に対し、第２項第１号の金員から既払金を控除した残額及びこれに対する期限の利益を喪失した日の翌日から支払済みまで年●パーセントの割合による遅延損害金を直ちに支払う。

ウ　追加弁済

申立人会社及び相手方は、申立人会社の換価未了の残余財産の処分等による換価が終了し、申立人会社が保有する現預金から、清算手続を遂行するために必要となる諸費用等の見込額を控除してもなお残額がある場合は、申立人会社は、当該残額を弁済原資とし、相手方らに対し、それぞれ保有する債権額に応じて按分して弁済することを確認する。

(2)　債務免除

相手方は、申立人会社に対し、本項第１号）アの弁済及び申立人保証人による第６項第１号の弁済がいずれも期限の利益を失うことなくなされたとき、第２項第１号のその余の支払義務を免除する。

ただし、本項第１号ウの追加弁済を行う場合には、当初の免除については、追加弁済の範囲において遡及的にその効力を失う。

4　申立人保証人の財産の状況

申立人保証人と相手方は、令和●●年●月●日（返済猶予の効力発生時）現在の申立人保証人の保有する資産が別紙資産目録（以下「資産目録」という。）のとおりであることを確認する。

5　保証債務の弁済方法及び債務免除

申立人保証人と相手方は、保証債務の弁済計画及び資産の換価処分の方針について、次のとおり確認する。

⑴　申立人保証人は、資産目録の●記載の不動産を第三者に売却し、令和●●年●月●日限り、売却代金から移転費用、不動産仲介手数料、固定資産税、印紙代、登記費用等売却に要する費用（以下「必要経費」という。）を控除した額を、相手方らに対し、それぞれ保有する債権額に応じて按分し、相手方に対し、その按分した額を支払う。

⑵　前号の弁済額が●●円に満たなかった場合は、申立人保証人は、相手方に対し、残存資産を限度に●●円と前号の弁済額の差額を支払う。

⑶　申立人保証人が第１号の弁済を怠ったときは、直ちに、申立人保証人は相手方に対し、第２項第２号の債務から既払額を控除した残金を支払う。

⑷　申立人保証人による求償権全額の放棄

第１号及び第２号の弁済をしたとき、申立人保証人は、申立人会社に対し、取得した求償権全額を直ちに放棄する。

⑸　相手方の債務免除

相手方は、申立人保証人に対し、第１号及び第２号の弁済及び申立人会社による第３項第１号の弁済がいずれもなされたとき、第２項第２号のその余の支払義務を免除する。

６　保証債務の追加弁済

申立人保証人及び相手方は、申立人保証人の保証債務の追加弁済について、次のとおり確認する。

⑴　申立人保証人は相手方に対し、本調停条項に添付した表明保証書（以下「表明保証書」という。）写しのとおりの表明保証を行った。

⑵　申立人保証人が表明保証書により表明保証を行った資産目録に含まれていない資産が存在することが判明した場合、申立人保証人は速やかに当該資産を換価し、相手方らに対し、換価代金から必要な費用を控除した残額を、相手方らが保有する債権額に応じて按分して支払う。ただし、第３号に該当する場合はこの限りでない※。

⑶　申立人保証人が表明保証書により表明保証を行った資力について、故意に事実と異なる過少な資産を申告したことが判明した場合、又は申立人保証人が資産の隠匿を目的とした贈与若しくはこれに類する行為を行っていたことが判明した場合には、申立人保証人は相手方に対し、前項第５号により免除を受けた債務額及び同債務額中の残元本に対する免除を受けた日の翌日から支払済みまで年●パーセントの遅延損害金を直ちに支払う。

７　清算条項

申立人らと相手方は、申立人らと相手方との間において、本調停条項に定めるもののほか、何らの債権債務のないことを相互に確認する。

８　調停費用

調停費用は、各自の負担とする。

※本条項は相手方が単独であることを念頭に置いている。相手方が複数の場合、相手方が保有する債権額に応じて按分する条項に修正することが考えられる。

4 小　括

廃業は、事業継続中に発生しているさまざまな契約や取引先、従業員、金融機関等の利害関係人との関係をすべて終了させることを意味する。

円滑な廃業を行い、有終の美を飾るためには、従業員に対する労働債権、取引先、金融機関への弁済ができる状態で廃業の決断を行うことが望ましい。

中小企業の経営者にとって事業の廃止を決断することは相当な覚悟と心理的な負担であるが、廃業には一定のコストと時間もかかることから早めの事前準備が大切である。

一人で悩むことなく、明確に廃業を決断していなくても、廃業を選択肢の一つとして考えた時点で、前述したような相談機関を利用したり、税理士、公認会計士、弁護士等の専門家へ相談したりすることが望ましい。

コラム

養鱒場を家族で経営していた有限会社の円滑な廃業事案

養鱒事業が地場産業となっているある地域において、高齢の夫婦と息子にて有限会社組織で養鱒場を経営していたところ、高齢の社長である父親が突然に体調不良となり、仕事復帰ができず、事業継続がむずかしくなってしまった。卵から稚魚をふ化させる技術は父親しかできず、まだ息子に承継していなかったことから、養鱒事業が成り立たなくなった。そこで、地元の同業者の支援を得るべく、養鱒事業の組合（漁業組合）に相談したのだが、どこも大変な状況でとても支援をする余裕がない。事業を譲渡することができず、廃業するしかなかった。

弁護士が廃業支援を担当するとき、負債が多い場合にはすぐに破産手続をとることを検討しがちであるが、破産を選択した場合には、養鱒場は競売手続にて廉価にて処分されてしまうにすぎず、また、取引債権者にも迷惑をかけることとなってしまうことになる。

そこで、すぐに破産するのではなく、できるだけ取引債権者に迷惑をかけず、できるだけ地域経済に影響を与えないようにするかたちでの廃業を目指すこととした。メインバンクに相談して、施設を購入してくれる同業者を探してもらった結果、他の地域で事業をしていた養鱒業者に養鱒施設を購入してもらうことができ、従前の取引先も新しい事業者と取引を行うことができるようになった。漁業組合も新たな組合員の加入を受けることができた。
当該有限会社は、施設と一緒に設備を売却したことによって得た資金をもって、金融機関に対し、特定調停手続にて弁済計画を策定して弁済し、残債務については免除を受けることができた。保証人である社長と息子についても、「経営者保証に関するガイドライン」の適用によって特定調停手続にて保証債務をすべて免除してもらうことができた。

第3部

類型ごとの課題と対応

第1

親族内承継

親族内承継（先代経営者の子をはじめとした親族である後継者に経営を承継）の特色としては、他の類型と比較して、内外の関係者から心情的に受け入れられやすい、後継者の早期決定により長期の準備期間の確保が可能である、相続等により財産や株式を後継者に移転できるため所有と経営の一体的な承継が期待できる、とされている（事業承継ガイドライン15頁）。

他方、親族内承継では、他の類型に比べ、業績の好調な企業においては、相続等による株式・事業用資産の承継に伴う分散防止や税負担への対応、あるいは、債務の承継に関して、大きな課題が生じやすいとも指摘されている（事業承継ガイドライン37頁）。加えて、先代経営者と後継者が親子等のいわば「身内」であるがゆえに、十分な意見交換や意思疎通が行われず、心情的な対立や理念の食違いが生じうることも考えられる。

いずれにしても、中小企業の経営は、経営者個人の資質や能力に左右されるところが大きいのであるが、次の経営者である後継者を選定し、経営に必要な能力を身につけさせる等のためには５年から10年以上の準備期間が必要とされており、また、従業員や取引先等の関係者にこれを受け入れてもらうにもそれなりの時間を要する。加えて、自社株や事業用資産（以下、あわせて「自社株等」という）の承継にも相応の時間がかかることから、親族内承継においても、後継者の選定等、事業承継の準備はできるだけ早期に開始すべきかと思われる。

以上のような点に留意しつつ、親族内承継の課題と対応策を検討する。

1　人（経営）の承継

事業承継ガイドラインでは、親族内承継における人（経営）の承継のための重要な要素として、①後継者の選定・育成、②親族等の調整、③従業員・

取引先・金融機関との事前協議、④承継の実行を掲げている。

以下、それぞれの要素における課題とその対応策を概説する。

⑴ 後継者の選定

前述のとおり、経営者の資質によって経営が左右されることが大きい中小企業においては、後継者がだれか、ということは、事業承継の成否にとどまらず、その後の企業の将来にとって非常に重要である。したがって、後継者を選定する場合、すでに後継者候補が自社に入社している場合はもちろんのこと、入社していない場合にはできれば入社させたうえ、自社における仕事ぶり、従業員との人間関係等を観察し、経営者としての資質を見極めることが望ましい。また、資質だけではなく、自社の経営に対する熱意も不可欠であり、これらを有している者を後継者とする必要があろう。

⑵ 後継者の育成

a　後継者候補との対話

後継者が経営者としての資質や熱意を有するからといって、すぐに経営者にふさわしい職責を担うことができるわけではなく、それに見合う能力を身につけさせるための育成も必要である。

そこで、まず必要とされるのは、先代経営者と後継者候補との対話である。後継者と対話をすることで、経営の現状について経営者としての思いや、経営理念の共有といったプロセスを経て、後継者自身にも事業を承継する者としての自覚をもってもらうことになる。

b　後継者教育

後継者候補の教育方法としては、社内で行うものと社外で行うものがある(事業承継ガイドライン38頁)。

社内での教育方法としては、①会社の事業内容を理解させるために、「営業や製造の現場、総務、財務、労務といった各分野を一通り経験」させる、②これと同時並行的に、「経営者としての自覚を育てる」ため、「経営企画といった経営の中枢を担わせること」、の２つがあげられている。いずれにしても、それぞれの目的を明確にしつつ、具体的なスケジュールを組むことが必要であるが、これらの社内教育を通じ、他の役員・従業員等に対して、当該後継者が次の経営者となることを認識させ、受け入れさせる機能も有していることを忘れてはならない。

社外での教育方法としては、③多様な経営手法や技術、会社のあり方を経験させるとともに、自社を客観的にみる視点をもたせるため、「取引先や同業種等の他社で勤務」を経験させること、④経営に関する広範かつ体系的な知識を得させるために、「商工会・商工会議所や金融機関等が主催する「後継者塾」や「経営革新塾」等へ参加させ」、あるいは、「中小企業大学校や大学等の教育機関で学ぶこと」もあげられている。④については、同じ中小企業の後継者同士のネットワークの形成にも役立つところである。

(3) 環境の整備――関係者との調整

後継者が適切に選定・育成され、経営者にふさわしい能力を身につけたとしても、それだけで、後継者が次の経営者として会社の経営を円滑に進められるわけではなく、次の経営者としてステークホルダーに受け入れられ、協力を得られることが不可欠である。親族内承継において、そのステークホルダーは、先代経営者の親族であり、従業員や役員、取引先・金融機関である。

a 親族等との関係

先代経営者の親族（特に、子や配偶者）にとって、後継者がだれになるか、というのは強い関心事である。先代経営者が保有する自社株等が後継者に引き継がれる場合には、その推定相続人たる親族としては自分の将来の相続財産がどうなるかが気になるであろうし、自社株が親族内で分散している場合には、その株主たる親族としては、経営者が交代した後の会社経営に関心を有するにとどまらず、その親族の了承なしに後継者の地位は維持できないはずである。

いずれにしても、先代経営者の保有する自社株等の承継の場面や、後継者が承継した後の会社の経営において、先代経営者の親族の協力は不可欠であるので、親族内での調整作業を行う必要がある。

そこで、後継者を選定したら、または選定作業と同時並行的に、できるだけ早く、先代経営者が元気でその影響力がある間に、そのリーダーシップのもと、家族会議等の対話を始め、事業承継に向けた思いを親族に伝えて了解を得ておくことが重要である。

b　従業員や役員、取引先・金融機関との関係

中小企業において、次の経営者である後継者の有無やそれがだれなのかは、従業員や役員（以下「従業員等」という）にとってきわめて重要な事項であり、士気にもかかわる問題である。そこで、特に親族内承継においては、できるだけ早く、後継者がだれで、どのように事業承継を行うかを従業員等に周知するとともに、後継者に重要な会議や打合せに同席させ、従業員との信頼関係の醸成やスムーズな態勢の移行を図る必要がある。

また、中小企業の経営者が高齢である場合、取引先や金融機関に対して後継者の存在と事業承継の行程を示し、企業の存続に対する懸念を払拭して今後の事業継続をアピールすることは、安定した取引関係の維持にとっても欠くべからざることである。そして、従業員等との関係と同様、取引先や金融機関との打合せ等にもできる限り後継者を同席させ、後継者に経営者としての自覚と覚悟をもたせるとともに、取引先や金融機関に対して当該後継者の存在を浸透させ、スムーズな取引関係のバトンタッチに努めるべきであろう。

⑷　経営の承継の実行

以上、事業承継においては、後継者の選定・育成、従業員等や取引先等の関係者への周知等を経たうえで、あるいはこれらと並行して、経営の承継の実行段階を迎える。

経営の承継の実行とは、会社形態の場合、具体的には、代表取締役（通常は社長）の交代による経営権の承継と株式の移転による会社所有権の承継である、とされる（事業承継ガイドライン40頁）。

a　代表取締役の交代

代表取締役が交代するためには後継者の代表取締役就任と先代経営者の辞任が必要である。まず、後継者が代表取締役に就任するためには、後継者が取締役でない場合は株主総会において取締役に選任（会社法329条１項）したうえ、取締役会設置会社では取締役会決議が（会社法362条２項３号・３項)、取締役会非設置会社では原則として定款の定めに従った手続が（同法349条３項)、それぞれ必要である。

たとえば、取締役会非設置会社の定款に「当会社に取締役が２名以上いる

ときは、取締役の互選により代表取締役１名を選定する」と定められていれば、互選によって代表者を選出することとなる。

取締役会設置会社の場合、代表取締役選定についての取締役会議事録の書式例は書式３－１のとおりである。

書式３－１　取締役会議事録（代表権の承継）

取締役会議事録

開催日時　令和○年○月○日（○曜日）午前○時から○時○○分
開催場所　当社本社会議室
出 席 者　取締役　4名　　監査役　1名
代表取締役　A
取　締　役　B
取　締　役　C
取　締　役　D
監　査　役　E

定刻、代表取締役社長Aは議長席につき、開会を宣言し、議事に入った。

1　決議事項

(1)　代表取締役選定の件

代表取締役として新たに取締役Bを選定することを出席者の全員一致を以て承認可決し、Bはその場で就任を承諾した。

以上をもって、議案の審議を終了したので議長は午前○時○分、閉会を宣した。

議事の経過及び結果を証するため議事録を作成し、出席取締役及び出席監査役は記名押印する。

令和○年○月○日

株式会社○○　取締役会
議長　代表取締役　A　㊞
代表取締役　B　㊞
取締役　C　㊞
取締役　D　㊞
監査役　E　㊞

代表取締役の選定決議において、代表取締役候補者は特別利害関係人に該当しないとされている。

代表取締役就任による変更登記の申請書には、取締役会議事録を添付する必要がある（商業登記法46条２項）。この議事録には原則として出席取締役、監査役が実印を押印し、印鑑証明書を添付することになっている（商業登記規則61条６項）。

先代経営者の代表取締役の辞任について、取締役会議事録への記載は不要である。辞任の変更登記については、申請の際に辞任を証する書類を添付すれば足りる（商業登記規則61条８項）。

なお、先代経営者の代表取締役辞任は、必ずしも後継者の代表取締役就任と同時に行わなければならないものではない。後継者が代表取締役社長に就任するとともに、先代経営者が代表取締役会長に就任し、経営に関する権限を段階的に移譲しつつ、しばらくの間、バトンタッチやサポートのために並走することは、しばしば行われるところである。ただし、この並走期間があまり長期間にわたると、社内が社長派と会長派に割れるおそれもあるので、適切な期間にとどめるべきであろう。

留意しておきたいのは、代表者になったとしても、会社所有権を前代表者がもったままでは経営を承継したとはいえないことである。経営権を確保するためには、最低でも過半数の株式を取得する必要がある。

b　株式の移転

経営の承継においては、最低でも過半数の株式を取得する必要がある。これは、過半数を保有することで、株主総会の普通決議を可決することができるからである。ただ、後継者としては、余裕があれば、３分の２以上の株式を取得したい。３分の２以上の保有で、株主総会の特別決議も可決することができるからである。

この点については、次項以下の「財産の承継」を参照されたい。

2　財産の承継――税負担への対応

⑴　概　　要

親族内承継においては、一般的に、先代経営者から後継者に対し、贈与や相続により自社株等の承継がなされるため、後継者に贈与税・相続税が課される。もし納税額が多額となる場合、通例、承継直後の後継者には手持資金が少なく、調達能力も低いため、引き継いだ会社から借り入れるなどしてその資金繰りを悪化させ、経営に悪影響を及ぼしかねない。よって、これらの税負担への対応に迫られることになる。

そこで、以下、事業承継を支援する実務家として把握しておくべき税制の概略を解説する。

(2) 贈与税制度

贈与税は、個人から贈与（死因贈与を除く。以下、本項について同じ）により財産を取得した個人に対して、その贈与時の価額に対して課税される（相続税法１条の４等）。課税方法は、受贈者（納税義務者）が暦年課税制度と相続時精算課税制度を選択できる。

それぞれの概要は、図表３－１のとおりである。

図表３－１　贈与税制度の概要

	暦年課税制度	相続時精算課税制度
概要	年ごとに、１年間（１月１日から12月31日までの間）に贈与を受けた財産について贈与税を課する制度。	贈与者１人受贈者１人の間で、贈与時には、受贈額が累計で特別控除額2,500万円を超えない限り、贈与税の支払を要しないかわりに、贈与者の相続時に贈与財産の贈与時の価額を相続財産に加算し、相続税を支払う制度。
贈与者・受贈者	制限なし（ただし、後述のとおり、贈与者と受贈者の関係により税額の算定方法が異なる場合がある）。	贈与の年の１月１日時点で、①贈与者が60歳以上の者、②受贈者が20歳以上（令和４年４月１日以降の贈与の場合は18歳以上）の贈与者の直系卑属である推定相続人または孫[1]。
控除	受贈者１人について（贈与者の人数は関係ない）１年間110万円の基礎控除。	この制度選択時以降、贈与者１人受贈者１人について、期間に限定なく、累計で特別控除額2,500万円。

1　事業承継ガイドラインでは「受贈者が20歳以上かつ贈与者の推定相続人である子又は孫」（42頁）となっているが、孫は推定相続人である必要はない（租税特別措置法70条の２の６第１項。以下、同法を「租特法」という。）。

課税対象額	基礎控除額を超えた部分。	累計で特別控除額2,500万円を超えた部分。
税率	課税対象額に応じた累進税率（図表３－２を参照）。	課税対象額に対し、一律20％。ただし、贈与者の相続時に受贈者の相続税額と精算。
手続	納税が必要な場合は、贈与を受けた年の翌年の３月15日までに申告・納税。	受贈者が選択初年度の贈与税の申告書提出期限（翌年３月15日まで）に、納税地の所轄税務署長に対して、贈与税の申告書とともに「相続時精算課税選択届出書」や受贈者の戸籍謄本等の一定の書類を提出。
相続税との関係	贈与者の相続において、暦年課税制度を用いて贈与された贈与財産（非課税の場合も含む）は相続税の課税対象財産から除外（ただし、相続開始前３年以内に贈与された財産については相続税の対象に加えられるが、支払ずみの贈与税額は相続税額から控除）。	贈与者の相続において、この制度選択時以降に贈与された財産の贈与時の価額を贈与者の相続財産の価額に加算し、これに相続税が課税される。特別控除額を超えた部分について支払った20％の贈与税額は受贈者の相続税額から控除。
メリット	この制度用いてなされた贈与については、贈与者の相続時に相続財産から除外されるので、受贈者を含む相続人等の税額の低減につながる（特に、贈与時の財産の価額が低い場合）。	①贈与額の累計が2,500万円を超えるまで受贈者に贈与時の税負担がない、②通常、暦年贈与の贈与税より相続税の税率が低いので、受贈者の納税額が低くなる可能性がある。
	贈与時点での自社株等の価額が高い場合、多額の納税資金が必要となるため、後継者の資金負担を考慮した場合、多くの自社株等を短期間で贈与することが困難となることが考えられる。	①贈与者の相続時に贈与財産の贈与時の価額が相続財産に合算されるので、贈与財産の価額が、贈与時に比して相続開始時点のほうが高かった場合は、結果として相続税の課税対象額の上昇を抑えられたので受贈者をはじめとする相続人にとって相続時精算課税制度は有利に働く（納税額の合計が低額

<table>
<tr><td rowspan="2">注意点</td><td></td><td>になる）が、相続開始時点のほうが低かった場合は不利になる。②暦年課税を用いたときに比べ、贈与者の相続財産が増加するので、相続税の総額が上昇し、他の相続人の負担が上昇する可能性あり、③受贈者が推定相続人でない孫の場合、贈与者の相続時の相続税が相続人の２割増し、④いったん、この制度を選択すると、暦年課税に戻ることはできないので、慎重な選択が必要。</td></tr>
<tr><td colspan="2">（共通）受贈者が贈与者の相続人である場合、贈与された財産は、通常、「特別受益」として、相続時の価額で、遺産分割における相続財産や、遺留分算定の基礎財産（ただし、原則として贈与者の相続開始前10年以内に贈与された場合に限る）に加算されることになる。</td></tr>
</table>

図表３－２　暦年課税制度の税率

<table>
<tr><th rowspan="2">課税対象額
（基礎控除後）</th><th colspan="2">一般贈与財産用（※１）</th><th colspan="2">特例贈与財産用（※２）</th></tr>
<tr><th>税率</th><th>控除額</th><th>税率</th><th>控除額</th></tr>
<tr><td>200万円以下</td><td>10%</td><td>0万円</td><td>10%</td><td>0万円</td></tr>
<tr><td>300万円以下</td><td>15%</td><td>10万円</td><td rowspan="2">15%</td><td rowspan="2">10万円</td></tr>
<tr><td>400万円以下</td><td>20%</td><td>25万円</td></tr>
<tr><td>600万円以下</td><td>30%</td><td>65万円</td><td>20%</td><td>30万円</td></tr>
<tr><td>1,000万円以下</td><td>40%</td><td>125万円</td><td>30%</td><td>90万円</td></tr>
<tr><td>1,500万円以下</td><td>45%</td><td>175万円</td><td>40%</td><td>190万円</td></tr>
<tr><td>3,000万円以下</td><td>50%</td><td>250万円</td><td>45%</td><td>265万円</td></tr>
<tr><td>4,500万円以下</td><td>55%</td><td>400万円</td><td>50%</td><td>415万円</td></tr>
<tr><td>4,500万円　超</td><td></td><td></td><td>55%</td><td>640万円</td></tr>
</table>

※１：特例贈与財産に該当しない贈与に使用（相続税法21条の７）。
※２：その年の１月１日時点で20歳以上（令和４年４月１日以降の贈与の場合は18歳以上）の者が直系尊属（父母、祖父母等）から受けた贈与に使用（租特法70条の２の５）。

(3) 相続税制度の概要

相続税は、被相続人（個人）の財産を、個人が相続（遺贈、死因贈与を含む。以下、本項において同じ）により取得した場合、その財産に対して課税される（相続税法１条の３）。その納税額の算定手順は図表３－３のとおりである。

図表３－３　相続税納税額の算定手順

① 課税価格の算定

課税価格	＝	・各相続人等が相続により取得した財産 ・死亡保険金（※１） ・死亡退職金（※２）	＋	相続により財産を取得した人が相続開始前３年以内に被相続人から贈与を受けた財産	＋	相続時精算課税制度の適用を受けた贈与財産	－	・被相続人の債務 ・葬式費用

※１、※２：いずれも「500万円×法定相続人の数」を超える部分

② 課税遺産総額の算定

課税遺産総額	＝	課税価格	－	遺産にかかる基礎控除額 （3,000万円＋600万円×法定相続人の数）

③ 相続税の総額の算定

各人の算出税額 （※３）	＝	各人の法定相続分に応ずる取得金額 （課税遺産総額×法定相続分）	×	税率 （※４）	－	控除額 （※５）

相続税の総額	＝	各人の算出税額の合計

※３：各人の算出税額の速算表

各人の法定相続分に応ずる取得金額 （課税遺産総額×法定相続分）	税率（※４）	控除額（※５）
1,000万円以下	10%	－
3,000万円以下	15%	50万円
5,000万円以下	20%	200万円
1　億 円以下	30%	700万円
2　億 円以下	40%	1,700万円
3　億 円以下	45%	2,700万円
6　億 円以下	50%	4,200万円
6　億 円　超	55%	7,200万円

④ 各相続人等の納付税額の算定

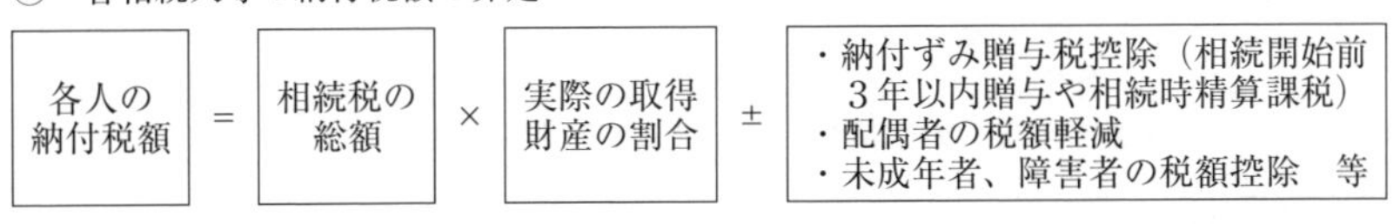

(4) 相続税・贈与税の課税における自社株の評価方法——取引相場のない株式の評価方法

a 概　　要

上述のとおり、親族内承継において、先代経営者から後継者に自社株が贈与や相続により承継されると贈与税・相続税の課税関係が発生するが、中小企業の自社株は通例上場されていないため、その取得時の「時価」（相続税法22条）の把握は困難である。そのため、国税庁は財産評価基本通達（以下単に「通達」という）178以下において、上場されていない株式（「取引相場のない株式」。「上場株式」や「気配相場等のある株式」以外の株式）として、その評価方法のあり方を示している[2]。

b 評価区分

原則として、相続または贈与によって株式を取得した者が、その取得時点（課税時期）において、同族株主等である場合は原則的評価方式により（通達178）、同族株主以外の株主等である場合には特例的評価方式により、評価する（通達178、179、188）。概略は、図表３－４のとおりである。

c 原則的評価方式

取得者が同族株主等である場合に適用される原則的評価方式としては、類似業種比準方式と純資産価額方式がある。

(a) 類似業種比準方式

類似業種（上場企業の標本値）の株価を基とし、配当、利益、簿価純資産の面で類似業種と評価会社とを対比し[3]、次の算式により算出した評価会社の１株当りの類似業種比準価額（１株当りの資本金等の額を50円として計算した金額）を評価会社の株式の価額と評価する方式（通達180）。

$$\text{類似業種の株価} \times \frac{\dfrac{\text{評価会社の配当}}{\text{類似業種の配当}} + \dfrac{\text{評価会社の利益}}{\text{類似業種の利益}} + \dfrac{\text{評価会社の簿価純資産}}{\text{類似業種の簿価純資産}}}{3} \times \text{斟酌率}(\text{※}1)$$

※１：後述の会社の規模に応じて。
大会社は0.7、中会社は0.6、小会社は0.5

2　詳しくは、中小企業庁発行「中小企業税制〈令和２年度版〉」54頁以下を参照。

3　類似業種比準価額計算上の業種目および業種目別株価等は、国税庁のホームページに掲載されている。

図表３－４　相続税・贈与税の課税における自社株の評価区分

<table>
<tr><td rowspan="2">評価会社</td><td colspan="4">取得者</td><td rowspan="2">評価方式</td></tr>
<tr><td>グループ</td><td colspan="3">個人</td></tr>
<tr><td rowspan="6">同族株主（※１）のいる会社</td><td rowspan="5">同族株主</td><td colspan="3">取得後の持株割合５％以上</td><td rowspan="4">原則的評価方式</td></tr>
<tr><td rowspan="4">取得後の持株割合５％未満</td><td colspan="2">中心的な同族株主（※２）がいない場合</td></tr>
<tr><td rowspan="3">中心的な同族株主がいる場合</td><td>中心的な同族株主</td></tr>
<tr><td>役員</td></tr>
<tr><td>その他</td><td rowspan="2">特例的評価方式</td></tr>
<tr><td colspan="4">同族株主以外</td></tr>
<tr><td rowspan="5">同族株主のいない会社</td><td rowspan="4">持株割合の合計が15％以上のグループに属する株主</td><td colspan="3">取得後の持株割合５％以上</td><td rowspan="3">原則的評価方式</td></tr>
<tr><td rowspan="3">取得後の持株割合５％未満</td><td colspan="2">中心的な株主（※３）がいない場合</td></tr>
<tr><td rowspan="2">中心的な株主がいる場合</td><td>役員</td></tr>
<tr><td>その他</td><td rowspan="2">特例的評価方式</td></tr>
<tr><td colspan="4">持株割合の合計15％未満</td></tr>
</table>

※１「同族株主」：課税時期において、評価会社の株主の１人とその株主の親族などの同族関係者である株主（株主グループ）が所有する議決権の合計数がその会社の議決権総数の30％以上である場合におけるその株主グループに属する株主。但し、上記株主グループの所有する議決権の合計数がその会社の議決権総数の50％を超えるときは、その50％を超える株主グループに属する株主のみ（通達188⑴）。
※２「中心的な同族株主」：同族株主のうち１人並びにその株主の配偶者、直系血族、兄弟姉妹及び一親等の姻族（特殊関係会社を含む）の有する株式の合計数がその会社の発行済株式総数の25％以上である場合の当該株主（同⑵）。
※３「中心的な株主」：同族株主のいない会社の株主の１人及びその同族関係者の有する株式の合計数が、その会社の発行済株式数の15％以上である株主グループのうち、いずれかのグループに単独でその会社の発行済株式数の10％以上の株式を所有している株主がいる場合の当該株主（同⑷）。

⒝　純資産価額方式

評価会社が所有する総資産を通達により評価した価額の合計額から、各負債の合計額および評価差額の法人税額等相当額を控除した金額を、評価会社の発行済株式数（自己株式を除く）で除して算出した評価会社の１株当りの純資産価額をその株式の価額と評価する方式（通達185）。算式は次のとおりである。

$$\frac{\text{通達により評価した総資産の価額} - \text{負債の合計額} - \text{評価差額の法人税額等相当額（※２）}}{\text{発行済株式数}}$$

※２：相続税評価額と簿価純資産価額の差額の37％相当額。
ただし、マイナスとなる場合は０。

d　特例的評価方式

配当還元方式によって評価。配当還元方式とは、過去２年間の平均配当金額を10％の利率で割り戻して、株式の価額を求める方式（通達188－２）。算式は次のとおり。

$$\frac{\text{その株式にかかる年配当金額（※３）}}{10\%} \times \frac{\text{その株式１株当りの資本金等の額}}{50\text{円}}$$

※３：年配当金額＝$\dfrac{\text{直前期末以前２年間の配当金額} \times 0.5}{\text{１株当りの資本金等の額を50円とした場合の発行済株式数}}$
ただし、年配当金額が２円50銭未満となる場合、または無配の場合は２円50銭。

e　会社の規模による区分と評価方式

原則的評価方式で評価する場合には、会社の規模による区分[4]に応じて、図表３－５の「原則」と記載のある評価方式を用いる。ただし、納税者の選択によって「例外」と記載のある評価方式を用いることも可能である（通達179）。

4　会社の規模による区分（大会社、中会社、小会社）については、通達178を参照。

図表3－5　会社の規模による区分と評価方式

会社の規模		類似業種比準方式	併用方式	純資産価額方式
大会社		原則	－	例外
会社	大	－	原則：A×90%＋B×10%	例外
	中	－	原則：A×75%＋B×25%	例外
	小	－	原則：A×60%＋B×40%	例外
小会社		－	例外：A×50%＋B×50%	原則

A：類似業種比準価額、B：1株当りの純資産価額

⑸　非上場株式等についての相続税および贈与税の納税猶予・免除制度（事業承継税制）

a　総　　論

通例、中小企業の自社株は、非上場株式、すなわち、前述の「取引相場のない株式」であり、親族内承継の場合、後継者は「同族株主」である。したがって、業績の好調な会社ほど自社株の課税上の評価額が高くなるため、後継者が贈与や相続により無償で承継したとしても多額の贈与税、相続税が課せられることとなり、「⑴　概要」で述べたような弊害が生ずることが指摘されていた。

そこで、このような後継者の税務上の負担軽減による自社株承継の円滑化を目的として、平成20年に成立した中小企業における経営の承継の円滑化に関する法律（以下「経営承継円滑化法」という）を中心とした事業承継関連施策の一つとして、平成21年度税制改正により「非上場株式等についての贈与税または相続税の納税猶予・免除制度」（いわゆる「事業承継税制」）が創設された。これは、中小企業の後継者が先代経営者からの贈与や相続によって自社株を取得した場合、本来であれば納付すべき贈与税、相続税の全部または一部の納税を、一定の要件のもとに猶予（場合によっては免除）する、というものである。

以来、事業承継税制についてはさまざまな見直しが行われてきたが、平成

図表３－６　特例措置と一般措置の相違

事　　項	特例措置	一般措置
適用期間	平成30年１月１日から令和９年12月31日までの贈与、相続	なし
事前の承継計画	「特例承継計画」。令和５年３月31日までに都道府県知事に提出	不要
対象株式数の上限	発行済議決権株式全部	発行済議決権株式の３分の２まで
納税猶予比率	贈与税、相続税：100％	贈与税：100％ 相続税：80％
先代経営者以外からの贈与、相続への適用	可能	可能（平成30年度税制改正）
後継者の数	３人まで	１人
申告後５年間の雇用平均８割確保	弾力化	必要
事業の継続が困難な事由が生じた場合の免除	あり	なし
相続時精算課税制度の適用	60歳以上の贈与者から20歳以上（令和４年４月１日以降の贈与の場合は18歳以上）の者への贈与	60歳以上の贈与者から20歳以上（令和４年４月１日以降の贈与の場合は18歳以上）の推定相続人・孫への贈与

30年度税制改正においては、いっそうの利用促進を図るため、従来の事業承継税制の適用範囲の拡大（先代経営者以外の者から贈与や相続により取得した株式も対象にする等）がなされるとともに、時限的ではあるが、これと併存するかたちで、その特例措置が創設された（以下、事業承継税制のうち、改正された従来のものを「一般措置」、創設された時限的なものを「特例措置」という）。一般措置と特例措置の主な相違等は、図表３－６のとおりである[5]。

以上のとおり、平成30年１月１日から令和９年12月31日までの贈与、相続については、特例措置と一般措置が併存し、いずれの制度も利用が可能であるが、対象株式数や納税猶予比率、猶予税額の免除などの点で特例措置のほうが後継者にとってはメリットが大きいことから、実務上は、特例措置の適用が可能であれば、まず、そちらの利用を検討すべきであろう。

そこで、本稿においては、通常の順序とは逆であるが、特例措置を中心に解説することとする。

b　贈与税の特例措置（「非上場株式等についての贈与税の納税猶予及び免除の特例」租特法70条の７の５）

(a)　概　　要

対象会社の後継者（３人以下）が、平成30年１月１日から令和９年12月31日までの間に、先代経営者その他の株主（以下「先代経営者等」という）から、対象会社の株式を生前贈与により取得し、対象会社が都道府県知事から特例円滑化法認定（贈与税の特例措置に関するもの。以下ｂにおいて同じ。後述）を受ける等、所定の要件を満たすときは、当該後継者が負担すべき贈与税のうち当該受贈株式全部に係る部分の100％の納税が、先代経営者等や後継者が死亡するまで猶予される、という制度である（図表３－７）。

(b)　実体要件と手続

この特例措置の適用を受けるための実体要件と手続は以下のとおり。

(i)　実体要件（租特法70条の７の５第１項・２項等）

贈与者（先代経営者等）、受贈者（後継者。３人以下）、対象会社等の要件は、対象会社において受贈者が最初に特例措置の適用を受ける場合（図表３－８（第一種）の「他の特例措置」の要件を満たす場合）は同図表の、それ以外の場合は図表３－９（第二種）の、とおりである。

5　税制は相当な頻度で改正されるので、実務においては、最新の制度を確認することが必要である。

図表３－７　贈与税の特例措置の概要

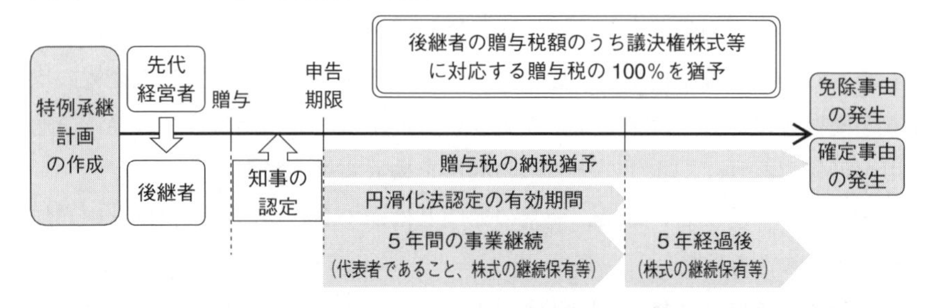

猶予税額が免除される場合	猶予税額を納税する場合
○後継者の死亡 ○先代経営者の死亡（相続税の課税対象となる） ●会社の倒産 ●次の後継者へ贈与 ●同族関係者以外の者に株式等を全部譲渡した場合（譲渡対価等を上回る税額を免除）　等	○後継者が代表権を有しないこととなった場合 ○同族で過半数の議決権を有しないこととなった場合 ○同族内で、後継者よりも多くの議決権を有する者がいる場合 ●株式等を譲渡した場合（※） ●会社が解散した場合（※） ●資産保有型会社等に該当した場合　等
○円滑化法の認定有効期間内であっても免除されます。 ●円滑化法の認定有効期間後に限り免除されます。	○円滑化法の認定有効期間内のみ適用されます。 ●円滑化法の認定有効期間後も適用されます。 （※）経営環境の変化に該当する場合には、猶予税額の再計算をすることができます。

出所：経営承継円滑化法申請マニュアル【相続税、贈与税の納税猶予制度の特例】３頁

図表３－８　贈与税の特例措置（第一種）の主な実体要件

対象者等	要　件
贈与者	①　以下のすべての要件を満たす者（先代経営者）であること ・贈与時より前に対象会社の代表者であったこと ・贈与直前（ただし、贈与直前に代表者でなかった場合は、代表者であった期間内のいずれかおよびその贈与直前）に同族関係者と合わせて総議決権数の過半数を保有し、かつ、これらの者（受贈者を除く）のなかで筆頭株主（最多議決権保有者）であったこと ②　当該贈与時において、対象会社の代表者でないこと ③　対象会社の株式について贈与税の特例措置の適用を受ける贈与をしたことがないこと。ただし、同一年中に２人または３人の後継者に贈与する場合を除く

受贈者	①　当該贈与時において、次のいずれの要件も満たしていること ・20歳以上（令和４年４月１日以降の贈与の場合は18歳以上）であること ・対象会社の代表者であること ・同族関係者と合わせて総議決権数の過半数を保有していること ・受贈者が１人の場合　同族関係者（特例措置（贈与税、相続税、みなし相続に関するもの。後述。）のいずれかの適用を受ける者を除く）のなかで筆頭株主であること ・受贈者が２人または３人の場合　各受贈者が10％以上の議決権を有し、かつ、同族関係者（同上）のなかで筆頭株主であること ・継続して３年以上役員であったこと ②　当該贈与により取得した対象会社の株式を保有していること ③　対象会社の株式を贈与、相続により取得したことについて一般措置（贈与税、相続税、みなし相続に関するもの。後述。）の適用を受けたことがないこと ④　特例承継計画において、特例後継者とされていること
対象会社	①　中小企業者であること ②　特例円滑化法認定を受けていること ③　当該贈与時において、次の要件のすべてを満たすこと ・常時使用する従業員の数が１人以上であること ・資産保有型会社（租特法70条の７第２項８号）または資産運用型会社（同項９号）の一定のもの（以下「資産管理会社」という）でないこと ・上場会社でないこと ・性風俗関連特殊営業（以下「性風俗特殊営業」という）を営む会社（以下「性風俗特殊営業会社」という）でないこと ・直前の事業年度の総収入金額が０でないこと ・黄金株が発行されている場合、それを贈与税、相続税の特例措置の適用を受ける受贈者・相続人以外の者が保有していないこと 等
贈与株式数	①　受贈者が１人の場合　次のいずれかに該当すること ・贈与者の議決権数が、対象会社の総議決権数の３分の２から受贈者の議決権数を控除した残数以上の場合　当該残数以上 ・上記以外の場合　贈与者が保有する株式全部 ②　受贈者が２人または３人の場合　贈与後に、それぞれの受贈者の議決権数が10％以上であり、かつ、最後の贈与後の受贈者が贈与者よりも多くの議決権数を有することとなること

贈与時期	○　平成30年１月１日から令和９年12月31日まで
他の特例措置	○　当該贈与の直前において、図表３－９の「他の特例措置」に該当しないこと

図表３－９　贈与税の特例措置（第二種）の主な実体要件

対象者等	要　　件
贈与者	○　図表３－８（第一種）の②、③に同じ
受贈者 対象会社 贈与株式数	○　図表３－８と同じ
贈与時期	○　図表３－８の期間内で、かつ、当該贈与税の申告期限が、特例経営贈与承継期間内（後述）に到来するものであること
他の特例措置	○　当該贈与の直前において、次のいずれかに該当する者が存すること ・すでに、対象会社の株式について特例措置のいずれかの適用を受けた（申告をした）者 ・すでに、対象会社の株式について先代経営者から特例措置のいずれかが適用される贈与、相続により取得した者

(ii)　手続（概要は図表３－10のとおり）

〈贈与税の申告まで〉

①　特例承継計画の確認

対象会社は、令和５年３月31日までに（当該贈与の後でもよいが、次の②の特例円滑化法認定の申請前）、対象会社の主たる事務所所在地を管轄する都道府県の知事に特例承継計画（対象会社の先代経営者、後継者、事業承継の予定時期等が記載され、その内容について認定支援機関による指導および助言を受けたもの（経営承継円滑化法施行規則16条１号。以下同施行規則を「経営承継円滑化法規則」という））を提出し、確認を受けること（同規則17条）。

②　特例円滑化法認定

対象会社は、当該贈与がなされた年の10月15日からその翌年１月15日まで

図表3－10　贈与税の特例措置の手続の概要

納税猶予を受けるためには、「都道府県知事の認定」、「税務署への申告」の手続が必要となります。

提出先	●提出先は「主たる事務所の所在地を管轄する都道府県庁」です。 ●平成30年1月1日以降の贈与について適用することができます。

提出先	手続	内容
都道府県庁	特例承継計画の策定	●会社が作成し、認定支援機関（商工会、商工会議所、金融機関、弁護士、税理士、公認会計士等）が所見を記載
	確認申請	●令和5年3月31日まで提出可能です。 ※株式等の贈与後に特例承継計画を作成することも可能です。その場合は、都道府県知事への認定申請時までに作成してください。
	贈与	
	認定申請	●贈与年の10月15日～翌年1月15日までに申請 ●特例承継計画を添付
税務署	税務署へ申告	●認定書の写しとともに、贈与税の申告書等を提出 ●相続時精算課税制度の適用を受ける場合には、その旨を明記
税務署・都道府県庁	申告期限後5年間	●都道府県庁へ「年次報告書」を提出（年1回） ●税務署へ「継続届出書」を提出（年1回）
税務署・都道府県庁	5年経過後実績報告	●雇用が5年平均8割を下回った場合には、満たせなかった理由を記載し、認定経営革新等支援機関が確認。その理由が、経営状況の悪化である場合等には認定経営革新等支援機関から指導・助言を受ける。
税務署	6年目以降	●税務署へ「継続届出書」を提出（3年に1回）

出所：中小企業庁「経営承継円滑化法申請マニュアル【相続税、贈与税の納税猶予制度の特例】」5頁を一部改変

に、上記都道府県知事に特例円滑化法認定を申請し、その認定を受けること（経営承継円滑化法12条1項1号イ、同法規則7条6項・8項）。この認定要件（経営承継円滑化法規則6条1項11号・13号）は、おおむね、上記実体要件と同じであるが、若干異なる部分があることに注意を要する。

③　贈与税の申告

受贈者は、当該贈与に係る贈与税の申告期限内（当該贈与を受けた年の翌年の３月15日まで）に、この特例を受ける旨を記載した贈与税の申告書（②の認定に係る認定書等を添付）を所轄税務署へ提出するとともに、納税が猶予される贈与税額および利子税の額に見合う担保を提供すること（租特法70条の７の５第１項）。

〈申告後〉

④　特例経営贈与承継期間内の手続

特例経営贈与承継期間（当該受贈者が最初に適用を受ける特例措置の申告期限（以下「最初の特例申告期限」という）の翌日から５年を経過する日、当該受贈者、当該贈与者の死亡日の前日のうちの最初に到来する日まで。租特法70条の７の５第２項７号）における手続は次のとおり。

・対象会社

最初の特例申告期限の翌日から１年を経過するごとの日の翌日から３月を経過する日までに、上記都道府県知事に、対象会社が上記実体要件を満たしていること等を内容とする「年次報告書」を提出すること（経営承継円滑化法規則12条19項・１項・２項）。これらの要件を満たしていること等が確認されると、都道府県知事から確認書が交付される（同条31項）。

・当該受贈者

最初の特例申告期限の翌日から１年を経過するごとの日の翌日から５月を経過する日までに、上記対象会社の「年次報告書」および都道府県知事の確認書の写しを添付して、所轄税務署長に「継続届出書」を提出すること（租特法70条の７の５第６項）。

⑤　雇用平均８割確保に関する手続

当該贈与に係る特例経営贈与承継期間の経過する日において、雇用平均８割確保（最初の特例申告期限の翌日から１年を経過するごとの日における従業員数の平均が当該贈与の日の従業員数の８割以上であること）が充足されていない場合[6]、対象会社は、当該特例経営贈与承継期間の経過する日から４月を経過する日までに、「特例承継計画に関する報告書」（８割未満となった理由について認定支援機関の所見の記載があり、その理由が経営状況の悪化である場合または当該認定支援機関が正当なものと認められないと判断したものである場合には、当該認定支援機関による経営力向上に係る指導および助言を受けた旨が記載されていること）を都道府県知事に提出し、その確認を受けること（経営承継円滑化法規則20条１項・３項）[7]。

⑥　特例経営贈与承継期間経過後

当該受贈者は、特例経営贈与承継期間の末日の翌日から３年を経過するごとの日の翌日から３月以内に、所轄税務署長に「継続届出書」を提出すること（租特法70条の７の５第６項・２項９号ロ）。

⑦　当該贈与者が死亡した場合

猶予税額については免除される（同条11項、70条の７第15項）が、対象株式については贈与者からの相続により取得したものとみなされる（「みなし相続」。同法70条の７の７第１項）。この場合、対象株式については、みなし相続の特例措置の適用を受けることが可能となるが、その要件、手続等については後述する。

(c)　納税猶予額

当該受贈者は、その年分の受贈財産全部（当該受贈株式を含む）に対する贈与税額のうち、当該受贈株式全部のみをその年分の受贈財産であるとみなして計算される贈与税額について、納税が猶予される（租特法70条の７の５第１項・２項８号）[8]。

また、相続時精算課税制度の選択も可能であるが、当該贈与がなされた年の１月１日現在、贈与者が60歳以上で、かつ、受贈者が20歳以上（令和４年４月１日以降の贈与の場合は18歳以上）である必要がある（租特法70条の２の８、70条の２の７、相続税法21条の９）。

(d)　納税猶予の打切り

以下に述べる事由（打切事由）が生じたときは、猶予税額の全部または一

6　一般措置においては、この「雇用平均８割確保」が充足されていないこと自体が納税猶予の打切事由となっている（後述）。

7　この「特例承継計画に関する報告書」の写しおよびこれに係る都道府県知事の確認書の写しは、特例経営贈与承継期間の末日に係る④の「継続届出書」の添付書類とされている（租特法施行令40条の８の５第20項、同法施行規則23条の12の２第17項５号）。

8　対象株式が課税対象から除外されるわけではないことに注意を要する。

部について猶予の効果が失われ、納税時期が到来する（納税猶予が打ち切られる）。

(i) 特例経営贈与承継期間内の打切事由

対象会社または受贈者に図表３－11のいずれかの事由が生じたときは、その日から２月を経過する日をもって納税の猶予が打ち切られ、猶予税額の全額およびこれに対する贈与税の申告期限の翌日から支払済みまでの利子税の納付義務が生ずる（租特法70条の７の５第３項・６項・８項、70条の７第５項・11項、70条の７の５第22項）。

(ii) 特例経営贈与承継期間経過後の打切事由

同期間経過後は、図表３－11の⑤、⑥、⑦、⑨ないし⑫の事由が生じたときは猶予税額全額について、同表④、⑧、⑬、⑭については猶予税額のうち対象株式を処分したことに相当する部分について、それぞれ、その日から２月を経過する日をもって納税の猶予が打ち切られ、その打ち切られた部分の猶予税額およびこれに対する利子税の納付義務が生ずる。ただし、特例経営贈与承継期間の利子税の負担はない（租特法70条の７の５第３項、70条の７第５項、70条の７の５第22項・23項）。

(e) **猶予税額の免除**

次の事由が生じたときは、猶予税額の全部または一部が免除される。

(i) 受贈者・贈与者の死亡の場合等

図表３－12のいずれかの事由が生じたときは、当該各事由の「【免除額】」記載の額の免除を受けることができる。この免除を受けるためには、②の事由が生じたときは10月以内に、それ以外は６月以内に、受贈者または受贈者の相続人が、所定の届出書を所轄税務署長に提出する必要がある（租特法70条の７の５第11項、70条の７第15項～20項）。

(ii) 特例経営贈与承継期間経過後の対象株式の譲渡等

特例経営贈与承継期間経過後に対象株式の譲渡等、図表３－13のいずれかの事由が生じたときは、その直前の猶予税額からそれぞれの「【控除額】」記載の額を控除した残額が免除される。この免除を受けるためには、それぞれの事由が生じたときから２月以内に、受贈者が、所定の届出書を所轄税務署長に提出する必要がある（租特法70条の７の５第11項・20項、70条の７第16項・

図表3－11　特例経営贈与承継期間中の納税猶予の主な打切事由

対　象	事　　由
受贈者	①　対象会社の代表者でなくなったこと ②　同族関係者と合わせて総議決権数の過半数を保有しなくなったこと ③　同族関係者（他の特例措置のいずれかの適用を受ける者等を除く）のなかで筆頭株主でなくなったこと ④　対象株式の一部を譲渡したこと ⑤　対象株式の全部の譲渡等をしたこと（対象会社が株式交換等により他の会社の株式交換完全子会社等となった場合を除く） ⑥　特例措置の適用を受けることをやめる旨を記載した届出書を所轄税務署長に提出したこと ⑦　所轄税務署長に「継続届出書」を提出しないこと[9]　等
対象会社	⑧　会社分割をした場合（吸収分割承継会社等の株式等を配当財源とする剰余金配当があった場合に限る）または組織変更をしたこと（組織変更に際して対象会社の株式等以外の財産交付があった場合に限る） ⑨　解散したこと（みなし解散を含む。ただし、合併による消滅を除く） ⑩　資産管理会社に該当することとなったこと ⑪　事業年度における主たる事業活動から生ずる収入金額が０となったこと ⑫　資本金または資本準備金の額の減少をしたこと ⑬　合併により消滅したこと（適格合併の場合を除く） ⑭　株式交換等により他の会社の株式交換完全子会社等となったこと（適格株式交換等を除く） ⑮　株式等が非上場株式等に該当しないこととなったこと ⑯　性風俗特殊営業会社に該当することとなったこと ⑰　黄金株を受贈者以外の者が有することとなったこと ⑱　対象株式の全部または一部を議決権制限株式等に変更したこと ⑲　贈与者が対象会社の代表権を有することとなったこと　等

9　雇用平均８割確保に関する報告書、確認書の写しは注７のとおり継続届出書の添付書類とされているので、これが添付されていないときは、継続届出書提出義務の不履行ということとなり、納税猶予が打ち切られる（租特法70条の７の５第８項、70条の７第11項）。

図表３－12　猶予税額の免除～受贈者・贈与者の死亡の場合等

①	当該贈与者の死亡前に当該受贈者が死亡
	【免除額】猶予税額全部
②	当該贈与者の死亡
	【免除額】猶予税額のうち当該贈与者からの贈与部分に相当する金額
③	特例経営贈与承継期間経過後に当該受贈者が対象株式を次の受贈者（第二次受贈者）に贈与し（第二次贈与）、第二次受贈者が贈与税の納税猶予（特例措置または一般措置）の適用を受けたこと
	【免除額】猶予税額のうち第二次贈与に相当する金額

※当該贈与者の死亡の場合については、後述の「みなし相続の特例措置」を参照されたい。

図表３－13　猶予税額の免除～特例経営贈与承継期間経過後の対象株式の譲渡等

①	当該受贈者がその同族関係者等以外の者に対象株式全部を譲渡
	【控除額】当該譲渡直前の譲渡株式の時価相当額と譲渡時前５年以内に当該受贈者とその生計を一にする者（以下「当該受贈者等」という）が受領した配当額等の合計額
②	対象会社に破産開始決定または特別清算命令があったこと
	【控除額】解散前５年以内に当該受贈者等が受領した配当額等の合計額
③	対象会社が合併により消滅
	【控除額】合併の効力発生直前における対象株式の時価相当額とその効力発生日前５年以内に当該受贈者等が受領した配当額等の合計額
④	対象会社が株式交換等により他の株式交換完全子会社等となったこと
	【控除額】株式交換の効力発生直前における対象株式の時価相当額とその効力発生日前５年以内に当該受贈者等が受領した配当額等の合計額
⑤	対象会社について民事再生法の規定による再生計画または会社更生法の規定による更生計画が認可され、対象株式が消却されること
	【控除額】再計算された猶予税額と認可日前５年以内に当該受贈者等が受領した配当額等の合計額

図表３－14　猶予税額の免除～事業継続が困難な事由が生じた場合

①	当該受贈者がその同族関係者等以外の者に対象株式の全部または一部を譲渡
	【控除額】当該譲渡対価の額を事業承継税制における対象株式の贈与時の価額とみなして再計算した納税猶予税額と当該譲渡時前５年以内に当該受贈者等が受領した配当額等の合計額
②	対象会社が合併により消滅
	【控除額】合併対価の額を事業承継税制における対象株式の贈与時の価額とみなして再計算した納税猶予税額とその効力発生日前５年以内に当該受贈者等が受領した配当額等の合計額
③	対象会社が株式交換等により他の株式交換完全子会社等となったこと
	【控除額】交換等対価の額を事業承継税制における対象株式の贈与時の価額とみなして再計算した納税猶予税額とその効力発生日前５年以内に当該受贈者等が受領した配当額等の合計額
④	対象会社が解散
	【控除額】解散直前の対象株式の時価相当額を事業承継税制における対象株式の贈与時の価額とみなして再計算した納税猶予税額と解散前５年以内に当該受贈者等が受領した配当額等の合計額

21項）。

(iii)　事業継続が困難な事由が生じた場合

特例経営贈与承継期間経過後に、対象会社において図表３－14のいずれかの事由が生じた場合で、赤字、売上げの減少、過剰な債務等、「対象会社において事業の継続が困難な事由」（租特法施行令40条の８の５第22項）のいずれかに該当するときは、その直前の猶予税額からそれぞれの「【控除額】」記載の額を控除した残額が免除される。この免除を受けるためには、それぞれの事由が生じたときから２月以内に、受贈者が、所定の届出書を所轄税務署長に提出する必要がある（租特法70条の７の５第12項）。

(iv)　譲渡時の対象株式の対価の額等が時価相当額の２分の１以下である場合の特則

上記図表３－14の①の場合の譲渡対価の額、②の場合の合併対価の額、③

図表３－15　相続税の特例措置の概要

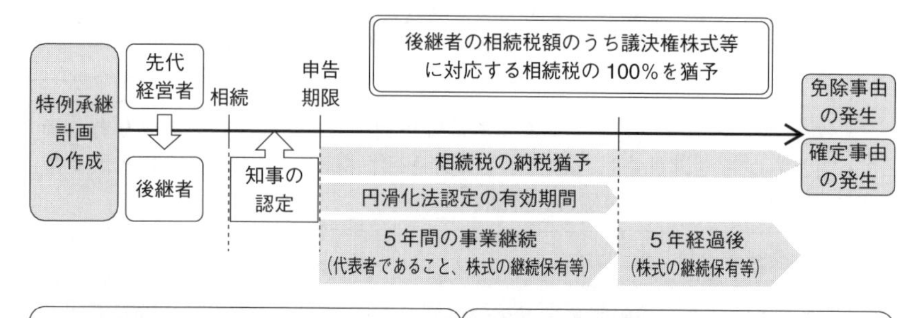

猶予税額の<u>免除</u>の場合	猶予税額を<u>納税</u>の場合
○後継者の死亡 ●会社の倒産 ●次の後継者へ贈与 ●同族関係者以外の者に株式等を全部譲渡した場合（譲渡対価等を上回る税額を免除）　等	○後継者が代表権を有しないこととなった場合 ○同族で過半数の議決権を有しないこととなった場合 ○同族内で、後継者よりも多くの議決権を有する者がいる場合 ●株式等を譲渡した場合（※） ●会社が解散した場合（※） ●資産保有型会社等に該当した場合　等
○円滑化法の認定有効期間内であっても免除されます。 ●円滑化法の認定有効期間後に限り免除されます。	○円滑化法の認定有効期間内のみ適用されます。 ●円滑化法の認定有効期間後も適用されます。 （※）経営環境の変化に該当する場合には、猶予税額の再計算をすることができます。

出所：経営承継円滑化法申請マニュアル【相続税、贈与税の納税猶予制度の特例】４頁

の場合の交換等対価の額、が時価相当額の２分の１以下である場合は、同時価相当額の２分の１相当額を当該対価の額として計算する。また、これらの場合にこの免除を受けるためには、上記届出書の提出に加えて、それぞれ、上記【控除額】の額について担保を提供しなければならない（租特法70条の７の５第13項）。

c　相続税の特例措置（「非上場株式等についての相続税の納税猶予及び免除の特例」租特法70条の７の６）

(a)　概　　要

対象会社の後継者（３人以下）が、平成30年１月１日から令和９年12月31日までの間に、先代経営者等から、対象会社の株式を相続により取得し[10]、対象会社が都道府県知事から特例円滑化法認定（相続税の特例措置に関するも

の。以下ｃにおいて同じ。後述）を受ける等、所定の要件を満たすときは、当該後継者が負担すべき相続税のうち当該株式全部に係る部分の100％の納税が、当該後継者が死亡するまで猶予される、という制度である（図表３－15）。

(b)　実体要件と手続

この特例措置の適用を受けるための実体要件と手続は以下のとおり。

(i)　実体要件（租特法70条の７の６第１項・２項等）

被相続人（先代経営者等）、相続人（後継者。３人以下）、対象会社等の要件は、対象会社において相続人が最初に特例措置の適用を受ける場合（図表３－16（第一種）の「他の特例措置」の要件を満たす場合）は同図表の、それ以外の場合は図表３－17（第二種）のとおりである。

(ii)　手続（概要は図表３－18のとおり）

〈相続税の申告まで〉

①　特例承継計画

贈与税の特例措置と同じ（申請時期は、当該相続税の特例措置の対象となる相続開始後でもいいが、次の②の特例円滑化法認定申請の前）。

②　特例円滑化法認定

対象会社は、当該相続開始の日から５月を経過する日以降８月を経過する日までの間に、上記都道府県知事に特例円滑化法認定を申請し、その認定を受けること（経営承継円滑化法12条第１項１号イ、同法規則７条７項）。この認定要件（経営承継円滑化法規則６条１項12号・14号）についても、贈与税の特例措置において述べたところと同様である。

③　相続税の申告

相続人は、当該相続に係る相続税の申告期限内（当該相続開始があったことを知った日の翌日から10月以内）に、この特例を受ける旨を記載した相続税の申告書（上記②の認定に係る認定書等を添付）を所轄税務署へ提出するとともに、納税が猶予される相続税額および利子税の額に見合う担保を提供すること（租特法70条の７の６第１項）

10　先代経営者等が、対象会社の株式を受贈者に贈与した年に死亡した場合には、当該株式については贈与税の課税対象とはならず、相続税の課税対象となる（相続税法19条、21条の２第４項、28条４項等）ため、相続税の特例措置の対象となる。

図表３－16　相続税の特例措置（第一種）の主な実体要件

対象者等	要　　件
被相続人	○　以下のすべての要件を満たす者（先代経営者）であること ・相続開始時より前に対象会社の代表者であったこと ・相続開始直前（ただし、相続開始直前に代表者でなかった場合は、代表者であった期間内のいずれかおよびその相続開始直前）に同族関係者と合わせて総議決権数の過半数を保有し、かつ、これらの者（相続人を除く）のなかで筆頭株主であったこと
相続人	①　当該相続の開始日の翌日から５月を経過する日において対象会社の代表者であること ②　当該相続開始時において、 ・同族関係者と合わせて総議決権数の過半数を保有していること ・相続人が１人の場合　同族関係者（特例措置のいずれかの適用を受ける者を除く）のなかで筆頭株主であること ・相続人が２人または３人の場合　各相続人が10％以上の議決権を有し、かつ、同族関係者（同上）のなかで筆頭株主であること ③　当該相続により取得した対象会社の株式を当該相続税の申告期限まで保有していること ④　対象会社の株式を贈与、相続により取得したことについて一般措置の適用を受けたことがないこと ⑤　対象会社が都道府県知事から確認を受けた特例承継計画において、後継者（特例後継者）とされていること ⑥　当該相続開始直前に、対象会社の役員であったこと（被相続人が60歳未満で死亡した場合を除く（被相続人が令和３年４月１日以降に死亡した場合は、被相続人が70歳未満で死亡した場合または被相続人の相続開始直前に⑤の要件を満たす場合を除く））
対象会社	○　贈与税の特例措置（図表３－８）と同じ（ただし、「当該贈与時」を「当該相続開始時」に読み替え）
相続株式	○　数量は限定なし ○　当該相続の相続税の申告期限までに未分割の株式は適用対象外
相続開始時期	○　平成30年１月１日から令和９年12月31日まで
他の特例措置	○　当該相続開始の直前において、図表３－17の「他の特例措置」に該当しないこと

図表３－17　相続税の特例措置（第二種）の主な実体要件

対象者等	要　　件
被相続人	○　限定なし
相続人 対象会社 相続株式	○　図表３－16（第一種）と同じ
相続開始時期	○　図表３－16の期間内で、かつ、当該相続の相続税の申告期限が、特例経営承継期間内（後述）に到来するものであること
他の特例措置	○　当該相続の直前において、次のいずれかに該当する者が存すること ・すでに、対象会社の株式について特例措置のいずれかの適用を受けた者 ・すでに、対象会社の株式について特例措置のいずれかが適用される先代経営者からの贈与、相続により取得した者

〈申告後〉

④　特例経営承継期間内の手続

特例経営承継期間（当該相続人が最初に適用を受ける特例措置における申告期限（以下「最初の特例申告期限」という）の翌日から５年を経過する日、当該相続人の死亡日の前日のうちの最初に到来する日まで。租特法70条の７の６第２項６号）内における手続は、贈与税の特例措置における特例経営贈与承継期間内の手続と同様（対象会社による年次報告書の提出につき経営承継円滑化法規則12条３項・４項、当該相続人による継続届出書の提出につき租特法70条の７の６第７項）。

⑤　雇用平均８割確保に関する手続

贈与税の特例措置と同様（経営承継円滑化法規則20条２項・３項）。

⑥　特例経営承継期間経過後

贈与税の特例措置と同様（租特法70条の７の６第７項・２項９号ロ）。

(c)　納税猶予額

当該相続人は、同人が取得した財産（相続株式を含む）に係る相続税額の

図表３－18　相続税の特例措置の手続の概要

納税猶予を受けるためには、「都道府県知事の認定」、「税務署への申告」の手続が必要となります。

提出先		
提出先		●提出先は「主たる事務所の所在地を管轄する都道府県庁」です。 ●平成 30 年１月１日以降の相続について適用することができます。
都道府県庁	特例承継計画の策定	●会社が作成し、認定支援機関（商工会、商工会議所、金融機関、弁護士、税理士、公認会計士等）が所見を記載
都道府県庁	確認申請	●令和５年３月 31 日まで提出可能です。 ※株式等の相続後に特例承継計画を作成することも可能です。その場合は、都道府県知事への認定申請時までに作成してください。
都道府県庁	相続または遺贈	
都道府県庁	認定申請	●相続の開始の日の翌日から８カ月以内に申請（相続の開始の日の翌日から５カ月を経過する日以後の期間に限ります） ●特例承継計画を添付
税務署	税務署へ申告	●認定書の写しとともに、相続税の申告書等を提出
税務署・都道府県庁	申告期限後５年間	●都道府県庁へ「年次報告書」を提出（年１回） ●税務署へ「継続届出書」を提出（年１回）
税務署・都道府県庁	５年経過後実績報告	●雇用が５年平均８割を下回った場合には、満たせなかった理由を記載し、認定経営革新等支援機関が確認。その理由が、経営状況の悪化である場合等には認定経営革新等支援機関から指導・助言を受ける。
税務署	６年目以降	●税務署へ「継続届出書」を提出（３年に１回）

出所：中小企業庁「経営承継円滑化法申請マニュアル【相続税、贈与税の納税猶予制度の特例】」６頁を一部改変

うち、当該対象株式全部のみを当該相続人が取得した相続財産であるとみなして計算される（債務や葬式費用等がある場合は対象株式以外の財産からまず控除する）相続税額について、納税が猶予される（租特法70条の７の６第２項８号、同法施行令40条の８の６第16項）。

図表３－19　猶予税額の免除～相続人の死亡の場合等

①	相続人が死亡
	【免除額】猶予税額全部
②	特例経営承継期間経過後に当該相続人が対象株式を次の後継者（受贈者）に贈与し、その受贈者が贈与税の納税猶予（特例措置または一般措置）の適用を受けたこと
	【免除額】猶予税額のうち当該贈与に相当する金額

(d)　納税猶予の打切り

相続税の特例措置の納税猶予の打切りについては、贈与税の特例措置と同様（ただし、図表３－11の「対象」欄の「受贈者」は「相続人」と読み替える。特例経営承継期間内の打切りにつき租特法70条の７の６第３項、70条の７の２第３項・４項、70条の７の６第23項、特例経営承継期間経過後の打切りにつき同条３項、70条の７の２第５項、70条の７の６第24項、継続届出書不提出（雇用平均８割確保に関する報告書、確認書の写しの不添付を含む）による打切りにつき同法70条の７の６第９項、70条の７の２第12項。ただし、図表３－11の打切り事由の⑲を除く）。

(e)　猶予税額の免除

次の事由が生じたときは、猶予税額の全部または一部が免除される。

(i)　相続人の死亡の場合等

相続人等に図表３－19のいずれかの事由が生じたときは、当該各事由の「【免除額】」記載の額の免除を受けることができる。この免除を受けるためには、それぞれの事由が生じたときから６月以内に、当該相続人の相続人または相続人からの受贈者が、所定の届出書を所轄税務署長に提出する必要がある（同法70条の７の６第12項、70条の７の２第16項等）。

(ii)　その他の場合の免除

贈与税の特例措置と同様（ただし、図表３－13、図表３－14中、「受贈者」とあるのは「相続人」と、「贈与時」とあるのは「相続開始時」と、それぞれ読み替える。特例経営承継期間経過後の対象株式の譲渡等につき同法70条の７の６第12

項・21項、70条の７の２第17項・22項、事業継続が困難な事由が生じた場合につき同法70条の７の６第13項、譲渡時の対象株式の対価の額等が時価相当額の２分の１以下である場合の特則につき同条14項)。

d　みなし相続の特例措置（「非上場株式等の特例贈与者が死亡した場合の相続税の納税猶予及び免除の特例」租特法70条の７の８）

(a)　概　　要

(i)　みなし相続

贈与税の特例措置の適用を受けた贈与に係る贈与者が死亡した場合（その死亡の日の前に猶予されている贈与税額全部について猶予が打ち切られた場合およびその死亡の時より前に当該受贈者が死亡した場合を除く)、猶予されていた対象株式についての贈与税の納税は免除されるが、他方、受贈者が対象株式を贈与者から相続したものとみなし、贈与時の価額で相続財産に合算され、相続税が課税される（「非上場株式等の特例贈与者が死亡した場合の相続税の課税の特例」租特法70条の７の７第１項。以下、ｄにおいて「みなし相続」という。)。

(ii)　みなし相続の特例措置

この特例措置におけるみなし相続の場合に、所定の要件に該当すれば、その贈与者の死亡に係る相続税のうち、みなし相続の対象株式（すなわち、贈与税の特例措置の対象株式）に係る相続税相当額の納税が、当該受贈者の死亡の日まで猶予される、という制度である。

なお、当該受贈者（相続人）は、みなし相続の特例措置の適用を受けない、という選択も可能である。

(b)　実体要件と手続

この特例措置の適用を受けるための実体要件と手続は、以下のとおり。

(i)　実体要件（同法70条の７の８第１項・２項等)

受贈者（後継者)、対象会社等について、図表３－20の要件を満たすこと。また、当該みなし相続に係る贈与について期限内に贈与税の特例措置が適用されている限り、みなし相続における贈与者の相続開始時期について制限はない。

図表３－20　みなし相続の特例措置の主な実体要件

対象者等	要　　件
受贈者	○　当該贈与者の相続開始時において、次のいずれの要件も満たしていること ・対象会社の代表者であること ・同族関係者と合わせて総議決権数の過半数を保有し、かつ、それらの者（他の特例措置のいずれかの適用を受ける者等を除く）のなかで筆頭株主であること
対象会社	○　当該相続開始時において、次のいずれの要件も満たしていること ・常時使用する従業員の数が１人以上であること ・資産管理会社でないこと ・上場会社でないこと（ただし、当該贈与者の死亡が特例贈与経営承継期間経過後の場合を除く） ・性風俗特殊営業会社でないこと ・直前の事業年度の総収入金額が０でないこと ・黄金株が発行されている場合、それを当該受贈者以外の者が保有していないこと　等

(ii)　手　　続

①　対象会社

・切替確認

当該贈与者の相続開始から８月以内に、都道府県知事に対して上記実体要件について確認申請をすること（「切替確認」。経営承継円滑化法規則13条４項・５項・１項・２項）。

・臨時報告

当該贈与者が特例経営贈与承継期間内に死亡した場合は、上記切替確認を受ける場合を除き、その相続開始の日の翌日から８月を経過する日までに、都道府県知事に対して納税猶予要件を引き続き満たしていること等について報告を行うこと（「臨時報告」。経営承継円滑化法規則12条19項・28項・11項）。

②　当該受贈者（相続人）

・相続税の申告

当該贈与者の死亡に係る相続税の申告期限内（受贈者が当該相続開始があっ

たことを知った日の翌日から10月以内）に、この特例を受ける旨を記載した相続税の申告書（上記切替確認に係る確認書、報告書等を添付）を所轄税務署長へ提出するとともに、納税が猶予される相続税額および利子税に見合う担保を提供すること（租特法70条の７の８第１項・５項３号）。

・免除届出

当該贈与者の相続開始の日から10月を経過する日までに、所轄税務署長に贈与者が死亡した旨の届け出、猶予された贈与税の免除を受けること（租特法70条の７の５第11項、70条の７第15項）。

(c) 納税猶予額

当該受贈者は、相続税の特例措置と同様に、当該受贈者が取得した財産（みなし相続対象株式を含む）に係る相続税額のうち、当該みなし相続対象株式のみを当該受贈者が取得した相続財産であるとみなして（ただし、その価額は当該贈与を受けた時の価額）計算される相続税額について、納税が猶予される（租特法70条の７の８第２項４号、同法施行令40条の８の８第８項）。

(d) 特例経営贈与承継期間の引継ぎ

贈与税の特例措置に係る当該贈与者が特例経営贈与承継期間内に死亡した場合に、当該受贈者がみなし相続の特例措置の適用を受ける場合は、当該特例経営贈与承継期間が引き継がれる。すなわち、当該贈与者の死亡の日から当該特例経営贈与承継期間の末日までが、当該みなし相続の特例措置における特例承継期間（「特例経営相続承継期間」）となる（租特法70条の７の８第２項５号）。したがって、当該贈与者が特例経営贈与承継期間経過後に死亡した場合は、みなし相続の特例措置に係る特例経営相続承継期間は経過したものということになる。

(e) 納税猶予の打切り、免除

みなし相続の特例措置における納税猶予の打切り、免除については、相続税の特例措置と同様（打切りにつき租特法70条の７の８第３項、70条の７の２第３項ないし５項、免除につき租特法70条の７の８第11項、70条の７の２第16項ないし18項）。

e　**贈与税の一般措置**（「非上場株式等についての贈与税の納税猶予及び免除」租特法70条の７）

(a)　**概　　要**

対象会社の後継者（１人に限る）が、先代経営者等から、対象会社の株式を生前贈与により取得し、対象会社が都道府県知事から経営承継円滑化法認定（贈与税の一般措置に関するもの。以下ｅにおいて同じ。後述）を受ける等、所定の要件を満たすときは、当該後継者が負担すべき贈与税のうち、当該受贈株式のなかの発行済完全議決権株式の総数の３分の２に達するまでの部分の100％の納税が、当該先代経営者等や当該後継者が死亡するまで猶予される、という制度である（図表３－21）。

(b)　**実体要件と手続**

この一般措置の実体要件と手続は以下のとおり。贈与税の特例措置の適用要件と同じ部分も多いが、前述の相違点（図表３－６）もあり、異なる部分も少なくない。

図表３－21　贈与税の一般措置の概要

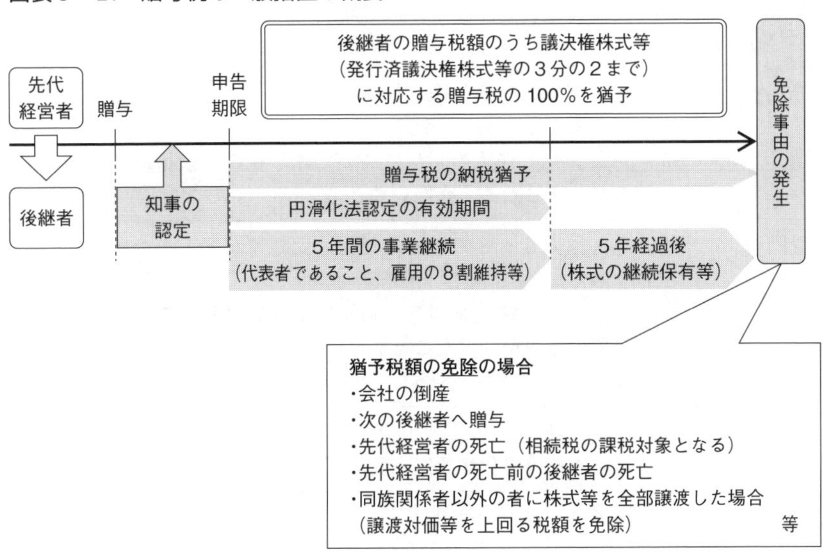

出所：経営承継円滑化法申請マニュアル【相続税、贈与税の納税猶予制度】３頁

(i) 実体要件（租特法70条の7第1項・2項等）

贈与者（先代経営者等）、受贈者（後継者。1人のみ）、対象会社等の要件は、対象会社において受贈者が初めて一般措置の適用を受ける場合（図表3－22（第一種）の受贈者の要件④を満たす場合）は同図表の、それ以外の場合は図表3－23（第二種）のとおりである。

(ii) 手続（概要は図表3－24のとおり）

〈贈与税の申告まで〉

① 経営承継円滑化法認定

特例措置における特例円滑化法認定とおおむね同じ（経営承継円滑化法12条1項1号イ、同法規則7条2項・4項。認定要件については同規則6条1項7号・9号）。ただし、一般措置においては、特例承継計画が不要であること、受贈者（後継者）が1人だけであること等から、若干の相違があることに注意を要する。

② 贈与税の申告

特例措置と同じ（租特法70条の7第1項）。

図表3－22 贈与税の一般措置（第一種）の主な実体要件

対象者等	要件
贈与者	①、② 図表3－8（贈与税の特例措置（第一種）の①（先代経営者であること）、②と同じ ③ 対象会社の株式の贈与について贈与税の一般措置の適用を受ける贈与をしたことがないこと
受贈者	①、② 図表3－8の①（ただし、受贈者が2人または3人の場合を除く）、②と同じ ③ 対象会社の株式を贈与、相続により取得したことについて特例措置の適用を受けたことがないこと ④ 図表3－23の④に該当しないこと
対象会社	①、③ 図表3－8の①、③と同じ ② 経営承継円滑化法認定を受けていること
贈与株式数	○ 図表3－8の①と同じ
贈与時期	○ 限定なし

図表３－23　贈与税の一般措置（第二種）の主な実体要件

対象者等	要　　件
贈与者	○　当該贈与時において、対象会社の代表者でないこと
受贈者	①～③　図表３－22の①～③と同じ ④　次のいずれかに該当すること ・すでに、対象会社の株式について一般措置のいずれかの適用を受けている（申告をした）こと ・すでに、対象会社の株式について、先代経営者から贈与税または相続税の一般措置（後述）のいずれかが適用される贈与、相続により取得したこと
対象会社 贈与株式数	○　図表３－22と同じ
贈与時期	○　当該贈与の贈与税の申告期限が、経営贈与承継期間内（後述）に到来するものであること

〈申告後〉

③　経営贈与承継期間内の手続

贈与税の特例措置における特例経営贈与承継期間内の手続と同じ（経営贈与承継期間につき租特法70条の７第２項６号、対象会社による年次報告書の提出につき経営承継円滑化法規則12条１項・２項、当該受贈者による継続届出書の提出につき租特法70条の７第９項）。

④　雇用平均８割確保について

特例措置とは異なり、納税猶予の打切事由とされている（後述。租特法70条の７第３項２号）。

⑤　経営贈与承継期間経過後、当該贈与者が死亡した場合

贈与税の特例措置の特例経営贈与承継期間経過後、当該贈与者が死亡した場合と同じ（経営贈与承継期間経過後につき租特法70条の７第９項・２項７号ロ、当該贈与者が死亡した場合の猶予税額の免除につき租特法70条の７第15項、「みなし相続」につき租特法70条の７の３第１項、みなし相続の一般措置については後述）。

図表３－24　贈与税の一般措置の手続の概要

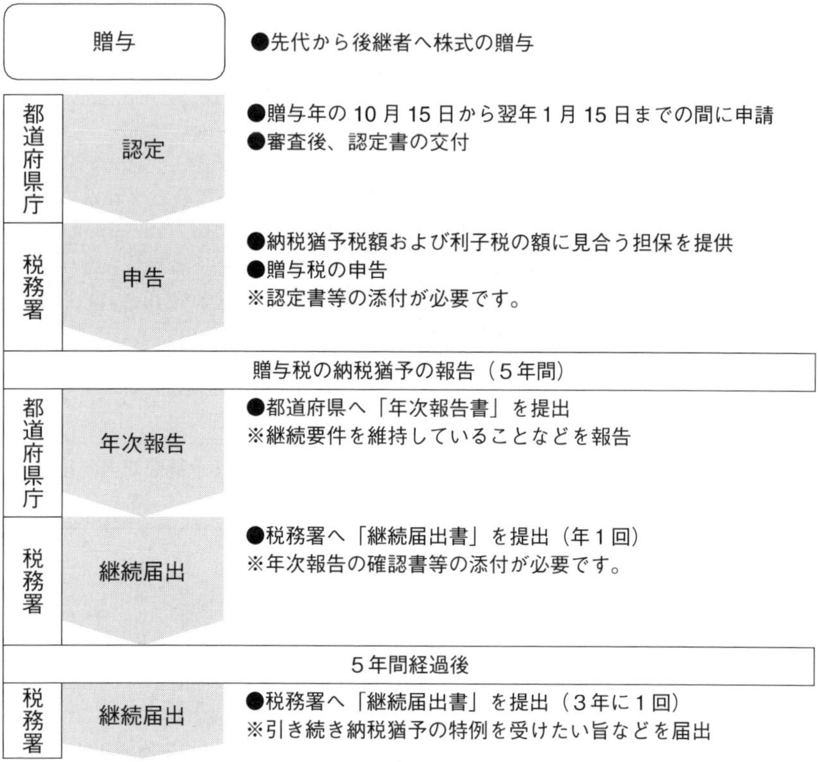

	贈与	●先代から後継者へ株式の贈与
都道府県庁	認定	●贈与年の 10 月 15 日から翌年 1 月 15 日までの間に申請 ●審査後、認定書の交付
税務署	申告	●納税猶予税額および利子税の額に見合う担保を提供 ●贈与税の申告 ※認定書等の添付が必要です。
	贈与税の納税猶予の報告（５年間）	
都道府県庁	年次報告	●都道府県へ「年次報告書」を提出 ※継続要件を維持していることなどを報告
税務署	継続届出	●税務署へ「継続届出書」を提出（年１回） ※年次報告の確認書等の添付が必要です。
	５年間経過後	
税務署	継続届出	●税務署へ「継続届出書」を提出（３年に１回） ※引き続き納税猶予の特例を受けたい旨などを届出

出所：中小企業庁「中小企業経営承継円滑化法申請マニュアル【相続税、贈与税の納税猶予制度】」７頁を一部改変

(c)　納税猶予額

当該受贈者は、その年分の受贈財産全部（当該対象株式を含む）に対する贈与税額のうち、当該受贈株式の中の対象会社の発行済完全議決権株式総数の３分の２（当該受贈者が贈与前からすでに保有していた株式を含む）に達するまでの部分のみをその年分の受贈財産であるとみなして計算される贈与税額の全額について、納税が猶予される（租特法70条の７第１項・２項５号）。受贈株式全部が対象株式となる特例措置と大きく異なるところである。

また、相続時精算課税制度の選択も可能であるが、当該贈与がなされた年の１月１日現在、贈与者は60歳以上、受贈者は20歳以上（令和４年４月１日

以降の贈与の場合は18歳以上）で、かつ、贈与者の推定相続人（直系卑属に限る）または孫である必要がある（相続税法21条の９第１項、租特法70条の２の６第１項)。

⒟　**納税猶予の打切り**

基本的に、贈与税の特例措置の打切事由と同じ（経営贈与承継期間内の打切りにつき租特法70条の７第３項、同期間経過後の打切りにつき同条５項・27項・28項、継続届出書不提出による打切りにつき同条11項)。

ただし、当該贈与に係る経営贈与承継期間の経過する日における雇用平均８割確保が充足できなかった場合、打切事由となる（同条３項２号、同法施行令40条の８第23項)。

⒠　**猶予税額の免除**

贈与税の特例措置と同様（受贈者・贈与者の死亡の場合等につき租特法70条の７第15項、経営贈与承継期間経過後の対象株式の譲渡等につき同条16項～21項等)。

ただし、「事業継続が困難な事由が生じた場合」「譲渡時の対象株式の対価の額等が時価相当額の２分の１以下である場合の特則」の制度は存しない。

f　相続税の一般措置（「非上場株式等についての相続税の納税猶予及び免除」租特法70条の７の２）

⒜　**概　　要**

対象会社の後継者（１人に限る）が、先代経営者等から、対象会社の株式を相続により取得し、対象会社が都道府県知事から経営承継円滑化法認定（相続税の一般措置に関するもの。以下ｆにおいて同じ。後述）を受ける等、所定の要件を満たすときは、当該後継者が負担すべき相続税のうち当該相続株式のなかの発行済完全議決権株式の総数の３分の２に達するまでの部分の80％の納税が、当該後継者が死亡するまで猶予される、という制度である（図表３－25)。

⒝　**実体要件と手続**

この一般措置の実体要件と手続は以下のとおり。

(i)　実体要件（租特法70条の７の２第１項・２項等）

被相続人（先代経営者等)、相続人（後継者。１人だけ)、対象会社等の要件

図表３－25　相続税の一般措置の概要

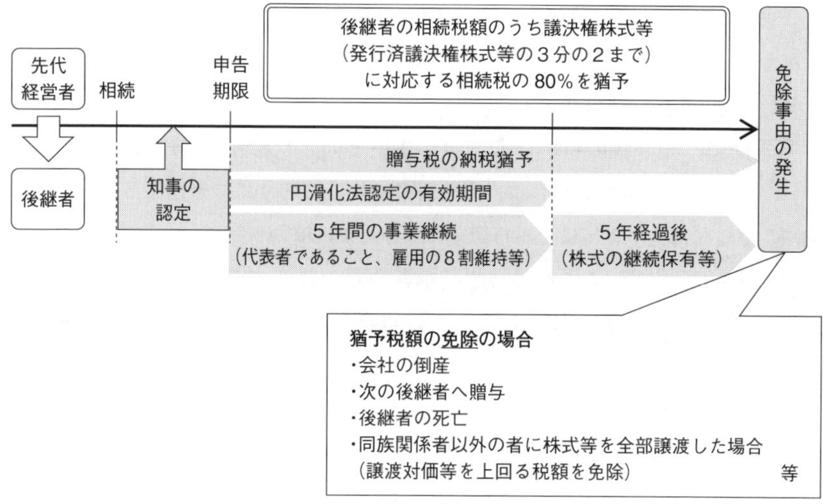

出所：経営承継円滑化法申請マニュアル【相続税、贈与税の納税猶予制度】４頁

図表３－26　相続税の一般措置（第一種）の主な実体要件

対象者等	要　　件
被相続人	○　図表３－16（相続税の特例措置（第一種））と同じ
相続人	①、③　図表３－16の①、③と同じ ②　当該相続開始時において、同族関係者と合わせて総議決権数の過半数を保有し、かつ、同族関係者のなかで筆頭株主であること ④　対象会社の株式を贈与、相続により取得したことについて特例措置の適用を受けたことがないこと ⑤　図表３－27の⑤に該当しないこと
対象会社	○　図表３－22（贈与税の一般措置（第一種））と同じ
相続株式数 相続開始時期	○　限定なし

は、対象会社において相続人が初めて一般措置の適用を受ける場合（図表３－26（第一種）の「他の特例措置」の要件を満たす場合）は同図表の、それ以外

図表３－27　相続税の一般措置（第二種）の主な実体要件

対象者等	要　　件
被相続人	○　限定なし
相続人	①ないし④　図表３－26①ないし④と同じ。 ⑤　次のいずれかに該当すること ・すでに、対象会社の株式について一般措置のいずれかの適用を受けていること ・すでに、対象会社の株式について、先代経営者から、贈与税または相続税の一般措置のいずれかが適用される贈与、相続により取得したこと
対象会社	○　図表３－26と同じ
相続開始時期	○　当該相続の相続税の申告期限が、経営承継期間内（後述）に到来するものであること

の場合は図表３－27（第二種）の、とおりである。

(ii)　手続（概要は図表３－28のとおり）

〈相続税の申告まで〉

①　経営承継円滑化法認定

相続税の特例措置における特例円滑化法認定とおおむね同じ（経営承継円滑化法12条第１項１号イ、同法規則７条３項・５項。認定要件については同法規則６条１項８号・10号)。ただし、一般措置においては、特例承継計画が不要、相続人（後継者）が１人だけであること等から、若干の相違がある。

②　相続税の申告

相続税の特例措置と同じ（租特法70条の７の２第１項)。

〈申告後〉

③　経営承継期間内の手続

経営承継期間（当該相続人が最初に適用を受ける一般措置における申告期限の翌日（以下「最初の一般申告期限」という）から５年を経過する日、当該相続人の死亡日の前日のうちの最初に到来する日まで。租特法70条の７の２第２項６号）内の手続も、相続税の特例措置と同じ（対象会社による年次報告書の提出につ

図表３－28　相続税の一般措置の手続の概要

	相続 遺贈	●先代から後継者へ株式の相続または遺贈
都道府県庁	認定	●相続発生後５カ月を経過する日の翌日から８カ月を経過する日までの間に申請 ●審査後、認定書の交付
税務署	申告	●納税猶予税額および利子税の額に見合う担保を提供 ●相続税の申告 ※認定書等の添付が必要です。
相続税の納税猶予の報告（５年間）		
都道府県庁	年次報告	●都道府県へ「年次報告書」を提出 ※継続要件を維持していることなどを報告
税務署	継続届出	●税務署へ「継続届出書」を提出（年１回） ※年次報告の確認書等の添付が必要です。
５年間経過後		
税務署	継続届出	●税務署へ「継続届出書」を提出（３年に１回） ※引き続き納税猶予の特例を受けたい旨などを届出

出所：中小企業庁「中小企業経営承継円滑化法申請マニュアル【相続税、贈与税の納税猶予制度】」８頁を一部改変

き経営承継円滑化法規則12条３項・４項、当該相続人による継続届出書の提出につき租特法70条の７の２第10項)。

④　雇用平均８割確保について

特例措置と異なり、後述のとおり、納税猶予の打切事由とされている（租特法70条の７の２第３項２号)。

⑤　経営承継期間経過後

相続税の特例措置と同じ（租特法70条の７の２第10項・２項７号ロ)。

(c)　**納税猶予額**

当該相続人が取得した財産（対象株式を含む）に係る相続税額のうち、当

該相続株式の中の対象会社の発行済完全議決権株式総数の３分の２（当該相続人が相続前からすでに保有していた株式を含む）に達するまでの部分のみを当該相続人が取得した相続財産であるとみなして計算される（債務や葬式費用等がある場合は対象株式以外の財産からまず控除する）相続税額の８割について、納税が猶予される（租特法70条の７の２第２項５号、同法施行令40条の８の２第13項）。相続株式全部が対象株式となり、これに対する相続税の全額の納税が猶予される特例措置と大きく異なるところである。

(d)　**納税猶予の打切り**

特例措置とは異なり、当該相続人に係る経営承継期間の経過する日において、当該相続人の最初の一般申告期限の翌日から１年を経過するごとの日における従業員数の平均が、対象会社の最初の相続税の一般措置の適用に係る相続開始の日の従業員数の８割未満となった場合が打切事由となる（租特法70条の７の２第３項２号、同法施行令40条の８の２第28項）。

それ以外は、特例措置の打切りと同様（経営承継期間内の打切りにつき租特法70条の７の２第３項・４項・28項、同期間経過後の打切りにつき同条５項・29項、継続届出書不提出による打切りにつき同条12項）。

(e)　**猶予税額の免除**

相続税の特例措置と同様（相続人の死亡の場合等につき租特法70条の７の２第16項、経営承継期間経過後の対象株式の譲渡等につき同条17項～21項）。ただし、「事業継続が困難な事由が生じた場合」「譲渡時の対象株式の対価の額等が時価相当額の２分の１以下である場合の特則」の制度は存しない。

g　みなし相続の一般措置（「非上場株式等の贈与者が死亡した場合の相続税の納税猶予及び免除」租特法70条の７の４）

(a)　**概　　要**

贈与税の一般措置の適用を受けた贈与に係る贈与者が死亡した場合（その死亡の日の前に猶予されている贈与税額全部について猶予が打ち切られた場合およびその死亡の時より前に当該受贈者が死亡した場合を除く）も、みなし相続の特例措置の場合と同様に、猶予されていた贈与税の納税は免除される一方で、受贈者が対象株式を贈与者から相続したものとみなし、贈与時の価額で相続財産に合算され、相続税が課税される（租特法70条の７の３第１項）。

そして、この一般措置におけるみなし相続の場合にも、一定の要件に該当すれば、相続税の納税猶予が受けられる（以下「みなし相続の一般措置」という）。しかしながら、みなし相続の一般措置の場合、納税猶予が受けられるのは、当該みなし相続対象株式のなかの発行済完全議決権株式の総数の３分の２に達するまでの部分に係る相続税額の80％にとどまる。

このみなし相続の一般措置においても、当該受贈者（相続人）は、その適用を受けない、という選択も可能である。

(b) 適用要件

以下のとおり、実体要件、手続は、みなし相続の特例措置とほぼ同じ（ただし、「特例経営承継期間」とあるのは「経営承継期間」と読み替え）。

(i) 実体要件

以下の点を除き、みなし相続の特例措置と同じ（租特法70条の７の４、同法施行令40条の８の４、40条の８の２）。

・受贈者は、当該贈与者の相続開始時において、同族関係者のなかで、例外なく、筆頭株主でなければならない（特例措置においては「特例措置のいずれかの適用を受ける者等を除く」という例外がある）。

(ii) 手　　続

みなし相続の特例措置と同じ（①対象会社の切替確認につき経営承継円滑化法規則13条１項ないし３項、臨時報告につき経営承継円滑化法規則12条11項・13項。②当該受贈者（相続人）の相続税の申告につき租特法70条の７の４第１項・７項３号、免除届出につき租特法70条の７第15項。）。

(c) 納税猶予額

当該受贈者が当該相続により取得した財産（みなし相続対象株式を含む）に係る相続税額のうち、当該みなし相続対象株式の中の対象会社の発行済完全議決権株式総数の３分の２（当該受贈者が当該相続前からすでに保有していた株式を含む）に達するまでの部分のみを当該受贈者が取得した相続財産であるとみなして（ただし、その価額は当該贈与を受けた時点の価額）計算される（債務や葬式費用等がある場合は対象株式以外の財産からまず控除する）相続税額の８割について、納税が猶予される（租特法70条の７の４第２項４号、同法施行令40条の８の４第８項）。みなし相続の対象株式に対する相続税の全額の納税が猶予されるみなし相続の特例措置と大きく異なる。

(d) 経営贈与承継期間の引継ぎ

みなし相続の特例措置と同じ（ただし、「特例経営相続承継期間」とあるのは「経営相続承継期間」と読み替え。租特法70条の7の4第2項5号）。

(e) 納税猶予の打切り、免除

みなし相続の特例措置と同じ（打切りにつき租特法70条の7の4第3項、70条の7の2第3項ないし5項、免除につき租特法70条の7の4第12項、70条の7の2第16項ないし18項）。

h まとめ

前述したとおり、今後、令和9年12月31日までの贈与、相続については、特例措置（贈与税、相続税ともに全額の納税猶予が受けられる）の利用が可能であり、そのためには、対象会社は、令和5年3月31日までに都道府県の知事に特例承継計画を提出する必要があるので、注意を要する。

しかしながら、これまで述べてきたとおり、事業承継税制については、特例措置であれ、一般措置であれ、その適用を受け、それを継続するために一定の要件に該当するだけでなく、相応の手続の負担もある。

したがって、事業承継に関与する専門家としては、知見を有する税理士と協力のうえ、当該会社の規模、後継者の状況、事業の継続の見込みや売却の可能性等、さまざまな要素を勘案し、その利用についてアドバイスをすることが求められる。

(6) 個人の事業用資産についての贈与税及び相続税の納税猶予・免除制度（個人版事業承継税制）

a 総　論

従前、会社における自社株の承継については、前述のとおり事業承継税制によって税務面での負担軽減が図られていたが、中小企業の半数以上を占める個人事業者の事業承継については、すでに事業用の宅地についての特例による相続税の負担軽減措置がとられていたものの、贈与税や事業用の宅地以外の事業用資産についての手当がなされていなかった。そこで、事業の継続に不可欠な事業用資産の範囲を明確にしつつ、その承継の円滑化を支援し代替りを促進するための枠組みとして、令和元年の民法特例の改正（対象を個人事業主に拡大）にあわせ、令和元年度の税制改正により、時限的ではあるが、個人の事業用資産についての贈与税、相続税の納税猶予・免除制度（以下、(6)においては、それぞれ「贈与税措置」「相続税措置」、これらをあわせて「個人版事業承継税制」という）が創設された。

図表３－29　会社の事業承継税制の特例措置と個人版事業承継税制の主な違い

事　項	会社の特例措置	個人版事業承継税制
適用期間	平成30年１月１日から令和９年12月31日までの贈与、相続	平成31年１月１日から令和10年12月31日までの贈与、相続
事前の承継計画	「特例承継計画」。令和５年３月31日までに都道府県知事に提出	「個人事業承継計画」。令和６年３月31日までに都道府県知事に提出
対象資産	発行済議決権株式全部	特定事業用資産全部
納税猶予比率	贈与税、相続税：100％	同左
先代経営者以外からの贈与、相続への適用	可能	先代経営者のみ（一定の場合、同一生計親族等からも可）
後継者の数	３人まで	１人
申告後５年間の雇用平均８割確保	弾力化	不要
事業の継続が困難な事由が生じた場合の免除	あり	あり
相続時精算課税制度の適用	60歳以上の贈与者から20歳以上（令和４年４月１日以降の贈与の場合は18歳以上）の者への贈与	同左
都道府県知事への報告	当初５年間は毎年	なし
税務署への報告	・当初５年間は毎年 ・それ以降は３年ごと	当初から３年ごと

この個人版事業承継税制は、前述の会社の事業承継税制（特例措置）に準じた制度設計になっているが、個人・会社の本質的な違いによるものを除くと、主な違いは図表３－29のとおりである。

以下、個人版事業承継税制の概要について、紹介する。

b　概　　要

後継者（１人だけ）が、平成31年１月１日から令和10年12月31日までの間に、先代事業者またはその者と生計を一にする親族等（以下「先代事業者等」という）から、その事業用資産を、贈与または相続（以下「贈与等」という）により取得し、都道府県知事から特例円滑化法認定（個人版事業承継税制に関するもの。以下(6)において同じ。後述）を受けたときは、当該後継者が負担すべき贈与税または相続税（以下「贈与税等」という）のうち当該事業用資産に係る部分の100％の納税が、当該後継者の死亡や当該先代事業者等の死亡（贈与税措置のみ）まで猶予される、という制度である（租特法70条の６の８、

図表３－30　個人版事業承継税制の概要

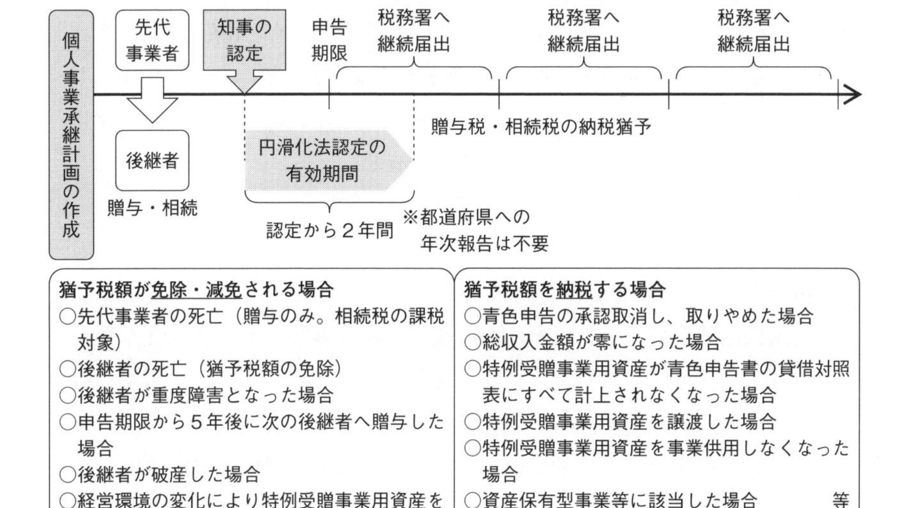

猶予税額が免除・減免される場合	猶予税額を納税する場合
○先代事業者の死亡（贈与のみ。相続税の課税対象） ○後継者の死亡（猶予税額の免除） ○後継者が重度障害となった場合 ○申告期限から５年後に次の後継者へ贈与した場合 ○後継者が破産した場合 ○経営環境の変化により特例受贈事業用資産を譲渡または廃業する場合　等	○青色申告の承認取消し、取りやめた場合 ○総収入金額が零になった場合 ○特例受贈事業用資産が青色申告書の貸借対照表にすべて計上されなくなった場合 ○特例受贈事業用資産を譲渡した場合 ○特例受贈事業用資産を事業供用しなくなった場合 ○資産保有型事業等に該当した場合　等

出所：経営承継円滑化法【個人版事業承継税制の前提となる経営承継円滑化法の認定申請マニュアル】３頁を一部改変

70条の６の10。図表３－30）。

c　適用要件

個人版事業承継税制の適用を受けるための適用要件（実体要件と手続）は以下のとおり（贈与税措置につき租特法70条の６の８第１項・２項、相続税措置につき70条の６の10第１項・２項）。

(a)　実体要件

事業用資産、先代事業者等（贈与税措置における贈与者、相続税措置における被相続人。以下あわせて「贈与者等」という）、後継者（贈与税措置における受贈者、相続税措置における相続人。以下あわせて「受贈者等」という）等の要件は、以下のとおりである。

(i)　事業用資産

贈与者等（その者と生計を一にする親族等を含む）の事業（不動産貸付業、駐車場業および自転車駐車場業を除く）の用に供されていた次に掲げる資産で、贈与税措置における贈与時、相続税措置における相続開始時（以下あわせて「贈与時等」という）の日の属する年の前年分の事業所得に係る青色申告書の貸借対照表に計上されているもの（以下「特定事業用資産」という。租特法70条の６の８第２項１号、70条の６の10第２項１号）の全部（相続税措置の場合、当該被相続人の相続に係る相続税の申告期限までに分割されているものに限る）。

①　宅地等（土地または土地の上に存する権利であって、建物または構築物の敷地の用に供されているもののうち棚卸資産に該当しないもの）　面積の合計のうち400㎡以下の部分

②　建物（事業の用に供されている建物で棚卸資産に該当しないもの）　床面積の合計のうち800㎡以下の部分

③　減価償却資産　次のいずれかに該当するもので、①、②以外のもの

・固定資産税（償却資産）が課税される償却資産（建物附属設備、構築物、機械装置、器具備品、船舶など）

・自動車税または軽自動車税において、営業用の標準税率が適用される自動車（贈与者等が令和３年４月１日以降に死亡した場合は、乗用自動車（取得価額500万円以下の部分に対応する部分に限る。）も含まれる。）

・その他上記に準ずるもの（貨物運送用の一定の自動車、乳牛等の生物、

特許権等の無形減価償却資産）

(ii) 贈与者等

贈与時等の前に特定事業用資産を有していた個人で次のいずれかに該当する者であること（贈与税措置の場合、すでに贈与税措置の適用に係る贈与をしている者を除く）。

① 先代事業者（贈与時等の前に特定事業用資産を用いて事業を行っていた者）である場合　次のすべての要件を満たすこと

・贈与時等の年、その前年、その前々年において、当該事業について青色申告書（55万円（令和元年以前は65万円）控除）を提出していたこと

・（贈与税措置のみ）贈与時において所得税の所轄税務署長に事業用資産に係る事業の廃業届を提出し、または贈与税の申告書の提出期限までに廃業届を提出する見込みであること

② 先代事業者以外の場合

・贈与時等の直前において、先代事業者と生計を一にする親族等であること

(iii) 受贈者等

贈与者等から贈与等により特定事業用資産のすべてを取得した個人で、次に掲げる要件のすべてを満たす者

○ （贈与税措置のみ）贈与の日において20歳以上（令和４年４月１日以降の贈与の場合は18歳以上）であること

○ 特例円滑化法認定を受けていること

○ 贈与税措置の場合は贈与の日まで引き続き３年以上、相続税措置の場合は相続時の直前において、いずれも特定事業用資産に係る事業またはこれと同種もしくは類似の事業に係る業務に従事していたこと（相続税措置の場合は、被相続人が60歳未満で死亡した場合を除く）

○ 贈与等による取得の時からその贈与税等の申告書の提出期限までに（相続税措置の場合は、特定事業用資産に係る事業を引き継ぎ）、引き続き特定事業用資産のすべてを有し、自己の事業の用に供していること

○ 当該贈与等に係る贈与税等の申告期限において、特定事業用資産に係る開業の届出をし、青色申告の承認を受けていること（相続税措置の場

合は、受ける見込みであることを含む）

○　贈与等により取得した特定事業用資産に係る事業が、贈与時等において、資産保有型事業（租特法70条の６の８第２項４号）、資産運用型事業（同項５号）および性風俗特殊営業のいずれにも該当しないこと

○　（相続税措置のみ）当該贈与者等からの相続について小規模宅地等の特例のうち特定事業用宅地等（同法69条の４第３項１号。後述）の特例の適用を受けていないこと（同法70条の６の10第２項２号へ）

○　個人事業承継計画（後述）に記載された後継者であること　等

(iv)　贈与等の時期

①　贈与者等が先代事業者の場合

平成31年１月１日から令和10年12月31日までの間

②　それ以外の場合

平成31年１月１日から令和10年12月31日までの間で、先代事業者からの贈与時等の後１年以内

(b)　**手　　続**（概要は図表３－31のとおり）

(i)　贈与税等の申告まで

①　個人事業承継計画

後継者（先代事業者からその事業を承継する予定の者を含む）は、令和６年３月31日までに（当該贈与時等の後でもよいが、③の特例円滑化法認定申請以前）、先代事業者の主たる事務所を管轄する都道府県知事に個人事業承継計画（先代事業者、後継者、事業承継の予定時期およびそれまでの経営計画、承継後の経営計画等が記載され、その内容について認定支援機関による指導および助言を受けたもの（経営承継円滑化法規則16条３号））を提出し、その確認を受けること（同規則17条）。

②　開業届出、青色申告の承認

受贈者等は、③の特例円滑化法認定の申請前に、特定事業用資産に係る事業について、開業の届出書を提出し、青色申告の承認を受け、または受ける見込みであること（経営承継円滑化法規則６条16項７号へ・ト・８号ホ・へ）

③　特例円滑化法認定

受贈者等は、贈与税措置の場合は贈与時の翌年の１月15日までに、相続税

図表３－31　個人版事業承継税制手続の概要

提出先	●個人事業承継計画の提出先は、「先代事業者の主たる事務所の所在地を管轄する都道府県庁」です。 ●認定申請の提出先は、「個人事業承継者の主たる事務所の所在地を管轄する都道府県庁」です。 ●平成31年1月1日以降の贈与・相続について適用することができます。	
都道府県庁	個人事業承継計画の策定	●後継者が「個人事業承継計画」を作成し、認定経営革新等支援機関が所見を記載 ●令和元年4月1日から6年3月31日まで提出可能 ※個人事業承継計画は認定申請と同時に提出することも可能
	確認申請	
	贈与・相続	●平成31年1月1日から令和10年12月31日までの承継が対象
	認定申請	●贈与の場合：贈与年の10月15日から翌年1月15日までに申請 ●相続の場合：相続の開始の日の翌日から8カ月以内に申請（相続の開始の日の翌日から5カ月を経過する日以後の期間に限ります） ●個人事業承継計画を添付
税務署	税務署へ申告	●贈与の場合：贈与年の翌年3月15日までに認定書の写しとともに、贈与税の申告書等を提出 ●相続の場合：相続の開始の日の翌日から10カ月以内に認定書の写しとともに、相続税の申告書等を提出
	申告期限後	●税務署へ「継続届出書」を提出（3年に1回）

出所：経営承継円滑化法【個人版事業承継税制の前提となる経営承継円滑化法の認定申請マニュアル】７、８頁を一部改変

措置の場合は相続開始の日から８カ月を経過する日までに、当該受贈者等の主たる事務所を管轄する都道府県知事に特例円滑化法認定を申請すること（経営承継円滑化法12条１項２号イ、同法規則７条10項ないし13項）。この認定の要件（同規則６条16項７号ないし10号）は、おおむね、上記実体要件と同じで

あるが、認定時において判断されるものであること等から、若干、異なる部分があることに注意を要する。

④　贈与税等の申告

受贈者等は、当該贈与等に係る贈与税等の申告期限内に、贈与税措置、相続税措置の適用を受けようとする特定事業用資産の全部または一部（贈与税措置の場合は「特例受贈事業用資産」、相続税措置の場合は「特例事業用資産」、以下あわせて「特例受贈事業用資産等」という）を記載した贈与税等の申告書（特例円滑化法認定に係る認定書等を添付）を所轄税務署へ提出するとともに、納税が猶予される贈与税額、相続税額（以下「贈与税額等」という）に見合う担保を提供すること（租特法70条の６の８第１項、70条の６の10第１項）。

(ii)　申　告　後

受贈者等は、最初に適用を受けた個人版事業承継税制に係る贈与税等の申告期限（以下「特定申告期限」という）の翌日から、猶予税額全額の免除または打切りとなるまでの間、３年を経過するごとの日の翌日から３月を経過する日までに、所轄税務署長に「継続届出書」を提出すること（租特法70条の６の８第９項、70条の６の10第10項）。なお、都道府県知事への報告は、個人版事業承継税制では不要である。

d　納税猶予額

当該受贈者等は、所定の贈与税額等のうち、特例受贈事業用資産等に係る部分について、納税が猶予される（租特法70条の６の８第１項・２項３号、70条の６の10第１項・２項３号）。

e　納税猶予の打切り

受贈者等に以下の事由が生じたときは、納税猶予が打ち切られる。

(a)　**全額が打ち切られるもの**（租特法70条の６の８第３項）

○　事業を廃止しまたは破産手続開始の決定があった場合

○　事業が資産保有型事業、資産運用型事業または性風俗関連特殊営業のいずれかに該当することとなった場合

○　その年の事業に係る事業所得の総収入金額が零となった場合

○　特例受贈事業用資産等のすべてがその年の事業所得に係る青色申告書の貸借対照表に計上されなくなった場合

○　青色申告の承認を取り消された場合または青色申告書の提出をやめる旨の届出書を提出した場合
○　個人版事業承継税制の適用を受けることをやめる旨を記載した届出書を納税地の所轄税務署長に提出した場合
○　継続届出書の提出義務に違反した場合
○　（相続税措置のみ）青色申告の承認を受ける見込みでこの相続税措置の適用を受けていた場合において、その承認の申請が却下されたとき（租特法70条の6の8第11項）　等

(b)　特例受贈事業用資産等の事業不供用

特例受贈事業用資産等の全部または一部が事業の用に供されなくなった場合、その部分に対応する額に相当する贈与税額等の納税猶予が打ち切られる（租特法70条の6の8第4項、70条の6の10第4項）。ただし、次の例外がある。

(i)　買換え特例

その事業の用に供されなくなった事由が特例受贈事業用資産等の譲渡であるときは、その譲渡があった日から1年以内にその譲渡の対価の全部または一部をもって事業の用に供される資産を取得する見込みであることについて所轄税務署長の承認を受け、その期間内に事業の用に供される資産を取得した場合には、その取得した資産は特例贈与事業用資産等とみなされ、納税猶予が継続する（租特法70条の6の8第5項、70条の6の10第5項）。

(ii)　法人化特例

特定申告期限の翌日から5年経過後に特例受贈事業用資産等のすべてを現物出資して会社を設立した場合、その現物出資の日から1月以内に納税地の所轄税務署長に承認を申請し、その承認を受けたときは、当該現物出資による事業不供用はなかったものと、当該現物出資により取得した株式については特例受贈事業用資産等と、それぞれみなされ、納税猶予が継続する（租特法70条の6の8第6項、70条の6の10第6項）。

f　猶予税額の免除

(a)　受贈者等の死亡等による猶予税額の免除

以下のいずれかの事由が生じたときは、猶予税額全額または特例受贈事業用資産等に相当する部分の猶予税額が免除される。

○　（贈与税措置のみ）贈与者の死亡の時以前に受贈者が死亡した場合
○　（贈与税措置のみ）贈与者が死亡した場合
○　（相続税措置のみ）相続人が死亡した場合
○　特定申告期限の翌日から５年を経過する日後に、受贈者等が特例受贈事業用資産等のすべてにつき贈与税措置の適用に係る贈与をした場合
○　受贈者等がやむを得ない事由（身体障害１級等の重度障害）により事業を継続できなくなった場合

(b)　その他

以下の事由が生じた場合には、猶予税額の全部または一部が免除される。

○　受贈者等について破産手続開始の決定があった場合等法的な倒産等の場合（租特法70条の６の８第16項）
○　直前３年内の各年のうち２以上の年において当該事業に係る事業所得の金額が零未満であること等、受贈者等の特例受贈事業用資産に係る事業の継続が困難な事由が生じたことにより受贈者等が特例受贈事業用資産に係る事業を廃止した場合等一定の該当することとなった場合（租特法70条の６の８第17項）
○　受贈者等について民事再生計画の認可が決定された場合または中小企業再生支援協議会の支援による再生計画が成立した場合において資産評定が行われたとき（租特法70条の６の８第18項ないし21項）

g　みなし相続の相続税措置

(a)　贈与税措置におけるみなし相続

贈与税措置の適用を受けた贈与に係る贈与者が死亡した場合（その死亡の日の前に猶予されている贈与税額全部について猶予が打ち切られた場合およびその死亡の時以前に受贈者が死亡した場合および一定の障害等に該当したことにより猶予中の贈与税額の全額が免除されている場合を除く）、前述のとおり、猶予されていた贈与税の納税は免除される（租特法70条の６の８第14項２号）が、受贈者が特例受贈事業用資産を贈与者から相続したものとみなし、贈与時の価額で相続財産に合算され、相続税が課税される（租特法70条の６の９第１項）。

(b) みなし相続の相続税措置

この贈与税措置におけるみなし相続の場合、その相続開始の日から8月以内に受贈者の主たる事務所を管轄する都道府県知事に確認（みなし相続における切替確認。経営承継円滑化法規則13条6項ないし8項）を申請してその確認を受け、その確認書の写しを添付してその相続税の申告期限内に申告をした場合は、相続税措置が受けられる（租特法70条の6の10第2項2号ト、同法規則23条の8の9第4項・29項。以下「みなし相続の相続税措置」という）。また、当該みなし相続に係る贈与について期限内に贈与税措置が適用されている限り、みなし相続における贈与者の相続開始時期については制限はない（租特法70条の6の10第30項）。

このみなし相続における切替確認の要件は、以下のとおりである（経営承継円滑化法規則13条6項・8項）。

① 当該贈与により取得した特定事業用資産に係る事業について、次のすべての事由に該当すること
- 当該相続の開始の時において、資産保有型事業に該当しないこと
- 当該相続の開始の日の翌日の属する年の前年において、資産運用型事業に該当しないこと
- 当該相続の開始の時において、性風俗関連特殊営業に該当しないこと
- 当該相続の開始の日の翌日の属する年の前年において、総収入金額が零を超えること

② 当該相続の開始の時において、当該受贈者が青色申告の承認を受けているまたは受ける見込みであること

h まとめ

以上のとおり、個人版事業承継税制を用いると、対象の事業用資産については贈与税・相続税の全額の納税猶予・免除が可能となるが、他方、①後継者がこの税制の適用を受けるためには、個人事業承継計画の確認、特例円滑化法の認定、継続届出書の提出等、申告の前後を通じて相応の手続負担があること、②納税猶予を継続し、免除を受けるためには、後継者は、基本的に、終生、事業を継続し、その資産の保有が必要となること、③土地については、相続税措置と後述の小規模宅地等の特例との選択適用となるが、相続

税措置（みなし相続の場合を含む）は小規模宅地の特例とは異なり、課税対象額が減額されるわけではないので、他の相続人にはメリットがないこと等の課題もある。したがって、事業承継に関与する専門家としては、これらを慎重に勘案してアドバイスする必要があると思われる。

(7) 小規模宅地等の特例

先代経営者が個人で事業用の宅地等を所有し、かかる宅地を相続した場合に、相続時の課税価格から一定の割合を減額する制度である。

宅地の用途ごとの評価額の減額割合、適用対象となる土地面積の上限は図表３－32のとおりである（詳しくは、国税庁のホームページ等を参照)。

この制度を利用することで、先代経営者が個人事業主として当該宅地を事業に用いていた場合や、先代経営者が経営する会社に貸し付けていた場合等

図表３－32　小規模宅地等の特例

・相続の開始の日が「平成27年１月１日以後」の場合

<table>
<tr><th colspan="3">相続開始の直前における宅地等の利用区分</th><th>要　　件</th><th>限度面積（㎡）</th><th>減額割合</th></tr>
<tr><td rowspan="5">被相続人等の事業の用に供されていた宅地等</td><td colspan="2">貸付事業以外の事業用の宅地等</td><td>特定事業用宅地等に該当する宅地等</td><td>400</td><td>80%</td></tr>
<tr><td rowspan="4">貸付事業用の宅地等</td><td rowspan="2">一定の法人に貸し付けられ、その法人の事業（貸付事業を除く）用の宅地等</td><td>特定同族会社事業用宅地等に該当する宅地等</td><td>400</td><td>80%</td></tr>
<tr><td>貸付事業用宅地等に該当する宅地等</td><td>200</td><td>50%</td></tr>
<tr><td>一定の法人に貸し付けられ、その法人の貸付事業用の宅地等</td><td>貸付事業用宅地等に該当する宅地等</td><td>200</td><td>50%</td></tr>
<tr><td>被相続人等の貸付事業用の宅地等</td><td>貸付事業用宅地等に該当する宅地等</td><td>200</td><td>50%</td></tr>
<tr><td colspan="3">被相続人等の居住の用に供されていた宅地等</td><td>特定居住用宅地等に該当する宅地等</td><td>330</td><td>80%</td></tr>
</table>

出所：国税庁ホームページ

において、その相続人たる後継者がこれを相続した場合の相続税の負担を軽減することができる[11]。

⑻ 退 職 金

被相続人の死亡後３年以内に支給が確定した退職金、いわゆる死亡退職金は相続税の課税対象となる。しかし、死亡退職金のうち、被相続人のすべての相続人が取得した退職金の合計金額が、下記の非課税限度額の枠内であれば、相続税は課税されないため、相続人の税負担を軽減することができる。

また、会社から先代経営者に死亡退職金が支給される場合、その額が常識的な範囲内であれば、企業会計上、損金処理ができる。これによって、会社の利益、資産も圧縮されるため、自社株の相続税の課税上の評価額も下がり、後継者等の相続人の税負担の軽減、というメリットもある。

ただし、その適正な金額（常識的な範囲内）の判断を誤ると追徴課税がなされるおそれがあり、何よりも、会社の資金繰り等を圧迫することにもなりかねないので、専門家を交えて慎重に検討するのが望ましい。

非課税限度額　＝　500万円　×　法定相続人の数

3　財産の承継――株式・事業用資産の分散防止

⑴ 総　　論

一般的に、会社において、承継後の後継者が安定した経営基盤を確保するには、自社の株式や持分（議決権。以下「自社株」という）の少なくとも過半数、できれば３分の２を確保したい。また、不動産等の事業用資産の分散も避けたいところである。しかしながら、先代経営者に相続人が複数いる場合、先代経営者の相続開始前になんらの準備もしていなければ、先代経営者の相続開始後、遺産分割が行われることになる。その場合、先代経営者が保有していた自社株や事業用資産が後継者に集中して承継できなくなるおそれ

11　平成30年度税制改正により、平成30年４月１日以後に相続等により取得した宅地のうち、相続開始前３年以内に新たに貸付事業の用に供された宅地については、一定の場合を除き、この特例の対象外とされた（租特法69条の４第３項４号、同法施行令40条の２等）。

があり、後継者の経営基盤を危うくするばかりか、通常、遺産分割にかなりの時間がかかるため、その間の経営の不安定化をもたらす。また、会社の経営基盤に影響を及ぼさないような少数の自社株であっても、これが株主の相続等により分散した場合、株主管理コストの上昇、株式買取請求による会社資金の流出という事態が生ずる可能性もある。

そこで、事業承継ガイドラインでは、自社株や事業用資産（以下あわせて「自社株等」という）の分散を避けるために先代経営者の相続開始前（事前）の対策が重要であるが、すでに分散してしまった場合（事後）にも対策をとることが望ましいとして、事前・事後の対策をあげている。

なお、事業承継ガイドラインが策定・公表された後の平成30年７月６日に「民法及び家事事件手続法の一部を改正する法律」による民法の第５編「相続」等の相続関連規定（以下「相続法」という）の改正と「法務局における遺言書の保管等に関する法律」（以下「遺言書保管法」という）が成立し、前者は原則として令和元年７月１日から、後者は令和２年７月10日から、それぞれ施行された。そこで、本稿では、事業承継ガイドラインの内容をふまえつつ、これらの法改正にあわせて述べることとする。

⑵　自社株等の分散を防止するための事前の対策

親族内承継においては、遺産分割による自社株等の分散を防止し、円滑な承継を実現するための事前の対策としては、大きく分けると、先代経営者の生前に自社株等の承継が実現する生前贈与、売買（いわば「生前実現型」）と、その生前に準備をするが承継は死後に実現する遺言、死因贈与（いわば「生前準備型」）の２種類がある。

特に、今回の相続法の改正では、遺留分を侵害された相続人の救済としては、従前の遺留分減殺請求による事後的な財産の取戻し（いわゆる「物権的効果」）から、遺留分侵害額請求という金銭請求に変更された（民法1046条）。そのため、生前贈与、遺言、死因贈与による後継者への自社株等の承継が他の相続人の遺留分を侵害していたとしても、その効力自体が減殺請求により事後的に覆ることがなくなったが、その反面、後継者としては、遺留分侵害額請求という金銭請求への対応を迫られることとなった。

a　生前贈与

先代経営者が後継者に自社株等を生前に贈与する方法であり、生前実現型の代表例である。

生前贈与のメリットは、先代経営者と後継者の間だけで確実に自社株等の承継が実現することである。つまり、後述の遺言と違って、形式的な瑕疵により無効になったり、先代経営者の遺言能力や具体的な意思内容等について疑義が生じたりすることを避けられ、また、遺言執行というような手続も必要がない。

さらに、前述のとおり、相続法の改正により、遺留分減殺という効力が否定されて生前贈与等による自社株等の承継の効果自体が覆ることがなくなったことに加え、遺留分算定の基礎財産に算入される相続人への生前贈与（特別受益）が原則として相続開始前10年以内になされたものに限定されることとなった（民法1044条３項・１項）ため、早期に生前贈与がなされた場合には、遺留分侵害自体が生じなくなる可能性もある。したがって、自社株等の承継の手段としての生前贈与については、その法的安定性が格段に増したということができる。

デメリットとしては、①特別受益として遺留分算定の基礎財産に算入され、遺留分侵害額請求の対象となりうる、②贈与税の負担（一般的に、相続税よりも高額）が課せられる、等があげられる。

しかしながら、①については経営承継円滑化法の遺留分に関する民法の特例（経営承継円滑化法３条ないし10条。後述）、②については前述の相続時精算課税制度、事業承継税制、等の対応策があるほか、双方の場合についての資金面の方策として、経営承継円滑化法の金融支援制度（後述）の活用も考えられるところである。

したがって、生前贈与は自社株等の承継の有力な手段といえるところから、事業承継に関与する専門家としては、早期の生前贈与の活用（遺留分侵害額請求への対応を含む）の検討を提案すべきものと考えられる。

なお、生前贈与を利用する場合には、後日の紛争を避けるため、先代経営者と後継者との間で契約書を作成しておくことが望ましい。

b　売　　買

事業承継ガイドラインには記載されていないが、先代経営者から後継者に、売買により自社株等を承継させる、という方法もある。この場合、後継者は売買代金を準備しなければならない（先代経営者も、場合によっては譲渡所得税を負担することになる）が、代金額の設定についても裁量の余地があるので、後継者が可能な範囲で自社株を購入することにより、他の相続人の遺留分侵害を回避することができる。特に、自社株の相続税等の課税上の評価額がさほど高くない場合には、検討すべき対策の一つである。

c　遺　　言

(a)　概　　要

先代経営者が、遺言により、自分の死後の自社株等の承継方法を指定することにより、その分散を避ける、という方法である。生前準備型の典型例である。

遺言による自社株等の承継のメリット（主に、先代経営者にとって）は、単独で（推定相続人等の関与なしに）、秘密裡に作成できること、いつでも撤回・変更ができること、先代経営者が死亡するまで経営の実権を掌握できること、等である（後継者からみると、自社株等の承継が不確実、経営のバトンタッチが遅れる、という点でデメリットであるともいえる）。

デメリットとしては、滅失・紛失・隠匿、偽造・変造、形式的な瑕疵による無効の危険性があること、あるいは、遺言能力をめぐるトラブルが起こりやすいこと（特に、自筆証書遺言の場合。公正証書遺言の場合であっても遺言能力が否定されて無効とされた例があるので注意が必要）、遺留分侵害額請求の対象となること（経営承継円滑化法の遺留分に関する民法の特例の対象外）、等である。

(b)　遺言の方式

遺言の方式（普通方式）には、自筆証書遺言と公正証書遺言があるが、令和２年７月から施行された遺言書保管法の適用を受ける自筆証書遺言、というバリエーションも加わった。

それぞれの特質は図表３－33のとおりである。

遺言内容実現の確実性・安定性・迅速性（検認が不要）、という点に鑑みる

図表３－33　遺言の方式の特質

	自筆証書遺言	同左（遺言書保管法）	公正証書遺言
作成場所	任意	任意。ただし、法務局（遺言書保管所）に提出	公証役場（自宅等も可）
筆記	全文自筆（遺産目録を除く）	同左（様式は法務省令で指定）	公証人（口述を筆記）
証人	不要	同左	証人（利害関係者以外の者）２人以上
検認	必要	不要	不要
費用	不要	保管申請等の手数料	公証人の手数料など
利点	・一人で簡単に作成可能 ・遺言の存在・内容の秘密保持 ・費用不要	・遺言の存在・内容の秘密保持 ・方式不備による無効を一定程度回避 ・遺言書の滅失、紛失、変造のおそれなし ・遺言存在の検索可能 ・検認不要で早期執行着手可	・方式不備、無能力による無効を回避 ・遺言書の滅失、紛失、偽造、変造のおそれなし ・遺言存在の検索システム利用可 ・検認不要で早期執行着手可
欠点	・遺言書の紛失、他人による偽造、変造、隠匿の危険性 ・方式不備、遺言能力欠如による無効の危険性	・遺言者自身の法務局への出頭と手数料が必要 ・他人による偽造の危険性（保管前）	・作成に手間と費用が必要 ・証人から秘密が漏れる危険性

と、自社株等の承継には公正証書遺言の利用が推奨される。

また、自筆証書遺言については、相続法の改正により、遺言のなかの遺産の目録については自筆による必要はなく、パソコン等によって作成したり、不動産の登記事項証明書や預貯金通帳の表紙等のコピー等の添付によることも可能となったこと（ただし、そのページごとに遺言者の署名捺印が必要。民法968条２項）、遺言書保管法の適用を受けると検認が不要となること（同法11

条）等から、自筆証書遺言（遺言書保管法の適用も含め）の活用もありうるところである。

(c) 「相続させる」遺言と遺贈

遺言による自社株等の承継の方法の主なものとしては、いわゆる「相続させる」遺言（改正された相続法では「特定財産承継遺言」という。民法1014条２項）と遺贈（同法964条以下）がある。これらの主な違いは図表３－34のとおりである。

遺言のいずれの方法を用いるかは、先代経営者と後継者の関係等、具体的な状況に応じて検討する必要がある。

(d) 相続法の改正による留意点

「相続させる」遺言による財産の承継については、改正前は、対抗要件なしに第三者に主張しうる（いわゆる「絶対効」。判例）とされていたが、改正後は、法定相続分を超える部分の取得については対抗要件なしに第三者に主張できないこととなった（民法899条の２第１項）。

図表３－34 「相続させる」遺言と遺贈（特定遺贈）の違い

	「相続させる」遺言	遺贈（特定遺贈）
文例	「Ｘ社株式をＡに相続させる」	「Ｘ社株式をＡに遺贈する」
法的性質	遺産分割方法の指定（相続分の指定を含む）。相続による承継（一般承継）	意思表示による権利変動（贈与などと同じ。特定承継）
承継人	相続人	限定なし。第三者、法人、相続放棄をした元相続人でも可
承継人死亡の場合	特段の事情がない限り代襲なし（判例。最判平23.2.22民集65巻２号699頁）	失効（民法994条１項）
相続登記	承継人が単独で申請可能	相続人全員（または遺言執行者）と承継人の共同申請
対抗力	法定相続分を超える部分の取得については対抗要件が必要	対抗要件が必要

また、遺言において、遺言執行者がある場合、改正前は、相続人が遺言に反して遺贈の目的物を第三者に処分したとしても、その処分行為は無効であり、受遺者は遺言による権利取得を対抗要件なくして当該処分行為の相手方である第三者に対抗できる、とされていた（いわゆる「絶対的無効」。判例）。これについても、改正後は、遺言執行者がある場合には、遺言に反する行為自体は無効としつつ、その無効を善意の第三者に対して主張できないものとした（民法1013条２項）。

このように、今後、自社株等の承継を遺言により実現しようとする場合、従前とは異なり、第三者との間において対抗問題（すなわち「早い者勝ち」）となる場面が多くなるものと思われ、特に、相続人のなかに多額の負債を抱えているような者がいる場合には、その債権者による差押え等、自社株等の承継に障害が生ずる可能性がある。したがって、すみやかに対抗要件の具備等の遺言執行を実施するためには、遺言において遺言執行者を指定することはもちろんであるが、検認の不要な公正証書遺言や遺言書保管法の適用を受ける自筆証書遺言の活用を検討すべきものと思われる。

書式３－２　遺言書の記載例

遺　　言　　書

遺言者甲は、次のとおり遺言する。

１　私名義の次の財産を相続人Ａに相続させる。

⑴　Ｙ社株式　　600株

⑵　××市××町×丁目×番

宅地　×××平方メートル

⑶　同所同番地所在

家屋番号×番　鉄筋コンクリート造陸屋根２階建工場

床面積　×××平方メートル

２　私名義の××銀行☆☆支店に有する預金すべてを相続人Ｂに相続させる。

３　私名義の××株式会社の株式（ＸＸ証券◇◇支店扱い）を相続人Ｃに5,000株相続させる。

４　以上に定める財産以外のすべての財産を△△△△に相続させる。（※１）

５　この遺言の執行者として、××市××町×丁目 × 番●●●●を指定する。（※２）

令和××年××月××日

××県××市××町×丁目×番×号

遺言者　　○○　○○　印

※１：遺産の指定漏れを防ぐ。指定漏れがあると、その遺産について遺産分割を行う必要あり。
※２：遺言執行者の指定。円滑に遺言を実現し、執行妨害を防止。

d　死因贈与

先代経営者が後継者に、死因贈与により自社株等を承継させる方法である。遺言と同じく、生前準備型の対策といえる。

その効力は、おおむね、遺言（特定遺贈）と同じである（民法554条）。すなわち、自由に撤回が可能（ただし、判例上、制限がある場合があるとされる）、遺言との効力の優劣はない（後からなされたものが優先）、受贈者が先に死亡すると失効する、執行者を指定可能、特別受益として遺留分の問題が生じうる（経営承継円滑化法の遺留分に関する民法の特例の対象外）、等。

他方、遺言のような厳格な形式は不要、自筆でも検認は不要、という点は、遺言と異なる。

ただ、公的機関や金融機関等の信頼の点からすると、円滑な自社株等の承継を実現するためには、できれば公正証書で、少なくとも実印で作成することが望ましい。

e　遺留分に関する民法の特例

(a)　概　　要

(i)　制度趣旨

従来、親族内承継においては、遺留分に関し、①自社株等を先代経営者からの生前贈与や遺言などの事前の対策によりいったんは後継者に集中して承継させても、これらが後継者以外の相続人の遺留分を侵害する場合には、減殺請求により分散するリスクがある、②先代経営者からその相続人である後継者に生前贈与された自社株は、原則として特別受益となり、その贈与の時期にかかわらず遺留分算定の基礎財産に算入されるが、その算入価額は贈与時ではなく相続開始時のものであり、その価額が受贈者（後継者）の寄与・貢献により増大した場合でも考慮されない（判例）。すなわち、自社株の贈与が相当以前になされたものであり、後継者の努力や才覚により贈与を受けた自社株の価額、すなわち、会社の価値が上昇した場合であっても、かえって他の相続人の遺留分を増大させるというジレンマが生じ、後継者の経営意欲を削ぎかねない、という問題が指摘されていた。

そこで、このような遺留分の問題に対応し、円滑な事業承継に資するため、平成20年5月に遺留分に関する民法の特例（以下「民法特例」という）が創設され、後に述べる除外合意や固定合意（以下あわせて「除外合意等」という）により、遺留分減殺請求による自社株の分散の防止、後継者の努力や才覚による自社株の価値上昇分の保持等が可能とされた。また、経済産業大臣の確認や家庭裁判所の許可といった必要な手続を後継者が単独で行うことができるものとし、放棄者が個別に申し立てなければならない従来の遺留分放棄制度（民法1049条）に比べ、後継者以外の推定相続人にとっては負担が軽く、後継者にとっても推定相続人全員について統一的な処理がなされることとなった。

なお、制定当初、民法特例の適用対象は親族内承継（後継者が先代経営者の推定相続人）に限られていたが、平成27年8月の改正によりこの限定がはずれ、親族外承継においても適用が可能となった。

(ii) 相続法の改正

すでに述べたとおり、相続法の改正により、自社株等を生前贈与等により後継者に集中して承継し、相続人の遺留分を侵害しても、遺留分減殺請求により当該自社株等が分散すること（物権的効果）はなくなり、侵害額請求（金銭請求）がなされるのみとなった（民法1046条1項）。また、遺留分算定の基礎財産に算入される相続人への自社株等の生前贈与（特別受益）は、原則として、相続開始前10年以内になされたものに限定されることとなった（同法1044条3項）。そのため、除外合意については、自社株等の分散の防止という機能はなくなって後継者が負担すべき遺留分侵害額の低額化（経済的負担の軽減）だけとなり、民法特例全般についても、時間的適用場面が一定程度限定されることとなった。その他、相続法の改正に伴って民法特例についても改訂が行われた。

(iii) 個人事業主への拡大

それまでの民法特例は、会社の経営の承継における自社株等の承継を対象とするものであったが、令和元年５月の経営承継円滑化法改正により、個人事業主の経営の承継における事業用資産の承継についても適用されることとなり、令和元年７月16日の施行日以降になされる合意等に適用されることとなった。

(b) 適用の要件

(i) 会社の場合

次の要件を満たす先代経営者の推定相続人全員（後継者を除く。以下「非後継者」という）と後継者が、書面により、除外合意または固定合意および非後継者がとりうる措置の定めをしなければならない。

〈関係者〉

合意の時点において、次の要件を満たすことが必要である。

・対象会社（経営承継円滑化法では「特例中小会社」。同法３条１項、同法施行令１条、同法規則２条）

①図表３－35の業種ごとに、資本金または従業員数のいずれかの要件を満たす「中小企業者」であること（経営承継円滑化法２条）、②３年以上事業を継続していること、③非上場会社であること。

図表３－35　除外合意等における業種の要件

<table>
<tr><th colspan="2">業　種</th><th>資本金</th><th>従業員数</th></tr>
<tr><td colspan="2">製造業その他</td><td rowspan="2">３億円以下</td><td>300人以下</td></tr>
<tr><td></td><td>ゴム製品製造業（自動車または航空機用タイヤおよびチューブ製造業ならびに工業用ベルト製造業を除く）</td><td>900人以下</td></tr>
<tr><td colspan="2">卸売業</td><td>１億円以下</td><td>100人以下</td></tr>
<tr><td colspan="2">小売業</td><td rowspan="3">５千万円以下</td><td>50人以下</td></tr>
<tr><td colspan="2">サービス業</td><td>100人以下</td></tr>
<tr><td></td><td>旅館業</td><td>200人以下</td></tr>
<tr><td></td><td>ソフトウェア・情報処理サービス業</td><td>３億円以下</td><td>300人以下</td></tr>
</table>

(注)　※１は会社のみ、※２は会社および個人。

・先代経営者（経営承継円滑化法では「旧代表者」。同法３条２項）

①対象会社の代表者であった者（現代表者を含む）で、②自社株（完全無議決権株を除く）を他人に贈与したことがある者であること。

・後継者（経営承継円滑化法では「会社事業後継者」。同法３条３項）

①自社株を先代経営者から贈与を受けた者（株式等受贈者）またはその者から相続した者で、②対象会社の総株式（完全無議決権株を除く）の議決権の過半数を保有し、③対象会社の代表者であること。

・推定相続人（経営承継円滑化法では「推定相続人」。同法３条６項）

先代経営者の相続が開始した場合に相続人となるべき者のうち、被相続人の兄弟姉妹およびこれらの者の子以外のもの。

〈対象自社株〉

①後継者が、先代経営者からの生前贈与、または、その生前贈与を受けた者からの相続により取得した（回数には制限はない）対象会社の株式で、②後継者が保有する自社株から①により取得した自社株を除くと対象会社の議決権数の半数以下であること（経営承継円滑化法４条１項柱書）。

〈必要的合意〉

書面により、次の除外合意または固定合意のいずれか（併用も可）および非後継者がとりうる措置の定めをすること。

・除外合意

対象自社株の価額を先代経営者の相続における遺留分算定の基礎財産の価額に算入しない（除外する）こと（経営承継円滑化法４条１項１号）。

・固定合意

対象自社株の遺留分算定の基礎財産への算入価額を当該合意時の時価（ただし、弁護士、公認会計士、税理士等によって「相当な価額」として証明されたものに限る）とする（固定する）こと（経営承継円滑化法４条１項２号）。

・非後継者がとりうる措置の定め

後継者が対象自社株を他に処分した場合または先代経営者の生存中に対象会社の代表者を退任した場合について、非後継者がとりうる措置（合意の解除、制裁金など）の定め（経営承継円滑化法４条３項）。

〈オプション合意〉

必要的合意に附帯して、次の合意をすることも可能。

・後継者が先代経営者から贈与を受けた自社株以外の財産（事業用資産等）についての除外合意（固定合意は不可。経営承継円滑化法５条１号）。

・後継者と非後継者の間の衡平または非後継者の間の衡平を図る措置に関する合意（経営承継円滑化法６条１項１号。除外合意等に関する非後継者への代償措置として後継者の非後継者に対する金銭支払や後継者が先代経営者の生活費等を負担すること等）。

・非後継者が代償措置等として先代経営者からの贈与等によって取得した財産（特別受益）に関する除外合意（経営承継円滑化法６条２項１号。固定合意は不可）。

(ii) 個人事業主の場合

次の要件を満たす先代経営者の推定相続人全員（非後継者）と後継者が、書面により、除外合意および非後継者がとりうる措置の定めをしなければならない。

〈関係者〉

合意の時点において、次の要件を満たすことが必要である。

・先代経営者（経営承継円滑化法では「旧個人事業者」。同法３条４項、同法規則２条１項）

①合意または贈与の時点までに、３年間以上、個人事業者として事業を営んでいた中小企業者であったこと、②当該事業に係る事業用資産（後述）の全部を他の者に贈与した者であること。

・後継者（経営承継円滑化法では「個人事業後継者」。同法３条５項）

①先代経営者から前記事業用資産全部の贈与を受けた個人である中小企業者またはその者から事業用資産の全部を相続した個人である中小企業者で、②当該事業用資産を自己の事業の用に供しているものであること。

・推定相続人

会社の場合と同じ。

〈対象事業用資産〉（経営承継円滑化法３条４項、同法規則２条２項）

後継者が、先代経営者からの生前贈与、または、その生前贈与を受けた者からの相続により取得した先代経営者が特定の事業に用いていた資産で、かつ、贈与した年の前年分の事業所得の青色申告書の貸借対照表に計上されているもので、以下の宅地等、建物、減価償却資産のいずれかに該当すること

・宅地等……以下のすべてに該当

①先代経営者の当該贈与の直前において事業の用に供されていた土地または土地の上に存する権利であること、②租税特別措置法（以下「租特法」という）施行規則23条の８の８第１項で定める建物または構築物の敷地の用に供されていること、③棚卸資産に該当しないこと

・建物……以下のすべてに該当

①先代経営者の当該贈与の直前において事業の用に供されていたこと、②棚卸資産に該当しないこと

・減価償却資産（所得税法２条１項19号に規定する減価償却資産で、上記宅地等、建物以外のもの）……以下のいずれかに該当

①地方税法341条４号に規定する「償却資産」、②自動車税または軽自動車税において営業用の標準税率が適用される「自動車」、③租特法施行規則23条の８の８第２項に規定する減価償却資産

〈必要的合意〉

書面により、次の除外合意（固定合意は不可）および非後継者がとりうる措置の定めをすること。

・除外合意

対象事業用資産の全部または一部の価額を、先代経営者の相続における遺留分算定の基礎財産の価額に算入しない（除外する）こと（経営承継円滑化法４条３項）。

・非後継者がとりうる措置の定め

後継者が、対象事業用資産を処分（後継者の事業活動の継続のために必要な処分として経済産業省令で定めるものを除く）した場合、当該事業用資産をもっぱら自己の事業以外の用に供している場合、または先代経営者の生存中に当該事業を営まなくなった場合について、非後継者がとりうる措置の定め（経営承継円滑化法４条５項）。

〈オプション合意〉

必要的合意に附帯して、次の合意をすることも可能。

・後継者が先代経営者から贈与を受けた事業用資産以外の財産（流動資産等）についての除外合意（経営承継円滑化法５条２号）。
・後継者と非後継者の間の衡平または非後継者の間の衡平を図る措置に関する合意（経営承継円滑化法６条１項２号。除外合意に関する非後継者への代償措置として後継者の非後継者に対する金銭支払や後継者が先代経営者の生活費等を負担すること等）。
・非後継者が代償措置等として先代経営者からの贈与等によって取得した財産（これも「特別受益」になる）に関する除外合意（経営承継円滑化法６条２項２号。固定合意は不可）。

(c) 適用手続

除外合意が効力を生じるためには、以下のとおり、後継者が、経済産業大臣の確認（経営承継円滑化法７条）と先代経営者の住所地を管轄する家庭裁判所（経営承継円滑化法８条、家事事件手続法243条）の許可を受けることが必要である。

(d) 効　　果（経営承継円滑化法９条）

除外合意については、対象自社株・事業用資産の価額が先代経営者の相続における遺留分算定の基礎財産から除外されるので、対象自社株・事業用資産に係る遺留分侵害額請求を防止できるほか、会社の場合には、後継者は自らの才覚等による自社株の価値増加分を保持することができる。

固定合意（会社の場合のみ）については、先代経営者の相続における対象自社株の遺留分算定の基礎財産への算入価額が当該合意時の時価に固定されるので、後継者は、自身の才覚等により対象会社の業績が上がり、自社株の価額が上昇した場合でも、その増加分を保持することができる。

(e) ま と め

事業承継のために自社株や事業用資産の生前贈与がなされる場合、先代経営者や後継者の主な関心はどうしても税務面に偏りがちである。しかしながら、推定相続人が複数の場合の遺留分侵害額請求による後継者の経済的負担の軽減や推定相続人間の紛争の防止のためには、民法特例は有効な制度であ

図表3－36　遺留分に関する民法の特例の適用手続の流れ

先代経営者が後継者へ自社株（会社の場合)、事業用資産（個人事業主の場合。以下、あわせて「対象自社株・事業用資産」という）を生前贈与
↓
除外合意等
↓（1カ月以内）
経済産業大臣に対する確認申請（経営承継円滑化法7条1項）
↓※形式要件の審査
経済産業大臣による確認
↓（1カ月以内）
管轄家庭裁判所に対する許可申立て（経営承継円滑化法8条）
↓※合意の当事者の真意の確認
家庭裁判所の許可確定→合意の効力発生

り、事業承継を支援する専門家としては、やや手続等がめんどうなところもあるが、その利用の検討をアドバイスすべきかと思われる。

f　安定株主の導入

事業承継ガイドラインは、安定株主（基本的には現経営者の経営方針に賛同し、長期間にわたって保有を継続してくれる株主）の導入により後継者の経営基盤を安定させる方法も提案し、その例として、役員・従業員持株会（以下「従業員持株会」という)、投資育成会社、金融機関、取引先をあげている。

(a)　従業員持株会

従業員持株会とは、一般的に、従業員や役員（以下「従業員等」という）が自社株を取得するについて、会社が、拠出金の給与からの天引きや奨励金の支給などの種々の便宜を与えることによりこれを容易にし、財産形成を助成する社内制度（法的性質は、一般的には民法667条1項の組合契約）といわれている。

事業承継における利点としては、先代経営者が従業員持株会を通じて従業員等に一定数の自社株を譲渡する（税務上は前述の配当還元価格での譲渡が可能）ことにより、自社株を社外に流出させずに先代経営者の相続税課税対象となる相続財産を減少させつつ、従業員持株会（を構成する従業員等）を安定株主とし、先代経営者や後継者の経営基盤を確保できる、といわれてい

る。また、多くの従業員持株会の規約等で、持株会の会員である従業員等が退職するなどの場合の売渡義務等を定めており、その意味でも社外への自社株の流出を防止できる、とされている。

ただ、持株会に対する会社のコントロールが強く、その自立性が確保されていない場合には、会社法上、持株会がその会社の子会社に該当し（会社法２条３号、同法施行規則３条）、その議決権行使ができなくなるおそれがある（会社法308条１項）。また、通例、持株会に所属する従業員等の議決権行使は持株会の代表者（理事長等）に一任され、あるいは、信託的に譲渡されているが、個々の持株会所属の従業員等から持分相当の議決権行使を求められた場合、代表者としては、議決権の不統一行使（会社法313条１項）をせざるをえないものと考えられる。

したがって、事業承継対策としての従業員持株会制度の導入については、個々の会社の状況に応じて検討される必要がある。

(b) **投資育成会社**

投資育成会社とは、中小企業の自己資本の充実とその健全な成長発展を図るための投資等を行うことを目的として設立される株式会社であり、投資業務を行う唯一の政策実施機関として、東京、名古屋および大阪に設立されている（中小企業投資育成株式会社法１条、２条）。

投資育成会社は、中小企業の自社株を引き受けるが、当該企業が安定的に配当を行っている限りは原則として経営に介入しない。したがって、会社としては、第三者割当増資をして投資育成会社に自社株を引き受けてもらうことにより、安定株主として先代経営者や後継者を支持する方向での議決権行使を期待できるし、投資育成会社の引受価額が比較的低いため、会社の自社株全体で１株当りの相続税等の評価額が下がり、その結果、先代経営者の相続財産となる自社株の価額を下げることができる。

ただ、投資育成会社に自社株を引き受けてもらうこと自体のハードルが非常に高く、引き受けてもらった後も年10％前後の配当を求められる（上場を目指す場合を除く）ため、内部留保が簡単でない、という点には注意を要する。

(c) 金融機関・取引先

金融機関や取引先は、一般に日常の取引関係から先代経営者と継続的に緊密な関係を築いており、取引関係にある当該会社の安定した経営を望んでいることが多いことから、安定株主になりうるとされている[12]。

ただ、自社株が社外へ流出することになるので、自社との取引関係が円満でなくなったときに、他への譲渡承認請求（や買取請求）がなされる可能性もあり、慎重な検討を要する。

(3) 株式・事業用資産の分散に対する事後の対策

前述のとおり、自社株等の分散を防止するためには事前の対策が重要ではであるが、残念ながらかかる対策を講じる前に先代経営者が死亡して相続が開始してしまったり、あるいは、すでに自社株等が後継者以外の者に分散している、ということもある。事業承継ガイドラインでは、すでに自社株等が分散してしまっている場合の買取資金等の調達、自社株買いに関するみなし配当の特例、会社法上の制度の活用等について述べているが、ここでは、これらも含め、事前の対策がなされなかった場合の対策について説明する。

a 買取資金等の調達～経営承継円滑化法の金融支援～

(a) 総　論

自社株等の分散防止についての事前対策がない場合に、後継者がとりうる最もオーソドックスな方法は、遺産分割において代償金を支払って自社株等を取得する、他の株主から任意に自社株等を買い取る、等である。また、対象会社が後継者以外の株主から自社株を買い取る（これにより、自社株の分散を防止するとともに、相対的に後継者の議決権割合を上昇させて経営基盤の安定化を図る）ということも考えられる。しかしながら、後継者や対象会社にそのための手持資金や資金調達能力がなければこの方法はとりえない。

そこで、このようなケースを含め先代経営者の死亡等による経営の承継に伴い必要となる資金の調達を支援するため、経営承継円滑化法では、金融支援として、中小企業信用保険法の特例（経営承継円滑化法13条）と株式会社

12　金融機関（その子会社を含む）には、事業会社の議決権の保有に制限がある（原則として、銀行は５％以下、信用金庫や信用組合は10％以下。銀行法16条の４第１項、信用金庫法54条の22第１項、協同組合による金融事業に関する法律４条の３第１項等）。

日本政策金融公庫法および沖縄振興開発金融公庫法の特例（経営承継円滑化法14条。以下「日本政策金融公庫法等の特例」という）を設けている[13]。

(b) **都道府県知事の認定**

これらの特例を利用するには、対象会社や経営を承継した個人事業主（以下「対象個人事業主」という。以下、両者をあわせて「対象事業者」という）が、その主たる事務所の所在地を管轄する都道府県知事の認定を受けなければならない（経営承継円滑化法12条、16条、同法施行令２条）。

この都道府県知事の認定の要件のうち自社株等の買取資金等の調達に関するものは以下のとおりである（会社の場合は経営承継円滑化法12条１項１号イ、同法施行規則６条１項１号・２号・６号、個人事業主の場合は同法12条１項２号イ、同法施行規則16項１号・２号・６号）。

(i) 対象会社は中小企業者で、かつ、非上場会社であること。対象個人事業主は中小企業者であること

(ii) 次のいずれかの事由に該当すること

① 対象会社やその後継者、対象個人事業主が、それら以外の者から自社株等を取得する必要があること。

② 次に掲げるいずれかを内容とする判決または審判の確定、もしくは、和解または調停が成立したこと。

・対象会社の後継者、対象個人事業主が、先代経営者の他の相続人に代償金債務を負担して自社株（対象会社の場合）または事業用資産等を取得することを内容とする遺産分割

・対象会社の後継者、対象個人事業主が先代経営者の他の相続人からの遺留分侵害額請求により金銭支払義務が生じたこと

③ 対象会社の後継者、対象個人事業主が相続・贈与により取得した自社株等に係る相続税・贈与税を納付することが見込まれること。

---

13 会社が株主から自社株を買い取ることについては、買取資金が必要であるほか、①特定の株主から合意による買取りの場合には株主総会の特別決議（会社法156条、160条。ただし、既存の全株主に売却を勧誘する場合は普通決議。同法156条、159条）、取締役会決議（同法157条、158条）の手続のほか、②財源規制（会社の分配可能額の範囲でのみ買取り可能。同法461条）があるので、注意を要する。

(c) 中小企業信用保険法の特例

この特例により、事業者である対象会社、対象個人事業主については、信用保証協会の通常の保証枠（普通保険（中小企業信用保険法３条。限度額２億円）、無担保保険（同法３条の２。同8000万円）、特別小口保険（同法３条の３。同2000万円））に加え、事業承継に必要な資金調達のために通常の各保証枠と同額の保証枠が追加される（「経営承継関連保証」。経営承継円滑化法13条１項）。これにより、対象会社は自社株等の買取資金（同法施行規則６条１項１号）の調達のため、対象個人事業主は事業用資産の買取資金（同規則６条16項１号）、遺産分割における代償金、遺留分侵害額請求の支払資金（同項６号）、相続税・贈与税の納税資金（同項２号）の調達のため、民間の金融機関からの融資が受けやすくなると言える。

これに加え、非事業者である対象会社の後継者についても、事業承継に必要な資金調達のために信用保証協会の経営承継関連保証と同様の保証枠が設定される（「特定経営承継関連保証」。経営承継円滑化法13条２項）。これにより、対象会社の後継者は、自社株等の買取資金（同法施行規則６条１項１号）、遺産分割における代償金、遺留分侵害額請求の支払資金（同項６号）、相続税・贈与税の納税資金（同項２号）の調達のため、民間の金融機関からの融資が受けやすくなる。

(d) 日本政策金融公庫法等の特例

通常、日本政策金融公庫は事業者（会社、個人事業主）のみを融資対象とするが、この特例を利用すれば、対象会社の後継者個人が、（経営承継円滑化法施行規則６条１項１号）、遺産分割における代償金、遺留分侵害額請求の支払資金（同項６号）、相続税・贈与税の納税資金（同項２号）を使途とする資金の融資を受けられることとなる（経営承継円滑化法14条１項、同法別表）。

b 自社株買いに関するみなし配当の特例

前記のとおり、自社株の分散防止、後継者の経営基盤の安定化のために、対象会社が後継者以外の株主から自社株を買い取るという方法がある。しかしながら、通常であれば、非上場株式を株主が発行会社に譲渡した場合、高率のみなし配当課税（所得税法25条１項５号等。譲渡価額から発行会社の資本金等の額を控除した利益集積部分については、他の所得と合算して総合課税（累進課税で最高税率55.945％）。資本金等の額から取得価額（払込額等）を控除した部分については譲渡所得として分離課税（税率20.315％））がなされるため、株主が売却を躊躇するという状況があった。

これに対し、非上場株式を相続により取得した個人で、その被相続人の相続について相続税が課税された者が、その相続税の申告期限から３年以内に発行会社に相続株式を売却した場合には、みなし配当課税でなく、譲渡益全体（譲渡価額から取得価額（払込額等）を控除した部分）について譲渡益課税（分離課税。税率20.315％）が適用される旨の特例が設けられている（租特法９条の７、37条の10）。そして、その譲渡所得の算定においては、当該相続税全体のうち譲渡した自社株に相当する部分を取得費に加算できる特例（租特法39条）もあるので、さらに税額を軽減できることになる。

c　会社法上の制度の活用

以上の方法は、後継者以外の相続人等が任意で自社株の売却に応じてくれることを前提としているが、会社法では、以下のとおり、一歩進んで相続人等に対する自社株の売渡を請求できる制度が存在する。

(a)　相続人等に対する売渡請求（会社法174条以下）

会社は相続その他の一般承継により自社株を取得した者に対し、その取得した自社株を会社に売り渡すことを請求できる、という制度である。この制度により、会社は、後継者以外の相続人から自社株を取得して後継者の経営基盤の安定化を図れるほか、自社株が会社と関係のない者に相続等により分散することを防ぐことができる（譲渡制限株式（会社法107条１項１号）では一般承継による分散を防止できない）。

その導入には定款による定めが必要（同法174条。相続開始後に定款を変更して売渡請求をすることが可能か否かは争いがある）だが、それに加えて、①譲渡制限株式が対象であること、②売渡請求のつど、株主総会の特別決議を行うこと（同法175条１項、309条２項３号）、③会社が当該一般承継を知った日から１年以内に②の特別決議を経て売渡請求をすること、④剰余金配当可能額を超える買取りはできないこと（同法461条１項５号、465条１項７号）、等とされている。

また、売買価格については、会社と売渡請求を受けた者（被請求者）との協議により定めるが、その協議が整わないときは、会社または被請求者（通常は会社）が売渡請求の日から20日以内に裁判所へ売買価格決定の申立てを行う必要があり（会社法177条１項・２項。裁判所は会社の本店所在地を管轄する地方裁判所。同法868条３項）、その申立てがなされなかったときは（価格協議が整った場合は除く）、売渡請求は効力を失う（同法177条５項）。つまり、再度、手続をとることになるが、その間に相続開始を知った日から１年が経過してしまうと、売渡請求は不可能となる。したがって、この手続を担当する会社側の弁護士としては、売渡請求の通知を発する前に、あらかじめ、売買価格決定の申立ての準備をしておく必要がある。

なお、この売渡請求のリスクとして、後継者が相続した自社株も少数株主からの売渡請求の対象となるおそれがあることがあげられる。すなわち、売渡請求の対象者は株主総会で議決権行使ができない（会社法175条２項）ため、後継者を除く少数株主によって株主総会の特別決議が成立してしまう、というのである。しかしながら、この制度により売渡請求の対象となるのは「相続その他の一般承継」により取得された自社株であるので、後継者が特定承継（売買、贈与、遺贈等）により取得すれば（会社による譲渡承認が必要となることが想定されるが）対象外となる。また、前述のとおり財源規制があるので、現実的には、少数株主により株主総会決議が可決されるとしても、会社が大量の自社株を買い取ることは困難である。

(b) 特別支配株主による株式等売渡請求（会社法179条）

平成26年の会社法改正により導入された制度である。特別支配株主（株主会社たる対象会社の総株主の議決権の10分の９（これを上回る割合を定款で定めた場合にはその割合）以上を有している者（その者自身およびその者が全株式を保有する株式会社等を通じて保有する場合を含む。ただし、対象会社自身を除く））は、対象会社の株主（対象会社およびその特別支配株主自身を除く）の全員（ただし、その者が全株式を保有する株式会社等を除外することができる）に対し、保有する対象会社の株式の全部を自己に売り渡すよう請求することができる（会社法179条１項）。なお新株予約権についても同様の売渡請求が可能である（同条２項）。これにより、特別支配株主は100％に近い自社株を保有することとなり、自社株の分散を防げるほか、M&A 等の場合にも活用で

図表3－37　売渡請求を行う場合の手続

特別支配株主から対象会社への売渡請求通知 ↓ 取締役（会）の決議（売渡請求の承認） ↓ 対象会社から売渡株主への通知又は公告・事前開示（売渡請求承認の旨およびその条件等） ↓（売渡株主による差止請求・裁判所への価格決定の申立てはこの時期に行う） 取得日の到来（特別支配株主による株式の全部取得）

きる。

この売渡請求を行う場合の手続は図表3－37のとおりである。上記制度が少数株主に対する締出し（キャッシュアウト）のための強力な手段となっているため、少数株主の保護のための事前・事後の情報開示や異議申立ての制度が定められているのが特徴である。

d　名義株の整理

名義株とは、実際には株式の引受け・払込みをしていないのに、形式上それを行ったこととして株主となっている者（名義上の株主）が保有していることになっている株式をいう。名義株が生じた背景としては、事業承継ガイドラインにあるとおり、平成2年の商法改正前は会社の設立には発起人が7名以上必要で、発起人は少なくとも1株を引き受ける必要があったため、実際の出資はオーナー経営者のみであったにもかかわらず、親族や知人に頼んで名義だけ株主になってもらうケースが多かったことにある。

長年名義株を放置しておくと、真の株主や名義上の株主に世代交代があったとき等に、「名義上の株主」が権利を主張したり、事情を知らない「名義上の株主」の相続人が相続により株式を取得した旨主張してきたりするなどのトラブルの原因となるため、早期に株主名簿において真の株主の名義に書き換える等の措置をとることが必要である。

ただ、「名義上の株主」であるにもかかわらず、会社が配当を行ったり、無償増資等によりその株式数を増やしたりしていると、「名義上の株主」であるとの主張がむずかしい場合もあるので、注意を要する。

e　所在不明株主の整理

(a)　会社法の定め

会社は、その株式に係る株主に対する通知および催告が継続して５年間到達せず、かつ、当該株主が継続して５年間剰余金の配当を受領しなかった場合については、その株式を競売（会社法197条１項、民事執行法195条）または、競売にかえて、市場価格のある株式については市場価格として会社法施行規則38条で定める方法により算定される額をもって、市場価格のない株式については裁判所の許可を得て（当該許可申立てには取締役全員の同意が必要）、売却することができる（同法197条２項。裁判所は本店所在地を管轄する地方裁判所。同法868条１項）。

売却の場合、会社は、売却する株式の全部または一部を買い受けることができるが、株主総会の決議は不要である（取締役会設置会社においては取締役会決議が必要。会社法197条４項）。ただし、取得価格の総額は分配可能額の範囲内でなければならないという制限がある（同法461条１項６号）。

この制度により所在不明株主の株式を買い取ることとすれば、自社株の分散を防止する一助になる。

この所在不明株主の株式を競売または売却する場合、当該株主の意思に基づかない一方的な株式売却を防ぐため、その株式について、株主の氏名および住所、その株式の種類・数、その株式につき株券を発行したときはその株券番号、その株式を競売し、または売却する旨および利害関係人に対し異議があれば一定期間内（３カ月以上）に述べるべき旨を公告し、かつ当該株主に格別に催告しなければならない（会社法198条１項・２項）。株券が発行されている場合、異議申述期間内に利害関係人が異議を述べなかったときは、その株券は期間の末日に無効になる（同条５項）。

なお、株式の売却代金は従前の株主に支払わなければならないが、もともと所在不明であった以上、現実に受領できないことが多い。その場合は、会社は債権者を確知することができない場合として供託をして売買代金支払債務を免れることもできる（民法494条）。

所在不明株主の株式売却のスケジュールは図表３－38のとおりである。

図表３－38　所在不明株主の株式売却のスケジュール

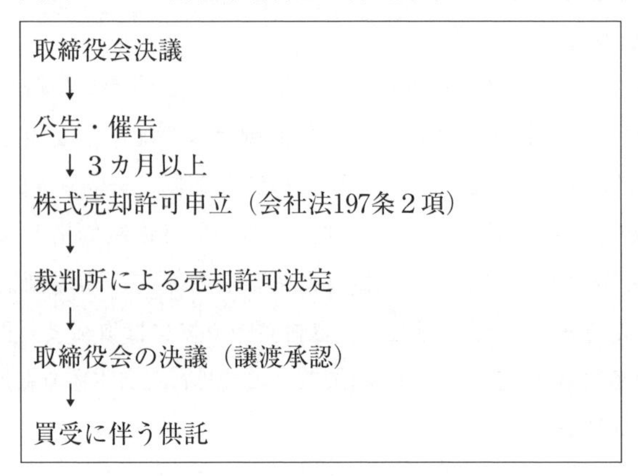

(b)　経営承継円滑化法による特則

第204回通常国会において、令和３年６月９日に成立した「産業競争力強化法等の一部を改正する等の法律」（令和３年法律第70号。同月16日公布）により、経営承継円滑化法が改正され、所在不明株主の整理に関する特則が新設された（ただし、令和３年７月時点で、施行日や適用要件等の詳細は未定）。

この特則では、株式会社である中小企業者が、一定の事由（経営承継円滑化法12条１項１号ホ）について経済産業大臣（都道府県知事）の認定を受けた場合には、前述の会社法の規定にかかわらず、その株主に対する通知・催告が継続して到達せず、かつ、継続して剰余金の配当を受領しなかった期間が、５年から１年に短縮される（経営承継円滑化法15条１項）。ただし、前述の会社法による公告・催告に先立って、三月以上の一定の期間内に所在不明株主およびその他の利害関係人は異議を述べることができる旨等を公告し、かつ、当該株主およびその登録株式質権者（会社法149条１項）に対してこれを催告する、という手続が付加され（経営承継円滑化法15条２項）、その期間内に利害関係人が異議を述べず、かつ、催告が株主や登録株式質権者に到達しないことが必要である（同条３項）。

これにより、当該中小企業は、早期に所在不明株主の株式を買い取ることにより自社株の分散を防止するとともに、株式売却によるM&Aを促進する一助にもなる。

4　債務・保証・担保の承継

⑴　対応の必要性

親族内承継においては、先代経営者から後継者に、自社株や事業用資産等の経営の承継に必要な積極財産は相続や贈与により承継されることが想定され、その分散を防ぐ対策について述べてきた。他方、先代経営者が会社経営のために負った債務・保証・担保についても、なんらの対策を講じなければ、相続の発生により、会社経営に関与しない後継者以外の相続人にも分散することになる。そこで、その対応の必要性を整理すると次のようになる（以下は、事業主体が会社であることを前提にする。個人事業主の事業承継については、本書第６部「個人事業主の事業承継」を参照してほしい）。

a　先代経営者個人の債務について

先代経営者個人が、会社の事業資金の調達のために金融機関等に対して負った借入金債務等（通常、このような場合、その資金を先代経営者個人が会社に対して貸し付けたとして処理されている）は、なんらの対策も講じないまま先代経営者が死亡すると、後継者以外にも相続人がいる場合にはその相続人も法定相続分に応じて当該債務を承継することとなる。そして、相続人間において後継者が単独でこの債務を承継すると合意しても対債権者との関係では効力を有しないため、後継者と他の相続人との間でトラブルになる可能性がある。会社の事業用資金であれば、本来であれば、先代経営者の生前に、債権者との協議により、債務引受等により会社の債務に切り替えるべきであろうが、そのような処理がなされていない場合が多い。

b　先代経営者の保証・担保について

会社の金融機関等からの借入金や取引先に対する買掛金等の債務について、先代経営者が個人保証をしていること（以下、これを「経営者保証」という）が多い。また、それとあわせて先代経営者の個人資産（不動産、預貯金、株式等の有価証券、生命保険等）に担保権（根抵当権、抵当権、質権等）が設定されることも少なくない。

先代経営者の生前に後継者に経営を引き継ぐ場合、先代経営者のこれらの保証・担保を解除しておかなければ、経営の承継後も、自分が経営をしてもいないのにこれらの負担が続くことになるし、この処理が終わらないまま先代経営者が死亡すると借入金と同様の相続問題が発生する。

c　後継者への承継

以上のとおり、事業承継に際しては、先代経営者の債務についても、保証・担保についても、なんらかの対応が必要であるが、単純に、後継者にこれらの負担を承継させる、となると、その負担の重さゆえに、後継者が承継を辞退することにもなりかねず、それぞれ、実情に応じた対応が求められることになる。

(2)　対応その１――債務の圧縮および金融機関等との信頼関係の構築

これらの債務・保証・担保の問題への対応については、まずは債務の圧縮を図り、後継者の負担を軽減することが必要であるとともに、後述するような債権者の同意を得るために、金融機関や取引先との信頼関係の構築、維持が重要である（事業承継ガイドライン56頁）。そして、承継後も後継者が経営者保証なしに資金調達できることが望ましいが、そのためにも先代経営者が会社の財務基盤の強化に努め、信用力を高めておくことが何よりも重要である。

(3)　対応その２――経営者保証に関するガイドラインに即した対応

a　概　　要

以上のような事業承継における経営者の個人保証については、「経営者保証に関するガイドライン」（平成25年12月５日付けで日本商工会議所と一般社団法人全国銀行協会を事務局とする「経営者保証に関するガイドライン研究会」が経営者保証の課題・弊害を解消するために策定公表。以下「経営者保証ガイドライン」という）に即した対応が考えられる。

しかし、経営者保証ガイドラインでは事業承継に関する規定が不十分であったため、経営者保証ガイドライン研究会は、令和元年12月24日、事業承継に焦点を当てた経営者保証ガイドラインの特則（以下「経営者保証ガイドライン特則」という）を公表した。経営者保証ガイドライン特則は、経営者保証ガイドラインを補完するものとして、事業承継時に際して、期待される経営者保証の具体的な取扱いを定めたものであり、令和２年４月１日から適用されている。経営者保証ガイドライン特則により、事業承継時には、原則として、同一の金融債権に対して先代経営者と後継者の双方から二重に保証（二重徴求）を求めないこととするなど経営者保証に依存しない融資に向けた取組みを進め、円滑な事業承継が行われることが期待されている。

経営者保証ガイドラインおよび経営者保証ガイドライン特則は、経営者保証に関する中小企業、経営者および金融機関による対応についての自主的な準則であり、法的拘束力はないものの、主たる債務者、保証人および対象債権者（経営者保証ガイドラインにいう「対象債権者」とは、中小企業に対する金融債権を有する金融機関等であって、現に経営者に対して保証債権を有するもの、あるいは将来これを有する可能性のあるものをいう）によって、自発的に尊重され遵守されることが期待される（経営者保証ガイドライン2(1)）。

b　事業承継時における対応について

経営者保証ガイドライン特則の主なポイントは次のとおりである（中小企業庁ホームページ参照）。

① 先代経営者、後継者の双方からの二重徴求の原則禁止

② 後継者との保証契約は、事業承継の阻害要因となりうることを考慮し、保証の必要性を慎重かつ柔軟に判断する。

③ 先代経営者との保証契約の適切な見直し、特に経営権・支配権を有しない先代経営者については、第三者に該当する可能性もあることから慎重に検討

④ 金融機関における内部規定等の整備や職員への周知徹底による債務者への具体的な説明の必要性

⑤ 事業承継を控える事業者におけるガイドライン要件の充足に向けた主体的な取組みの必要性

そこで、事業承継に際して既存の経営者保証の解除等の見直しを求めるには、先代経営者や後継者において、経営者保証ガイドライン特則をふまえた次のような対応が必要となり、対象債権者（金融機関）も事実上、それに沿った対応を迫られることになる。

(a)　一　　般

会社および後継者が対象債権者からの情報開示の要請に対し適時適切に対応すること。特に、経営者の交代により経営方針や事業計画等に変更が生じ

る場合には、その点についてより誠実かつ丁寧に説明すること。

(b) 経営者保証なしの事業承継への取組みについて

経営者保証を提供することなしに事業承継を希望する場合には、経営者保証ガイドライン4(1)に掲げる経営状態であることが求められるので、以下のような対応が求められる。この要件が未充足である場合には、後継者の負担を軽減させるために、事業承継に先立って下記の要件を充足するよう主体的に経営改善に取り組むことが必要となる（経営者保証ガイドライン特則3）。

① 法人と経営者との関係の明確な区分・分離

② 財務基盤の強化

③ 財務状況の正確な把握、適時適切な情報開示等による経営の透明性確保

(c) 先代経営者、後継者の双方との保証契約（経営者保証ガイドライン特則2(1)）

対象債権者は、原則として先代経営者、後継者の双方から二重には保証を求めないこととし、例外的に二重に保証を求めることが真に必要な場合には、その理由や保証が提供されない場合の融資条件等について、先代経営者、後継者の双方に十分説明し、理解を得ることが必要となる。例外的に二重徴求が許容される場合として経営者保証ガイドライン特則は4つの例をあげているが、この例外は限定列挙とされており、厳格な解釈により運用されることが予想される。

(d) 後継者との保証契約の締結について（経営者保証ガイドライン特則2(2)）

後継者としては、保証の必要性がないことを説明する。対象債権者としては、経営者保証を求めることにより事業承継が頓挫する可能性、これによる地域経済の持続的な発展、金融機関自身の経済基盤への影響などを考慮し、経営者保証ガイドライン4(2)の要件の多くを満たしていない場合でも、総合的判断として経営者保証を求めない対応ができないか真摯かつ柔軟に検討することが求められることになる。

その場合、後継者が特約条項（たとえば、対象債権者に対する報告義務）に抵触しない限り保証債務の効力が発生しないという停止条件付保証契約等の代替的な融資手法の活用等も検討する。

仮に、後継者に経営者保証を求めることがやむをえないと判断された場合、後継者および対象債権者としては、代替的な融資手法を活用するなどの以下のような検討を行うことが求められる。

① 資金使途に応じて保証の必要性や適切な保証金額の設定を検討

② 財務状況が改善した場合に保証債務の効力を失うこと等を条件とする解除条件付保証契約の検討等の代替的な融資手法の活用

③ 事業承継特別保証制度の活用（令和２年４月から開始）

活用の要件は、①資産超過、②返済緩和債権なし、③一定の返済能力（EBITDA 有利子負債倍率10倍以内）、④社外流出等なしであり、この４要件をすべて満たす必要がある。

④ 事業承継時に経営者保証を不要とする政府系金融機関の融資制度 の利用（たとえば、日本政策金融公庫の「事業承継・集約・活性化資金」、また商工中金は、令和２年１月から新規融資を一定の条件を満たす企業に対して「原則無保証化」としている）

(e) 先代経営者との保証契約の解除について（経営者保証ガイドライン特則２(3)）

改正民法が令和２年４月１日から施行されたことにより、第三者保証の利用が制限されることや、金融機関においては、経営者以外の第三者保証を求めないことを原則とする融資慣行の確立が求められていることをふまえて、対象債権者は、先代経営者の第三者性等の検討など保証契約の適切な見直しを検討することが求められる。先代経営者が実質的な経営権・支配権を保有していなければ、先代経営者は第三者に該当する可能性がある。

先代経営者に対して、引き続き保証契約を求める場合には、先代経営者の株式保有状況（議決権の過半数を保有しているか等）、代表権の有無、実質的な経営権・支配権の有無、既存債権の保全状況、法人の資産・収益力による借入返済能力等を勘案して、保証の必要性を慎重に検討することが必要であるとされるので、先代経営者は、上記観点から保証契約の解除を求めていく。

c まとめ

事業承継にとって、個人保証が大きな障害となっていることから、経営者保証ガイドライン特則の制定、経営者保証に頼らない融資の手法や新たな融資制度の設置、経営者保証解除に向けた専門家による中小企業支援等さまざまな方策がとられている。実際、金融庁の民間金融機関における「経営者保証ガイドライン」の活用実績のデータでは、経営者保証に依存しない融資の割合が増加している。先代経営者や後継者は、これらの諸施策を積極的に活用するとともに弁護士等の専門家もいっそうの支援が求められている。

経営者保証ガイドラインおよび経営者保証ガイドライン特則の活用にあたっては、金融機関との交渉が必要であり、従来以上に弁護士の関与が必要になると思われる。

(4) 対応その３——経営者保証ガイドラインを利用しない、あるいはできない場合

次のような点に留意すべきである。

a　先代経営者が自己所有の不動産を担保に提供している場合

対債権者との交渉によって、担保解除、あるいは、先代経営者の資産以外への担保の付替えが可能であればよいが、それが困難である場合には、後継者が先代経営者から担保不動産の生前贈与を受け、これについて経営承継円滑法の遺留分に関する民法の特例のオプション合意（経営承継円滑化法５条）を利用する、という方法がある。これによって、後継者は、担保権が設定された不動産を取得することとなる。ただし、このオプション合意は不動産単独では利用できず、自社株についても後継者に生前贈与がなされ、除外合意または固定合意（経営承継円滑化法４条）がなされている必要がある。

b　個人保証の解除および債務免除

先代経営者と金融機関等との間の経営者保証契約を解除するには、通常、その旨の合意書（保証契約の合意解除契約）を作成するが、その際、先代経営者と金融機関等の間で、債権債務のないことを相互に確認する清算条項が必要である。これは、経営者保証契約の解除に伴って従前の保証債務も負わないことを念のため確認するものである。この場合、通常は、後継者と金融機関等の間で新たな保証契約を締結することになる。新たな保証契約の代わりに、免責的債務引受契約（改正民法472条１項）を締結する方法もある。金融機関等の債権者、債務者である会社、先代経営者および新たに保証人となる

後継者の４者で締結する方法がオーソドックスであるが、債権者と引受人となる後継者との２者間の契約によっても可能である。この場合は、債権者が債務者（会社）に対して、債務引受契約をした旨を通知したときにその効力を生ずる。この点は、改正民法472条２項後段によって、明文化された。先代経営者の個人資産に対する根抵当権等の担保も解除する場合は、根抵当権等の抹消登記手続についても合意が必要となる。

5　資金調達

(1)　事業承継時にかかる資金の必要性について

親族内承継においては、事業承継に際して必要な資金は、①事業承継前に自社の磨き上げのためにかかる投資資金、②先代経営者からの自社株等の買取資金、③相続に伴い分散した自社株等の買取資金、④先代経営者が所有していた自社株等にかかる贈与税・相続税の納税資金、⑤事業承継後に経営改善や経営革新を図るための投資資金、の５つが必要といわれている（事業承継ガイドライン59頁）。

上記のうち、①～④が事業承継の際、さしあたり必要となる資金である。⑤は、事業承継後の投資資金である。

通常、事業承継の場合は、経営者交代により信用状態が悪化し、金融機関からの借入条件や取引先の支払条件が厳しくなることが懸念されるといわれているが、事前に事業承継全体を計画する際に必要資金の計算を誤らないことが必要であり、取引金融機関等との間で事業承継計画や課題、資金ニーズについての認識を共有しておくことが重要である。

(2)　経営承継円滑化法における金融支援の制度

これについては、本書第３部第１「３　財産の承継――株式・業務用資産の分散防止」においてすでに述べた。詳しくは、中小企業庁のホームページを参照されたい。

第2 従業員承継

1　従業員承継における課題

現在、親族内での後継者確保が困難となっていることなどを背景に、現経営者と親族関係にない役員や従業員を後継者にする親族外承継や第三者承継が増加している（事業承継ガイドライン60頁）。

最近では、M&Aを中心にした第三者承継が増加傾向にあるものの、従業員承継も選択肢の一つであるが、従業員承継に関して重要な法律改正があった。中小企業における経営の承継の円滑化に関する法律（以下「経営承継円滑化法」という）の改正である。この改正により、従業員承継の大きな課題であった事業承継資金の用意について、より利用しやすくなったといえる。この点については、後述する。

しかし、従業員承継に立ちはだかる課題も存在し、事業承継ガイドラインにおいてもその旨の指摘がなされている。以下、この点について解説する。

⑴　関係者（ステークホルダー）の理解

「従業員承継」を行う際には、現経営者の親族や、後継者である従業員の配偶者といった関係者の理解等を得るのに時間がかかる場合もあるため、後継者の経営環境の整備によりいっそう留意する必要がある（事業承継ガイドライン60頁）。

事業承継にかかわるステークホルダーとしては、上記に限らず、会社の取引先やメインバンク、会社内の他の従業員や役員も関係してくるので、以下に述べるような多方面にわたるステークホルダーの理解が不可欠となる。

なお弁護士が現経営者の代理人として携わる場合は、対立構造が明確でない場合も多いため、当初段階においては、関係者に必要以上の刺激を与えないようにするため、ステークホルダーに対する説明に現経営者と一緒に立ち会うなどの工夫が必要であろう。

a　現経営者の親族について

後継者は、親族ではないため、株式・事業用資産の承継を伴う場合には、現経営者から原則として、有償譲渡により（場合によって遺贈や贈与によることもある）、株式・事業用資産を承継する。現経営者から後継者への有償譲渡の場合、以下「(2)　事業承継資金の用意」に述べるような後継者の資金不足が大きな問題となる。また、現経営者の死亡に伴う法定相続人との将来の紛争を防止することが必要となる。そのためには、現経営者の生前に後継者への事業承継について、法定相続人の理解を得ておくことが必要である。

b　会社の取引先、メインバンク等の金融機関

後継者が会社の役員である場合やいわゆる番頭格に当たるような人物である場合には、それまでの積重ねによって、取引先やメインバンクからの一定の信頼関係が築かれている可能性があり、これらのステークホルダーの理解を得ることは容易であることが多いであろう。すべての取引先から信頼を得ている必要はないが、重要な取引先との信頼関係が存在することは必要である。

c　従業員等社内の関係者

従業員や役員の理解や信頼が得られるかどうかは、重要な問題である。後継者が会社の役員である場合やいわゆる番頭格に当たるような人物である場合には、比較的理解を得られやすいと思われるが、社内での勢力争いがある場合は、現経営者がその決着を図っておく必要がある。

d　株　　主

会社の株式は、親族がその多くを保有している場合が多いと思われるが、第三者の持株比率が高い場合には、株主総会における役員選任決議を円滑に進めるため、過半数を確保しておく必要がある。後継者の持株比率を高めるために株主からの買取りの可能性もあることから、有力な株主に対しては、現経営者からの十分な説明が必要である。

e　後継者の親族

事業承継ガイドラインでは、関係者として、後継者の配偶者をあげている（事業承継ガイドライン61頁）。これは、現実問題として、従業員の親族、特に配偶者が反対の意向を示すことが多いことが影響していると思われる。後継者になることによって、新たな資金借入れや現経営者の保証債務を承継する可能性があり、経済的な不安から反対することが多いためと思われる。法的問題を含むため、現経営者あるいは後継者の代理人である弁護士から丁寧な説明を行い、説得を試みることが必要である。

⑵ 事業承継資金の用意

a 概　　要

株式・事業用資産を相続等によって取得する親族内承継と比較して、従業員承継では、所有と経営の分離が生じやすいといえる。一方、株式・事業用資産の承継は、有償譲渡または遺贈によることが多く、その場合、相続税対策は不要となるものの、買取資金の調達や現経営者および親族との合意形成がきわめて重要となる（事業承継ガイドライン60頁）。

b 経営承継円滑化法

この点について、前述したとおり重要な法律改正があった。経営承継円滑化法の改正である。

経営承継円滑化法の改正により、その適用範囲が相続人である場合だけでなく後継者が従業員である場合にも適用されることとなった。

経営承継円滑化法による支援は、①税制支援、②金融支援、③遺留分に関する民法の特例の適用である。

①の税制支援は、後継者が非上場会社の株式等（法人の場合）・事業用資産（個人事業者の場合）を先代経営者等から贈与・相続により取得した場合において、当該中小企業が経営承継円滑化法における都道府県知事認定を受けたときは、贈与税・相続税の納税が猶予または免除されるものである。

②の金融支援の具体的内容は、第一に低利融資の制度であり、会社や、後継者である個人事業主あるいは代表者個人が資金を必要とする場合に、日本政策金融公庫あるいは沖縄振興開発金融公庫が低利融資制度により支援する。第二に、経営承継円滑化法に基づく認定を得た会社および個人事業主が、事業承継に関する資金を金融機関から借り入れる場合には、信用保証協会の通常の保証枠とは別枠が用意されるものである。

③の遺留分に関する民法の特例の適用は、後継者が、遺留分権利者全員と

の合意および所要の手続を経ることを前提に、遺留分に関する民法の特例の適用を受けることができる制度である。除外合意と固定合意の二つの方法があるが、除外合意によれば、従業員後継者が贈与等を受けた株式等についても遺留分侵害請求の対象から除外することが可能となっている。

c　自社株式の購入

所有と経営を一致させるためには、自社株式を後継候補者が購入して、経営権も承継して把握する必要がある。しかし、自社株式の評価額が高い場合には、後継者が役員クラスでも購入資金を用意するのが困難となる場合が多く、役員ではない従業員クラスでは、なおいっそう困難となる。この場合は、前述した経営承継円滑化法の利用、後述するLBOの活用や、株式の購入代金を分割払いで合意するとか、100％の株式を集められないなかでも、当面、51％の持株比率を確保することや、持株会を活用するなどの工夫が必要であり、資金力やリスクなどを勘案して方策を決定することが必要である。

逆に自社株式の評価が低い場合は、購入資金の金額が下がるが、その場合は、企業の借入金が多いと思われ、特に後継者が金融債務を個人保証付きで抱え込むことになる。

理想からいえば、事業承継時に無借金状態にすることが望ましいが、その状態で承継する場合には、自社株式の評価が高くなり、その分、購入資金が高額となってしまう。

あえて自社株式の評価を下げるため、借入金を増やすことは、将来の企業経営に影響を及ぼすことも想定されるので、注意を要する。自社株式の評価方法については、いくつかの方法が存在する（本書第3部第1「3　財産の承継――株式・業務用資産の分散防止」参照）。株価対策で弁護士が相談を受ける場合は、その株価対策により過剰なリスクを背負い込むことがないかを検討しつつ、税理士や公認会計士と十分協議しながら、共同して助言することが必要である。

2　後継者の選び方・教育方法

従業員承継では、後継者をだれにするかがきわめて重要である。親族内承継では、親族という属性が重要であり、候補者がおのずから絞られているが、従業員承継では、まさに後継候補者としてふさわしいかどうかが決定的に重要である。実際に後継者を決定するのは、現経営者であると思われるが、どのような基準で後継者を決定することになるだろうか。

後継候補者選定の基準としては、「他の従業員、取引先からの人望が厚い人を選ぶ」ことが大切である（事業承継マニュアル21頁）。実務に精通し、事業を成長する力量も重要であるものの、社内からの反発も予想されるため、社内・取引先の理解を得られることが第一に必要である。

このような観点から、社内で一定の経験を積み、他の従業員との信頼関係を構築できているうえ、経営に近い役割を担ってきた従業員、いわゆる「番頭さん」が後継者となる例が多い（事業承継ガイドライン60頁）。

一方で、従業員として優秀であったとしても経営者の資質が欠ける場合もある。後継候補者の考え方や意識を従業員感覚から経営者感覚に変更することが困難で、結局、候補者を断念する例が多いとも聞く。

また、会社の金融債務等の連帯保証人になることなどの必要性から、後継者の候補者が経営者となることに二の足を踏むことが予想され、場合によっては、候補者の家族、特に配偶者からの反対に遭うことも予想される。令和元年12月24日、事業承継に焦点を当てた経営者保証ガイドラインの特則が公表され、令和２年４月１日から適用されていることは前述したが、このガイドライン特則により対象債権者（金融機関等）が後継者の保証契約については、柔軟に対応することが期待される。いずれにしても現経営者は、現経営者の親族だけでなく後継者の配偶者との対話の時間をもつことが重要である（事業承継ガイドライン61頁）。

現経営者が早くから優秀な従業員に目をつけて、後継者の候補者として長い時間をかけて育成する方法もある。その場合は、各部門をローテーションさせ経験と知識を習得させることが大切である。また、番頭格の従業員などに引き継ぐ場合を含め、責任ある地位につけつつ、財務のスキルなどを身につけさせることが大切である（育成方法については、事業承継マニュアル21～23頁に記載がある）。

将来的に株式が分散するリスクはあるものの、従業員後継者と現経営者の親族との関係を調整するために無議決権株式や優先株式等を活用するケースもありうる（本書第５部第１「種類株式」および事業承継マニュアル26、27頁参照）。

コラム

番頭の独立による引継ぎの失敗

会社自体が魅力的で、従業員承継の主たる候補者である番頭さんに資金の余裕がある場合であっても、以下の事例のような場合に、番頭さんが独立することで事業承継が頓挫することがある。

甲社は、長年、海外の取引先とつながりがあり、そのつながりを利用して輸入商を営んでいた。甲社のメインバンクからの借入額は約3,000万円であった。代表のＡは、その取引先との関係を築いた者であったが、60歳を超えた段階で、後継候補である番頭のＢを取締役にして、株式などを引き渡すことなく、取引先に、「今後はＢにその業務を引き継ぐ」ということを説明し、すべての業務を５年以上Ｂに任せきりにしていた。その後、突然、Ｂが、「株式も譲ってくれないので、甲社を引き継がず、独立したいと思います。取引先も従業員も私についてきてくれると言っています。長年ありがとうございました」と言い残し、取締役を辞任した。そしてＢは、新たに同種の業務を行う乙社を立ち上げ、取引先のほとんどを奪っていってしまった。甲社には、単にメインバンクからの借入れが残るだけになってしまった。

取締役は、退任後は、競業避止義務を原則として負わない（ただし、在任中から顧客を移転し、従業員の引抜きをしているなど先行行為がある場合に、競業避止義務を認めた事件もある（千葉地裁松戸支決平20.7.16判タ1290号200頁））。特に許認可もない場合、先代経営者は、番頭さんに対して、なぜこの会社を引き継いでもらうのか、そのメリットと責任について、十分に説明し、態度でも示していかなければならないだろう。

3　MBO・EBO

(1)　問題の所在

役員・従業員に事業承継を行う場合、現経営者が保有する株式や事業用資産を後継者である従業員らが取得することが必要となる場合が生じる。現経営者およびその親族は、経営に関与しないこととなる以上、財産権として中小企業の株式や事業用資産を保有し続ける意味は少なくなり、かえって相続税その他の負担がある。他方、従業員側も経営権の安定のためには、株式の保有や事業用資産の承継が重要となる。しかし、株式等の買取価額は通常ある程度高額にならざるをえないが、役員・従業員らが買取資金を自己資金でまかなうことには限界がある。事業承継ガイドライン61頁は、後継者の株式等の買取資金の調達の成否が円滑な事業承継にとって非常に重要であり、従業員承継の実現を阻む高いハードルとなっていると指摘する。以下、MBO・EBOの仕組みと資金調達の関係と方法について説明する。

(2) MBO・EBOの仕組み

役員・従業員が現経営者から株式等の買取りを行う場合、自ら資金調達（自己資金や借入れなど）する方法と株式等を買い取るための特定目的会社（以下「SPC」という）を設立し、資金調達はSPCを主体として行う方法に分けられる。

図表3－39は、後継者が自ら資金調達を行う場合の全体スキームである。後継者は、自己資金や金融機関から借入れを行うなどして株式等の買取資金を調達し、その資金をもって現経営者から対象企業の株式等を買い取ってオーナーとなる。金融機関からの借入れは、後継者が対象企業から受け取る役員報酬や株主としての配当金をもって返済する。金融機関からの借入れについては、後述する日本政策金融公庫等の低利融資制度がある。

図表3－39　後継者個人が資金調達する場合

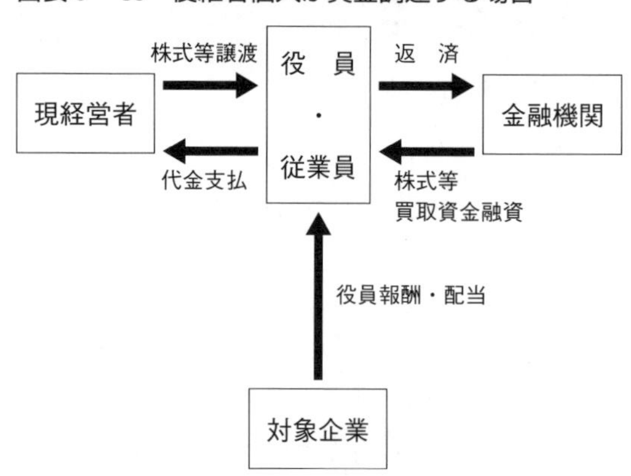

図表３－40　買収会社（SPC）設立による場合（会社設立と株式等買取）

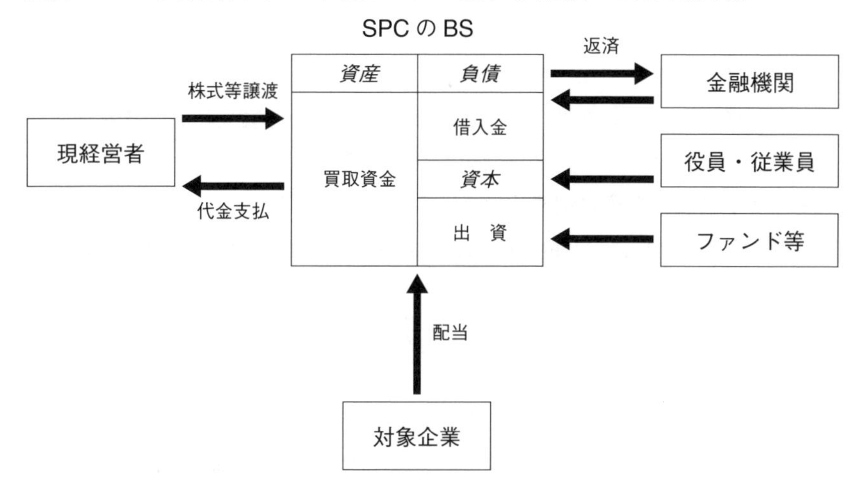

図表３－41　SPCと対象会社の合併

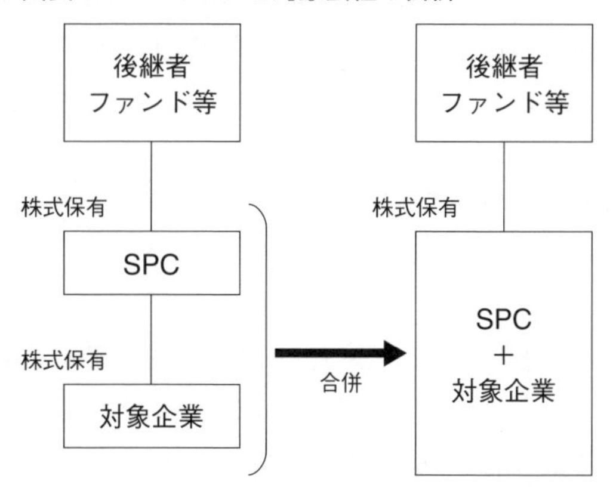

図表３－40は、後継者がSPCを設立して、買取資金を調達する場合の全体スキームである。後継者が自己調達した資金（自己資金・借入金など）をもって、SPCに出資を行う。後継者の出資に加えて、資金調達する方法としては、SPCを主体とする金融機関等からの借入れとファンド等から出資を受ける方法がある。SPCの金融機関に対する借入れの返済は、対象企業からSPCが受ける配当金を原資として行う。

図表3－41は、現経営者からSPCが株式等を買い取ることにより、対象企業は、SPCの完全子会社となるが、その後、SPCと対象企業を合併するというスキームである。この合併により、SPCを介さず、対象企業の収益から金融機関借入金を直接返済できることとなり、対象企業は、借入金金利を経費とすることができ、節税効果が期待できる。

(3) 後継者個人の資金調達

a 日本政策金融公庫や沖縄振興開発金融公庫の低利融資（経営承継円滑化法14条）

後継者個人が株式等の買取資金を調達する方法としては、金融機関からの借入れがある。従前の取引金融機関からの借入れのほか、検討すべきは、経営承継円滑化法による低利融資の利用である。

当該中小企業者が、経営による経済産業大臣の認定（経営承継円滑化法12条1項1号イ）を受けた場合に、その代表者が株式や事業活動の継続に必要な事業用資産を取得するのに必要な資金を代表者に融資する制度である。

通常の基準金利ではなく、特別に低い金利が適用される。

融資の資金使途は以下の5つに限定されている（経営承継円滑化法施行規則15条各号）。

- ・後継者が相続した債務で事業用資産を担保とするものの返済資金
- ・先代経営者の死亡、退任に際し、他人が保有する自社株などを取得するための資金（MBO、EBOの場合を含む）
- ・先代経営者の相続に関し、後継者が自社株や事業用資産を確保するために支払う遺産分割の代償金、遺留分減殺請求に対する価額弁償金
- ・後継者が自社株などの相続、遺贈、贈与に関して支払う相続税、贈与税の支払資金
- ・上記4つの他経済産業大臣の認定を受けた中小企業者等の事業活動の継続に特に必要な資金

b その他の資金調達

上記a以外にも、株式会社商工組合中央金庫の事業承継支援貸付、中小企業基盤整備機構の小規模企業共済制度「事業承継貸付」など、公的機関による事業承継にかかわる貸付制度がいくつも設けられている。

⑷ 中小企業信用保険法の特例（経営承継円滑化法13条）

後継者個人の資金調達ではないが、対象企業が融資を受ける際の保証枠を別途設定することにより、事業承継時の対象企業の資金需要に対応するものである。

経済産業大臣の認定（経営承継円滑化法12条）を受けた中小企業者（会社および個人事業主）が、株式や事業用資産の買取資金の調達など事業承継に関する資金を金融機関から借り入れる場合、信用保証協会の債務保証を通常の保証枠とは別枠とし、中小企業信用保険法規定の普通保険（限度額２億円）、無担保保険（限度額8,000万円）、特別小口保険（限度額1,250万円）につき、信用保証協会の債務保証が可能となる。信用保証協会の保証枠を拡大することにより、金融機関からの融資を受けやすくするものである。

⑸ 買収会社（SPC）を主体とする資金調達

後継者となる役員や従業員個人が株式等の取得資金を借り入れる方法以外に、SPC を利用した資金調達方法がある。個人借入れには調達する資金にも限界がある。SPC を利用することにより、対象会社の収益力をもとにしたより大きな資金の調達が可能となる。全体スキームは図表３－40、図表３－41を参照されたい。

a　後継者による特定目的会社（SPC）を設立

まず、後継者（１人あるいは複数）の自己資金（個人調達した借入金を含む）を出資して、特定目的会社（SPC）を設立して、後継者は SPC の株主となる（SPC の定款例は書式３－３を参照）。SPC が経営者から株式を買い取る場合の株式譲渡契約書は書式３－４を参照されたい。

書式３－３　特定目的会社定款例

○○○○合同会社定款

第１章　総　　則

（商号）

第１条　当会社は、○○○○合同会社と称する。

（目的）

第２条　当会社は、次の事業を行うことを目的とする。

1　○○業を営む会社の株式の譲受け並びにその管理及び処分に係る業務
2　前各号に附帯関連する一切の事業
(本店の所在地)
第3条　当会社は、本店を○○県○○市に置く。
(公告方法)
第4条　当会社の公告は、官報に掲載する方法により行う。
第2章　社員及び出資
(社員の責任)
第5条　当会社の社員の全部を有限責任社員とする。
(社員の氏名及び住所並びに出資の目的及びその価額)
第6条　当会社の社員の氏名及び住所並びに出資の価額は、次のとおりとする。ただし、社員の出資の目的は、金銭とする。
○○県○○市○○町○丁目○番○号
社員　○○　○○（金○○万円）
(社員の地位の相続等の特則)
第7条　社員が死亡した場合又は合併により消滅した場合は、当該社員の相続人その他の一般承継人が当該社員の持分を承継するものとする。
第3章　計　算
(事業年度)
第8条　当会社の事業年度は、毎年4月1日から翌年3月31日までとする。
第4章　附　則
(最初の事業年度)
第9条　当会社の最初の事業年度は、当会社成立の日から令和○年3月31日までとする。
(定款に定めのない事項)
第10条　本定款に定めのない事項は、すべて会社法その他の法令の定めるところによる。

以上、合同会社○○○○設立のためこの定款を作成し、社員が以下に記名押印する。
令和○年○月○日
社員　○○　○○　㊞

書式3－4　株式譲渡契約書（LBOファイナンス）

株式譲渡契約書

○○○○（以下「甲」という。）と○○○○合同会社（以下「乙」という。）とは、甲が有する××××会社（以下「対象会社」という。）の発行済株式の全部（以下「本件株式」という。）について、次のとおり合意する。
第1条　(株式の譲渡)
甲は、令和○年○月○日（以下「本件譲渡日」という。）、乙に対し、本件株式を譲渡し、乙はこれを譲り受ける（以下「本件株式譲渡」という。）。

第２条　（本件株式）
本契約に基づいて甲から乙に譲渡される本件株式は、次のとおりである。
発行者　××××株式会社
種　類　普通株式
株　式　○○株
第３条　（譲渡価格と支払）
１　本件株式の譲渡価格は、金○○円（１株あたり金○○円）とする（以下「本件譲渡代金」という。）。
２　乙は、本件譲渡代金を、次のとおり支払う。
⑴　本件譲渡日　本件譲渡代金のうち金○○円
⑵　本件譲渡日から３か月を経過した日　本件譲渡代金の残金○○円
第４条　（株券の引渡し）
甲は、本件譲渡日において、前条第２項第１号に規定する金○○円の支払と引き換えに、乙に対し、本件株式を表象する全ての株券を引き渡す。
第５条　（取締役会の承認）
甲は、乙に対し、本件譲渡日までに、本件株式譲渡について、対象会社の取締役会の承認を得た上で、その本件株式譲渡の承認に係る対象会社の取締役会議事録及び株式譲渡承認書の写しを交付する。
第６条　（甲による表明保証）
甲は、乙に対し、本契約締結日及び本件譲渡日において、以下の事項が真実かつ正確であることを表明し、保証する。
⑴　法人としての権利能力及び行為能力
対象会社は、日本法の下で適法に設立され、有効に存続している法人であり、またその財産を所有しかつ現在行っている事業を遂行するために必要な権利能力及び行為能力を有していること
⑵　株式
ア　対象会社が発行する株式は全て普通株式であり、その発行済株式総数は○○株であること
イ　対象会社は、本件株式以外には、新株予約権その他いかなる証券又は権利も乙以外の第三者に対して設定又は付与していないこと
⑶　許認可
対象会社は、別紙１〔略〕のとおり、現在行っている事業を遂行するために必要な許認可を取得しており、これらの許認可は有効に存続していること
⑷　財務内容
ア　対象会社の令和○年○月○日現在の財務内容は、本契約書添付の計算書類〔略〕のとおりであり、かつ、保証債務、求償債務、係争債務、税務上の追徴金等貸借対照表上に計上されない債務が存在していないこと
イ　計算書類作成の日から本契約締結までの間に、対象会社の財務内容に重大な悪影響が及ぶ変化が生じていないこと
ウ　対照会社の計算書類が一般に公正妥当と認められる会計原則に従い適正に作成されたものであること
⑸　支払遅延の不存在

対象会社は、対象会社の事業の遂行に重大な悪影響を与えない少額の債務を除き、弁済期限の到来した債務を全て支払済みであること

(6) 倒産手続

対象会社は、破産手続開始、民事再生手続開始、会社更生手続開始、特別清算手続開始その他これらに類する法的倒産手続、私的整理手続の開始の申立てを行っていないこと

(7) 人事労務

対象会社は、別紙に〔略〕記載の債務を除き、対象会社の役員及び従業員に対し債務を負っていないこと

(8) 公租公課

対象会社は、納付期限が到来した法人税その他の公租公課について適法かつ適正な申告を行い、かつその支払を完了していること

(9) 紛争

対象会社は、別紙3〔略〕記載の事項を除き、訴訟、仮差押え若しくは仮処分、調停、仲裁その他の手続が係属していないこと、及び内容証明郵便による通知書その他の書面による主張を受けていないこと

第7条 （乙による表明保証）

乙は、甲に対し、本契約締結日及び本件譲渡日において、以下の事項が真実かつ正確であることを表明し、保障する

(1) 乙は、日本法の下で適法に設立され、有効に存続している法人であり、またその財産を所有しかつ現在行っている事業を遂行するために必要な権利能力及び行為能力を有していること

(2) 乙は、本件契約締結及び履行に関し、会社法、定款その他乙の規則に従い必要な手続を全て履行していること

(3) 本契約の締結及び履行は、乙の定款その他乙の規則に違反せず、乙を当事者とし又はその資産を拘束する他の契約に本契約の締結及び履行に重大な悪影響を与える態様では違反せず、かつ乙に対する又はこれを拘束する判決、命令又は決定にも違反しないこと

第8条 （甲の履行の前提条件）

甲は、本件譲渡日において、第7条に規定する乙による表明及び保証が本契約締結日及び本件譲渡日において真実かつ正確であることを条件として、第4条に規定する義務を履行する。

第9条 （乙の履行の前提条件）

乙は、第6条に規定する甲による表明及び保証が本件譲渡日において真実勝つ正確であることを前提条件として、第3条に規定する義務を履行する。

第10条 （損害賠償責任）

1 甲は、第6条に基づき表明及び保証した事項に関し、表明及び保証と異なる事実が判明し、乙に損害を与えた場合、その他本契約に違反して乙に損害を与えた場合には、その損害を賠償するものとする。

2 乙は、前項に基づき甲に対し損害賠償債権を有する場合には、当該損害賠償債権と第3条第2項第2号に規定する本件譲渡代金の残金支払債務とを対当額にて相殺することができる。

3　乙は、第７条に基づき表明及び保証した事項に関し、保証及び保証と異なる事実が判明し、甲に損害を与えた場合、その他本契約に違反して甲に損害を与えた場合には、その損害を賠償するものとする。

第11条　（解除）

1　各当事者は、以下の各号のいずれかが生じた場合には、本件株式譲渡の前に限り、相手方当事者への書面による通知により、本契約を直ちに解除することができる。

(1)　相手方当事者について、本契約に基づく表明及び保証の重大な違反があることが判明した場合

(2)　相手方当事者について、重大な本契約上の義務の違反があり、書面による催告にもかかわらず７日以内に当該違反が是正されない場合

(3)　本件株式譲渡が、令和○年○月○日までに行われない場合（ただし、自らの責めに帰すべき事由による場合を除く。）

(4)　相手方当事者について、破産手続開始、民事再生手続開始、会社更生手続開始、特別清算手続き開始その他これらに類する法的倒産手続、私的整理手続の開始の申立てがなされた場合

2　前項に基づく解除は、解除する当事者の損害賠償請求を妨げない。

第12条　（秘密保持）

1　甲及び乙は、本件株式譲渡並びに本契約の締結及び履行に関して相手方から開示された情報については、甲乙間で締結した令和○年○月○日付秘密保持契約に基づく秘密保持義務の対象となることを確認する。

2　甲及び乙は、本件株式譲渡並びに本契約の締結（交渉過程を含む。）及び履行の事実について、その秘密を保持し、相手方の事前の書面による承諾のない限り、第三者に開示・漏えいしないものとする。ただし、かかる開示が法令等に基づき義務付けられる場合及び関係当局から要請を受けた場合には、この限りでない。

3　甲及び乙は、前項ただし書きに基づき開示した場合には、相手方に対し、事前に又は事後速やかに、その旨を通知するものとする。

第13条　（管轄）

本契約及びこれに関連して生ずる本契約当事者の一切の権利及び義務に関する訴訟は、○○地方裁判所を第一審の専属的合意管轄裁判所とする。

第14条　（その他）

本契約に定めのない事項及び本契約の解釈についての疑義については、両者誠意をもって協議の上、解決するものとする。

以上のとおり、契約が成立したため、本契約成立を証するため本契約書を２通作成し、甲乙記名押印の上、各１通保有する。

令和○年○月○日

○○県○○市○○町１丁目２番３号
甲　　　　　　甲野　一郎　㊞
○○県○○市○○町１丁目２番３号
乙　　　　　　○○○○合同会社
業務執行社員　乙川　花子　㊞

b　SPCによる金融機関からの借入

SPCが主体となり、金融機関から借入れを行う。金融機関に対する返済は、対象会社からの配当金をもって行う。後継者はSPCを介すことにより、自己資金のみならず、対象会社の将来の収益をもって現経営者から株式を買い取ることができるのである。このように自己資金と外部金融機関等からの借入金を組み合わせて企業買収を行うことをLBO（Leveraged buy-out）といい、LBOファイナンスにおいて、金融機関は、対象会社の収益力をもとにSPCに貸付を行うから、金融機関から借入れを受けるにあたっては、対象会社の事業計画の説明が不可欠となる。また、LBOファイナンスにおいては、対象企業の資産、SPCが保有する対象企業の株式および後継者が保有するSPCの株式について担保提供を求められたり、財務状況の定期的な報告義務や一定の財務指標を下回った場合の失期条項を設けられたりすることがあるので、借入れの条件については十分に検討する必要がある。

c　SPCがファンドやベンチャーキャピタルから投資を受ける

後継者の自己資金不足を補う方法として、金融機関からの借入れのほか、ファンドやベンチャーキャピタルからの出資を受ける方法がある。

ファンドには、自ら経営権を取得し、業務管理、営業支援、人材派遣その他の経営支援を行うものと、経営権の取得は行わないものがある。前者は、PEファンドであり、将来の株式売却益を得ることを目的として、企業価値を高めるべく、自ら経営権を取得するから、後継者ら主導の経営はできない。PEファンドが株式を売却する際に、後継者が株式を買い取ることは可能である。

後者のファンドとしては、中小企業投資育成株式会社法によって設立された中小企業投資育成株式会社[14]がある。同社は、中小企業の自己資本の充実支援を目的とする会社であり、地方自治体や金融機関等が株主である。同社の出資は、議決権の半数を超える株式の取得は行わず、上場を目指すベンチャー企業向け投資事業組合からの投資を除き、配当を目的とした株式の長期保有を前提としている。中小企業投資育成株式会社は、東京、名古屋、大

14　中小企業投資育成株式会社については、中小企業庁ホームページを参照。

阪の３社がある。

d　SPC が子会社化した対象会社を吸収合併する

上記ａからｃの一部またはすべての方法によりSPC が調達した資金をもって、SPC が現経営者から株式を買い取り、対象会社は、SPC の子会社となる。

SPC の借入金返済は、子会社化した対象会社からの配当金により行うが、原資は対象会社の収益である。子会社を吸収合併することにより、合併会社に取り込まれた対象会社の収益から支払う借入金の支払利息は費用として計上できることとなり節税効果が期待できる。また、SPC に貸付をした金融機関からも、対象会社の債権者に劣後する関係（株主への配当は債権者への弁済に劣後する）を解消するために合併が要請される。

4　債務・保証・担保の承継

⑴　従業員承継における特徴

親族内承継に関する本書第３部第１「４　債務・保証・担保の承継」と重複する内容が多いが、ここでは従業員承継に特有な点についてだけ触れることとする。

親族内承継における債務・保証・担保の承継と異なる点は、後継者が相続人ではないということである。親族内承継では、現経営者の死亡に伴い、親族である後継者は、相続放棄をしない限り、相続を原因として、現経営者の債務等を相続分に従って包括的に承継する。

しかし、従業員承継では、相続ではなく、対債権者との間で保証契約等の契約行為によって、債務・保証を承継することになる。

親族内承継では、後継者は親族という属性から債務・保証の承継を受け入れざるをえないのに対し、従業員承継では、自らの意思表示によって、債務・保証を承継することになる。後継者が十分な資金力を有していれば、個人保証を引き継ぐということも考えられるが、そうでない場合は、後継者が十分な決意をもって対応しないと、将来の経済的不安から、後継者の家族等が反対したために事業承継自体を断念したといった事態になることもありうる（事業承継ガイドライン62頁）。

事業承継が円滑に行われない理由の一つが経営者保証の問題であることから、次のような施策が講じられている。第一に、前述したとおり、令和元年12月24日に公表され、同２年４月１日から適用されている、事業承継に焦点を当てた経営者保証ガイドラインの特則（以下「経営者保証ガイドライン特則」という）である。経営者保証ガイドライン特則により、経営者保証に依存しない融資に向けた取組みを進め、円滑な事業承継が行われることが期待されている。

第二に、中小企業の事業承継の促進のための中小企業における経営の承継の円滑化に関する法律等の一部を改正する法律に基づく経営者保証解除スキームの新設である。これにより、後継者が事業承継にあわせて保証債務を借り換える際の資金に対して、経営者保証を求めない保証制度（経営承継借換関連保証）が追加されている。

後継候補者から相談を受けた弁護士としては、後継候補者あるいはその親族にとって、いちばん関心の高い債務・保証の承継について、現状を正確に認識したうえで、国からの施策にあわせた適切なアドバイスをすることが必要であり、誤ったアドバイスにならないよう注意が必要である。

⑵　債務・保証・担保の承継方法

上記で述べたとおり、相続を原因としないので、現経営者に対する保証解除の問題と、後継者と対債権者との間で、個別に連帯保証契約や担保の設定契約を行う問題が生じる。

従業員承継では、親族内承継と同様に経営者保証ガイドライン特則の適用により、まず、経営者保証を回避した事業承継を目指し、仮に、経営者保証が必要となるような場合でも経営者保証ガイドライン特則２⑵にあるとおり、後継者としては、経営者保証ガイドライン４⑵の要件の多くを満たしていない場合でも、対象債権者に対し、総合的判断として経営者保証を求めない対応ができないか真摯かつ柔軟に検討することを求めていくことになる。詳しくは、親族内承継に関する本書第３部第１「４　債務・保証・担保の承継」を参照してほしい。

後継者の保証回避が困難であれば、会社なり現経営者の債務を圧縮したうえで、後継者が債務を承継することが好ましい。主たる債務が過大な金融債務である場合には、現経営者が私的整理を行って会社の債務を圧縮し、後継者がその後の事業を承継する方法を利用することになる。日弁連は、令和２年２月19日、手引２（単独型）「経営者保証に関するガイドラインに基づく保証債務整理の手法としての特定調停スキーム利用の手引」を改訂し、公表している。手引２の特定調停スキームは、保証人の債務整理のみを特定調停で進める単独型の活用を想定して、特定調停手続による「経営者保証に関するガイドライン」に基づく保証債務の整理の手順についてまとめたものであるので、これを参照されたい。

第 4 部

第三者承継：
中小 M&A
ガイドライン

第1 事業承継の計画的取組みの必要性

1　第三者承継（M&A）の意義

(1)　事業存続のための有力な選択肢

現社長の後継者が見つからない場合には、第三者承継（M&A）は事業存続のための有力かつ現実的な選択肢である。

かつては、M&Aは、譲り渡し側からは、自ら手塩にかけて育てたわが子のような事業を他人に引き渡すことの抵抗感や、「後ろめたい」「従業員に申し訳ない」との気持ちをもたれたり、譲り受け側に対しては、敵対的買収を行う「ハゲタカ」のようなイメージを抱かれがちであり、ネガティブにとらえられがちであった。

しかしながら、事業を残せるのであれば、苦楽をともにしてきた社員の雇用や、取引先との関係、長年築いてきたブランドや信用、各種のノウハウなどの無形資産を守ることができる。後継者がいない状況であれば、M&Aが事業存続のための最も現実的な方法となる。

また、昨今では、譲渡企業を探している譲り受け側が増えており、規模の小さいM&A案件は増加傾向である。譲り受け側をサポートする支援機関や専門家へのアクセスも容易になってきている。M&Aに対する社会的な意識やM&Aを取り巻く環境が変化しており、M&Aは社長が引退するための「出口」としての存在感が増してきているといえよう。

さらに、少子高齢化による人口減少、市場の成熟や消費者ニーズの多様化、昨今の新型コロナウイルス蔓延のリスク等により、経営環境は厳しくなっており、経営の意欲・覚悟・適性を備えている後継者を得ることがむずかしくなっていることは否めない。親族だからといって安易に後継者に指名するのではなく、社長にふさわしいかをシビアに見極めることは、本人にとっても事業存続にとっても必要不可欠である。親族に承継させることがむずかしければ、第三者承継（M&A）という途もあることを念頭に置いておくのは、経営者にとって大切である。

(2) M&Aのメリット

M&Aには、前述した事業を存続できること以外にも、経営者にとってさまざまなメリットがある。

* 後継者がいなくても経営者は引退することができ、経営からの重圧から解放される。
* 事業を存続させることで、社員や取引先への責任を果たすことができる。
* 譲り受け側との交渉次第であるが、社長を退任した後でも譲渡後の会社に顧問として残り、経験や能力を活かして事業に引き続き関与できる可能性がある。
* 会社が資産超過で収益力があれば、オーナー社長は株式譲渡で譲渡対価も得られるし、役員退職金を受け取ることが可能である。自らが長年苦労して働いた成果を目に見えるかたちで得られ、今後の生活の糧や新たなキャリア形成のための原資となる。
* 会社が債務超過であっても、事業に収益力（継続的に一定の利益をあげる力）があれば、適正な対価で事業譲渡をして残った会社を清算する（第二会社方式）という手法もある。金融機関に対する連帯保証債務がネックになるが、「経営者保証に関するガイドライン」を活用すれば、一定の資産を残して債務免除を受けられる可能性がある。

2　譲り渡し側としての留意点

(1) 早めに動くことの重要性

M&Aに関しては、業績が順調な時に早めに動くことの重要性を強調したい。業績が順調な時点であれば、余裕をもって交渉に臨むことができ、さまざまなルートにあたって譲り受け候補者を探したり、複数の譲り受け側候補者を競わせたり、時間をかけて条件を吟味したりするなどして、譲り受け側にとって有利な内容で成約できる可能性が高まる。

逆に、業績が厳しくなり、資金繰りが芳しくないような状況に陥ってから、慌てて検討や交渉を開始するようでは、交渉力が弱くなり、選択肢も少なくなり、譲り受け側の言いなりの条件を呑まざるを得なくなる可能性が高くなってしまう。「まだやれるという好調な時こそ売り時である」ことも一つの真実である。

経営者としては、後継者がいないことがほぼ確定であれば、早めに動くべきであろうし、後継候補者がいる場合であっても、不測の事態に備えて、セカンドプランとしてM&Aを早めに並行して検討する周到さがあってもよい。

(2) 秘密保持の徹底

M&Aを進めていくにあたっては、秘密を厳守して情報の漏洩を防ぐことはきわめて重要である。外部はもちろん、親戚や友人、社内の役員・従業員に対しても基本的には秘密にして、知らせる時期や内容は十分に熟慮する必要がある。必要に応じて情報を開示するにしても、信頼できるごく少数の者に限るべきである。経営者が不用意に情報をもらすことでトラブルになり、手続が頓挫してしまうリスクがあるからである。

譲り渡し側が自ら譲り受け側を探す場合に、取引先や同一地域内の同業者等に打診するときも同様に注意が必要である。

複数の支援機関に相談して複数の支援機関がマッチング支援を試みる場合には、譲り受け側に関する情報が必要以上に外部に流出するおそれあり、かえって譲り受け側にとってリスクとなりうることにも注意すべきである。

(3) 準備すべきこと

譲り渡し側の経営者として準備しておくべきことは、いつ会社を譲渡するかの時点を念頭に置いたうえで、後述するとおり、①会社の「強み」の明確化、②会社の「磨き上げ」、③株式関係の整理と集約、などの準備に取り組むべきであろう。

3 第三者承継の計画的な取組み

(1) スケジュール

まず、経営者としては、いつ会社を譲渡するのか（いつ自分が社長を引退するのかと表裏である)、その時点をおおまかにでも明確にしておいて、そこから逆算して準備を進めていく。

⑵　会社の「強み」の明確化

重要なのは、会社の「強み」を明確化することである。特に見えにくい無形資産（ブランド力、ノウハウ、企業文化、技能、経験、販路、顧客や取引先との関係、顧客情報など）を「見える化」して、自社の強みを明確にしておけば、譲り受け側に対しても自社の魅力をアピールすることができるし、譲り受け側としても評価をしやすくなる。

特に、自社の強みというのは、経営者にとっては自明であるがゆえに気づきにくいという面があり、客観的に把握する工夫が必要となる。そのためのツールとして有用なのは、中小企業基盤整備機構が作成している「事業価値を高める経営レポート」(図表４－１）である。専門家の助力を得ながら、このレポートを作成してみると、自社の強みを客観的にとらえることが容易になるであろう。

⑶　会社の磨き上げ

次に重要なのは、会社の磨き上げである。会社の強みを強化・維持し、収益力を向上させ業績を安定させることはもちろん、会社と社長個人の資産を明確に分離して、相互の権利義務関係を明確にしておくことや、会計を明朗化して財務をガラス張りにすることなどが重要である。

⑷　株式関係の整理と集約

株式を譲渡する段階で権利関係が不明確であることが障害になるので、だれが株主なのか、権利関係を確定し、これを裏付ける資料を整えておく。法定の要件を満たした株主名簿も完備しておくべきである。

また、株式が分散しているのであれば、買い取って社長のもとに集約する。議決権のある発行済株式の３分の２以上を確保すれば、株式会社のほぼすべての事項を決定できるので、これを目指すべきである。

図表4－1　事業価値を高める経営レポート

事業価値を高める経営レポート	商号：	作成日：　年　月　日

キャッチフレーズ

Ⅰ．経営理念（企業ビジョン）

Ⅱ-1．企業概要

Ⅱ-2．沿　革

・
・
・

Ⅱ-3．受賞歴・認証・資格等

・
・
・

Ⅲ-1．内部環境（業務の流れ）

①　→　②　→　③　→　④　→　⑤　→　顧客提供価値

業務の流れ	他社との差別化につながっている取組み
①	
②	
③	
④	
⑤	
顧客提供価値	

Ⅲ-2　内部環境（強み･弱み）

【自社の強み】

【その理由・背景】

【自社の弱み】（経営課題）

【その理由・背景】

出所：中小機構ホームページ「事業価値を高める経営レポート　作成マニュアル改定版」

Ⅳ．外部環境（機会と脅威）

機　会	取組みの優先順位

脅　威	取組みの優先順位

Ⅴ．今後のビジョン（方針・戦略）

外部環境と知的資産をふまえた今後のビジョン	①	
	②	
	③	

今後のビジョンを実現するための取組み	

Ⅵ．価値創造のストーリー

知的資産・KPI

【過去～現在のストーリー】（　年～　年）知的資産の活用状況	
人的資産 ※従業員が退職時に一緒に持ち出す資産（ノウハウ、技能、経験、モチベーション、経営者の能力など）	
構造資産 ※従業員の退職時に企業内に残留する資産（システム、ブランド力、もうかる仕組みなど）	
関係資産 ※企業の対外的関係に付随した全ての資産（販路、顧客・金融機関などとの関係など）	
その他 ※上記3分類に属さないもの（資金、設備など）	

【現在～将来のストーリー】（　年～　年）知的資産の活用目標	
人的資産	
構造資産	
関係資産	
その他	

KGI

【現在】	【将来】

第2 会社に引き継ぐ場合

1　第三者承継（M&A等）の代表的手法

第三者承継（M&A等）において、中小企業において最も多く利用される手法は、①株式譲渡、②事業の全部または一部の譲渡（以下「事業譲渡」という）である。株式譲渡と事業譲渡は、それぞれの必要な法的手続、メリット・デメリットがあり、結果として、利用されるまたは利用すべき場面も異なる。いずれかにより、仲介者・FA（Financial Advisory）の活用の方法も異なる。

そこで、まず、株式譲渡と事業譲渡について、必要な法的手続、メリット・デメリットがあり、利用されるまたは利用すべき場面について、「中小M&Aガイドライン」[1]を参照しつつ解説する。

(1)　株式譲渡

a　株式譲渡の意味と会社法上の手続

株式譲渡は、会社の支配株主（個人であることも法人であることもある）が売主、第三者（個人であることも法人であることもある）が買主となり、売主が、買主に対し、その保有する事業承継の対象となる株式会社（以下「対象会社」という）の株式を売却する売買契約である[2]。対価は、通常、現金である。株主は対象会社について有限責任を負うにとどまるが（会社法104条）、対象会社の株式の売買契約により、売主は、対象会社を経営する権限（会社法329条等）を失うと同時に経営責任から免れ、買主は、対象会社を経営する権限を取得すると同時に経営する責任を負う。対象会社の株主が交代するだけで、その法人格にはなんらの異同はなく、対象会社と従業員との雇用関

1　これとあわせて、平成27年、中小企業庁が策定・発表した「事業引継ぎガイドライン」および「事業引継ぎハンドブック」を参照するとよい。M&Aの手続の流れについては、後二者のほうがわかりやすい。

係や取引先・金融機関との契約関係、官公庁からの許認可にいっさい変動はない。

株式譲渡には、会社法上、次のとおりの手続を踏む必要がある。①対象会社が株券発行会社である場合、売主から買主への株券[3]の交付を要する（会社法128条１項）。②譲渡制限株式（中小企業のほとんどの場合、譲渡制限株式を発行している）を譲渡する場合には、対象会社の取締役会（取締役会が設置されていない株式会社である場合には株主総会）の株式譲渡の承認手続を要する（会社法139条１項）。③売主が株式会社で、その子会社の株式等を譲渡する際、一定の要件を満たす場合には、売主の株主総会の特別決議により当該株式の譲渡承認を受けることを要する（会社法467条１項２号の２、309条２項11号）。また、中小企業の第三者承継の事案においては少ないかもしれないが、買主において、私的独占の禁止および公正取引の確保に関する法律10条以下に定める届出等の手続等を踏む必要があり、事案に応じて適切な措置を講ずる必要がある。

なお、特例有限会社についても、商号変更により通常の株式会社に移行すれば(会社法の施行に伴う関係法律の整備等に関する法律45、46条)、株式譲渡の手続については同様の扱いである。株式会社に移行しなかった場合、特例有限会社も会社法上は株式会社であるため、株券不発行会社としての手続になる。

b　株式譲渡のメリットとデメリット

〈株式譲渡のメリット〉

・売主は、会社法上の手続をふまえて株式の売買契約をするだけであり、手続が簡便である。

2　第三者承継（M&A 等）の当事者のなかには、「売買」という言葉に違和感をもつ者もいる。事業譲渡であれば人が移動するし、株式譲渡であって対象会社の法人格に異同はなくても、旧株主から新株主に支配権は移転し、あたかも人が取引の対象となった感もある。第三者承継（M&A 等）の支援者として、「売買」「売主」「買主」という言葉を使うことに配慮したほうがよい場面はあるが、ここでは論述の正確性を期するために、これらの語を使う。なお、以下、「売主」「買主」の語を用いた場合、売買契約成立前の両当事者、売買契約成立後の両当事者、いずれも「売主」「買主」という言葉を使うので、文脈に応じて理解されたい。

3　株券発行会社であっても、株券がかつて一度も発行されていないことが多々ある。株式譲渡の際に、株券を発行し、交付すればよい。

・買主は、対象会社について経営責任を負うものの、株主有限責任の原則によって対象会社の債務については法的責任を負わないことから、対象会社を合併する場合と比較して投資リスクを限定することができる。
・買主と対象会社は、別の法人格であるため、当分の間は両者の労働条件等の統合の問題が生じず、PMI（ポスト・マージャー・インテグレーション）の点で有利である。
・株式譲渡益の分離課税として、株主に所得税15％（＋復興特別所得税0.315％）＋住民税５％の課税がなされ、税率は比較的低い。

〈株式譲渡のデメリット〉

・買主は通常全株式の取得を希望することから、株式譲渡に応じない株主がいる場合には、工夫が必要となる[4]。少し詳しく説明すると、株式譲渡に応じない株主が従前の株主の相続人である場合には、相続人に対する株式売渡請求の定めが定款にあれば（会社法174条）、株主総会の特別決議を経て、相続があったことを知ってから１年以内に請求することにより、当該相続人から対象会社が株式を買い取ることができ、その後、対象会社は買い取った株式を適宜に処分すればよい。多数株主が特別支配株主（会社の総株主の議決権の90％以上を保有する株主）であれば、所定の手続を経て、少数株主に対し、特別支配株主に株式を売り渡すよう請求することができる（会社法179条以下）。なお、株式併合により、少数株主の株式を金銭の交付により端株処理をして、キャッシュアウトすることもできる（会社法180条以下）。
・買主は、対象会社を経営する責任を負うことにより、財務・経営状況が悪い株式会社の場合に、対象会社の金融債務、さらには、簿外債務や偶発債務等についても、事実上、経営責任を負うことになる。事業譲渡と比較すると買主の投資リスクが限定しにくい。
・買主と対象会社は別の法人格であるため、株式譲渡後には、複数の法人運営（確定申告手続、各種社会保険手続等）しなければならない。

4　事業承継ガイドライン52頁以下には、分散してしまった株式を再度集約する方法として、相続人等に対する売渡請求と特別支配株主による株式等売渡請求について記載がある。

・個人が法人に譲渡する場合において、株式の売却価格が時価と比較して著しく低いときには、時価で売却したものとみなされて、売主に譲渡所得課税が課されるおそれがある（みなし譲渡課税）。

c　株式譲渡の方法が利用される場合

対象会社が財務・経営状況がよい株式会社の場合に利用されることが多い。簿外債務や偶発債務の存在が疑われる会社の場合には、買主は、経営者としてこれらを事実上承継せざるをえないことを懸念することから、株式譲渡に適さない。

仲介者・FAの活用の方法も対象会社が財務・経営状況が良い株式会社であることが前提となる。

(2)　事業譲渡（事業の全部または一部の譲渡）

a　事業譲渡の意味と会社法上の手続

事業譲渡とは、事業主体である会社や個人が売主となり、買主となる第三者に対し、対象会社または個人の事業の全部または一部（以下「対象事業」という）を売却する売買契約である。対価は、通常、現金である。ここでいう「事業」とは、一定の営業目的のために組織化され、有機的一体として機能する財産（得意先関係等の経済的価値がある事実関係を含む）の全部または重要な一部であると解されている[5]。会社の事務所・工場の土地・建物や在庫商品等の事業用財産とは区別された、従業員との間の雇用関係、得意先との間の取引関係およびその他のノウハウ等と有機的に関連づけられた財産をいうものである。

事業譲渡は、図表４－２のとおり、売主が株式会社である場合、会社法上の手続に関し、いくつかの類型に分類することができる。もっとも、事業引継ぎの場合には、買主が対象会社の総株主の議決権の10分の９以上を有することは少なく、略式事業譲渡となることは少ないと考えられる。

以上の手続において、売主の株主総会の特別決議を要する場合には、当該株主総会に先立って事業譲渡に反対する旨を通知し、当該株主総会において事業譲渡に反対した株主が、株主総会の決議を要しない場合にはすべての株

5　最高裁判所昭和40年９月22日判決（判例時報421号31頁）。

図表4－2　売主となる株式会社の手続

	利用される場合	手　続
(通常の)事業譲渡	事業譲渡の対象が事業の全部または重要な一部（譲渡する資産の帳簿価額が当該会社の総資産額として会社法施行規則134条で定める方法により算定される額の5分の1超）の場合	株主総会の特別決議による事業譲渡契約の承認手続を要する（会社法467条1項1号・2号、309条2項11号）。
簡易事業譲渡	事業譲渡の対象が重要な一部（譲渡する資産の帳簿価額が当該会社の総資産額として会社法施行規則134条で定める方法により算定される額の5分の1超）でない場合	株主総会の事業譲渡契約の承認手続は不要である（会社467法1項2号カッコ書）。
略式事業譲渡	買主が売主の総株主の議決権の10分の9以上を有する場合	株主総会による事業譲渡の承認は不要である(会社法468条1項)。

主が、株式買取請求権を行使することができる（会社法469条、470条)。

b　事業譲渡のメリットとデメリット

〈事業譲渡のメリット〉

・買主は、売主と従業員との雇用関係や、売主と取引先・金融機関との契約関係を自らのニーズに応じて選別して承継することができる。

・買主は、簿外債務や偶発債務を事実上承継することがなく、売主を合併する場合はもとより、売主の株式譲渡の場合と比較しても、投資リスクを限定することができる。

〈事業譲渡のデメリット〉

・売主の従業員との雇用関係や取引先・金融機関との契約関係を個別に承継する手続が必要であり、売主および買主にとって煩雑である。

・売主の事業のために官公庁からの許認可が必要な場合、買主は、別途これを取得する必要がある。

・売主の株主が二分されるなどの内部対立があり、事業譲渡ための株主総会の特別決議を経ることが困難な場合には適さない。

・買主は、事業譲渡後直ちに、対象会社の従業員の労働条件等の統合問題に対処しなければならず、PMI（ポスト・マージャー・インテグレーション）の点で問題となる。

・事業譲渡は、法人に法人税・住民税・事業税・消費税、法人から株主への配当は総合課税（所得税最大45%＋住民税10%）が課され、税率が比較的高い。

c　事業譲渡の方法が利用される場合

売主の財務・経営状況が悪く、買主が合併はもとより、株式譲渡も躊躇する場合にも利用することができる。国税庁によると、申告件数約292万件のうち、法人税の黒字申告の割合は34.7%、前年度に比べ0.5ポイント、8年連続の上昇という[6]。しかし、約6割を超える法人は欠損法人であり、欠損法人においては、財務・経営状況が悪い場合も多いと想定され、しかも、令和2年春頃からのコロナウイルス感染拡大の影響により、中小企業の財産状況・経営状況が悪化している。中小企業の第三者承継（M&A等）については、事業譲渡の方法がさらに活用されることが期待される。この場合、事業譲渡後の売主の債務整理についても検討が必要である。

なお、売主が個人事業者の事業承継の場合には、株式を観念する余地はなく、事業譲渡が唯一の方法となる。

2　仲介者・FAを活用して株式譲渡をする場合

中小M&Aガイドラインの記述については、株式譲渡と事業譲渡とが区分されて記述されていないが、以下、株式譲渡と事業譲渡の違いを意識しながら、仲介者・FAを活用する際の手続を整理する。また、会社を第三者に引き継ぐ場合であることから、株式譲渡は100%株式の譲渡を前提として考える。なお、本稿は、主として、株式譲渡の売主の目線で論じることとする。

6　「平成30事務年度 法人税等の申告（課税）事績の概要」（国税庁、令和元年10月に発表）。

⑴　株式譲渡における仲介者・FAの活用

a　第三者承継（株式譲渡）の決断

第三者承継の決断は、ある日、突然、経営者に天啓があってするわけではない。経営者がそれなりの年齢に達すると、業績が良く借金も少なく、業種業界の将来の見通しが比較的明るい企業の経営者は、親族内承継を考えるようになり、適切な後継者がいない場合には、「第三者承継」や「M&A」、そして「株式譲渡」という言葉が頭をよぎるようになる[7]。

これらの言葉が頭に浮かんだ経営者は、本を買って読む、無料セミナーに行く等、一歩ずつ準備していく。そのような準備を重ねてきた経営者が第三者承継をするという決断をした。次に問題となるのは、承継先となる買主探しである[8]。

b　株式譲渡における仲介者・FAの重要性

株式譲渡は、業績が良く、借金も少なく、業種業界の将来の見通しが比較的明るい企業において活用される。良い会社のマッチング市場は、活発である。買受けを希望する者は、譲り渡しを希望する者と同業種であったり、異業種であったり、場合によっては、投資ファンドであったりする。広く買受けを希望する者を探索することによって、企業の譲り渡しを希望する者にとって、良い譲渡価格で良い買主が見つかる可能性も高い。しかし、いかに市場が活発化していても、漫然としていて良い譲渡価格で良い買主とめぐり会えるほど甘いものではない。譲り渡しを希望する者は、取引先や同業者との面識があっても、自らの経営する会社の株式を譲渡するという話をいきなり持ち出すことはむずかしい。ここにM&A専門業者と金融機関のM&A担当部門（以下、両者をあわせて「M&A業者」という）のような仲介者・FAが登場する。

7　もちろん、第三者承継の動機は、適切な後継者がいないことだけではない。「業績は安定しているものの成長が見込めない」「中小企業のままでは人材の採用・育成が思うようにいかない」「経営者自身の成長への意欲が減退した」等、さまざまな理由がある。

8　以下、株式譲渡先が決まっていない段階における仲介者・FAの活用について論じていく。マッチング後の段階での相談は、法務DD、財務DD、労務DD等および株式譲渡の手続の履践についての相談である。マッチングを得意とするM&A専門業者や金融機関のM&A担当部門の出番は少ないといえる。

もっとも、後に説明するように、M&A 業者に依頼すれば、それなりの報酬を支払うことになる。それは、惜しいということで M&A 業者を入れないで、自ら承継先を探そうとする売主もいる。懐具合もあることから致し方ない。また、自らの取引先や同業者であれば、当たりをつけることができるかもしれない。しかし、それらが良い譲渡価格で良い買主とは限られない。同じ業界、業種業態で経済活動をしていれば、買主も対象会社の事業を自分の事業と同じ目線でみることになり、当然ながら見方も厳しい。ましてや、売主にとって、対象会社の株式を売却するのは、多くの場合、一生に一度であり、自らの適切な企業価値や妥当な株式譲渡の価額、株式を手放すタイミングを判断することもできない。M&A 業者の報酬を惜しんで、承継先に買いたたかれれば、元も子もない。他方で、高望みして売却のタイミングを逸してもつまらない。

業績が良く借金も少なく、業種業界の将来の見通しが比較的明るい企業の株式の譲渡であれば、一度は、M&A 業者に相談するとよい。もちろん、会社の事業規模が小さい等、M&A 業者への報酬を支払うことができない事情がある場合は、M&A プラットフォームの活用[9]等の方法を検討することになる。

c　M&A 業者

M&A 専門業者は、日頃から、無料のセミナーを開催したり、M&A に関する冊子や本を発行し、譲り渡しを希望する企業や買受けを希望する企業についての情報を広く収集するためのネットワークをもっており、マッチングを得意とする。日本における M&A のマッチング市場の黎明期をつくったのは、M&A 専門業者ということができる。第三者への株式譲渡を希望する者が買主を探す場合、または、第三者からの株式の買受けを希望する者が売主を探す場合には、M&A 専門業者の活用が有力である。

これに対し、金融機関の M&A 担当部門の場合、譲り渡しを希望する者がかねてよりの取引をしている銀行の M&A 担当部門に相談を持ち込む場合が通常であろう。この経営者と取引先銀行との間に信頼関係が築かれてい

9　中小 M&A ガイドライン33、39頁参照。

れば、金融機関のM&A担当部門は、株式譲渡による第三者承継のよき相談相手となってくれる。他方で、第三者からの株式の譲受けを希望する者が取引先金融機関に相談を持ち込み、当該M&A担当部門においてマッチングを進めていけば、同時並行で当該取引先金融機関からの融資の話も進めやすいというメリットもある[10]。

d　顧問弁護士、顧問税理士等

会社との間で顧問契約を締結し、継続的な信頼関係を形成してきた弁護士、税理士、社会保険労務士、中小企業診断士等（以下「士業専門家」という）がいるのであれば、士業専門家に相談するとよい。

第三者承継について関心をもつ士業専門家は、昨今、着実に増えており、この知識や経験を蓄えた者も少なくない。経営者との信頼関係を構築してきた士業専門家に第三者承継の知識や経験があるのであれば、彼らに相談するのが最善である。士業専門家は、当該企業の外部環境やこれまでに蓄積してきた企業の内部環境、経営者の性格やファミリーの状況もふまえ、第三者承継の決断をサポートしてくれるはずである。M&A専門業者にマッチングを依頼した場合、士業専門家にセカンドオピニオンを求めるのもよいことである。売主からの相談であれ、買主からの相談であれ、士業専門家は、親身に相談に乗ってくれる。

士業専門家のなかには、M&Aに精通し、自ら株式譲渡のマッチングを担当する者もいる。顧問会社が事業拡大のために会社を買いたいとき、顧問会社の経営者が引退するために会社を売りたいとき、士業専門家は、マッチングの機会を得ることが多いといえる。

士業専門家は、それぞれの専門性を生かし、他方で、他の専門家とチームを形成してマッチングを完成させる。しかし、士業専門家は、買受けを希望する者を探す情報のデータベースや広いネットワークをもっていないことも多い。このような場合、士業専門家は、自らは、譲り渡しを希望する者のアドバイザリーに徹し、M&A業者に買受けを希望する者を探すよう手配す

10　なお、第三者への株式譲渡を希望する者が譲り受け先を探す場合、後継者不在が明らかになると今後の取引に不利になることをおそれ、取引先金融機関へのM&Aの相談に躊躇することがあるとの指摘もある。

る。この場合、M&A 業者は買主だけのアドバイザリーに就任することになる。

会社経営をする者に顧問の士業専門家がいれば、M&A に精通しているか聞くとよい。精通していれば、話が進めやすい。これに対し、顧問の士業専門家が、第三者承継に詳しくないようであれば、詳しい士業等専門家、M&A 業者の紹介を求めることができる。経営者は、率直に、顧問の士業専門家に対し、第三者承継（M&A 等）の知識や経験を聞くとよい。顧問の士業専門家もこれに答えてくれるはずである。

(2) 仲介者・FA との間の各契約と各報酬の定め方

a 仲介者と FA の各契約形態

マッチングを担当する M&A 業者の場合、二つの契約形態がある。一つは、株式の譲り渡しを希望する者と株式の買受けを希望する者の双方からマッチングの依頼を受け、双方との間で契約（「M&A 仲介業務委託契約書」等の名称。書式４－１）を交わし、かつ、双方から業務委託報酬を受け取る「仲介者」である。これに対し、株式の譲り渡しを希望する者と株式の買受けを希望する者の一方との間で契約（「M&A アドバイザリー契約書」等の名称）を交わし、一方からアドバイザリー報酬を受け取るのが FA である。

書式４－１ M&A 仲介業務委託契約書

M&A 仲介業務委託契約書

【譲り渡し側株主】（以下「甲」という。）及び【仲介者】（以下「乙」という。）は、甲が株主となっている【譲り渡し側（株式会社）】（代表者：○○、本店所在地：○○。以下「対象会社」という。）に関する M&A 取引（株式の譲渡及び取得、事業譲渡及び譲受、増資の引受け、合併、株式交換、会社分割、資本業務提携等の取引をいい、以下「本件取引」という。）に関し、乙が甲に対し仲介・斡旋その他の業務を提供することについて、以下のとおり契約（以下「本契約」という。）を締結する。

第１条 （本件取引に関する仲介・斡旋等の業務の依頼）

甲は、甲又は対象会社が、本件取引の相手方候補となる者（以下「候補先」という。）との間で本件取引を行うことに関して、乙に対して、以下の各号に定める仲介・斡旋その他の業務（以下「本件サービス」という。）を依頼し、乙は、必要に応じ本件サービスを実施する。ただし、乙は、甲又は対象会社の代理人として法律行為を行うことはないものとする。

① 候補先の紹介及び斡旋
② 候補先の業務、財務及び経営戦略に関する情報の提供
③ 甲が本件取引の是非を検討及び決定するに際しての助言及び補助
④ 候補先又はその親会社若しくは株主に対する本件取引の提案
⑤ 本件取引の交渉への立会い
⑥ 本件取引のスキーム、価格その他取引条件にかかる助言
⑦ 本件取引の推進に必要な資料、企業概要書、諸手続及びスケジューリング等にかかる助言並びに補助
⑧ その他前各号に付随するサービスの提供

第2条 （専任条項）

1 甲は、本契約の有効期間中、本件サービス及びこれに類似する業務を乙以外の第三者に依頼しないものとし、また対象会社をしてこれを第三者に依頼させないものとする。

2 前項にかかわらず、甲は、特段の理由がない限り、乙に事前に予告した上で、第4条第2項第2号及び第3号に定める者に対し、本件取引に関する一切の相談を行うことができる。

注：専任条項は実務上多く見られる一方、第2項に定める者の範囲については、セカンド・オピニオンの必要な場合を想定し、当事者間において認識を共有する必要がある。

第3条 （直接交渉の制限）

甲は、乙の事前の承諾なく、候補先又はその代理人に接触しないものとし、また対象会社をして同様の行為をさせないものとする。

第4条 （秘密保持義務）

1 甲及び乙は、(i)本件取引の検討又は交渉に関連して相手方から開示を受けた情報、(ii)本契約の締結の事実並びに本契約の存在及び内容、並びに(iii)本件取引に係る交渉の経緯及び内容に関する事実（以下「秘密情報」と総称する。）を、相手方の事前の書面による承諾なくして第三者に対して開示してはならず、また、本契約の目的以外の目的で使用してはならない。ただし、上記(i)の秘密情報のうち、以下の各号のいずれかに該当する情報は、秘密情報に該当しない。
① 開示を受けた時点において、既に公知の情報
② 開示を受けた時点において、情報受領者が既に正当に保有していた情報
③ 開示を受けた後に、情報受領者の責に帰すべき事由によらずに公知となった情報
④ 開示を受けた後に、情報受領者が正当な権限を有する第三者から秘密保持義務を負うことなく正当に入手した情報
⑤ 情報受領者が秘密情報を利用することなく独自に開発した情報

2 前項の規定にかかわらず、甲及び乙は、以下の各号のいずれかに該当する場合には、秘密情報を第三者に開示することができる。
① 自己（甲においては対象会社を含む。）の役員及び従業員に対し、本件取引のために合理的に必要とされる範囲内で開示する場合
② 弁護士、公認会計士、税理士、司法書士及びフィナンシャル・FAその他の秘密保持義務を負うFAに対し、本件取引のために合理的に必要とされる範囲内で

開示する場合

③　裁判所、政府、規制当局、所轄官庁その他これらに準じる公的機関・団体（事業引継ぎ支援センターを含む。）に対し、合理的に必要とされる範囲内で開示する場合

3　甲及び乙は、本件取引が成約に至らなかった場合には、相手方より開示された秘密情報（その写しも含む。）を、相手方から返還請求があれば速やかに返還する。

4　第5条に定める本契約の有効期間にかかわらず、本条に定める秘密保持の義務は別段の定めがない限り、本契約の有効期間満了後3年間存続する。

第5条　（有効期間）

1　本契約の有効期間は本契約締結日から1年間とする。ただし、有効期間の満了日の1週間前までに甲又は乙による特段の申出がない場合、本契約は、同じ条件で更に1年間、自動的に延長されるものとする。

2　前項の規定にかかわらず、本契約は、本件取引の検討又は交渉が終了した場合には、その時点で終了する。

第6条　（報酬等）

1　甲は乙に対し以下の要領で報酬を支払う。

①　着手金

甲は乙に対し、(i)甲若しくは対象会社と候補先とが当事者面談を行い本件取引の検討を進めることを甲若しくは対象会社と候補先との間で確認した場合、又は(ii)甲若しくは対象会社と候補先との間で秘密保持契約を締結した場合には、当事者面談後又は甲若しくは対象会社と候補先との間の秘密保持契約締結後○日以内に、着手金として金○○円を支払う。着手金は本件取引が成就しなかった場合でも返還されないものとする（ただし、第7条第3項に規定する清算を行う場合を除く。）。

②　中間金

甲は乙に対し、甲又は対象会社と候補先との間で本件取引についての基本的な合意がなされた後○日以内に、中間金として金○○円を支払う。中間金は本件取引が成就しなかった場合でも返還されないものとする（ただし、第7条第3項に規定する清算を行う場合を除く。）。なお、本条における基本的な合意とは、基本合意（基本合意書、覚書、確認書等、合意文書の名称は問わない。）の締結及び候補先から甲又は対象会社に対する意向表明書の差し入れを含む、デュー・ディリジェンス前になされる合意をいう。

③　成功報酬

甲又は対象会社と候補先との間で本件取引が実行された場合には、甲は乙に対し、本件取引の対価の価額（以下「譲渡価額」という。）に応じて、下記の表に従い、各階層の「基準となる価額」に「乗じる割合」をそれぞれ乗じて算出した金額を合算した合計額を、本件取引実行後○日以内に、成功報酬として支払う。ただし、当該合計額が金○○円（以下「最低報酬」という。）未満となる場合には、最低報酬を支払う。なお、本項第1号及び前号に基づき支払済みの着手金及び中間金は、成功報酬から差し引くものとする。

記

基準となる価額（円）	乗じる割合（%）
5億円以下の部分	5

５億円超10億円以下の部分	4
10億円超50億円以下の部分	3
50億円超100億円以下の部分	2
100億円超の部分	1

注：上記のうちいずれを採用するかは、各仲介者の個別の判断による。例えば、①着手金及び③成功報酬を採用する者もいれば、③成功報酬のみ採用する者もいる。また、最低手数料（最低報酬）を定める者もいる。なお、上記のような表に基づいて報酬額を算定する場合でも、「基準となる価額」や「乗じる割合」は各仲介者の個別の判断によるため、上記の価額・割合はあくまで一例である。上記のような表を用いることなく定額を請求する者もいる。

2　本件取引が実行されることなく本契約が終了した場合で、本契約終了後２年以内に甲又は対象会社と候補先（乙が関与又は接触し、甲に対して紹介した者に限る。）との間で本件取引が実行された場合には、第５条に定める有効期間にかかわらず、甲は乙に対し、本条第１項第３号の報酬を支払うものとする。

注：仲介者から紹介を受けた取引の話が一旦は不成立となった場合において、その後しばらくして当該仲介者の介在なしにM&A取引の話が復活して取引が成立したときは、一定の期間内についてのものは報酬が発生することを定めている。

3　甲が本条で定める報酬を支払う場合には消費税（本項においては、消費税及び地方消費税をいう。）額分として当該金額に消費税率を乗じて算出される金額を加算して支払う。

4　本条で定める報酬に加え、乙が本件サービスを遂行する上で要した費用のうち、甲の事前の了解を得た特別の事由（出張、外部への委託調査等）により出費が生じた場合には、甲は乙に対し当該費用を支払う。

第７条　（解除）

1　甲は、本件取引の実行前に限り、いつでも本契約を解除することができる。

2　乙は、次のときには、本契約を解除することができる。

①　甲が、第６条に定める報酬のいずれかの支払を約定通り行わず、かつ、乙が相当の期間を定めて催告したにもかかわらず、これに応じなかったとき

②　甲が乙に対し虚偽の事実を申告し、又は事実を正当な理由なく告げなかったため、乙の本件サービスの処理に著しい不都合が生じたとき

3　第１項及び前項の規定により解除した場合には、本件サービスの業務実施の程度に応じて第６条記載の報酬及び費用の清算を行うこととし、業務実施の程度についての甲及び乙の協議結果に基づき、第６条に定める報酬及び費用の全部又は一部の返金又は支払を行うものとする。

第８条　（乙の責任）

1　甲は、乙が行う助言等の採否の決定、本件取引に関する各種契約締結の決定及び

本件取引に関する諸手続を、自らの判断で行い、かつ自ら契約締結行為をなすものとする。
2　乙は、本件サービスの実施について、甲に対し、善良な管理者の注意義務を負う。
3　乙は、本契約に基づき甲に対し一定の成果ないし効果の実現を保証し又は請け負うものではない。

第９条　(準拠法・管轄)

1　本契約は、日本法に準拠し、これに従って解釈される。
2　本契約に関する一切の紛争（調停を含む。）については、○○地方裁判所を第一審の専属的合意管轄裁判所とする。

第10条　(誠実協議)

甲及び乙は、本契約に定めのない事項及び本契約の条項に関して疑義が生じた場合には、信義誠実の原則に従い、誠実に協議の上解決する。

本契約締結の証として本書２通を作成し、甲乙記名押印の上各１通を保有する。
○○年○○月○○日

甲
（住　所）
（氏　名）　　　　　　　　㊞
乙
（所在地）
（名　称）
（代表者）　　　　　　　　㊞

出所：中小 M&A ガイドライン参考資料32〜37頁

なお、弁護士がマッチングを担当する場合、仲介者の立場をとることはできない。弁護士は、「相手方の協議を受けて賛助し、又はその依頼を承諾した事件」については、受任している事件の依頼者が同意した場合であっても、その職務を行うことができない（弁護士法25条本文第１号）。もちろん、この規定は、もともと弁護士が仲介者としてM&Aのマッチングを担当することを想定したものではないが、弁護士にとって、利益相反となる職務を行うことができないことは、最も基本的な職業倫理であり、弁護士は仲介者となることはできないし、なることはないといってよい[11]。

仲介者か、FAか、いずれがマッチング担当として適切か。それぞれの特

11　他の士業専門家がマッチングを担当する場合、仲介者・FAのいずれかの形態をとるかについては適切な情報はないが、少なくとも当該会社の顧問の士業専門が担当する場合には、公平性の観点から、仲介の形態はとらないことが多いと思われる。

徴を整理すると、中小M&Aガイドラインにおいては、次のとおり、それぞれの特徴と活用に適するケースについて記載されている[12]。

仲介者：次のような場合が適応とされる。
① 売主と買主の双方の会社内容や事業内容がわかるため、両当事者の意思疎通が容易となり、中小M&Aの実行に向けて円滑な手続が期待できることから、売主の譲渡額の最大限だけを重視するのではなく、買主とのコミュニケーションを重視して円滑に手続を進めることを意図する場合。
② 売主の事業規模が小さく、支援機関に対して単独で手数料を支払う余力が少ないが、できるだけ支援機関のフルサービスを受けたい場合。
FA：次のような場合が適応とされる。
① 一方当事者のみと契約しており、契約者の利益に忠実な助言・指導等を期待しやすく、売主が譲渡額の最大化を特に重視し、厳格な入札方式による譲り渡しを希望する場合（たとえば、債務整理手続を要する債務超過企業のM&Aの場合等）。
② このような手続を実施するための費用負担能力がある場合（特に、規模が比較的大きいM&Aの場合）。

利益相反となる職務を行うことができないことを職業倫理とする弁護士の立場からすると、中小M&Aガイドラインにおいて指摘されている仲介者の特徴や適応する場面の設定については、議論の余地がある[13]。仲介者は、双方のコミュニケーション重視であり、他方で、FAは、売主の譲渡額の最大化を特に重視するとされている。しかし、売主が譲渡額の最大化に固執すれば取引は成立しない。売主のFAと買主のFAとの間で円滑なコミュニケーションを実現することができないわけではない。むしろ、双方がよって立つ利害を明確にし、その正当な利益を最大限に主張することで相互理解を育み、妥協と調整を経て契約を実現させることができるといえる。

また、事業規模が小さい事例では仲介者が適応し、事業規模が比較的大きい事例ではFAが適応するというが、そこでいう事業規模のイメージは人に

---

12 中小M&Aガイドライン32頁。もっとも、M&A業者においては、当初は「仲介」というかたちで自ら買主を探したものの探索することができない場合に、別のM&A業者に買主の探索の協力を依頼し、結果として、そこで成立した場合には、自らは売主のFAとして、売主だけから報酬を受け取ることもあるという。仲介者とFAの境目は流動的なこともあるとされる。

13 中小M&Aガイドラインが仲介者の構造的な利益相反のリスクを認め、これに対し、いくつかの提言をしていることは高く評価することができる（中小M&Aガイドライン57頁）。

よってさまざまであり（小規模事業者がこれに該当するというコンセンサスはあると思われる）、仲介者が適するか、FAが適するかの区別の基準となるのか、検討の余地もある。

もちろん、中小M&Aガイドラインにおいても、「仲介者においては、売主・買主間において利益相反のリスクがある（利益相反が直ちに違法となるものではない）」との問題意識が示されている。現実的な対応策としては、両当事者に対し、自らが売主と買主の双方から手数料を受領することを伝える、企業評価やデュー・ディリジェンスといった一方当事者の意向をふまえた内容になりやすい工程にかかる決定をせず、依頼者に対し、必要に応じて士業等専門家に意見を求めるよう伝える等の提案がなされている[14]。

仲介者とFAを対比して整理してきたが、これまで、日本のM&A市場においてM&A業者が仲介者として果たしてきた役割は大きく、今後も大きいと思われる。引き続き、仲介者の利益相反のリスクに留意し、適切なマッチング業務の遂行を期待したいところである[15]。しかし、利益相反となる職務を行うことができないことを職業倫理とする弁護士の立場からすると、そのような現実的な対応策によって利益相反による弊害を払拭できるのか、なお議論の余地があると思われる。

いずれにしても、譲り渡しを希望する者も買受けを希望する者も、M&A業者に対し、仲介者として委託するかFAとして委託するか、いずれが自分にとっての納得感が高くなるか、率直に意見を求めるとよい。説明に納得がいかなければ、他をあたることもできる。

14　中小M&Aガイドライン57頁。

15　不動産の仲介においては、売主と買主の双方から業務委託を受ける、いわゆる「両手仲介」はよくみられ、一般的には、まったく問題ないことであると考えられている。しかし、不動産の中核である土地の場合、公示価格、路線価および固定資産税評価額という公的な価格が発表されており、それぞれ時価（実勢価格）とはいえないものの、時価（実勢価格）を割り出す目安となる。また、土地や建物の取引の量は、M&Aと比較すると圧倒的に多く、取引情報も多い。このように、不動産取引においては、適切な目安や取引情報から、売主と買主が、不動産取引について自ら適切な判断をすることがM&Aと比較すると容易であり、そのような事情を前提として成り立つ不動産仲介業者による両手仲介の実務をそのままM&Aのマッチングに持ち込むことが適当か、議論を要すると思われる。

b　仲介者とFAの各契約内容と各報酬の定め方

仲介者の仲介契約の場合、売主と買主の双方との間で「M&A仲介業務委託契約書」[16]等の名称の契約書を交わす。これに対し、FAのアドバイザリー契約の場合、売主と買主の一方との間で、「M&Aアドバイザリー契約書」等の名称の契約書を交わす。

主な内容は、委託業務の範囲とこれに対する報酬である。委託業務の最も大切な要素は、クライアントへの適切な情報提供、決断のサポート、マッチングおよびFAの場合には相手方（または相手方のFA）との連絡調整である。次に、各種デュー・ディリジェンス対応、契約交渉への立会い、クロージングへと続く。

仲介者とFAの各報酬の定め方には法律等の規制はなく（宅地建物取引業法46条、「宅地建物取引業者が宅地又は建物の売買等に関して受けることができる報酬の額」（最終改正）令和元年８月30日国土交通省告示第493号対照。以下「国土交通省告示」という）[17]、さまざまである[18]。

報酬の定め方については、マッチングが成功不成功を伴うものであることから、着手金・成功報酬金と定めるものが多いと思われる。ほかには、着手金を定めずに成功報酬金のみであることを売りにするM&A専門業者や、着手金と成功報酬金との間（M&Aの基本合意が成立した時等）に中間金を求めるものもあるとされる。また、成功報酬金とあわせて月額報酬を定め、M&Aが成功した場合に成功報酬金の一部に充当とするものや、しないものもあるとされる。

仲介者とFAの各報酬の定め方のなかで最も額が大きく、中心的なものとなるのは、成功報酬金である。以下、詳しく検討する。

成功報酬金は、主に後に述べる「基準となる価額」についての「金額の区分」に「一定の割合」を乗じて計算されることが多い[19]。この金額の区分および一定の割合として、図表４－３のような計算方式が採用されることが

16　中小M&Aガイドラインには、そのひな型がある（中小M&Aガイドライン32頁）。

17　弁護士について、「弁護士は経済的利益、事案の難易、時間及び労力その他の事情に照らして適正かつ妥当な弁護士報酬を提示しなければならない。」（弁護士職務基本規程24条）との一般的な規制がある。

18　中小M&Aガイドライン44頁。

図表4－3　成功報酬金の計算方式

基準となる価額（円）の区分	乗じる割合(%)
5億円以下の部分	5%
5億円超～10億円以下の部分	4%
10億円超～50億円以下の部分	3%
50億円超～100億円以下の部分	2%
100億円超の部分	1%

「特にM&A専門業者において広く用いられている」とされる[20]。

「基準となる価額」には、主に3つの考え方がある。

第一に、譲渡額（譲受額）を「基準となる価額」とする考え方である。譲渡額（譲受額）の区分に一定の割合を乗じる方法は、宅地建物取引業の規制においても、「当該売買に係る代金の額（当該売買に係る消費税等相当額を含まない）」とされているように、よくみられるものである。譲渡額（譲受額）に応じて仲介者とFAの責任や業務量が大きくなること、売主にとっても買主にとっても株式譲渡の成立による経済的なメリットが大きくなることから、合理性があり、売主および買主にとっても納得感の高い算定方法だと思われる。しかし、資産10億円、負債8億円の会社の譲渡額（譲受額）を2億円とし、資産3億円、負債1億円の譲渡額（譲受額）を2億円とした場合、両者の「基準となる価額」が同じ2億円でよいのか、これでは負債の多い株式会社のマッチングにはM&A専門業者も積極的になることができないのではないか、との疑問も残る。

第二に、株式譲渡によって移動する対象会社の総資産額を「基準となる価

19　弁護士の場合、訴訟のように結果の成功不成功があるときには、着手金・報酬金の報酬体系を採用することが多く、かつ、旧日弁連弁護士報酬基準や各地の単位会の弁護士報酬基準（いずれも平成16年4月1日廃止）においては、「基準となる価額」に一定の率を乗じて計算する方式が採用され、現在もこれに準拠している弁護士が多いことから、弁護士にとっては、レーマン方式の考え方そのものは、なじみ深いものと思われる。

20　中小M&Aガイドライン46頁。なお、基準となる価額の階層分けや割合は上記のように限定されるわけでなく、レーマン方式を採用せず、「基準となる価額」によらず一律の割合を乗じるケースや定額とするケースもあるとされる（同頁）。

額」とする考え方である。「負債は資産である」といわれるが、負債か純資産（自己資本）かは資金調達の方法の違いにすぎず、資産こそが会社の財産を構成し、事業規模を示す。仲介者とFAは、会社の全財産または全事業規模を対象としてマッチング業務を行うのであるから、合理性のある算定方法といえる。たしかに、資産10億円、負債８億円の会社の全財産または全事業規模と、資産３億円、負債１億円の会社のそれらとは、純資産額はいずれも２億円とありながらも、前者のマッチング業務のほうが売主および買主の受ける経済的利益の額は多いと考えられ、仲介者とFAの責任や業務量も多い。もっとも、前者の例において、譲渡額（譲受額）が２億円であるにもかかわらず、資産10億円を「基準となる価額」とすることが、弁護士についていえば、「適切かつ妥当な報酬額」[21]ということができるか、M&A専門業者も同じ趣旨の観点から、検討の余地がある。

第三に、株式譲渡によって移動する対象会社の純資産額を「基準となる価額」とする考え方である。株式譲渡によって移動する対象会社価値が対象会社の純資産であるとすれば、合理的な算定方法である。特に対象会社に負債があるときには、純資産は総資産額よりも負債分だけ小さくなることから、その分、報酬額も下がり、売主および買主にとって合理性のある計算方法である。しかし、対象会社が債務超過企業であれば、移動する純資産額はゼロとなってしまい、別に譲渡額（譲受額）や移動する総資産額を考慮して算定する必要が出てくる。その意味でアドホックな計算方法ではないか、との疑問もある。なお、純資産額を「基準となる価額」とする考え方について、決算書上の記載を基に容易に計算できて明確であることから、売主が小規模企業の場合には、簿価純資産額を基準とすることがあるとの指摘がある[22]。しかし、小規模企業であっても不動産を所有していることがあり、帳簿上は不動産が簿価（取得価額）で計上されていることから、少なくとも、不動産（特に土地）については、不動産鑑定士の簡易な調査等を経て、時価に引き直す必要がある。

以上、３つの「基準となる価額」は、いずれにも合理性がある一方で、欠

21　弁護士職務基本規程24条。
22　中小M&Aガイドライン45頁。

点もある。しかし、原則として、第一の譲渡額（譲受額）を「基準となる価額」とする考え方が売主および買主の納得感が高く、最も合理的であると思われる。不動産仲介業者による仲介・代理報酬の算定方法においても、対象となる不動産の売主および買主のそれぞれについて仲介報酬の上限が設定されており、不動産取引実務においてもこれに準拠した運用がなされており、この考え方になじみのある方法といえるからである。ただし、負債が大きく資産額の割に譲渡額（譲受額）が少ない場合に備えて最低報酬額を設定する等、異同する対象会社の総資産額を考慮しての合理的な調整方法をもつべきである。

これに対し、譲渡額（譲受額）を「基準となる価額」とする考え方は、買主にとっては、譲受額が高くなるほど手数料の金額も高くなり負担感が増すため、たとえば、買主のみ定額とする等、異なる算定方法が合理的であることが多いとする指摘もある[23]。しかし、譲渡額（譲受額）が高くなるほど手数料が高くなり負担感が増すのは売主にとっても同じことである。この指摘は、むしろM&A専門業者と買主との間において、実際のM&A業務委託またはアドバイザリー契約締結の交渉過程において成功報酬の引下げバーゲニングパワーが働いているとみるべきであって、譲渡額（譲受額）を「基準となる価額」とする考え方が売主および買主にとって合理的なものであることには変わりない。

c　仲介者とFAの報酬の違い

これまで仲介者とFAの区別なく、その仲介業務委託報酬またはアドバイザリー報酬について論じてきたが、仲介者とFAとの間で一方から受け取る報酬について違いはあるのか。仲介者とはいえ、売主との間の業務委託の遂行の手間と買主との間の業務委託の遂行の手間とは同じものではなく、基本的には、一方から受け取る報酬について違いはないと思われる。もっとも、仲介者は、売主および買主の双方から報酬を受け取ることから、一方から受け取るFAの場合と比較して依頼者の一方から受け取る報酬額が低くなるという実務の傾向があるといわれる。この点、小規模な中小M&Aの場合、

23　中小M&Aガイドライン45頁。

FAよりも仲介者のほうが多く用いられる傾向にある、との指摘もある[24]。しかし、これは、M&A業者が仲介者とFAとでダブルスタンダードな報酬の定め方をもっているというよりは、仲介者の場合のほうが、売主または買主からの報酬の減額要請が出されやすく、かつ、これに応じやすいということではないかと思われる。

d　仲介者とFAの説明と委託者または依頼者の同意

仲介者とFAの各報酬の定め方を整理したが、報酬の定め方は実にさまざまであることがわかる。しかし、いまが、M&A市場、とりわけ中小企業のM&A市場の成長期[25]であることに鑑みると、さまざまな報酬の定め方があることそれ自体は悪いことではない。大切なのは、仲介者とFAが、その報酬の定め方をきちんと依頼者に対して説明し、その納得と同意を得ることである[26]。経営者は、経済観念（お金の感覚）がしっかりしていると過信してはならない。

仲介者とFAの大切なポイントは、言いにくいことをできるだけ早い段階で明瞭に依頼者に伝えることである。その要点は、次のとおりである。

①　仲介であるのか、FAであるのかを最初の段階で説明する。自分からだけではなく、相手方から報酬を受け取るとなると、はっとする依頼者

24　中小M&Aガイドライン30頁。なお、参考となるのが不動産取引の仲介（不動産取引においては「媒介」といわれる）または代理に関する報酬規制である。すなわち、仲介の場合には、「売買または交換の代理に関する報酬の額」の上限は「依頼者の一方につき」所定の金額とし、代理の場合には、「売買または交換の媒介に関する報酬の額」は一方からしか報酬を受け取らないことを前提に、依頼者の一方についての所定の金額の2倍を上限としている。もちろん、FAの業務は、一般的には依頼者に対するアドバイスであって、「代理」ではない。

25　M&A市場を、黎明期、成長期、成熟期および衰退期の4つの類で整理している。

26　中小M&Aガイドラインは、「重要なのは、あくまで、仲介者・FAの業務内容と手数料の金額が客観的に見合っているか否か、そして、依頼者である中小企業やその経営者が納得できる否か」であるという（49頁）。しかし、業務内容とは、当該M&A案件にM&A業者が直接的に投下した業務内容だけをみて判断するのは適切ではない。M&A業者にも、人事総務経理等の間接部門があり、また、M&Aについての情報収集、情報発信、適切な人材養成等の間接的な業務もある。これらの業務も視野に入れると、「仲介者・FAの業務内容と手数料の金額が客観的に見合っているか否か」を判断することは相当にむずかしい。セカンドオピニオン等において、第三者が、自らの金銭感覚だけで「その業務内容（直接的な業務内容しかみていない）でこんな過大な報酬は問題である」ということがあると側聞するが、注意する必要がある。

は多い。その際、仲介者とFAのメリット・デメリットも含めて説明すれば、仲介であることを説明したとしても理解を得られることは多いと思われる。

② 成功報酬金については、算定方式だけではなく、具体的な算定例を説明する。譲渡額（譲渡額）２億円を基準とし、レーマン方式を採用すると、成功報酬は1,000万円（消費税別）になる。この金額を具体的に説明することが大切である。とりわけ、着手金や月額報酬を受け取らない成功報酬金一本のM&A業者は、依頼者が明確なコスト意識をもたないまま契約に突入することがあるため、注意が必要である。さもないと、成功報酬金をめぐって売主または買主と仲介者またはFAとの間でトラブルにもなりかねない。

③ 契約期間中、売主および買主が他のM&A業者等への依頼を禁止する「専任条項」や、売主および買主が、契約終了後一定期間、当該M&A業者が交渉をしてきた相手方との間で自ら直接交渉または新たなFAを通して交渉し、株式譲渡契約を成立させた場合には、当該M&A業者等が所定の手数料を受け取る、という「テール条項」があれば（いずれもある場合が多い）、その旨を説明すべきである[27]。

④ 最後に、M&A業者がM&A案件を持ち込んだ者に対して支払う紹介料である。紹介料の説明は、微妙な問題である[28]。M&A業者が、積極的に依頼者に対し、紹介者に対して紹介料を支払うことおよびその額を説明する義務はない。しかし、紹介者は、売主または買主の身近にいて、M&Aについての数々の決断の場面において意見を述べるなど影響力を与える場合もある。M&A成立後、なんらかの理由で、紹介者に紹介料が支払われたことを知れば、売主または買主はどう思うか。少なくとも、聞かれた場合には、紹介料を支払うこと（支払う額はともかく）

---

27 中小M&Aガイドラインも専任条項やテール条項には一定の合理性があるとしながらも、他の支援機関のセカンドオピニオンが受けられなかったり、前のM&A専門業者の手数料の発生を危惧し、新たなM&Aに動き出すことを躊躇するおそれもあるとしている（中小M&Aガイドライン58）。

28 弁護士は、紹介料を支払うことも受け取ることもできない。本文の記述はこのようなフィービジネスに参加していない者の意見であることをご理解いただきたい。

は説明しておくとよい。

(3) 株式譲渡における企業評価の算定

a 企業評価の算定方法――時価純資産法

企業価値の算定方法には、企業の収益価値を基準にする方法（インカム・アプローチ）、市場価値から推定する方法（マーケット・アプローチ）および企業の純資産価値を基準にする方法（ネットアセット・アプローチまたはコスト・アプローチ）がある[29]。

企業の収益価値を基準にする方法とは、将来に生み出すと期待される経済的利益を、その利益実現に見込まれるリスク等を考慮した割引率で割り引くことにより価値評価を行う手法である[30]。代表的な手法として、企業が将来生み出すフリー・キャッシュフローに基づいて算定するDCF法や、株主が受け取る配当額に基づいて算定する配当還元法がある。企業を投資の対象としてみた場合には、企業価値はその企業が将来生み出す収益価値を基準にする方法が適切かと思われるが[31]、DCF法をみても、将来キャッシュフローの予測や割引率の設定について客観性の確保が困難になる等、特に中小企業の場合には、その算定は容易ではない。また、配当還元法は、中小企業においては配当に伴う二重課税を嫌って配当が抑制されていることが多く、このような場合、企業価値が不当に低くなるという欠点がある。

これに対し、市場価値から推定する方法は、市場において成立する株式価格を基準にする方法であり、株式の市場価格を基に評価する市場株価法や過去の取引価格を基に評価する取引事例法がある。これらは客観的な方法として適当のように思われる。しかし、評価の対象企業が中小企業の場合、上場会社のように株式の市場価格は存在せず、また、過去の取引事例も多くなく、あったとしてもその取引価格も当事者間の情誼により定められることもあり、価格の客観性に乏しいことも多い。

---

29 企業価値の算定方法の全般については、森・濱田松本法律事務所編『M&A法大系』（有斐閣、2015年）330頁以下、日本公認会計士協会編『企業価値評価ガイドライン［改訂版］』（日本公認会計士協会出版局、2013年）39頁以下を各参照。

30 森・濱田松本法律事務所・前掲注29・331頁。

31 取引相場のない株式等の評価に関する裁判例については、江頭憲治郎『株式会社法［第7版］』（有斐閣、2017年）14頁以下を参照。

そこで、中小企業が社外の第三者に事業を承継する際の企業評価については、企業の純資産価値を基準にする方法が広く用いられるようになってきている（なお、別途営業権を評価して加算することについては、後述のとおりである）[32]。この方法であれば、貸借対照表（B／S）の純資産合計額をみればよいので簡便であり、売主および買主双方の納得も得られやすい。もっとも、ここでいう純資産価値は貸借対照表の純資産合計額そのままではなく（簿価純資産法）、土地や在庫商品の簿価を時価に引き直し、また、売掛金・貸付金等の債権は回収可能性を考慮して時価に引き直すなどして実態貸借対照表を作成し、そこから算出した時価純資産合計額でなければならない（時価純資産法）。

b　営業権の評価――年買法[33]

企業が生み出した過去の収益は、資産の部の利益剰余金によって時価純資産に反映されている。これに対し、企業の将来の収益については、時価純資産には反映されない。収益をあげている企業は今後しばらくの間、収益をあげると考えられる。そこで、企業の一定期間の利益の合計額をもって営業権の評価とする方法がよく利用されている。この利益は、営業利益、経常利益、当期純利益などの考え方があるが、金融機関からの借入れ等が常態化している業界業種においては、経常利益を利用するのも一つである[34]。この方法であれば、損益計算書（P／L）の経常利益をみればよいので簡便であり、売主および買主双方の納得も得られやすい。もっとも、ここでは損益計算書（P／L）の経常利益そのままではなく、経営者が多額の役員報酬を受け取っていたり、逆に、役員報酬が低額である場合にはこれを加減して実態

32　森・濱田松本法律事務所・前掲注29・331頁では、信頼性のある事業計画の作成ができず、DCF 法の適用が困難であり、また、参照すべき市場株価がなく市場株価法の適用な困難である場合には、実際上はネットアセット・アプローチを用いることが有益な場合もありうる、と説明されている。

33　年買法については、木俣貴光『企業買収の実務プロセス（第２版）』（中央経済社、2017年）89頁以下を参照。

34　事業引継ぎガイドライン55頁も経常利益を用いている。これに対し、中小 M&A ガイドライン参考資料は、「時価純資産法（又は簿価純資産法）により算定した純資産に、数年分の任意の利益を加算した金額を譲渡額とする場合もある。なお、加算対象とする利益の種類（税引後利益又は経常利益等）及び年数（通常１年から３年）は、事例ごとに異なり、交渉によって決まるケースが多い」という。

損益計算書を作成し、そこから算出した正味の経常利益の数字を利用するのが適当である。

経常利益を算定する期間については、業界業種の傾向から判断するほかなく、１年から数年までの期間があるといわれている。たとえば、製造業・ホテル・旅館業のような一定の設備を必要とする業界業種であれば比較的長期の安定的な収入が見込まれることから、期間は３年から５年と長くなる。これに対し、収益が変動しやすい業界業種では１年から３年と短くなる。また、売主の歴史も影響する。長年にわたって相当程度の経常利益をあげている企業であれば、今後の経常利益も見込まれるから期間は長くなり、逆は短くなる。以上のことから、次の算定式を導くことができる。

企業価値＝時価純資産額＋経常利益×一定期間（１年から５年程が目途）

c　企業評価のための売主の情報提供

企業価値の算定は、貸借対照表とこれを時価に引き直した実態貸借対照表、損益計算書およびこれを調整した実態損益計算書に基づいてなされる。売主は、可能な限り正確に開示する必要があり、わからないことがあれば、仲介者やFAに率直に相談すべきである。デュー・ディリジェンス段階で自分に不利なことを隠していたり、または隠しているといわざるをえないような事実が発覚すると、買主の信頼を失い、せっかく基本合意書まで締結したのに破談となるおそれがある。最終合意書が締結された後であっても、買主から売主に対する損害賠償問題に発展することもある。仲介者やFAが気づかない事項であっても、率直に情報提供をする必要がある。

d　譲渡価額の決定

算定された企業価値がそのまま譲渡価額になるわけではない。売主がすぐにでも売りたいと急げば譲渡価額は安くなるし、買主が買いに急げば高くなる。交渉で決まる。

⑷　株式譲渡の手続

株式譲渡の手続は、売主と買主の立場で異なるが、本稿では売主の立場を中心に説明する。

株式譲渡の手続は、①対象会社の株式を保有する経営者としての売主の決断、②仲介者・FAの選定と委託契約・アドバイザリー契約の締結、③企業価値の算定、④譲り受け企業の探索・選定、⑤交渉、⑥基本合意書の締結、⑦デュー・ディリジェンス、⑧最終契約締結、⑨クロージング、の9つの段階に分けることができる。すでに①から③までは説明したので、ここでは④以降について検討する。

a　譲り受け企業の探索・選定

M&A業者は、買主を探し、売主に紹介する。M&A業者は、必要に応じて対象会社の会社名を秘した簡潔な会社情報（以下「ノンネームシート」という）を持って回り、買主を探す。

M&A業者は、売主に対し、ロングリストとショートリストを示すことが多い。ロングリストは、M&A業者がM&Aの買主として有力と考える会社名を記したリストである。これを売主の示す一定の条件（「好み」といってもよい）で絞り込んだものをショートリストという。「好み」というのは、たとえば、「同業者は、これまで厳しい競争を繰り広げてきた相手なのでNoだ」「外資系は、従業員が不安がるのでNoである」の類である。この段階で絞り込みすぎると、探索の範囲が狭まることになるので注意したい。

売主は、ロングリストを受け取り、「好み」でショートリストに絞り込み、M&A業者とM&Aの実現可能性、値段、スピード感等をよく相談し、また、ノンネームシートの反応の程度を考慮して買主を絞り込んでいく。

買主をまず1社に絞り、その1社の交渉が終了するまで他の買主とは交渉を開始しないこともあるし、複数の買主と順次に交渉を開始することもある。それぞれメリットとデメリットがあるが、スピード感を重視すれば、複数順次に交渉を開始することになる。

買主との交渉を開始する際に重要なのが秘密保持契約である。売主は、買主またはその仲介者・FAと秘密保持契約を締結した後に売主の会社情報を提供することになる（以下「企業概要書」という）。

b　交　　渉

〈希望譲渡価額を切り出すタイミング〉

希望譲渡価格を切り出すタイミングに王道はない[35]。売主が、交渉の早い段階、場合によっては、企業概要書を提示した段階で譲渡価額の目線を示すこともあれば、買主が企業概要書を受け取った段階で十分に品定めをし、買主から譲受価額の目線を示すこともある。

〈トップ会談前の交渉〉

交渉は、売主と買主の両者のトップ会談の前後で、２つの段階に分かれる。前半は、企業概要書を受け取った買主が売主の品定めをする段階である。買主は、自らの成長戦略をふまえ、売主の所在するエリア、業種・業界の成長見通し等の外部要因および売主の製品・サービスの特長・優位性、財務状況・経営状況、従業員の平均年齢・スキル等、そして譲渡価額を総合的に考慮してM&A交渉に入るかどうかを検討する。

買主がM&A交渉に入ると決断すると、専門家等を通して売主と買主の両者のトップ会談が設けられる。交渉の山場である。

〈トップ会談での交渉〉

トップ会談は、売主と買主のいずれか、または、両方の会社で開催されることがある。トップ会談で譲渡価格をめぐって経営者同士が丁々発止で渡り合うことは普通ない。企業概要書の提示からトップ会談前のどこかの段階で、譲渡価額の目線についての感触が共有されて、トップ会談に臨むことが多い。買主は、すでに企業概要書等により品定めをし、かつ譲渡価格についての感覚を共有しトップ会談に臨んでいるので、買主はM&Aに積極的であり、よほどの事情がない限り、基本合意に向かうはずである。これに対し、売主は、株式や事業を売る気があるのだからM&Aに積極的なはずであるが、実際には、株式や事業を手放すことに躊躇するなどして消極的になることがある。それも人情である。売主とその仲介者・FAとの間の綿密な情報・意見交換が肝要である。

〈トップ会談後〉

トップ会談をふまえて売主と買主の両者の間に譲渡価格の感覚が共有され、その他の基本的条件もおおむね煮詰まり、両者に信頼関係が生まれれ

35　M&A業者ですら、自らの委託者・依頼者である売主からその希望譲渡価額を聞き出すことは、容易ではない。もっというと、企業価値を算定していたとしても、それが売主の腹に落ちていないこともある。このような場合、譲受けを希望する者からの希望譲受価額をみてから決断したいと思っていることが多く、交渉の早期に売主の希望譲渡価額を提示することはできない。

ば、M&Aの手続は一気に進む。基本合意に向けて、基本的条件の詰めに入る。

〈経営者の決断の際の留意点〉

多くの経営者にとって、M&Aによる事業の引継ぎの依頼は、初めての経験であることが多い。しかし、経営者は会社を長年運営し、さまざまな経験と苦労を重ねてきている。専門家等の説明や意見に耳を傾けつつ、自信をもって決断してほしい。

売主は、できるだけ早く、できるだけ高く売りたいという2つの願望をもつ。しかし、株式譲渡の大きな目的は、事業承継を果たし、従業員の存続や取引先の承継を図ることにあるはずである。経営者が高齢化していれば残された時間も少ない。早く高くは自制を迫られることも多々ある。このことを腹に落として交渉に臨むとよい。

逆に、買主も足元をみた交渉が過ぎれば貴重なチャンスを失うことになる。事業承継を目指す売主の意を汲んで臨む必要がある。

なお、自らの仲介者・FAといたずらに腹の探り合いをするのは適切でない。特に仲介者の場合、買主の立場にも立っていることから、仲介者に腹をみせないようにする者もある。しかし、M&A業者に対し、仲介型で依頼すると決断した以上、仲介者に信頼を置き、事実に基づいて誠実に話を進めるべきである。

c　基本合意書の締結

基本条件で合意に達した場合、売主と買主との間でM&Aに関する基本合意書[36]を締結する（書式4－2）。その条項は、譲渡価額、売主の経営者の処遇、役員・従業員の処遇、最終契約締結までのスケジュール、最終契約締結までの双方の実施事項や遵守事項（秘密保持・独占交渉）、諸条件の最終調整方法等である。

36　中小M&Aガイドライン参考資料41頁には、基本合意書（株式譲渡型）の例が示されている。

書式4－2　基本合意書

基本合意書

【譲り渡し側（株式会社)】(代表者：○○、本店所在地：○○。以下「対象会社」という。）の株主【譲り渡し側株主】(以下「甲」という。）及び対象会社の株式の譲受希望者【譲り受け側】(以下「乙」という。）は、乙が対象会社の発行済株式の全部を甲より譲り受ける件（以下「本株式譲渡」という。）に関する基本的な事項について、以下のとおり合意した（以下「本合意」という。)。

第1条　(目的)

1　乙は、○○年○○月○○日を期限に、対象会社の発行済株式の全部を譲り受ける意向を有し、甲はそれを了承した。

2　甲は、乙に対し対象会社株式を譲渡するものとし、改めて甲と乙の間で株式譲渡契約（以下「最終契約」という）を締結する。

第2条　(承継対象財産及び個人保証解除)

1　乙が最終契約により甲から承継する財産（以下「承継対象財産」という。）は、甲が保有する、対象会社の発行済株式の全てである普通株式○○株とする。

2　乙は、本株式譲渡に際し、対象会社の債務を対象会社の役職員が保証している契約につき、当該保証が解除されるよう最大限努力する。

第3条　(譲渡価額)

第2条第1項に規定する承継対象財産の対価（以下「譲渡価額」という。）は、金○○円を目途とする。ただし、正式な譲渡価額は、最終契約締結時に甲乙双方の協議により合意した金額とする。

第4条　(デュー・ディリジェンス)

乙は、本合意締結の日から1か月間を目処に、対象会社の○○年○○月○○日時点における貸借対照表その他の事前開示資料の正確性及び妥当性等を検証するため、対象会社に対する調査（デュー・ディリジェンス）を行うことができるものとし、甲はこれに協力するものとする。

第5条　(独占的交渉権)

甲は、本合意の有効期間中は他のいかなる者との間でも、対象会社に係るM&A取引（対象会社株式の譲渡及び取得、対象会社の事業譲渡及び譲受、増資の引受け、合併、株式交換、会社分割、資本業務提携等の取引をいう。）に関する交渉を行ってはならない。

第6条　(善良な管理者の注意義務)

甲は、本合意締結後、最終契約締結までの間は、善良な管理者の注意をもって、対象会社の業務の執行及び財産の管理運営を行い、乙の事前の同意を得ずして、対象会社において次の各号に掲げる行為、その他対象会社の経営内容に重大な影響を与える行為をしてはならない。

①　重大な資産の譲渡、処分、賃借権の設定等

②　新たな借入れ実行その他の債務負担行為及び保証、担保設定行為

③　非経常的な設備投資及び仕入行為

④　非経常的な契約の締結及び解約、解除

⑤　非経常的な従業員の新規採用
⑥　増資、減資
⑦　前各号の他、日常業務に属さない事項

第7条　(秘密保持義務)

1　甲及び乙は、(i)本株式譲渡の検討又は交渉に関連して相手方から開示を受けた情報、(ii)本合意の締結の事実並びに本合意の存在及び内容、並びに(iii)本株式譲渡に係る交渉の経緯及び内容に関する事実（以下「秘密情報」と総称する。）を、相手方の事前の書面による承諾なくして第三者に対して開示してはならず、また、本合意の目的以外の目的で使用してはならない。ただし、上記(i)の秘密情報のうち、以下の各号のいずれかに該当する情報は、秘密情報に該当しない。
①　開示を受けた時点において、既に公知の情報
②　開示を受けた時点において、情報受領者が既に正当に保有していた情報
③　開示を受けた後に、情報受領者の責に帰すべき事由によらずに公知となった情報
④　開示を受けた後に、情報受領者が正当な権限を有する第三者から秘密保持義務を負うことなく正当に入手した情報
⑤　情報受領者が秘密情報を利用することなく独自に開発した情報

2　甲及び乙は、前項の規定にかかわらず、以下の各号のいずれかに該当する場合には、秘密情報を第三者に開示することができる。
①　自己（甲においては対象会社を含む。）の役員及び従業員並びに弁護士、公認会計士、税理士、司法書士及びフィナンシャル・FAその他のFAに対し、本合意の目的のために合理的に必要とされる範囲内で秘密情報を開示する場合。ただし、開示を受ける者が少なくとも本条に定める秘密保持義務と同様の秘密保持義務を法令又は契約に基づき負担する場合に限るものとし、かかる義務の違反については、その違反した者に対して秘密情報を開示した当事者が自ら責任を負う。
②　法令等の規定に基づき、裁判所、政府、規制当局、所轄官庁その他これらに準じる公的機関・団体（事業引継ぎ支援センターを含む。）等により秘密情報の開示を要求又は要請される場合に、合理的に必要な範囲内で当該秘密情報を開示する場合。なお、かかる場合、相手方に対し、かかる開示の内容を事前に（それが法令等上困難である場合は、開示後可能な限り速やかに）通知しなければならない。

3　甲及び乙は、本株式譲渡が成約に至らなかった場合には、相手方より開示された秘密情報（その写しも含む。）を、相手方から返還請求があれば速やかに返還する。

4　第9条に定める本合意の有効期間にかかわらず、本条に定める秘密保持の義務は別段の定めがない限り、本合意の有効期間満了後3年間存続する。

第8条　(法的拘束力)

本合意第1条ないし第3条における定めは、本合意時点における本株式譲渡についての甲乙間の了解事項の確認を目的とするものであり、何らの法的拘束力を有しない。

第9条　(有効期間)

本合意は本合意締結の日より発効し、本合意が解除される場合又は最終契約の履行が完了した場合を除き、○○年○○月○○日までは有効に存続する。

第10条　(準拠法・合意管轄)

1　本合意は、日本法に準拠し、これに従って解釈される。

2　本合意に関する一切の紛争（調停を含む。）については、○○地方裁判所を第一審の専属的合意管轄裁判所とする。

第11条　（誠実協議）

甲及び乙は、本合意に定めのない事項及び本合意の条項に関して疑義が生じた場合には、信義誠実の原則に従い、誠実に協議の上解決する。

本合意締結の証として本書２通を作成し、甲乙記名押印の上、各１通を保有する。

○○年○○月○○日

甲
（住　所）
（氏　名）　㊞
乙
（所在地）
（名　称）
（代表者）　㊞

出所：中小 M&A ガイドライン参考資料41～44頁

d　デュー・ディリジェンス

買主が、売主の会社の財務・法務・税務・事業リスク等の実態について弁護士、税理士等の専門家を活用して調査する手続である。FA が士業専門家である場合には、FA 自身が担当することもある。ここで注意すべきは、売主は、その前提として、自己に不利益な事実を含む事業のありのままの現状を正確に開示しなければならない、ということである。開示を怠って後日発覚した場合、取引自体が破談になり、または損害賠償問題に発展することもある。

e　最終契約締結

デュー・ディリジェンスで発見された点や基本合意書で留保していた事項について再交渉を行い、株式譲渡契約を締結する手続である。主な条項は、譲渡契約の対象（株式または事業等）、譲渡価格、譲渡時期、対価の支払方法、経営者・役職員の処遇、表明保証（双方が当該取引を実行する能力を有していること、売主が潜在的問題も含め開示していること、ほかに問題がないことの確認）等である。注意を要するのは、この段階においても、各種の前提条件等において詰め切ることができない事項が残ることである。そのような事項については、希望的な観測をもってあいまいにすべきではない。買主または売主にとって不利な結果となったときの対応も検討すべきであり、その際のコンセンサスを得ておくべきである。

f　クロージング

M&Aの最終段階であり、株券等の受渡し、譲渡価額を調整する条項があれば調整、譲渡価額の支払をする手続である。成功報酬金の定めがある場合には、M&A業者は、この段階でこれを受け取ることが多い。

3　仲介者・FAを活用して事業譲渡をする場合

(1)　事業譲渡における仲介者・FAの活用

a　第三者承継（事業譲渡）の決断

業績が悪く、金融債務も多く、業種業界の将来見通しも暗い企業の経営者は、親族内承継を早々に諦め、あわよくば「第三者承継」をしたい、それができなければ、円滑な廃業をしたいと考えるようになる。令和2年春頃からのコロナウイルス感染拡大の影響により、急激な業種業態の転換を迫られている中小企業においては、従業員と取引先を維持したまま、事業を第三者に承継してほしいという例が増えていると思われる。

この場合、事業譲渡をして残された企業の債務整理が必要となり、時間的な余裕がないこともある。中小企業の近くにいる士業専門家や各種の公的な相談機関は、事業譲渡による事業の承継、そして、円滑な廃業について適切にアドバイスしなければならない。

b　マッチングにおける専門家の活用

業績が悪く、金融債務も多く、業種業界の将来見通しも暗い企業においては、株式譲渡の方法により、金融債務ごと会社を引き受けようとする承継先は多くない。しかし、金融債務を切り離して事業だけを承継することができる、事業譲渡となれば可能である。この場合、事業を譲渡しようとする会社の債務の整理等の問題が発生する。

また、事業譲渡の場合、承継先は、従来の仕入先や納入先または同業種が有力である。金融債務を切り離すことができたとしても、事業の業績改善は不可欠であり、そのノウハウをもっているのは、従来の仕入先や納入先または同業種だからである。そのような承継先を探すことができるのは、事業譲渡を希望する経営者である。結果、M&A業者を要しないことも多い。

他方、弁護士は活躍する場が大きい。対象事業を譲渡した売主の債務の整理（民事再生手続、特別清算および破産手続という法的整理手続、ならびに再生支援協議会の手続および特定調停手続等）については、弁護士の出番である。

⑵ 仲介者・FAとの間の各契約と各報酬の定め方

事業譲渡の場合、仲介者・FAとの間の各契約は、株式譲渡の場合と基本的には同じである。仲介者の仲介契約の場合、売主・買主の双方との間で「M&A仲介業務委託契約書」[37]等の名称の契約書を交わす。これに対し、FAの「アドバイザリー契約」の場合、依頼者との間で、「M&Aアドバイザリー契約書」等の名称の契約書を交わす。

主な内容は、委託業務の範囲とこれに対する報酬である。株式譲渡の場合と基本的には同じである。一点、大切なのは、事業譲渡の場合、事業譲渡の対象となる資産および事業譲渡に伴って買主が引き受ける売主の債務については、個別に特定して個別に承継させることから、売主の会社の債務について、買主が事実上、経営上の責任を負うことはない。結果、売主に潜在する債務や偶発債務にそれほど気を使う必要はなく、買主の財務DD（たとえば、税金や社会保険料の支払について問題がないかという視点）や労務DD（たとえば、未払残業代債務はないかという視点）の負担は軽いということができる。

仲介者とFAの各報酬の定め方も、「基準となる価額」には、株式譲渡の場合について、すでに述べたように、主に３つの考え方があるということができ、株式譲渡の場合と基本的には同じである[38]。

事業譲渡の場合においては、金融債務は承継しないとしても、事業価値を毀損しないように、従来の仕入先や外注先を維持するために、買主は、これらの買掛金をそのまま引き継ぐことがあり、その分、事業譲渡価額は減額されることになる。このような場合には、第二の考え方である移動資産額（買掛金も移動資産とする）をもって、「基準となる価額」とすることにも合理性がある。

---

37 中小M&Aガイドライン参考資料32頁には、そのひな型があるが、そのひな型においても、株式譲渡と事業譲渡について、区別して記載されてはいない。

38 前掲注37のひな型の報酬の記載においても、株式譲渡と事業譲渡について、区別されて記載されてはいない（中小M&Aガイドライン32頁）。

また、第三の考え方である移動する純資産額を「基準となる価額」とする考え方も、同様に合理性がある。ただし、買掛金をそのまま引き継ぐことがあり、事業譲渡価額はその分減額されることになることから、この場合については、第二の考え方である移動資産額（買掛金も移動資産とする）をもって、「基準となる価額」とすることにも合理性がある。

(3) 事業譲渡における事業評価の算定

事業の全部譲渡の場合にも、理論的には、企業の収益価値を基準にする方法（インカム・アプローチ）、市場価値から推定する方法（マーケット・アプローチ）および企業の純資産価値を基準にする方法（ネットアセット・アプローチまたはコスト・アプローチ）の３つの方法が企業価値の算定方式として妥当する。しかし、事業の全部譲渡とはいっても、売主の会社の金融債務が承継されなかったり、従業員の一部が承継（厳密には、退職と新規採用という形式をとることも多い）されなかったり、また、赤字部門を除いた事業の一部の譲渡であったりすることが多く、実際問題として、３つの企業価値の算定方式をそのまま使うことはむずかしい。

そこで、時価純資産法に営業権の評価を加えた年買法がよく利用されている。事業譲渡に引き直してみると次のとおりである。

事業価値＝当該事業部門の時価純資産額＋当該事業部門の利益額[39]× 一定期間

この場合、事業譲渡の対象となる当該事業部門の純資産額に当該事業部門の利益額を加算し、これに一定の期間を乗じて算出する必要があるが、中小企業で部門別に損益計算書をつくっている会社は多くない。売上高ベースでみた当該事業部門の全体に占める割合等を考慮し、会社全体の利益を案分するなどの方法で当該事業部門の利益を決めることになる。

(4) 事業譲渡価額の決定

算定された事業価値がそのまま譲渡価額になるわけではない。売主が債務超過の場合にすぐにでも売りたいと急ぐことがあれば譲渡価額は安くなるし、買主が買いに急げば高くなる。交渉で決まる。なお、売主が債務超過の

---

39 決算書上の経常利益をそのまま使うことはできないので、なんらかの方法によって算定される。

場合には、事業譲渡後に民事再生手続や特別清算・破産手続に及ぶことがある[40]。この場合、事業譲渡の対価が不当に安いと否認権の行使の問題が生じるので注意が必要である。

(5) 事業譲渡の手続

事業譲渡の手続は、売主と買主の立場で異なるが、本稿では売主の立場を中心に説明する。事業譲渡の手続は、①売主の決断、②仲介者・FA の選定と委託契約・アドバイザリー契約の締結、③企業価値の算定、④譲り受け企業の探索・選定、⑤交渉、⑥基本合意書の締結、⑦デュー・ディリジェンス、⑧最終契約締結、⑨クロージング、の9つの段階に分けることができる。すでに①から③までは説明したので、ここでは④以後について検討する。

a 譲り受け企業の探索・選定

事業譲渡の場合、従来の仕入先や納入先または同業種が買主となることが多く、売主が買主を探し出すことも多いと述べた。とはいえ、価値の高い事業の場合には、M&A 業者が乗り出すこともあるであろう。この場合、仲介者・FA は、株式譲渡の場合と同様に、ロングリストとショートリストを活用して買主を探索し、絞り込んでいく。

b 交 渉

事業譲渡の場合の事業価値の算定は、すでに述べたように、株式譲渡の場合と比較してシンプルである。希望譲渡価額を切り出すタイミングは問題となりにくく、むしろ、事業譲渡の対象となる部門の純資産額をベースに交渉は進むと考えられる。

c 基本合意書の締結、デュー・ディリジェンスおよび最終契約の締結

株式譲渡の場合、基本合意と最終契約との間にデュー・ディリジェンスが入ることから、売主と買主との間の契約は、基本合意と最終契約の2段階のかたちがとることが多いといえる。デュー・ディリジェンスにおいて、対象会社に重大な問題があることが発覚すれば、基本合意は解除されることにな

---

40 債務超過会社の事業譲渡の場合、後にこれらの方法をとるために費用が必要となる。この場合、事業譲渡の対象となる資産価額に当該費用を上乗せさせた金額が事業譲渡代金とされることもある。

る。

これに対し、事業譲渡の場合、対象となる事業の構成は、株式譲渡の場合のように譲渡の対象が会社である場合と比較して簡明であることが多く、また、買主は、対象会社の債務の事実上の責任も負わないことから、デュー・ディリジェンスの項目も少なく、事業譲渡の妨げとなるような問題が少ないことが多い。そこで、売主と買主との間の契約は、事業譲渡契約の一本として、デュー・ディリジェンスによる事業譲渡の対象となる財産の数、量、評価等による事業譲渡代金の増減については、事業譲渡契約のなかの事業譲渡代金の調整条項により対応するということも可能である。

d　クロージング

事業譲渡の最終段階であり、対象事業の中にある人・モノ・金・情報の受渡しと譲渡価額の支払をする手続である。成功報酬金の定めがある場合には、M&A 業者は、この段階でこれを受け取ることが多い。

4　情報管理の徹底

仲介者・FA を活用する際の手続の最後に、情報管理について説明する。

「経営者が株式譲渡（または事業譲渡）を考えている」ことは、トップシークレットである。家族や従業員、取引先や金融機関にもれれば、動揺が広まるおそれがあるため、情報管理の徹底が重要になる。情報管理は、情報提供をする段階ごとに必要となる。まずは M&A 業者や士業専門家への相談の段階であるが、士業専門家はもとより、M&A 業者も相談者の秘密を守る義務を負っているものの（弁護士については刑法134）、留意すべき事項がある。とりわけ、株式譲渡の場合には、M&A 業者や士業専門家を活用して広く買受けを希望する者を募ることになるから、次のとおり注意が必要である。

(1)　ノンネームシートの提供段階

FA を通じて相手方の FA や買主に対してノンネームシートを提供する場合、この段階では秘密保持契約を交わさないことから、売主が M&A を企図していることがノンネームシートからもれないよう、その記載事項に注意しなければならない。企業名が匿名であることに安心せず、エリア、業種・業界、事業規模、資産規模、従業員数等、慎重に記載する必要がある。

(2) 企業概要書の提供段階

FAや仲介人の活動を得て、ロングリストがショートリストに絞り込まれ、買受けを希望する者が選定される。この段階で売主から買主または買主のFAに対して企業概要書が提供されるが、その前提として、秘密保持契約を締結する必要がある。秘密保持契約書は、売主と買主の相互が秘密保持を約束する形式もあるが[41]、実際に重要なのは、会社の財務情報を含めて広く深い情報を提供することとなる売主の秘密を保持することであることから、買受けを希望する者やそのFAが、売主に対して誓約書を差し入れることもある（書式4－3）。

書式4－3　秘密保持契約書

秘密保持契約書

【譲り渡し側】（以下「甲」という。）及び【譲り受け側】（以下「乙」という。）は、甲に関するM&A取引（株式の譲渡及び取得、事業譲渡及び譲受、増資の引受け、合併、株式交換、会社分割、資本業務提携等の取引をいい、以下「本件取引」という。）の可能性を検討するに際し、甲乙が相互に開示する情報等の秘密保持について、以下のとおり契約（以下「本契約」という。）を締結する。

第1条　（秘密保持義務）

1　甲及び乙は、(i)本件取引の検討又は交渉に関連して相手方から開示を受けた情報、(ii)本契約の締結の事実並びに本契約の存在及び内容、並びに(iii)本件取引に係る交渉の経緯及び内容に関する事実（以下「秘密情報」と総称する。）を、相手方の事前の書面による承諾なくして第三者に対して開示してはならず、また、本契約の目的以外の目的で使用してはならない。ただし、上記(i)の秘密情報のうち、以下の各号のいずれかに該当する情報は、秘密情報に該当しない。

①　開示を受けた時点において、既に公知の情報

②　開示を受けた時点において、情報受領者が既に正当に保有していた情報

③　開示を受けた後に、情報受領者の責に帰すべき事由によらずに公知となった情報

④　開示を受けた後に、情報受領者が正当な権限を有する第三者から秘密保持義務

41　秘密保持契約書のひな型については、事業引継ぎガイドライン58頁も参照。なお、開示を禁止する第三者の範囲を「本契約でいう第三者とは、本件の目的を遂行する上で必要かつ最小限の範囲の両当事者の役員、従業員、顧問弁護士、公認会計士、税理士及び顧問等（以下、「役員等」という）および事業承継マッチング支援に関与する甲の職員及びコーデイネーター以外のものをいう」（同ひな型3条2項）のように限定する点がポイントの一つである。

を負うことなく正当に入手した情報
⑤　情報受領者が秘密情報を利用することなく独自に開発した情報
2　甲及び乙は、前項の規定にかかわらず、以下の各号のいずれかに該当する場合には、秘密情報を第三者に開示することができる。
①　自己の役員及び従業員並びに弁護士、公認会計士、税理士、司法書士及びフィナンシャル・FAその他のFAに対し、本件取引のために合理的に必要とされる範囲内で秘密情報を開示する場合。ただし、開示を受ける者が少なくとも本条に定める秘密保持義務と同様の秘密保持義務を法令又は契約に基づき負担する場合に限るものとし、かかる義務の違反については、その違反した者に対して秘密情報を開示した当事者が自ら責任を負う。
②　法令等の規定に基づき、裁判所、政府、規制当局、所轄官庁その他これらに準じる公的機関・団体（事業引継ぎ支援センターを含む。）等により秘密情報の開示を要求又は要請される場合に、合理的に必要な範囲内で当該秘密情報を開示する場合。なお、かかる場合、相手方に対し、かかる開示の内容を事前に（それが法令等上困難である場合は、開示後可能な限り速やかに）通知しなければならない。
3　甲及び乙は、相手方より開示された秘密情報（その写しも含む。）を、相手方から返還請求があれば速やかに返還する。
4　第3条に定める本契約の有効期間にかかわらず、本条に定める秘密保持の義務は別段の定めがない限り、本契約の有効期間満了後3年間存続する。

第2条　（損害賠償）

情報受領者が本契約上の義務に違反したことにより、情報開示者が損害を被った場合、情報受領者は、情報開示者に生じた損害（合理的な範囲の弁護士費用を含む。）を賠償しなければならない。

第3条　（有効期間）

本契約の有効期間は、本契約締結日より2年間とし、有効期間満了までに何れの当事者からも解約の申し出がない場合には、更に1年間延長し、以後も同様とする。

第4条　（準拠法及び管轄裁判所）

1　本契約は、日本法に準拠し、これに従って解釈される。
2　本契約に関する一切の紛争（調停を含む。）については、○○地方裁判所を第一審の専属的合意管轄裁判所とする。

第5条　（誠実協議）

甲及び乙は、本契約に定めのない事項及び本契約の条項に関して疑義が生じた場合には、信義誠実の原則に従い、誠実に協議の上解決する。

本契約締結の証として本書2通を作成し、甲乙記名押印の上各1通を保有する。

○○年○○月○○日

甲
（所在地）
（名　称）
（代表者）　　㊞
乙
（所在地）

（名　称）
（代表者）　　　　　　　　　　㊞

出所：中小 M&A ガイドライン参考資料38～40頁

(3) 交渉段階

企業概要書の提供の後、トップ会談等さまざまな手続がある。これらを通して、売主は多くの情報を相手方の FA や買受けを希望する者に提供することになる。すでに、買主またはその FA との間で秘密保持契約を交わしているので、この段階での売主が提供する情報もそれによって保護されることになる。

(4) 交渉成立または交渉決裂後の段階

交渉成立後であれば、売主の情報は買主の情報となっているので売主の秘密保持が問題となることは少ない。これに対し、交渉決裂後も、買主は引き続き秘密保持義務を負うことを忘れてはならない。

5　デュー・ディリジェンス

(1) デュー・ディリジェンスの重要性

基本合意書を締結した後、譲り受け企業は、譲り渡し企業に対する法務デュー・ディリジェンス（以下「法務 DD」という）を実施することになる。以下では、特に法務 DD に照準を絞って説明する。また、本項の末尾に、法務 DD における主なチェック項目と開示依頼資料のチェックリストを掲げるので、あわせて参照されたい。

法務 DD とは、譲り渡し企業に存在する法的なリスク等について、必要に応じて行う調査のことである。

中小企業における事業引継ぎにおいては、費用の観点から法務 DD を敬遠する例も多くみられる。しかし、事業引継ぎの際に、譲り受け企業において、譲り渡し企業が抱える問題点を正確に把握しておかなければ、①譲り渡し企業を買い受けるか否か、②買い受けるとして、いくらで買い受けるべきか、③どのようなスキームを選択すべきか、④事業引継ぎが完了した後にどのような対応が必要となるか、といった重要事項を適切に判断することはできない。

この点において、十分な法務DDを実施することは、事業引継ぎを成功させるうえできわめて重要である。

(2) 法務DDの内容

株式譲渡にて事業引継ぎをする場合、譲り受け企業は譲り渡し企業が抱える法的なリスクをそのまま引き継ぐこととなるため、譲り渡し企業について全般的かつ網羅的な法務DDを行うべき必要性が高い。

しかし、法的なリスクは無限に想定できる一方で、法務DDに費やすことができる時間と予算には限りがある。そのため、法務DDを行う場合には、「何についてどの程度の調査をするのか」という点について、適切に優先順位をつけて実施することが重要である。

以下では、中小企業の事業引継ぎの際に特に問題となりうる点について、株式譲渡を念頭に置きつつ、必要に応じて事業譲渡と比較しながら説明する。

(3) 中小企業の事業引継ぎにおけるポイント

a 株主に関する調査

株式譲渡の場合、譲り渡し企業の株主が真の株主か否かの調査は必要不可欠である。その際の資料として、株主名簿（会社法121条）があげられる。株主名簿には、①株主の氏名または名称および住所、②①の株主が有する株式の数（種類株式発行会社にあっては、株式の種類および種類ごとの数）、③①の株主が株式を取得した日、④株券発行会社である場合は、②および③の株式（株券が発行されているものに限る）に係る株券の番号を記載すべきこととされており、株主に関する調査をするうえで、株主名簿は特に重要な資料となる。

もっとも、中小企業においては、そもそも株主名簿が整備されていないケースも珍しくない。

また、たとえ株主名簿が整備されていたとしても、設立時の名義貸しや株主名簿の書換未了等により、株式の名義人と真の株主とが異なっている場合も想定できる。

さらに、譲り渡し企業の株主が株式譲渡により株式を取得している場合は、株式の発行から現在に至るまでの株式譲渡がすべて有効になされているか否かを調査する必要がある。特に、①譲り渡し企業が株券発行会社[42]であれば、株券の交付の有無（会社法128条１項）を、②当該株式が譲渡制限株式であれば、譲渡承認手続の有無（会社法136条以下）を、それぞれ確認しなければならない。

このように、譲り渡し企業の株主が真の株主か否かを調査する際は、単に株主名簿だけではなく、商業登記簿や定款、株券、取締役会議事録および株主総会議事録の記載もあわせて確認する必要がある。これらの資料からも真の株主を確定することができない場合は、法人税の確定申告書別表二の「同族会社等の判定に関する明細書」の記載も参考にしつつ、可能な限り正確に株主を把握すべきである。

なお、調査の結果、ほかにも譲り渡し企業の株主がいることが判明した場合には、当該株主が事業引継ぎに反対する場合や、そもそも当該株主が所在不明の場合も想定できる。

これらの場合には、特別支配株主による株式等売渡請求制度（会社法179条）や、所在不明株主の株式売却制度（会社法197条）を利用することができるか否かを検討することになる（それぞれの手続については第３部第１の３「財産の承継――株式・事業用資産の分散防止」を参照されたい）。

b　取引先に関する調査

譲り渡し企業の取引先に関する調査を実施する際、特に以下の２点に留意する必要がある。

〈チェンジ・オブ・コントロール条項について〉

取引先との契約書上、株主構成の変動等、契約当事者の支配権の変更があった場合において、①当該事実を契約の解除事由として規定する、②相手方当事者からの事前承諾を求めたり、③相手方当事者に対する事前通知を求めたりする条項（以下「チェンジ・オブ・コントロール条項」という）が存在する可能性がある。

この場合において、譲り受け企業が、事業引継ぎのスキームを変更しない

42　会社法施行日（平成18年５月１日）前から存在する株式会社や、経過措置により、旧商法に従って施行日後に設立された株式会社は、定款に株券を発行しない旨の規定がない限り、株券発行会社とみなされている（会社法の施行に伴う関係法律の整備等に関する法律76条４項）ので、譲り渡し企業が株券発行会社か否かを調査する際は、この点に留意する必要がある。

ことを前提に、事業引継ぎ後も当該取引先との取引継続を望むのであれば、クロージングの条件に、前提条件として、必要な措置を実施するよう求めることが考えられる。

具体的には、①や②の場合であれば、取引先から、解除権を行使しない旨の書面や事業引継ぎに承諾する旨の書面の取付けを、③の場合であれば、取引先に対する事前通知の実施を、クロージングの前提条件として求めることとなる（こうした対応がむずかしければ、スキーム自体を事業譲渡等、株主構成の変動を伴わないものに変更することも検討することとなる）。

ただし、譲り渡し企業が、取引先に対して、同意書取付のための協議や事前通知等を実施した後に、なんらかの理由で事業引継ぎが不成立に終わった場合、譲り渡し企業は、当該取引先に対して無用な信用不安を与えるだけになりかねない。

このように、チェンジ・オブ・コントロール条項所定の手続を履践することによって、譲り受け企業は事業引継ぎ後の取引中止のリスクを回避することができる反面、譲り渡し企業は事業引継ぎが失敗に終わった場合の取引中止のリスクを負担することとなる。

この点をふまえ、どのタイミングで当該取引先に対する通知等を実施すべきかについては慎重に判断する必要がある。

〈競業禁止条項について〉

取引先との契約書上、一定の期間・場所において、譲り渡し企業の特定の事業活動を禁止する旨の条項が存在する可能性がある。また、譲り渡し企業が過去に事業譲渡を行っている場合も、譲り渡し企業は法令上の競業避止義務（会社法21条）を負うこととなる。

競業禁止条項は、契約終了後も一定期間効力を有するものとして規定されていることが多く、すでに終了した契約であっても、競業禁止条項は有効に存続している可能性があるため、見落し等がないか、特に注意する必要がある。

譲り渡し企業に競業避止義務が課せられている結果、譲り受け企業において、事業引継ぎ後の事業活動に支障が生じる場合は、事業計画の修正や、譲渡価格への反映といった対応が必要となる。

c　許認可等に関する調査

譲り渡し企業の事業につき、必要な許認可が取得されているか否か、また、必要な許認可が取得されているとして、事業引継ぎによって当該許認可を承継できるか否かを調査する必要がある。

この点につき、事業譲渡の場合は、譲り受け企業において、新たに許認可を取得する必要があるのに対し、株式譲渡の場合は、新たな許認可の取得が求められていないのが一般的である。

ただし、株式譲渡の場合であっても、一定の株主の変更や役員の変更につき、監督官庁への届出が必要とされることもある（廃棄物の処理及び清掃に関する法律14条の2、同法施行規則10条の10等）ため注意が必要である。

特に事業譲渡の場合は、許認可を取得できなければ、事業引継ぎをした目的を達成できなくなる事態も生じかねない。そのため、譲り受け企業としては、譲り渡し企業に対し、許認可の取得をクロージングの前提条件に盛り込むよう求めるといった対応が考えられる。

また、たとえ許認可を取得できたとしても、たとえば営業時間に一定の制限が付されるなど、当該許認可の範囲・規模が、譲り受け企業にて想定していた程度を下回る場合も想定しうる。このような事態に備えて、譲渡価格につき、クロージング後に価格調整を行う旨合意するといった対応も考えられる。

d　知的財産権に関する調査

譲り渡し企業が保有する知的財産権につき、真に譲り渡し企業に帰属しているか否かを確認する必要がある。なお、著作権については、特許権や商標権等と異なり、登録がなくても権利として発生するため、確認の際は特に注意が必要である。

第三者が保有する知的財産権につき、譲り渡し企業がライセンス契約を締結している場合には、当該ライセンス契約についてチェンジ・オブ・コントロール条項の有無を確認し、対応を検討する必要がある。

e　会社資産等に関する調査

中小企業においては、会社資産と経営者等の個人資産が混在している場合もありうる。このような場合、譲り受け企業は、両者の峻別を図るべく、譲り渡し企業に対して必要な措置をとるよう求めるとともに、当該措置が実行されたことをクロージングの条件とすることが考えられる。

具体的には、①自社ビルやその敷地等、譲り受け企業の事業に必要な資産が、経営者等の個人名義となっている場合は、譲り渡し企業において、経営者等から当該資産を買い取る、経営者等との間で賃貸借契約を締結するといった措置が必要となる。

また、②譲り受け企業名義のゴルフ会員権や高級車等、譲り受け企業の事業に不要な資産であって、実質的には経営者等の私物とみるべきものについては、経営者等にて買い取ることが考えられる。

その他にも、③譲り受け企業と経営者等との間で、金銭の貸借りや不必要・不相当な取引等がある場合は、債権債務の清算や取引の是正・解消等の措置を講じることとなる。

f　人事・労務に関する調査

人事・労務に関する調査事項は多岐にわたるものの、譲り渡し企業の隠れた債務を発見するという観点から、特に以下の３点に関する調査が重要である。

① 労働時間管理の方法に問題はないか、時間外労働等の割増賃金が未払いとなっていないか。
② 労災事故やハラスメント被害等の事実はあるか、これらの事実が存在した場合に、譲り受け企業が安全配慮義務違反や使用者責任を理由として、損害賠償義務を負う可能性はあるか。
③ 譲り渡し企業が行った懲戒処分や退職勧奨等につき、違法・無効と判断されるリスクはあるか。

g　その他法的リスクに関する調査

これまで述べてきた事項のほかにも、①譲り渡し企業に隠れた債務がないか、②譲り渡し企業のコンプライアンス・リスク管理体制に問題はないかといった観点から、必要に応じて調査を実施することになる。

たとえば、①の観点からは、訴訟・交渉等の紛争の存否や、譲り渡し企業が排出する産業廃棄物の処理方法の適切性、譲り渡し企業が所有・管理または占有する土地に関する土壌汚染の有無といった事項が問題となりうる。

また、②の観点からは、就業規則等の法改正への対応状況や、譲り渡し企業における「業法」の遵守状況、個人情報や営業秘密等の管理状況に問題はないかといった事項が問題となりうる。

(4) 法務DDの結果の反映

以上の調査結果をふまえ、法的なリスクが見つかった場合に、その法的なリスクが事業引継ぎの実行にどのような影響を与えうるのかを把握することが重要である。そのうえで、当該リスクが現実化した場合の影響の大きさやリスクが現実化する可能性の高さ等に応じて、①リスクをそのまま受け入れる、②クロージングの前提条件・表明保証条項を修正する、③譲渡価格を修正する、④スキームを変更する、⑤当該譲り渡し企業についての事業引継ぎを断念するなどの具体的な対応を検討することとなる。

最後に、法務DDにおける主なチェック項目と開示依頼資料については、図表4－4に示すものとする。

(5) 最終契約締結

デュー・ディリジェンスの手続が終わるといよいよ最終契約を締結する。最終契約書は、基本合意書の内容をベースとして、デュー・ディリジェンスの結果をふまえて内容の一部を修正したり、新たに合意した事項を付け加えたりして作成する。最終契約に盛り込む内容や条件について、早い段階から仲介者・FAに伝えて意見を交換しておくことが、円滑な契約締結につながる。

最終契約書には、①譲渡価額、②譲渡対象、③譲渡時期、決済方法、④経営者・役職員の処遇を記載するほか、⑤表明保証条項（双方の取引実行能力や、譲り渡し企業による開示事項の真実性等を表明し保証すること）、⑥最終契約締結後クロージングまでの譲り渡し企業の善管注意義務、⑦譲り渡し企業の競業避止義務、⑧譲り渡し企業の経営者等の保証債務の解消条項等を盛り込むことが多い。

このうち特に問題となるのが、表明保証条項である。譲り受け企業側のデュー・ディリジェンスは、限られた人員および時間的制約のなかで実施されるため、対象会社に関する必要な情報をすべて把握することは困難である。そこで、譲り渡し企業の株主が譲り受け企業に対し、ある時点における自らまたは対象会社に関する一定の事実関係や法律関係について、真実かつ正確であることを表明保証する条項が設けられる。表明保証条項に違反した場合には損害賠償等の責任を負うことになるが、無限定で将来にわたって責任を負い続けることは譲り渡し企業の株主に過大な負担となるため、責任を負う期間や金額に上限を設けることが多い。

最終契約として想定しうる株式譲渡契約書、事業譲渡契約書、合併契約書、分割契約書の書式を、書式４－４～書式４－７に記載する。なお、合併契約書および分割契約書の書式については、会社法上の手続（登記手続を含む）を念頭においた簡略なものにとどめており、表明保証等の条項については合併契約書および分割契約書に付随して締結される覚書あるいはM&A取引全体についての契約等で規定されることを想定している。

図表４－４　法務DDにおける主なチェック項目と開示依頼資料

主なチェック項目	主な開示依頼資料
A．会社組織および管理システム	
⑴　会社の沿革・概要 ・会社の沿革や事業内容などの概要につき確認 ⑵　設　　立 ・設立無効事由や解散事由がないことの確認 ＊設立無効の訴えの提訴期間（会社法828条１項１号）の関係で、設立２年経過後は設立無効については原則として問題とならない。 ⑶　会社組織 ・対象会社の組織の全体像を確認 ⑷　定款 ・定款の記載内容が法令に適合しているか。 ・M&A 取引実行上問題となる、あるいは、手続上留意すべき定めはないか。 →発行可能株式総数の枠、株式譲渡制限の有無等 ・会社法施行に伴う定款のみなし変更に注意 ⑸　社内規則等 ・どのような社内規則があるのかを確認	・定款 ・商業登記簿謄本 ・会社法上の計算書類および事業報告ならびにこれらの附属明細書 ・会社の概要、沿革等を記載したパンフレット、会社案内等の資料 ・本社、営業所、施設等の所在地リスト ・会社設立時の設立関係書類 ・会社組織図、各部門の業務内容、所属人数、各部門の長・役職等を示した資料 ・社内規程（取締役会規程、株式取扱規程、監査役会規程、組織規程、職務権

・株式取扱規程、取締役会規程、組織分掌規程等、組織運営および業務運営に関して重要と思われる内部規則を中心に検討 ・法令に適合しているか、M&A 取引実行上問題となる、あるいは、手続上留意すべき定めはないか等につき確認 (6) 株主総会・取締役会（・監査役会）・その他の会議体 ・主に以下の点につき確認 ① 対象会社の行為につき、法令・定款・社内規則により要求される決議を得ているか（重要な財産の処分、組織再編行為等）。 ② 会議の開催手続・決議内容が法令・定款・社内規則に反していないか（特別利害関係のある取締役が取締役会決議に参加している等）。 ③ 事業に影響を及ぼす重大な決議が過去に行われていないか、など。 ・その他の会議体（経営会議等）の議事録の確認は、対象会社の経営に関する情報収集に役立つ。 (7) コンプライアンス体制 ・コンプライアンス体制全般について確認 ・個人情報保護法、下請法等の遵守体制につき確認 ・反社会勢力との関係につき確認	限規程、業務分掌規程、稟議規程など） ・株主総会議事録 ・取締役会議事録 ・経営会議議事録、常務会議事録その他会社の意思決定に影響を与える取締役会以外の重要な会議体の議事録 ・監査役または監査役会の監査報告および監査役会議事録ならびに会計監査人の監査報告 ・取締役・監査役・執行役員その他の役員の一覧、および、役員の兼任状況を示す資料 ・コンプライアンス体制に関する資料 ・内部統制システムに関する資料その他社内のリスク管理体制に関する資料 ・個人情報保護に関する施策および規程
B．株式・株主	
(1) 株　　式 ・資本金、発行済株式総数、発行可能株式総数、発行されている株式の権利内容（種類株式の内容等）、譲渡制限の有無、株券を発行する定めの有無等につき確認 (2) 新株予約権その他潜在株式の有無 ・新株予約権・新株予約権付社債の有無、その他将来一定の事由の発生などにより対象会社が株式を発行する義務を負うようなことがないかの確認 ＊新株予約権その他潜在株式等があると、将来希釈化が生じる可能性がある。	・定款 ・商業登記簿謄本 ・株主名簿および新株予約権原簿 ・株主名簿に記載されていない株式譲渡があればその詳細を説明する資料、その他現在までの株主の変遷（譲渡の時期・譲渡株式数等）を示す資料 ・株式取扱規程その他株式に関連する社内規程

(3) 株主名簿・株主構成

・株主名簿は法定の記載事項がすべて記載されているか。
・株主構成および株主の属性（創業家、取引先、ベンチャーキャピタル等）の確認
・会社と株主との間で対立状況になっていないか。

(4) 株主間協定・株主との契約

・会社の運営方法等について株主との間で特別な取決めがあるか。
・M&A 取引実行にあたり、株主間協定等によって要求される手続等はないか。
・株主等との間で通例的でない契約等はないか。

(5) 資本関係・株主の変遷、売主の有する株式上の権利

ア　資本関係・株主の変遷

・増資等による資本関係の変遷、株主の変遷につき確認

イ　売主の有する株式上の権利について

・売主が譲渡対象となる対象会社の株式について単に株主名簿上の名義人ではなく、真の所有者であるかを確認
→売主が対象会社の株式を取得した取引、過去に転々譲渡があった場合には当該譲渡取引の経緯を具体的に確認。特に、株券発行会社の場合は株券の交付がなされたか（特に平成16年商法改正前の商法時代）、譲渡制限会社の場合は、取締役会等の承認権限を有する機関の承認があったかなど。
・売主所有の株式に質権や譲渡担保権などの担保権の負担のないことの確認
・売主が所有する株式を表章する株券の所在についても確認。特に、株券発行会社の場合には、株券の交付が株式譲渡の効力発生要件になるので、取引実行に必要

(6) 持株会

・従業員持株会、役員持株会等の持株会があるか。
・持株会が保有する株式を譲り受ける場合には、その手続はどのようになるか確認

・株式に付着する権利制限（質権、譲渡担保等）の一覧およびその根拠となる資料（質権設定契約、譲渡担保設定契約等）
・過去に行われた株式、新株予約権、新株予約権付社債等の発行、株式分割、株式消却、株式併合、自己株式の取得、ストックオプションの付与またはこれらに類する行為の一覧ならびにその関連書類
・株式、新株予約権、新株予約権付社債、ストックオプション等を付与する合意もしくは約束その他会社が新たな株式を発行する義務を負うような合意もしくは約束に関する書類
・株券発行の有無の一覧（株券を発行しているか否か）、不所持申出の有無の一覧（株券を発行したが不所持申出がなされているか否か）および株券不所持に関する書類（不所持申出書、不所持申出書の受領書等）
・会社発行の株券その他の証券のひな形または発行ずみの株券の写し
・会社と株主との間の取引の一覧および当該取引に関する契約書
・会社と株主との間の借入

	れ、保証、担保設定その他の財産上の取決めに関する書類 ・その他上記以外の会社と株主との間の契約または株主間の契約に係る契約書 ・従業員持株会の有無、存在する場合には従業員持株会に関する資料（従業員持株会規約、入会関連書類等）
C．関係会社（親会社・子会社を含む）、過去の組織再編・M&A	
⑴　関係会社 ア　関係会社の全貌についての確認 ・各社の事業内容およびグループ会社内における役割、位置づけについて確認 ・外国子会社についてどの程度まで調査するかは、依頼者とも話して要検討。なお、外国子会社が合弁会社の場合には、特に合弁契約の内容に注意 イ　関係会社との取引 ・関係会社との取引内容につき確認。取引実行後も当該取引が続けられるか等も ・同族会社の場合には、オーナーが有する別会社との間で事業とはまったく関係ない不要な取引関係が存在することも ウ　各関係会社に関する事項 ・各関係会社についての調査・報告（どの程度の調査をするかは案件による） ⑵　過去の組織再編・M&A ・過去の組織再編・M&Aが有効になされているか確認 ・表明保証責任その他補償責任に関して確認 ・競業避止義務を負っていないか（法律上または契約上）の確認 ・その他過去の組織再編・M&A取引における契約等に基づく義務を負っていないかの確認	・関係会社の概要 ・関係会社の関係図・持株関係一覧および株主名簿 ・関係会社の定款、取締役会規程その他の主要な社内規程 ・関係会社の商業登記簿謄本 ・関係会社の役員および従業員一覧ならびに兼任状況を示す資料 ・関係会社の事業の概要に関する説明資料、許認可・登録等の概要を記載した資料その他の関連資料 ・関係会社との間の取引一覧およびこれらに関する契約書 ・関係会社の所有不動産の一覧および賃貸、賃借または使用する不動産の一覧ならびにこれらに関する登記簿謄本その他関係書類 ・関係会社が所有・使用し、

	リースを受けまたはリースをしている重要な機械、装置、什器備品等重要な動産の一覧およびこれらに関する資料 ・関係会社との借入れ、保証、担保その他の財産上の取決めを示す資料 ・関係会社の現時点における借入先のリスト・借入金・残高の明細 ・関係会社による対象会社のための保証契約、保証書、経営指導念書その他の契約または会社による関係会社のためのこれらの契約書 ・対象会社と関係会社の間の金銭消費貸借契約その他融資に関する契約書 ・その他関係会社に関してM&A取引上重要と考えられる事項に関する資料 ・過去の合併、事業譲渡・譲り受け、会社分割、株式交換、株式移転、株式譲渡・譲り受け、組織変更および増資・資本金等の額の減少その他これに類する行為の一覧ならびにこれらに関する書類（合併契約、事業譲渡契約等の契約書、債権者保護手続・株主保護手続等に関連する書類（公告・通知・備置書類等）を含む）

D. 事　業	
(1) 事業の概要 ・事業の概要につきセグメントごとに確認 ・商流（仕入れ、販売、物流など）と重要な取引先の確認 (2) 事業に関する法規制等 ・事業に関する法規制、必要な許認可等について確認 ・M&A 取引の実行に伴い許認可に関連して監督官庁への届出が必要となる手続等の確認。特に事業譲渡、会社分割等の場合には許認可の承継ができず、許認可の取直しが必要な場合も多い。 (3) 事業に関する重要な契約 ア　確認の主な目的 ・事業上重要な契約についての内容把握（書面化されているか、容易に解約されてしまわないか等の確認を含む） ・M&A 取引実行後に対象会社が現在の事業を継続することができるか。 →特にチェンジ・オブ・コントロール条項に注意（後述） →重要な契約がグループ会社との間である場合、継続できるか。 ・M&A 取引実行後に買主が実施予定の事業計画の遂行を阻害する契約がないか。 →特に競業禁止条項・独占権付与条項に注意（後述） ・不当な義務や、特別な義務（一定数量の発注義務、受注義務等）を負っているものがないか。 ・隠れた債務を負っている契約はないか。 イ　事業に関する契約の全体像の把握、内容の確認 ・事業の概要を理解したうえで、事業に関して生じる取引を洗い出し、その契約につき確認する。 →たとえば、卸売業であれば、①仕入れに関する契約、②販売に関する契約、③流通	・事業内容につき説明した資料 ・事業ごとの仕入れ、製造、販売、物流にわたる一連の取引の概要およびこれらの業務フローを説明した資料 ・会社の業務に適用される法規制の一覧（法令・条例等に基づく営業許可、免許、届出等）および会社の法令順守状況を示す資料 ・会社の業務に関する許認可、登録および届出等の一覧ならびにそれらに関する提出書類および所轄機関から受領した書類（許認可証等を含む） ・業務に関し所轄機関から受けた命令、勧告、通告、調査等の資料 **【以下の事業に関する重要な契約は、事業の類型に合わせて開示依頼する資料も異なってくることに注意。】** ・原材料、部品、商品等の仕入れに関する会社の取引先の一覧およびこれらの取引に関し会社が締結している契約の一覧、当該契約に関する契約書（上位○社分） ・製品の販売に関する会社の取引先の一覧およびこれらの取引に関し会社が締結している契約の一

（配送・倉庫）に関する契約等 ＊なお、取引先が多数ある場合には、重要な取引先との契約に絞って（たとえば、売上額上位10社に限定するなど）確認することも考えられる。 ウ　特に注意を要する契約条項 (ア)　チェンジ・オブ・コントロール条項：契約の一方当事者の支配権を有する者の変更を契約の解除事由と定めたり、または、かかる支配権の変動について事前承諾を得たり通知を行う義務を課す条項 (イ)　競業禁止条項：契約当事者が、契約に定められた一定の期間中、一定の地域内において、販売活動その他契約に定められた事業活動を行うことを禁止する条項 →競業禁止条項があると、取引実行後に実施を計画していた事業活動が制限され、当初のM&A取引の目的が十分に達せられないことがあるので注意 ＊会社分割（吸収分割）の場合には、競業禁止条項のある契約が包括的に承継される結果、買主に競業避止義務が発生してしまうこともあるので注意 ＊なお、対象会社が過去に事業譲渡を行っている場合には、法令上の競業避止義務（会社法21条１項）が発生していないかにも注意 (ウ)　独占権付与条項：権利付与者が、契約の相手方に、一定の地域内において販売活動や知的財産権のライセンスを独占的に与える条項 ＊独占権を与えた場合には、指定された地域において、他の第三者に同様の権利を付与することができないので（自己実施できるかどうかは契約内容による）、取引実行後に実施しようとしていた事業活動が制限され、当初のM&A取引の目的が十分に達せられないことがあるので注意	覧、当該契約に関する契約書（上位○社分） ・原材料・部品・製品の保管に関する契約（倉庫寄託契約等）一覧およびこれらの契約書 ・原材料・部品・製品の流通に関する契約（運送契約等）一覧およびこれらの契約書 ・会社が外部に業務の全部または一部を委託している場合の業務委託契約・請負契約の一覧および当該業務委託契約・請負契約の写し ・研究開発に関連する契約書 ・会社が当事者になっている合弁契約、事業提携契約、業務提携契約、株主間協定その他これらに類似する契約に関する資料（事業再生計画、債権者間協定、債権者との取決め等を含む） ・その他業務に関連する重要な契約に関する資料

E．人事および労務	
⑴　従業員の構成 ・従業員の構成（正社員、パートタイム、出向、契約社員、派遣など）、平均年齢、勤続年数等について確認 ・特に中小企業の事業承継の場合には、M&A取引実行の際に事業上重要な従業員が辞めてしまわないかについても考慮が必要 ⑵　就業規則その他労働条件等を定めた規程 ・就業規則その他労働条件等を定めた規程についてどのようなものがあるかを確認 ・内容が法律上無効なものではないか確認 ・就業規則の変更等は適法な手続を経ているか確認 ⑶　賃金・賞与・退職金 ・賃金・賞与・退職金の仕組みについて問題がないかを確認 ・未払賃金の存否および額につき確認 ⑷　労働管理の実態 ・労働時間管理の方法について確認 ・労働基準法および就業規則上、割増賃金の支払が必要であるにもかかわらず（時間外労働・休日労働・深夜労働等）未払いになっていないかの確認 ・サービス残業の有無・規模の確認 ＊資料上の記載と実態が乖離していることが往々にしてあるので、役員・担当者への質問・回答等により実態を把握する。 ⑸　福利厚生 ・法定福利厚生の遵守状況、法定外福利厚生の内容につき確認 ⑹　労働安全衛生・労働災害関係 ・安全衛生管理体制の確認 ・健康保持増進措置についての確認 ・労働災害事故の有無および内容につき確認 ⑺　労働基準監督署等からの指導 ・労働基準監督署からの指導・是正勧告、是正内容等について確認	・各雇用形態（正社員・パートタイム・出向・契約社員など）ごとに、従業員の人数・年齢・勤続年数・職種・平均給与等を説明した資料 ・雇用形態ごとの労働条件を示した契約書・労働条件通知書・給与明細等 ・賃金台帳 ・個別の役員または従業員と締結された契約、覚書、入社・退職時の誓約書、秘密保持契約書、責任限定契約等 ・派遣社員一覧、派遣契約を締結している派遣会社の一覧、それらの会社との労働者派遣基本契約書および労働者派遣個別契約（個別契約についてはひな形） ・就業規則、賃金規程、退職金規程、その他従業員および役員に適用される規程 ・労働時間の管理方法、時間外・休日労働の実態に関する資料 ・労働関係の官公庁への提出書類、労働関係の官公庁からの通知、勧告書、指導票およびこれに対する社内の報告書等 ・役員または従業員のための保険、社宅等の設備、社員貸付・保証等の信用供与、

(8) 労働組合 ・労働組合の有無につき確認 ・労働協約等で、M&A取引の実行にあたって労働組合への事前通知･事前協議義務等がないか。 (9) 労使関係等（リストラの有無含む） ・労使関係の問題点（パワハラ、セクハラを含む）等につき確認	その他役員または従業員の福利厚生に関する資料 ・強制加入の社会保険（健康保険・厚生年金保険・労災保険および雇用保険等）に関する状況の概略に関する資料 ・労働、社会保障、厚生に関する法令等の遵守状況を示す資料 ・労働組合の有無・状況、労働組合と会社との関係、労働組合または従業員代表との労使協約・労使協定（三六協定を含む）・合意ならびに労働問題およびストライキに関する書類（労使間交渉の議事録等を含む） ・労働安全・衛生管理の取組みに関する資料 ・過去の労働災害事故に関する資料 ・役員または従業員が関与した不祥事・クレームに関する資料 ・過去の懲戒事例（懲戒解雇の場合は解雇事由の詳細）に関する資料 ・会社と役員または従業員との紛争および予見される紛争に関する資料 ・過去行われたリストラ・早期退職者募集の内容および手続に関する資料

F．資　産	
(1) 不動産 ア　確認の主な目的 ・対象会社が事業活動を継続するために必要な不動産を問題なく使用する権限を有しているか、想定しているM&A取引実行によって当該使用権限に問題が生じないかを確認 →①　不動産の使用権限の内容 ②　担保権、賃借権など不動産に設定された制限 ③　不動産の使用権限に影響を及ぼす法律上の問題点 ④　不動産の使用権限の対抗力、などを確認 イ　所有不動産について ・所有権の確認、担保権などの負担の有無の確認。担保権がある場合には、その内容についても確認 ・不動産登記にもれがないか確認 ウ　賃借不動産 ・賃貸借契約の有無、賃貸借契約の内容（以下の点など）につき確認 ①　賃貸借契約期間、更新条項、中途解約条項、賃料、賃料改定条項、敷金等 ②　賃貸借契約に譲渡禁止特約がないか（事業譲渡の場合には、譲渡につき賃貸人の承諾が必要となる）。 ③　使用目的による利用制限、チェンジ・オブ・コントロール条項 〈その他特約等〉 ・借地借家法が適用される賃貸借契約かどうか。また、普通の賃貸借契約か、特殊な賃貸借契約か（定期建物賃貸借契約等）。 ・貸主の権限の確認（不動産の所有者か、転貸人か等） ＊ただし、転貸の場合、原賃貸借契約につき調査するのは資料入手ができずむずかしいことが多い。	・所有不動産の一覧およびその登記簿謄本ならびにその所有を基礎づける契約（売買契約等）その他関係書類 ・賃貸、賃借または使用する不動産の一覧およびその賃貸借契約、使用貸借契約、対象不動産の登記簿謄本その他関係書類 ・会社が所有もしくは使用しまたはリースを受けもしくはリースをしている重要な機械、装置、什器備品等重要な動産の一覧および登録があるものはその資料 ・上記の重要な動産に係る売買契約、割賦販売契約、リース契約、レンタル契約、担保権設定契約、損害保険契約、保守契約その他の関連する書類 ・会社の使用する管理システムの概要の説明資料、当該システムに係る開発委託契約、利用契約その他のシステム・ソフトウェアに関する契約書 ・会社が所有する有価証券、出資金、持分、保証金等（ゴルフ会員権等を含む）の一覧およびその処分に関する制約（担保の設定を含む）の一覧ならびにこれらに関連する

・賃借を受けている不動産に、使用権に優先する第三者の担保権等がないか確認 ・建物所有、土地賃借の場合には、 ① 建物所有名義と借地権設定契約上の借地権者が同一かについての確認（借地借家法10条1項参照） ② 建物の登記の所在欄に記載されているすべての地番を、借地権設定契約がカバーしているかどうか確認 (2) 動　　産 ア　確認の主な目的 ・対象会社が事業活動を継続するために必要な重要な動産を問題なく使用する権限を有しているか、想定しているM&A取引実行によって当該使用権限に問題が生じないかを確認 イ　重要な所有動産（機械設備・什器備品等） ・事業に必要な重要動産の継続使用を妨げるような事由がないかを確認 ウ　重要な動産のリース契約等 ・リース対象物件の使用制限（使用場所の変更禁止条項）に注意 ・リース契約満了時の再リース権、中途解約の場合のペナルティ等の確認 (3) 貸付債権 ・概要を把握 ・貸付証書、担保の有無、保証の有無等を確認 ・場合によっては貸金業登録が必要となる場合もあるので注意 (4) 有価証券 ・概要を把握（担保権設定の有無含む） (5) 組合出資持分 ・無限責任を負担していないか確認 ・金融商品取引法上の登録が必要となるものではないか確認 (6) 保　　険 ・付保対象となっている資産の種類、保険でカバーされている保険事故の内容、保険の限度額、免責額などを確認	資料 ・製造物責任保険その他の保険契約一覧および保険契約に関するいっさいの書類（保険証券、約款を含む）

G．知的財産権	
(1)　産業財産権（特許、実用新案、意匠、商標） ・誰が権利者として登録されているか（共有者含む）、実施権・使用権の設定の有無、質権その他の担保権の有無、有効期間等を登録原簿等で確認 ＊産業財産権は、そもそも権利自体が無効となるリスクが相当程度ある。ただし、そのリスクの程度を判断することは法務DDではむずかしい（無効審判や訴訟の有無、クレームの有無の確認等程度）。 ・共有になっている産業財産権については、権利の利用、譲渡等に関する取決め等につき確認 ・第三者が保有する産業財産権を侵害をしていないか。 (2)　著　作　権 ・保有している重要な著作権の権利関係の確認 ・第三者に制作を依頼したものにつき第三者との契約内容を確認し、権利がどちらにあるのか、利用の制約等につき確認 ・著作権の譲渡契約に関しては、以下の点につき注意 ①　著作権法27条（翻訳権、翻案権等）および28条（二次的著作物の利用に関する原著作者の権利）に規定する権利が譲渡の目的として特掲されていないときは譲渡者に留保されたものと推定される。 ②　著作者人格権については、一身専属権であるため譲渡できないことから、著作者による著作者人格権の不行使を定めることが多い。 ・共有になっている著作権については、権利の利用、譲渡等に関する取決め等につき確認 (3)　知的財産権に関するライセンス契約等 ・独占・非独占その他権利の内容等につき確認 ・特にチェンジ・オブ・コントロール条項に注意 ・ライセンス契約につき、第三者対抗要件を備えているか確認 ・契約内容が独占禁止法上問題ないか。	・会社が所有または使用し、ライセンスを受けまたはライセンスをしている商号、商標権、サービスマーク、特許権、実用新案、意匠、著作権、ノウハウ等の知的財産権（出願中のものも含む）の一覧 ・上記の知的財産権に係る登録原簿、特許公報および出願書類等 ・上記の知的財産権に係る売買契約、ライセンス契約、担保権設定契約、技術援助契約、共同研究開発契約等他社との取決めに関する書類 ・会社による第三者の知的財産権に対する侵害または第三者による会社の所有または使用する知的財産権に対する侵害に関する書類（(元）従業員からのものも含む） ・会社と役員または従業員との間の知的財産権の帰属およびその取扱いに関する書類（社内規程、契約、覚書等を含む） ・過去の職務発明等に対する報酬支給実績の一覧 ・ノウハウ、顧客名簿その他営業秘密の管理に関する資料

→①　特許・ノウハウ：「知的財産の利用に関する独占禁止法上の指針」 ②　共同開発契約：「共同研究開発に関する独占禁止法上の指針」などに適合しているか。 (4)　知的財産権の管理体制 ・知的財産権の管理体制につき確認 ・一般的に、個別のライセンス契約ではそれぞれ詳細な内容が規定されているが、適切に管理されていないと契約違反が生じやすくなる（特に外国語の契約など）。 ・職務発明規程（職務発明の「相当の対価」（特許法35条３項）の関係）等の確認	
H．負債（資金調達を含む）	
(1)　資金調達等 ・資金調達の概要の把握 ・借入れの際に提供している担保、保証の概要を確認（親会社の保証や代表取締役の保証の場合、M&A 取引実行と同時に当該保証の解約を求められることが一般的）、担保提供物等の利用制限の確認 ・資金調達のための契約中に、事業活動や資産処分を制限する内容が入っていないか確認 ・銀行以外の金融機関、貸金業者、関連会社、個人等からの融資を受けている場合には融資を受けるに至った経緯を確認 (2)　保証債務等 ・第三者の借入れの保証、子会社や関係会社の借入れの保証、経営指導念書の差入れ等につき確認 ・デリバティブ取引につき確認 →巨額損失、中途解約清算金が多額となる可能性等	・借入先のリスト・借入金・残高の明細、借入れに関する契約および当該借入れに対する保証契約、経営指導念書、担保権設定契約その他類似する契約書 ・会社による資産の証券化または流動化に関する契約、取引概要を説明した書類、専門家作成の意見書 ・会社の発行する社債に関する書類 ・会社の締結したデリバティブ取引契約、ファクタリング契約、その他これらに類似する契約に関する書類 ・上記以外の会社の資金調達に関する契約に関する資料 ・会社による貸付契約、債務引受、他人のための保

	証契約（経営指導念書も含む）、担保設定契約、損害担保契約その他類似する契約書
I．環境問題	
(1) 産業廃棄物の処理 ・産業廃棄物の処理方法につき確認 ・産業廃棄物の処理を第三者に委託している場合、マニフェスト（産業廃棄物管理票）の発行・管理を適切に行っているか。 (2) 土壌汚染、大気汚染、水質汚濁、騒音、振動等 ・工場等を有している場合には、土壌汚染大気汚染、水質汚濁、騒音、振動の問題がないか。 →特に土壌汚染については、所有、管理または占有する土地のなかに、土壌汚染対対策法上、土壌の汚染状態が基準に適合しない土地として指定された区域等がある場合には、汚染除去などの責任を負うリスクがあり注意 (3) アスベスト、ポリ塩化ビフェニル（PCB） ・アスベスト・PCBを使用していないか確認 →処理に多額の費用がかかるので、譲渡価額の減額要因	・廃棄物、有害物質の排出・処分に関する契約その他の資料 ・環境・公害問題（排水・汚水処理、産業廃棄物、有害物質、土壌汚染、水質汚濁、騒音、振動、臭気等）につき当局または第三者からクレーム・指摘・勧告等があった事項に関する資料 ・環境に関する法令の遵守状況を示す資料 ・会社の保有する土地、設備に関する環境問題に関する報告書等の資料 ・都道府県、市、町または地域との環境、公害に関する協定等の有無およびその内容に関する資料 ・その他環境・公害に関し問題となりうる事項に関する資料（アスベスト、PCBに関するものも含む）
J．訴訟事件およびその他の紛争	
(1) 訴訟・紛争案件 ・取引実行の妨げとなる係属中または潜在的な訴訟・紛争の有無・内容を確認 ・過去に起きた訴訟・紛争の傾向および今後発生するおそれの有無・程度・内容につき確認 (2) クレーム等	・会社、関係会社、これらの会社の役員または従業員が当事者となっているか、会社または関係会社の事業に影響を与えるおそれのある法的紛争（潜

・紛争まで発展していないクレームの内容、そこからみえる事業の問題点を確認 (3)　偶発債務 ・偶発債務（現時点では債務ではないが、一定の事由を条件として将来において債務となる可能性があるもの一般を意味する）がないか確認	在的に問題となるおそれがあるものも含む）に関する書類 ・司法または行政上の判決、決定、命令、和解の一覧およびこれらに関する書類 ・上記以外の過去、現在および潜在的なクレームの一覧およびクレームに関する資料（子会社・関係会社のものも含む） ・その他偶発債務となりうる事項に関する資料

(6)　クロージング

M&Aの終局段階であり、最終契約を締結した後、具体的な株式等の譲渡の手続や代金の決済を行う。

クロージングにあたっては、それに先立ち、譲渡対象株式が譲渡制限株式であれば株式譲渡の承認手続を、事業に許認可が必要な場合には許認可の取得や官公庁への届出等を完了させておく必要がある。また、抵当権等の担保権の解除や連帯保証人の変更などの担保権者との調整等も必要となる。

クロージングにあたり、株式の譲渡手続を行い、株主名簿の名義変更を行ったとしても、それだけでは株主が変更したというにすぎず、取締役等の役員に変更はない。そこで、一般的には、直ちに現経営陣のもとで株主総会を開催し、現役員は全員が辞任し、新役員を選任することになる。ただし、譲り渡し企業の経営者が一定期間会社に残ることも考えられ、その場合は取締役として残る、あるいは、辞任したうえで、顧問契約等を締結することになる。

書式4－4　株式譲渡契約書

株式譲渡契約書

【譲り渡し側株主】（以下「甲」という。）及び【譲り受け側】（以下「乙」という。）は、【譲り渡し側（株式会社）】（代表者：○○、本店所在地：○○。以下「対象会社」という。）の発行済株式の全てである普通株式○○株（以下「本株式」という。）の甲から乙に対する譲渡（以下「本株式譲渡」という。）に関し、本日、以下のとおり株式譲渡契約（以下「本契約」という。）を締結する。

注：簡易な株式譲渡契約書として、次の条項のみを設ける例もあり得る。
第1条　（目的）
第2条　（本株式の譲渡）
第3条　（譲渡価格）
第4条　（本株式譲渡の実行）
第13条　（甲の義務）
第14条　（乙の義務）
第15条　（本契約の解除）
第18条　（秘密保持義務）
第27条　（誠実協議）

第1章　本株式の譲渡

第1条　（目的）

本契約は、対象会社の一層の発展を目指し、本株式を甲が乙に対して譲渡することにより、対象会社の経営権を乙に移転することを目的として、締結する。

第2条　（本株式の譲渡）

甲は、乙に対し、本契約の規定に従い、○○年○○月○○日又は甲及び乙が書面により別途合意する日（以下「クロージング日」という。）において、本株式を譲り渡し、乙は甲から本株式を譲り受ける。

第3条　（譲渡価格）

本株式譲渡における本株式の対価（以下「本譲渡価額」という。）は、金○○円（1株あたり金○○円）とする。

第4条　（本株式譲渡の実行）

1　甲は、乙に対し、クロージング日に、乙から本譲渡価額の支払を受けることと引換えに、次の各号の書類を交付する。
　①　甲の印鑑証明書
　②　本株式に係る株券
　③　第5条第2号及び第9条第1号に定める本株式譲渡を承認した対象会社の取締役会決議に係る議事録の原本証明付写し

注：多くの中小企業は、発行済株式が全て譲渡制限株式である会社（いわゆる非

公開会社）であり、株式譲渡については会社の承認（原則として、取締役会設置会社では取締役会決議、取締役会非設置会社では株主総会決議を要するが、定款でそれ以外の方法とすることもできる。）が必要である。

④　第12条第１項及び第２項に定める対象会社の全取締役及び全監査役の辞任届
⑤　対象会社の株主名簿（クロージング日の前日時点でのもの）の原本証明付写し

2　乙は、甲に対し、クロージング日に、前項各号の書類の引渡しを受けることと引換えに、本譲渡価額を支払う。

3　前項の支払は、乙が下記の銀行口座に振込送金する方法により行う。ただし、振込手数料は乙の負担とする。

記

銀行支店名	○○銀行　○○支店
口座種別	普通預金
口座番号	○○
口座名義	甲

4　本株式譲渡の効力は、本条第１項に従い行われる株券の交付時に生じる。

注：本サンプルは、対象会社が株券発行会社であるという前提である。株券発行会社の場合、有効な株式譲渡のためには、原則として株券の交付が必要である。

5　甲及び乙は、クロージング日において、甲及び乙による本条第１項及び第２項の各義務の履行（以下「クロージング」という。）後直ちに、対象会社をして、本株式に係る甲から乙への株主名簿の名義書換を行わせる。

注：株券発行会社であるか否かにかかわらず、株式譲渡後には、株主名簿の名義書換を行う必要がある。

第２章　前提条件

第５条　（乙のクロージングの前提条件）

乙は、クロージング日において甲について次の各号が満たされていることを前提条件として、第４条第２項に定める乙の義務を履行する。なお、クロージング日において以下の各号の条件が一部でも満たされていない場合には、乙は、第４条第２項に定める義務の履行を拒絶できるが、その任意の裁量により、以下の各号の条件の一部又は全部を放棄することができる。ただし、かかる条件の一部又は全部の放棄によっても、以下の各号の条件が充足したとみなされるものではなく、また、甲は、本契約に基づく表明及び保証の違反に基づく責任その他本契約に定める甲の責任を減免されるものではない。

①　第７条に規定する甲の表明及び保証が、クロージング日において、真実かつ正確であること。ただし、軽微な点における誤りは除く。
②　第９条に規定する甲の義務が全て履行されていること。

第６条　（甲のクロージングの前提条件）

甲は、クロージング日において乙について次の各号が満たされていることを前提条件として、第４条第１項に定める甲の義務を履行する。なお、クロージング日において以下の各号の条件が一部でも満たされていない場合には、甲は、第４条第１項に定める義務の履行を拒絶できるが、その任意の裁量により、以下の各号の条件の一部又は全部を放棄することができる。ただし、かかる条件の一部又は全部の放棄によっても、以下の各号の条件が充足したとみなされるものではなく、また、乙は、本契約に基づく表明及び保証の違反に基づく責任その他本契約に定める乙の責任を減免されるものではない。

① 第８条に規定する乙の表明及び保証が、クロージング日において、真実かつ正確であること。ただし、軽微な点における誤りは除く。

② 第10条に規定する乙の義務が全て履行されていること。

第３章　表明及び保証

第７条　（甲の表明及び保証）

甲は、乙に対し、本契約締結日及びクロージング日において、別紙１に記載の各事項が真実かつ正確であることを表明し保証する。

第８条　（乙の表明及び保証）

乙は、甲に対し、本契約締結日及びクロージング日において、別紙２に記載の各事項が真実かつ正確であることを表明し保証する。

第４章　クロージング前の取扱い

第９条　（甲の義務）

甲は、乙に対し、本契約締結日後クロージングまでの間に、次の各号に定める義務を履行するものとする。

① 甲は、対象会社の取締役会をして、本株式譲渡を承認する旨の決議をさせなければならない。

② 甲は、対象会社をして、対象会社の活動を通常の事業活動の範囲内で行わせなければならず、通常の事業活動の範囲外の活動については、事前に乙の同意を得なければ行わせてはならない。

③ 甲は、第７条に規定する表明保証に違反することとなる行為を行わず、違反の事実又はそのおそれが生じた場合、直ちにその旨並びに当該事実又はそのおそれの詳細を乙に対して通知する。

第10条　（乙の義務）

乙は、甲に対し、本契約締結日後クロージングまでの間に、第８条に規定する表明保証に違反することとなる行為を行わず、違反の事実又はそのおそれが生じた場合、直ちにその旨並びに当該事実又はそのおそれの詳細を甲に対して通知する義務を負う。

第５章　クロージング後の取扱い

第11条　（役員退職慰労金の支払）

1　乙は、対象会社をして、クロージング後速やかに、クロージングに際して対象会社の代表取締役を辞任する甲に対して金○○円の役員退職慰労金を支払う旨の承認決議を行わせ、甲に対して当該役員退職慰労金を支払わせるものとする。

2　乙は、対象会社をして、前項の金員を、下記の銀行口座に振込送金する方法により支払わせる。ただし、振込手数料は対象会社の負担とする。

記

銀行支店名　○○銀行　○○支店
口座種別　普通預金
口座番号　○○
口座名義人　甲

3　乙は、対象会社をして、本条に定める役員退職慰労金の支払について、法令等に従い、所要の源泉徴収を行わせる。

第12条　（対象会社の役員）

1　甲は、クロージング日付の辞任届を作成して対象会社に提出し、クロージングに際して対象会社の取締役及び代表取締役を辞任する。

2　甲は、対象会社の甲以外の全取締役及び全監査役をして、クロージング日付の辞任届を作成させて対象会社に提出させ、クロージングに際して対象会社の取締役ないし監査役を辞任させる。

3　甲は、乙がクロージング日においてクロージング後直ちに対象会社の株主総会を開催して、乙が、(i)別途指定するとおり対象会社の定款を変更し、かつ、(ii)別途指名する者を対象会社の役員に選任できるよう協力する。

第13条　（甲の義務）

1　甲は、クロージング後、乙の合理的な求めに応じて、必要な引継ぎ（決算及び税務申告に関するものを含む。）について、合理的な範囲で協力する。甲及び乙は、別途協議して、引継ぎの詳細を取り決める。

2　甲は、本契約締結後○年間は、乙及び対象会社の書面による承諾がない限り、対象会社と競業関係に立つ業務を行わず、又は第三者をしてこれを行わせない。

3　甲は、本契約締結後○年間、自ら又はその関係者を通じて、対象会社の従業員を勧誘し、対象会社からの退職を促し、又はその他何らの働きかけも行わないことを約する。

4　甲は、乙又は対象会社が、甲の表明及び保証が正確若しくは真実でなかったこと又は甲の本契約上の債務不履行に関し、第三者から損害賠償の請求その他のクレームを受けた場合、乙からの求めに応じ、当該クレームの処理につき乙又は対象会社に協力する。

5　甲は、本株式について、所有権、株主権その他の権利を主張する第三者の存在が判明した場合には、甲の費用と責任において、当該第三者が主張する本株式に関する一切の権利を消滅させる。

6　甲は、クロージング前の商取引等に関する税務調査を受けた乙から連絡を受けた場合には、相互に協力して対応する。

第14条　（乙の義務）

1　乙は、原則として、クロージング後、対象会社の従業員を全員継続雇用する。

2　乙は、クロージング前の商取引等に関する税務調査を受けた甲から連絡を受けた場合には、相互に協力して対応する。

3　乙は、対象会社をして、対象会社の債務を対象会社の役職員が保証している契約につき、当該契約の相手方と書面又は口頭による交渉を行い、当該保証の解除を合意させ、かつ、当該保証が合意解除されたことを示す書類を甲に交付するよう最大限努力する。甲が対象会社のために保証している契約について、保証債務の履行その他の損害、損失又は費用が発生した場合には、乙は、甲の損害、損失又は費用を補償する。

第6章　解　　除

第15条　（本契約の解除）

1　甲及び乙は、相手方に本契約に定める表明保証、義務又は約束に違反があった場合、相当期間を定めて催告し、相手方が当該期間内にこれを是正しないときは、クロージング前に限り、本契約を解除することができる。

2　甲及び乙は、前項の定めにかかわらず、相手方が、別紙1の⑴⑤及び⑵⑭に規定する第7条に基づく甲の表明及び保証に違反した場合又は別紙2の⑤に規定する第8条に基づく乙の表明及び保証に違反した場合には、相手方に対して書面で通知することで、本契約を解除することができる。

3　本契約の解除後も、第7章の規定に基づく補償の請求は妨げられない。

第7章　補　　償

第16条　（甲による補償）

1　甲は、乙に対し、第7条に定める甲の表明保証の違反又は本契約に基づく甲の義務の違反に起因又は関連して乙が被った損害、損失又は費用（合理的な弁護士費用を含む。以下「損害等」という。）を補償する。

2　前項の補償のうち、甲の表明保証の違反に基づく補償責任は、乙が、クロージング日から○年経過するまでに書面により甲に請求した場合に限り生じるものとし、合計損害額○○円を上限とする。

3　甲は、乙が第1項に基づく補償の請求の対象となる自らの損害等の拡大を防止するための措置を執らなかったことにより拡大した損害等については、第1項に基づく補償責任を条理上合理的な範囲で免れるものとする。

4　本契約に商法第526条の規定は適用されないものとする。

第17条　（乙による補償）

1　乙は、甲に対し、第8条に定める乙の表明保証の違反又は本契約に基づく乙の義務の違反に起因又は関連して甲が被った損害等を補償する。

2　前項の補償のうち、乙の表明保証の違反に基づく補償責任は、甲が、クロージング日から○年経過するまでに書面により乙に請求した場合に限り生じるものとし、合計損害額○○円を上限とする。

3　乙は、甲が第1項に基づく補償の請求の対象となる自らの損害等の拡大を防止するための措置を執らなかったことにより拡大した損害等については、第1項に基づく補償責任を条理上合理的な範囲で免れるものとする。

第8章　一般条項

第18条　（秘密保持義務）

1　甲及び乙は、本契約締結日から○年間、(i)本契約の検討又は交渉に関連して相手方から開示を受けた情報、(ii)本契約の締結の事実並びに本契約の存在及び内容、並びに(iii)本契約に係る交渉の経緯及び内容に関する事実（以下「秘密情報」と総称する。）を、相手方の事前の書面による承諾なくして第三者に対して開示してはならず、また、本契約の目的以外の目的で使用してはならない。ただし、上記(i)の秘密情報のうち、以下の各号のいずれかに該当する情報は、秘密情報に該当しない。

① 開示を受けた時点において、既に公知の情報

② 開示を受けた時点において、情報受領者が既に正当に保有していた情報

③ 開示を受けた後に、情報受領者の責に帰すべき事由によらずに公知となった情報

④ 開示を受けた後に、情報受領者が正当な権限を有する第三者から秘密保持義務を負うことなく正当に入手した情報

⑤ 情報受領者が秘密情報を利用することなく独自に開発した情報

2 甲及び乙は、前項の規定にかかわらず、以下の各号のいずれかに該当する場合には、秘密情報を第三者に開示することができる。

① 自己（甲においては対象会社を含む。）の役員及び従業員並びに弁護士、公認会計士、税理士、司法書士及びフィナンシャル・FA その他の FA に対し、本契約に基づく取引のために合理的に必要とされる範囲内で秘密情報を開示する場合。ただし、開示を受ける者が少なくとも本条に定める秘密保持義務と同様の秘密保持義務を法令又は契約に基づき負担する場合に限るものとし、かかる義務の違反については、その違反した者に対して秘密情報を開示した当事者が自ら責任を負う。

② 法令等の規定に基づき、裁判所、政府、規制当局、所轄官庁その他これらに準じる公的機関・団体（事業引継ぎ支援センターを含む。）等により秘密情報の開示を要求又は要請される場合に、合理的に必要な範囲内で当該秘密情報を開示する場合。なお、かかる場合、相手方に対し、かかる開示の内容を事前に（それが法令等上困難である場合は、開示後可能な限り速やかに）通知しなければならない。

第19条 （第三者への公表日）

1 本契約締結及びこれに関する一切の事実の対外的公表の日（以下「公表日」という。）は、○○年○○月○○日とする。当該対外的公表の方法等については、甲及び乙が協議の上決定する。

2 各当事者は、公表日まで、本契約締結及びこれに関する一切の事実について秘密保持に努めるものとする。

第20条 （公租公課及び費用）

甲及び乙は、原則として、本契約及び本契約が予定する取引に関連して発生する公租公課、FA に対する費用・報酬、その他一切の費用については、各自これを負担する。

第21条 （通知等）

本契約に関する相手方に対する通知等は、後記当事者欄記載の住所ないし所在地に対して行われる。ただし、甲及び乙は、本契約締結後、書面により相手方に通知することにより、連絡先の変更を行うことができる。本条に従い通知等がされたにもかかわらず、当該通知等が延着し又は未着となった場合、通常到達すべき日に到達したものとみなされ、その効力が発生する。

第22条 （残存効）

本契約が終了した場合であっても、第７章及び第８章（第19条を除く。）の規定は引

き続き効力を有する。

第23条　(完全合意)

本契約は、本株式譲渡に関する当事者の完全な合意であり、これ以前に本株式譲渡に関して甲乙間で交わされた文書、口頭を問わず、いかなる取決め（秘密保持に関する契約を含む。）も全て失効する。

第24条　(契約上の地位又は権利義務の譲渡等)

甲及び乙は、相手方の書面による事前の承諾を得ない限り、本契約上の地位又は本契約に基づく権利義務につき、直接又は間接を問わず、第三者に譲渡、移転、承継又は担保権の設定その他の処分をしてはならない。

第25条　(条項の可分性)

本契約の一部の条項が無効、違法又は執行不能となった場合においても、その他の条項の有効性、適法性及び執行可能性はいかなる意味においても損なわれることなく、また、影響を受けない。

第26条　(準拠法・管轄)

1　本契約は、日本法に準拠し、これに従って解釈される。
2　本契約に関する一切の紛争（調停を含む。）については、○○地方裁判所を第一審の専属的合意管轄裁判所とする。

第27条　(誠実協議)

甲及び乙は、本契約に定めのない事項及び本契約の条項に関して疑義が生じた場合には、信義誠実の原則に従い、誠実に協議の上解決する。

本契約締結の証として本書２通を作成し、甲乙記名押印の上、各１通を保有する。

○○年○○月○○日

甲
（住　所）
（氏　名）　㊞
乙
（所在地）
（名　称）
（代表者）　㊞

(別紙１)　甲が表明及び保証する事項

(1)　甲に関する表明及び保証

①　自然人

甲は、日本国籍を有し日本国に居住する自然人であること。

②　本契約の締結及び履行

甲は、本契約を適法かつ有効に締結し、これを履行するために必要な権限及び権能を全て有しており、法令等上の制限及び制約を受けていないこと。

③　強制執行可能性

本契約は、甲により適法かつ有効に締結されており、かつ乙により適法かつ有効に締結された場合には、甲の適法、有効かつ法的拘束力のある義務を構成し、かかる義務は、本契約の各条項に従い、甲に対して執行可能であること。

④　法令等との抵触の不存在

甲による本契約の締結及び履行は、(i)甲に適用ある法令等又は司法・行政機関等の判断等に違反するものではなく、(ii)甲が当事者である契約等について、債務不履行事由等を構成するものではないこと。また、甲による本契約の締結又は履行に重大な影響を及ぼす、甲を当事者とする訴訟等は係属しておらず、かつ、将来かかる訴訟等が係属するおそれもないこと。

⑤　反社会的勢力との関係の不存在

甲は、反社会的勢力ではなく、反社会的勢力との間に取引、資金の提供、便宜の供与、経営への関与その他一切の関係又は交流がないこと。

なお、反社会的勢力とは、以下の者のことを指し、本契約において以下同じとする。

i　暴力団（その団体の構成員（その団体の構成団体の構成員を含む。）が集団的に又は常習的に暴力的不法行為等を行うことを助長するおそれがある団体をいう。）

ii　暴力団員（暴力団の構成員をいう。）

iii　暴力団準構成員（暴力団員以外の暴力団と関係を有する者であって、暴力団の威力を背景に暴力的不法行為等を行うおそれがある者、又は暴力団若しくは暴力団員に対し資金、武器等の供給を行う等、暴力団の維持若しくは運営に協力し若しくは関与する者をいう。）

iv　暴力団関係企業（暴力団員が実質的にその経営に関与している企業、暴力団準構成員若しくは元暴力団員が経営する企業で暴力団に資金提供を行う等、暴力団の維持若しくは運営に積極的に協力し若しくは関与する企業又は業務の遂行等において積極的に暴力団を利用し暴力団の維持若しくは運営に協力している企業をいう。）

v　総会屋等（総会屋、会社ゴロ等企業等を対象に不正な利益を求めて暴力的不法行為等を行うおそれがあり、市民生活の安全に脅威を与える者をいう。）

vi　社会運動等標ぼうゴロ（社会運動若しくは政治活動を仮装し、又は標ぼうして、不正な利益を求めて暴力的不法行為等を行うおそれがあり、市民生活の安全に脅威を与える者をいう。）

vii　特殊知能暴力集団等（上記 i ないしviに掲げる者以外の、暴力団との関係を背景に、その威力を用い、又は暴力団と資金的なつながりを有し、構造的な不正の中核となっている集団又は個人をいう。）

viii　その他上記 i ないしviiに準ずる者

⑥　倒産手続等の不存在

甲について、支払停止、手形不渡、銀行取引停止等の事由は生じておらず、かつ、破産、民事再生等の倒産手続開始の申立てはされておらず、それらの申立て事由も生じておらず、私的整理も行われていないこと。

⑦　対象会社との取引の不存在

クロージング日において、甲と対象会社の間には、甲が対象会社の役員として提供する役務及びそれに対する報酬等の支払を除き、役務、便益の提供その他の取引（契約書の有無を問わない。）は存在しないこと。ただし、本契約において記載がある事項については、この限りではない。

(2) 対象会社に関する表明及び保証

① 対象会社の設立及び存続

対象会社は、日本法に基づき適法かつ有効に設立され、かつ存続する株式会社であり、現在行っている事業に必要な権限及び権能を有していること。

② 対象会社の株式

i 対象会社の発行済株式は本株式が全てであること。本株式は、その全てが適法かつ有効に発行され、全額払込済みの普通株式であること。

ii 甲は、本株式の全てを何らの負担、制限及び制約のない状態で、適法かつ有効に所有していること。

iii 本株式について、訴訟等、クレーム等、司法・行政機関等の判断等は存在しないこと。

iv 対象会社は、転換社債、新株引受権付社債、新株引受権、新株予約権、新株予約権付社債その他対象会社の株式を取得できる権利を発行又は付与していないこと。

③ 子会社及び関連会社の不存在

対象会社は、子会社及び関連会社を有していないこと。

④ 倒産手続等の不存在

対象会社について、支払停止、手形不渡、銀行取引停止等の事由は生じておらず、かつ、破産、民事再生、会社更生、特別清算等の倒産手続開始の申立てはされておらず、それらの申立て事由も生じておらず、私的整理も行われていないこと。

⑤ 計算書類等

○○年○○月○○日を終期とする事業年度に係る対象会社の計算書類その他の甲が乙に開示した計算書類等（以下「本計算書類等」という。）は、適用ある法令等及び日本において一般に公正妥当と認められる企業会計の基準に従って作成されており、その作成基準日及び対象期間における対象会社の財政状態及び経営成績を、重要な点において正確に示していること。

⑥ 資産

対象会社は、その事業の遂行のために使用している有形又は無形資産につき、有効かつ対抗要件を具備した所有権、賃借権又は使用権を保有しており、かかる資産上には対象会社以外の者に対する債権を被担保債権とする担保権は存在しないこと。また、対象会社の所有に係る不動産は、良好な状態に維持されており、重要な変更を加えられていないこと。

⑦ 知的財産権

対象会社は、その事業を遂行するにあたり必要な全ての特許権、実用新案権、意匠権、商標権、著作権その他の知的財産権（以下「知的財産権」という。）について、自ら保有するか又は知的財産権を使用する権利を有しており、第三者の知的財産権を侵害しておらず、過去に侵害した事実もなく、侵害しているとのクレームを受けたこともないこと。また、第三者が対象会社の知的財産権を侵害している事実もないこと。

⑧ 負債

対象会社は、保証契約、保証予約、経営指導念書、損失補填契約、損害担保契約その他第三者の債務を負担し若しくは保証し、又は第三者の損失を補填し若しくは担保する契約の当事者ではないこと。対象会社は、○○年○○月○○日以降、通常の業務過程で生じる債務及び負債、本計算書類等に記載された負債、第11条に従い甲に支払われる役員に係る役員退職慰労金債務を除き、一切の債務及び負債を負担していないこと。

⑨　**重要な契約**

対象会社が締結する重要な契約は全て有効に成立・存続し、それぞれ各契約の全当事者を拘束し、かつ執行可能な義務を構成すること。全ての重要な契約に関し、これらの内容を変更若しくは修正し、又は契約の効果を減ずるような約束は、口頭又は文書を問わず一切存在しないこと。全ての重要な契約について、本契約の締結及び履行は解除事由又は債務不履行を構成せず、また、当該契約の相手方による理由なき解除を認める規定は存在しないこと。全ての重要な契約について、対象会社の債務不履行の事実は存在せず、また、今後債務不履行が発生するおそれもないこと。

⑩　**競業避止義務の不存在**

対象会社は、取引先等との契約において、競業避止義務等の義務のうち、その事業の遂行に重大な影響を与える制限を内容とする義務を負っていないこと。

⑪　**労働関係**

対象会社は、その従業員に対し法令等上支払義務を負っている全ての賃金を支払っていること。対象会社には、ストライキ、ピケッティング、業務停止、怠業その他従業員との間での労働紛争は存在しないこと。対象会社は、いかなる従業員に対しても、退職金等の経済的利益を提供する義務を負っていないこと。対象会社には労働組合は存在しないこと。

⑫　**税務申告等の適正**

対象会社は、過去７年間、国内外において、法人税をはじめとする各種課税項目及び社会保険料等の公租公課について適法かつ適正な申告を行っており、適時にその支払を完了していること。また、クロージング日以前の事業に関して、対象会社に対する課税処分がなされるおそれは存在しないこと。

⑬　**法令遵守**

対象会社は、過去○年間において、適用ある法令等（労働関連の各法令等を含む。）及び司法・行政機関等の判断等を、重要な点において、遵守しており、重要な点において、これらに違反したことはないこと。対象会社は、過去○年間において、事業停止等の一切の行政処分を受けていないこと。

⑭　**反社会的勢力との関係の不存在**

対象会社及びその役員は反社会的勢力ではなく、反社会的勢力との間に取引、資金の提供、便宜の供与、経営への関与その他一切の関係又は交流がないこと。対象会社の従業員は、甲の知る限り、反社会的勢力ではなく、反社会的勢力との間に取引、資金の提供、便宜の供与、経営への関与その他一切の関係又は交流がないこと。

⑮　**情報開示**

本契約の締結及び履行に関連して、甲又は対象会社が、乙に開示した本株式又は対象会社に関する一切の情報（本契約締結日前後を問わず、また、書面等の記録媒体によると口頭によるとを問わない。）は、重要な点において、全て真実かつ正確であること。

注：表明保証条項は、乙側から上記のような内容のものを、もし事実と異なるところがあれば予め教えて欲しいという趣旨も込めて提案されることがある。

その場合、甲側としては、表明保証の内容について理解し、事実と異なるところがあれば（例えば、中小企業の場合、計算書類に誤りが含まれていること等は多い。）、契約書の中に、表明保証の対象から除外する事項を別途明記する必要がある。表明保証の内容をよく理解せずに事実に反することを表明保証してしまうと、後に損害賠償等のトラブルになる可能性があるので注意が必要である。

（別紙２）　乙が表明及び保証する事項

①　設立及び存続

乙は、日本法に基づき適法かつ有効に設立され、かつ存続する株式会社であり、現在行っている事業に必要な権限及び権能を全て有しており、法令等上の制限及び制約を受けていないこと。

②　本契約の締結及び履行

乙は、本契約を適法かつ有効に締結し、これを履行するために必要な権限及び権能を有していること。乙による本契約の締結及び履行は、その目的の範囲内の行為であり、乙は、本契約の締結及び履行に関し、法令等又は乙の定款その他内部規則において必要とされる手続を全て適法に履践していること。

③　強制執行可能性

本契約は、乙により適法かつ有効に締結されており、かつ甲により適法かつ有効に締結された場合には、乙の適法、有効かつ法的拘束力のある義務を構成し、かかる義務は、本契約の各条項に従い、乙に対して執行可能であること。

④　法令等との抵触の不存在

乙による本契約の締結及び履行は、(i)乙に適用ある法令等又は司法・行政機関等の判断等に違反するものではなく、(ii)乙の定款その他内部規則に違反するものではなく、(iii)乙が当事者である契約等について、債務不履行事由等を構成するものではないこと。また、乙による本契約の締結又は履行に重大な影響を及ぼす、乙を当事者とする訴訟等は係属しておらず、かつ、将来かかる訴訟等が係属するおそれもないこと。

⑤　反社会的勢力との関係の不存在

乙及びその役員は反社会的勢力ではなく、反社会的勢力との間に取引、資金の提供、便宜の供与、経営への関与その他一切の関係又は交流がないこと。乙の従業員は、乙の知る限り、反社会的勢力ではなく、反社会的勢力との間に取引、資金の提供、便宜の供与、経営への関与その他一切の関係又は交流がないこと。

⑥　倒産手続等の不存在

乙について、支払停止、手形不渡、銀行取引停止等の事由は生じておらず、かつ、破産、民事再生、会社更生、特別清算等の倒産手続開始の申立てはされておらず、それらの申立て事由も生じておらず、私的整理も行われていないこと。

出所：中小 M&A ガイドライン参考資料45～60頁

書式4－5　事業譲渡契約書

事業譲渡契約書

【譲り渡し側】（以下「甲」という。）及び【譲り受け側】（以下「乙」という。）は、甲が現に営む事業のうち、○○事業（以下「承継対象事業」という。）を乙に譲渡することに関し、以下のとおり事業譲渡契約（以下「本契約」という。）を締結する。

第1条　（事業譲渡）

甲は、本契約に定める条項に従い、承継対象事業を乙に譲渡し、乙はこれを譲り受ける（以下「本事業譲渡」という。）。

第2条　（クロージング日）

本事業譲渡を行う日（以下「クロージング日」という。）は、○○年○○月○○日とする。ただし、手続上の都合等により必要があるときは、甲乙協議のうえクロージング日を変更することができる。

第3条　（承継対象財産）

1　本事業譲渡により、甲は乙に対し、クロージング日をもって、(i)承継対象事業に属する別紙1に記載の資産（以下「承継対象資産」という。）を譲渡するものとし、(ii)承継対象事業に関して甲が締結している別紙2に記載の第三者との間の契約（修正、変更、付随契約、特約等を含む。以下「承継対象契約」という。）における契約上の甲の地位の一切を移転するものとする。なお、別紙1及び2に記載された以外の資産又は契約を、本事業譲渡に伴い譲渡する場合、その価額等については甲乙が協議の上で決定するものとする。

注：事業譲渡の対象となる承継対象財産を特定することが重要である。個別の動産レベルまで全て厳密に特定する必要はないが、貸借対照表上の各表示科目に沿って可能な限り具体的に特定することが望まれる（ただし、登記手続を伴う不動産等については、地番や面積等まで個別に厳密に特定しておく必要がある。）。

2　本事業譲渡により、乙は、クロージング日をもって、承継対象事業に関し甲が負担する別紙3に記載の債務（以下「承継対象債務」といい、承継対象資産、承継対象契約及び承継対象債務を総称して「承継対象財産」という。）を免責的に引き受けるものとし、甲及び乙は、かかる債務の引受けにつき必要な手続（当該債務の引受けに対する当該債務の債権者からの承諾の取得を含む。）を相互に協力の上、行うものとする。なお、甲及び乙は、乙が承継対象債務以外のいかなる債務も承継しないことを確認する。

注：債務も承継対象財産に含めることは可能であるが、譲り受け側は債務を負担し、譲り渡し側は債務を免れるという形（免責的債務引受）とするためには、その旨の債権者の承諾が必要となる。そのような承諾がない場合には、原則として、譲り渡し側・譲り受け側の連帯債務となる（併存的債務引受）。

第４条　(取引先の承継)

甲は、承継対象事業に関する甲の仕入先・販売店・下請先等の取引先（以下「取引先」という。）に対して、公表日（第19条において定義される。）以降クロージング日の前日までに、本事業譲渡について十分な説明を行い、かつ、乙が取引先を承継できるよう、取引先の承諾を得るものとする。万が一、乙が取引先の全部又は一部を承継できない場合は、甲乙で別途協議の上対策を講じるものとする。

第５条　(従業員の取扱い)

１　甲は、承継対象事業に従事している甲の従業員を、乙の従業員として転籍させるものとし、詳細については甲乙別途協議の上決定するものとする。

２　甲は、クロージング日に、前項により乙に転籍する従業員に対し、クロージング日までに発生する賃金・退職金債務その他甲との労働契約に基づき又はこれに付帯して発生した一切の債務を履行し、乙は同債務を承継しないものとする。

第６条　(譲渡代金)

１　承継対象事業の譲渡の対価（以下「譲渡代金」という。）は、金○○円（消費税及び地方消費税を別途支払うものとする。）とする。

２　乙は、譲渡代金をクロージング日までに、甲が別途指定する銀行口座に振込送金する方法により、甲に支払う。なお、振込手数料は乙の負担とする。

第７条　(株主総会決議)

甲は、クロージング日までに、本契約の承認及び本事業譲渡に必要な事項に関する甲の株主総会の決議を得るものとする。

注：株式会社が全事業の事業譲渡を行う場合等には、原則として、出席株主の議決権の３分の２以上による株主総会決議（特別決議）が必要となる。

第８条　(許認可)

甲及び乙は、本契約締結後速やかに、本事業譲渡に必要な許認可の取得、登録、届出等の手続を協力して行うものとし、手続に必要な費用は乙の負担とする。

第９条　(移転手続)

１　甲は、承継対象財産の細目を記載した引継書を作成し、クロージング日に当該引継書とともに承継対象財産並びに関係証憑、帳簿類及び承継対象事業に含まれる甲の取引先リストを乙に引き渡すものとする。

２　前項の承継対象財産の引渡しにつき、移転行為又は対抗要件としての登記・登録・通知・裏書・第三者の承諾等の諸手続を必要とするものについては、クロージング日後30日以内に当該手続を完了するものとする。ただし、乙が免除又は手続完了の遅延を了承した手続についてはこの限りではない。

第10条　(表明及び保証)

１　甲による表明及び保証

甲は、乙に対し、本契約締結日及びクロージング日において、別紙４－１（甲の表明保証事項）に掲げる各事項が真実かつ正確であることを表明及び保証する。

２　乙による表明及び保証

乙は、甲に対し、本契約締結日及びクロージング日において、別紙４－２（乙の表明保証事項）に記載された各事項が真実かつ正確であることを表明及び保証する。

第11条　(公租公課等の負担)

1　承継対象財産に対する固定資産税等の公租公課、保険料、電気・水道・ガス等の使用料金等については、納税告知書、請求書等の宛名名義の如何にかかわらず、日割計算によりクロージング日前日までの分は甲が負担し、クロージング日以降の分は乙が負担する。

2　第9条第2項の移転手続に要する登録免許税等の公租公課は、乙が負担する。

第12条　(善管注意義務)

甲は、本契約締結のときから本事業譲渡完了まで、承継対象事業及び承継対象財産を善良な管理者の注意をもって管理し、承継対象事業及び承継対象財産に重大な影響・変動を及ぼす行為をする場合は、予め乙の書面による承諾を得なければならない。

第13条　(競業避止義務)

甲は、クロージング日以後○年間は、乙が承継する承継対象事業と競合する事業を自ら行わず、また他人をして行わせないものとする。

第14条　(本事業譲渡実行の前提条件)

1　甲の義務の前提条件

甲の本事業譲渡を実行する義務（承継対象財産の譲渡を含む。）は、クロージング日において以下の各条件の全てが成就していることを前提とする。ただし、甲は、以下の各条件のいずれについても、その裁量により条件不成就を主張する権利を放棄することができる。

① 第10条第2項において規定された乙による表明及び保証が、重要な点において真実かつ正確であること。

② 乙が、クロージング日までに本契約に基づきなすべき義務を全ての重要な点において履行しかつ遵守していること。

2　乙の義務の前提条件

乙の本事業譲渡を実行する義務（第6条第2項に定める譲渡代金支払義務を含む。）は、クロージング日において以下の各条件の全てが成就していることを前提とする。ただし、乙は、以下の各条件のいずれについても、その裁量により条件不成就を主張する権利を放棄することができる。

① 第10条第1項において規定された甲による表明及び保証が、重要な点において真実かつ正確であること。

② 甲が、クロージング日までに本契約に基づきなすべき義務を全ての重要な点において履行しかつ遵守していること。

③ クロージング日までに、本事業譲渡を承認する甲の株主総会議事録の原本証明付写しが乙に対し提出されていること。

第15条　(事業譲渡条件の変更及び本契約の解除)

本契約締結の日からクロージング日までの間において、以下のいずれかの事由が甲又は乙に生じた場合は、他方当事者は、クロージング日までの間に限り本契約を解除することができる。ただし、甲及び乙は、解除を行うに際しては事前に協議を行うものとする。また、甲及び乙は、本契約の解除に代えて、協議の上、本契約を変更することができる。

① 天災地変その他の事由により、甲又は乙の資産状態、経営状態に重大な変動が生じた場合。

② 本契約に定める甲又は乙の義務に重大な違反が存する場合。

③ 甲が、通常の業務の範囲を超えて、承継対象事業の価値を減少させ、又は本事業譲渡の実行を困難にするおそれのある行為を新たに行った場合（ただし、甲乙間にて合意の上行う場合を除く。）。

④ その他本事業譲渡の実行に重大な支障となる事態（第14条の前提条件不充足を含む。）又は本事業譲渡を困難にする事態が生じている場合。

第16条 （甲による補償）

1 甲は、乙に対し、第10条第１項に定める甲の表明保証の違反又は本契約に基づく甲の義務の違反に起因又は関連して乙が被った損害、損失又は費用（合理的な弁護士費用を含む。以下「損害等」という。）を補償する。

2 前項の補償のうち、甲の表明保証の違反に基づく補償責任は、乙が、クロージング日から○年経過するまでに書面により甲に請求した場合に限り生じるものとし、合計損害額○○円を上限とする。

3 甲は、乙が第１項に基づく補償の請求の対象となる自らの損害等の拡大を防止するための措置を執らなかったことにより拡大した損害等については、第１項に基づく補償責任を条理上合理的な範囲で免れるものとする。

4 本契約に商法第526条の規定は適用されないものとする。

第17条 （乙による補償）

1 乙は、甲に対し、第10条第２項に定める乙の表明保証の違反又は本契約に基づく乙の義務の違反に起因又は関連して甲が被った損害等を補償する。

2 前項の補償のうち、乙の表明保証の違反に基づく補償責任は、甲が、クロージング日から○年経過するまでに書面により乙に請求した場合に限り生じるものとし、合計損害額○○円を上限とする。

3 乙は、甲が第１項に基づく補償の請求の対象となる自らの損害等の拡大を防止するための措置を執らなかったことにより拡大した損害等については、第１項に基づく補償責任を条理上合理的な範囲で免れるものとする。

第18条 （秘密保持義務）

1 甲及び乙は、本契約締結日から○年間、(i)本契約の検討又は交渉に関連して相手方から開示を受けた情報、(ii)本契約の締結の事実並びに本契約の存在及び内容、並びに(iii)本契約に係る交渉の経緯及び内容に関する事実（以下「秘密情報」と総称する。）を、相手方の事前の書面による承諾なくして第三者に対して開示してはならず、また、本契約の目的以外の目的で使用してはならない。ただし、上記(i)の秘密情報のうち、以下の各号のいずれかに該当する情報は、秘密情報に該当しない。

① 開示を受けた時点において、既に公知の情報

② 開示を受けた時点において、情報受領者が既に正当に保有していた情報

③ 開示を受けた後に、情報受領者の責に帰すべき事由によらずに公知となった情報

④ 開示を受けた後に、情報受領者が正当な権限を有する第三者から秘密保持義務を負うことなく正当に入手した情報

⑤ 情報受領者が秘密情報を利用することなく独自に開発した情報

2 甲及び乙は、前項の規定にかかわらず、以下の各号のいずれかに該当する場合には、秘密情報を第三者に開示することができる。

① 自己の役員及び従業員並びに弁護士、公認会計士、税理士、司法書士及びフィナンシャル・FAその他のFAに対し、本契約に基づく取引のために合理的に必要とされる範囲内で秘密情報を開示する場合。ただし、開示を受ける者が少なくとも本条に定める秘密保持義務と同様の秘密保持義務を法令又は契約に基づき負担する場合に限るものとし、かかる義務の違反については、その違反した者に対して秘密情報を開示した当事者が自ら責任を負う。

② 法令等の規定に基づき、裁判所、政府、規制当局、所轄官庁その他これらに準じる公的機関・団体（事業引継ぎ支援センターを含む。）等により秘密情報の開示を要求又は要請される場合に、合理的に必要な範囲内で当該秘密情報を開示する場合。なお、かかる場合、相手方に対し、かかる開示の内容を事前に（それが法令等上困難である場合は、開示後可能な限り速やかに）通知しなければならない。

第19条 （第三者への公表日）

1 本契約締結及びこれに関する一切の事実の対外的公表の日（以下「公表日」という。）は、〇〇年〇〇月〇〇日とする。当該対外的公表の方法等については、甲及び乙が協議の上決定する。

2 各当事者は、公表日まで、本契約締結及びこれに関する一切の事実について秘密保持に努めるものとする。

第20条 （契約上の地位又は権利義務の譲渡等）

甲及び乙は、相手方の書面による事前の承諾を得ない限り、本契約上の地位又は本契約に基づく権利義務につき、直接又は間接を問わず、第三者に譲渡、移転、承継又は担保権の設定その他の処分をしてはならない。

第21条 （準拠法・管轄）

1 本契約は、日本法に準拠し、これに従って解釈される。

2 本契約に関する一切の紛争（調停を含む。）については、〇〇地方裁判所を第一審の専属的合意管轄裁判所とする。

第22条 （誠実協議）

甲及び乙は、本契約に定めのない事項及び本契約の条項に関して疑義が生じた場合には、信義誠実の原則に従い、誠実に協議の上解決する。

本契約締結の証として本書２通を作成し、甲乙記名捺印の上、各１通を保有する。

〇〇年〇〇月〇〇日

甲
（所在地）
（名　称）
（代表者）　㊞
乙
（所在地）
（名　称）
（代表者）　㊞

（別紙１）

承継対象資産

【承継する資産を記載する】

例

1　甲が所有する後記不動産目録記載の土地及び建物
2　上記１記載の建物の附属設備、構築物全て
3　上記１記載の建物内に設置された機械装置全て
4　承継対象事業に関連する工具器具備品全て
5　承継対象事業に関連する車両運搬具全て
6　承継対象事業に関連する在庫（商品、原材料、貯蔵品）全て
7　承継対象事業に関連する電話加入権全て
8　承継対象事業に関連するソフトウエア全て
9　その他承継対象事業に必要な一切の資産（ただし、現預金、売掛金を除く）
……

（別紙２）

承継対象契約

【承継する契約を記載する】

例

1　令和元年６月５日付け株式会社○○との間に締結した取引基本契約
2　令和２年２月１日付け株式会社○○との間に締結した建物賃貸借契約
……

（別紙３）

承継対象債務

【承継する債務を記載する】

例

1　令和元年６月５日付け株式会社○○との間に締結した取引基本契約第８条に規定する株式会社○○に対する保証金返還債務
……

（別紙４－１）

甲による表明及び保証

【甲による表明及び保証の内容を記載する】

（別紙４－２）

乙による表明及び保証

【乙による表明及び保証の内容を記載する】

出所：中小 M&A ガイドライン参考資料61～70頁

書式４－６　合併契約書

合　併　契　約　書

株式会社○（本店所在地：○、以下「甲」という。）と株式会社○（本店所在地：○、以下「乙」という。）とは、以下のとおり合併契約（以下「本契約」という。）を締結する。

第１条　（存続会社及び消滅会社）

甲と乙は、甲を合併存続会社、乙を合併消滅会社として合併（以下「本合併」という。）し、甲が乙の権利義務の全部を承継して存続し、乙は解散する。

第２条　（定款の変更）

甲は、本合併により、その定款を次のとおり変更する。ただし、本合併の効力発生日前に開催される甲の株主総会の承認を得た上で変更するものとする。

1　事業目的に○事業を追加する。
2　その発行する普通株式の総数を○株増加し、その総数を○株とする。
3　取締役及び監査役の員数を、取締役は○名以内、監査役は○名以内に変更する。
4　……

注：定款の変更については任意であるが、合併と同時に定款変更する場合には、合併契約書に記載するケースもある。

第３条　（合併に際して発行する株式）

1　甲は、本合併に際し、普通株式○株を発行し、本合併の効力発生日（以下「効力発生日」という。）前日最終の乙の株主名簿に記載された各株主（甲及び乙を除く）に対して、その所有する乙の普通株式に代えて、当該普通株式○株につき甲の普通株式○株の割合（以下「割当比率」という。）をもって割当交付する。
2　甲が発行する株式数の合計に１株未満の端数株式が発生した場合には、これを切り上げることとし、乙の株主に対して交付する株式数に１株未満の端数が生じた場合には、これを一括売却又は買受けをし、その処分代金を端数を生じた株主に対して、その端数に応じて分配する。
3　本合併に際して発行する甲の新株式に対する利益又は剰余金の配当は、効力発生日から起算する。

第４条　（増加すべき資本金及び準備金等）

甲が合併により増加すべき資本金等の取扱いは、次のとおりとする。ただし、効力発生日前日における乙の資産及び負債の状態により、甲及び乙が、協議の上、これを変更することができる。

(1) 増加する資本金の額　　　　　金○万円
(2) 増加する資本準備金の額　　　金○万円
(3) 増加するその他資本剰余金の額
　会社計算規則第35条第１項の株主資本等変動額から上記(1)及び(2)の額を減じて得た額

第５条　（合併の効力発生日）
本合併の効力発生日は令和○年○月○日とする。ただし、合併手続の進行上必要がある場合、甲及び乙が協議の上、これを変更することができる。

第６条　（会社財産の引継ぎ）
1　乙は、令和○年○月○日現在の貸借対照表その他同日現在の計算を基礎とし、これに効力発生日までの増減を反映した一切の資産、負債及び権利義務その他の法律関係を、本合併の効力発生日に甲に引き継ぐ。
2　乙は、第１項記載の貸借対照表作成日の翌日から効力発生日の前日までの資産及び負債の変動を、計算書を作成して甲に報告する。

第７条　（従業員）
甲は、第５条の効力発生日における乙の従業員を承継する。なお、勤続年数は、乙の計算方式による年数を通算するものとし、その他の細目については甲及び乙が協議して決定する。

第８条　（合併承認総会）
甲及び乙は、令和○年○月○日までに、それぞれ株主総会（以下「合併承認総会」という。）を開催し、本契約書の承認及び本合併に必要な事項に関する決議を求める。ただし、甲及び乙は、合併手続進行上の必要性その他の正当事由があるときは、甲及び乙が協議の上、合併承認総会を開催する日を変更することができる。

第９条　（善管注意義務）
甲及び乙は、本契約締結後効力発生日に至るまで、善良な管理者の注意をもってその業務の執行及び財産の管理、運営を行い、その重要な財産又は権利義務に重大な影響を及ぼす行為については、あらかじめ甲及び乙が協議の上、これを行う。

第10条　（条件の変更、解除）
甲又は乙は、本契約締結後効力発生日に至るまでに、甲又は乙の資産、負債、経営の状況など本契約締結の前提となる事情に重大な変動が生じたとき、又は隠れたる重大な瑕疵があったことが発覚したときは、甲乙協議の上、本契約の条件を変更し、又は本契約を解除することができる。

第11条　（本契約の効力）
本契約は、第８条に定める甲及び乙の合併承認総会の承認又は法令に定める関係官庁等の承認が得られないときは、その効力を失う。

第12条　（合意管轄裁判所）
各当事者は、本契約に関する一切の紛争につき、東京地方裁判所を第一審の専属的管轄裁判所とすることに合意する。

第13条　（誠実協議）
本契約に定めのない事項又は本契約の各条項の解釈に疑義が生じたとき、甲及び乙は、誠意をもって協議し速やかに解決をはかるものとする。

本契約締結の証として本書２通を作成し、甲乙記名押印の上、各１通を保有する。

令和○年○月○日

甲：

乙：

書式４－７　分割契約書（吸収分割）

分　割　契　約　書

株式会社○○（本店所在地：○、以下「甲」という。）と株式会社○○（本店所在地：○、以下「乙」という。）とは、甲がその事業に関する権利義務の一部を乙に承継させる吸収分割（以下「本件分割」という。）に関し、次のとおり契約（以下「本契約」という。）を締結する。

第１条　（目的）

甲は、乙に対し、第６条に定める効力発生日（以下「本件分割期日」という。）において、甲の○事業（以下「承継事業」という。）を分割して承継させ、乙はこれを承継する。

第２条　（定款の変更）

乙は、本件分割期日をもって、次のとおり定款を変更する。ただし、本件分割の効力発生日前に開催される乙の株主総会の承認を得た上で変更するものとする。

1　事業目的に○事業を追加する。
2　その発行する普通株式の総数を○株増加し、その総数を○株とする。
3　取締役及び監査役の員数を、取締役は○名以内、監査役は○名以内に変更する。
4　……

注：定款の変更については任意であるが、会社分割と同時に定款変更する場合には、分割契約書に記載するケースもある。

第３条　（分割により承継する権利義務）

1　乙は、本件分割期日において、別紙承継権利義務明細表に記載の承継事業に関する資産、負債、雇用契約を含む権利義務を甲から承継するものとする。但し、承継する権利義務のうち資産及び負債の評価額は、令和○年○月○日付け貸借対照表を基にして作成した実態貸借対照表を基礎とし、これに分割期日までの増減を加除して確定する。
2　前項における債務の承継は、免責的債務引受の方法により行う。

第４条　（分割対価の交付）

乙は、本件分割に際し、乙が前条に基づき承継する権利義務の対価として、金○円を甲に対して支払う。

第５条　（分割承認総会）

甲及び乙は、令和○年○月○日までに、それぞれ株主総会（以下「分割承認総会」という）を開催し、本契約書の承認及び分割に必要な事項に関する決議を求める。但し、甲及び乙は、分割手続進行上の必要性その他の正当事由があるときは、両者協議の上、分割承認総会を開催する日を変更することができる。

第６条　（分割期日）

本件分割の効力発生日（本件分割期日）は令和○年○月○日とする。但し、甲及び乙は、分割手続進行上の必要性その他の正当事由があるときは、両者協議の上、本件分割期日を変更することができる。これを変更した場合には、本契約書に記載された「本件分割期日」を当該変更後の分割期日に読み替えて適用する。

第７条　（分割前に就任した役員の任期）

本件分割期日前に乙の取締役及び監査役に就任した者の任期は、本件分割がない場合に在任すべき時までとする。

第８条　（善管注意義務）

甲は、本契約締結のときから本件分割期日まで、承継事業について、善良なる管理者の注意をもって管理し、その財産及び権利義務に重大な影響・変動を及ぼす行為をする場合は、予め乙の書面による承諾を得なければならない。

第９条　（競業避止義務）

甲は、本件分割期日後○年間、承継事業と競業する事業を行うことができない。

第10条　（秘密保持）

1　甲及び乙は、本契約締結日から○年間、(i)本契約の検討又は交渉に関連して相手方から開示を受けた情報、(ii)本契約の締結の事実並びに本契約の存在及び内容、並びに(iii)本契約に係る交渉の経緯及び内容に関する事実（以下「秘密情報」と総称する。）を、相手方の事前の書面による承諾なくして第三者に対して開示してはならず、また、本契約に基づく取引の検討又は実行以外の目的で使用してはならない。但し、上記(i)の秘密情報のうち、以下の各号のいずれかに該当する情報は、秘密情報に該当しない。

①　開示を受けた時点において、既に公知の情報

②　開示を受けた時点において、受領当事者が既に正当に保有していた情報

③　開示を受けた後に、受領当事者の責に帰すべき事由によらずに公知となった情報

④　開示を受けた後に、受領当事者が正当な権限を有する第三者から秘密保持義務を負うことなく正当に入手した情報

⑤　受領当事者が秘密情報を利用することなく独自に開発した情報

2　甲及び乙は、前項の規定にかかわらず、以下の各号のいずれかに該当する場合には、秘密情報を第三者に開示することができる。

①　自己の役員及び従業員並びに弁護士、公認会計士、税理士、司法書士及びフィナンシャル・FA その他のFAに対し、本契約に基づく取引のために合理的に必要とされる範囲で秘密情報を開示する場合。但し、開示を受ける者が少なくとも本条に定める秘密保持義務と同様の秘密保持義務を法令又は契約に基づき負担する場合に限るものとし、かかる義務の違反については、その違反した者に対して秘密情報を開示した当事者が自ら責任を負う。

②　法令等の規定に基づき、政府、所轄官庁、規制当局、裁判所等により秘密情報の開示を要求又は要請される場合に、合理的に必要な範囲で当該秘密情報を開示する場合。なお、かかる場合、相手方に対し、かかる開示の内容を事前に（それが法令等上困難である場合は、開示後可能な限り速やかに）通知しなければならない。

第11条　（反社会的勢力の排除）

1　甲及び乙は、それぞれ相手方に対し、本契約締結時において、以下の事項を表明し、かつ将来にわたっても該当しないことを確約する。

①　反社会的勢力ではなく、反社会的勢力との間に取引、資金の提供、便宜の供与、経営への関与その他一切の関係又は交流がないこと。

なお、反社会的勢力とは、以下の者のことを指し、本契約において以下同じとする。

i　暴力団（その団体の構成員（その団体の構成団体の構成員を含む。）が集団的に又は常習的に暴力的不法行為等を行うことを助長するおそれがある団体をいう。）

ii　暴力団員（暴力団の構成員をいう。）

iii　暴力団準構成員（暴力団員以外の暴力団と関係を有する者であって、暴力団の威力を背景に暴力的不法行為等を行うおそれがある者、又は暴力団若しくは暴力団員に対し資金、武器等の供給を行うなど暴力団の維持若しくは運営に協力し、若しくは関与する者をいう。）

iv　暴力団関係企業（暴力団員が実質的にその経営に関与している企業、暴力団準構成員若しくは元暴力団員が経営する企業で暴力団に資金提供を行うなど暴力団の維持若しくは運営に積極的に協力し若しくは関与する企業又は業務の遂行等において積極的に暴力団を利用し暴力団の維持若しくは運営に協力している企業をいう。）

v　総会屋等（総会屋、会社ゴロ等企業等を対象に不正な利益を求めて暴力的不法行為等を行うおそれがあり、市民生活の安全に脅威を与える者をいう。）

vi　社会運動等標ぼうゴロ（社会運動若しくは政治活動を仮装し、又は標ぼうして、不正な利益を求めて暴力的不法行為等を行うおそれがあり、市民生活の安全に脅威を与える者をいう。）

vii　特殊知能暴力集団等（上記i乃至viに掲げる者以外の、暴力団との関係を背景に、その威力を用い、又は暴力団と資金的なつながりを有し、構造的な不正の中核となっている集団又は個人をいう。）

viii　その他上記i乃至viiに準ずる者

2　甲又は乙の一方が前項の確約に反する事実が判明した場合には、その相手方は、何らの催告なしに本契約を解除することができる。

3　前項の規定により本契約を解除した場合、解除した当事者はこれにより相手方に生じた損害につき賠償する責めを負わず、また、解除した当事者から相手方に対する損害賠償請求を妨げない。

第12条　（分割条件の変更及び分割契約の解除）

本契約締結の日から本件分割期日前日までの間において、天災地変その他の事由により、甲又は乙の資産状態、経営状態に重大な変更が生じたときは、甲及び乙は、両者協議の上、本契約書に定めた各分割条件を変更し又は本契約を解除することができる。

第13条　（本契約の効力）

本契約は、第５条に定める甲及び乙の分割承認総会の承認又は法令に定める関係官庁等の承認が得られないときは、その効力を失う。

第14条　（管轄裁判所）

各当事者は、本契約に関する一切の紛争につき、東京地方裁判所を第一審の専属管轄裁判所とすることに合意する。

第15条　(誠実協議)

本契約に定めない事項又は本契約各条項の解釈について疑義を生じたときは、甲乙誠意をもって協議の上決定する。

本契約締結の証として本書２通を作成し、甲乙記名押印の上、各１通を保有する。

令和○年○月○日

甲：

乙：

(別紙)　承継権利義務明細表

1　資産及び負債(詳細は添付内訳表記載のとおり)

(1)　流動資産、固定資産等

①　現金・預金

②　売掛金

③　…

(2)　負債等

①　承継事業に関する買掛金…

②　…

2　知的財産に関連する権利義務

承継事業に関する○○権、○○権その他一切の知的財産権及びノウハウ

3　契約上の権利義務

①　承継事業に関する○○契約

②　…

4　雇用契約上の権利義務

承継事業に従事する甲の従業員（アルバイト、契約従業員等を含む）に係る○○、…、の雇用契約

なお、従業員の甲における勤続年数は、乙において通算する。

5　○○に関する義務

分割期日において、甲を債務者として設定されている○○に関する一切の義務

注：本件分割の取り決め内容にあわせて記載する。また、「添付内訳表」については省略した。

第3

支援機関の活用

1　仲介者・アドバイザーを活用する際の手続

(1)　支援機関としての基本姿勢

中小M&Aガイドラインは、各支援機関に対し、支援機関の基本姿勢として、①依頼者（顧客）の利益の最大化、②それぞれの役割に応じた適切な支援、③支援機関相互の連携、を求めている。

上記①の依頼者の利益の最大化は、支援機関がM&Aに関する専門家であるのに対し、依頼者である中小企業は専門的知識に乏しい素人であることや、支援機関と依頼者との間で利益相反が生じうることなどから、支援機関の基本姿勢とされたものである。利益相反についていえば、譲り渡し側と譲り受け側の双方から依頼を受けるM&Aの仲介者は構造的に利益相反の問題を孕んでいるし、金融機関についても自らの融資金の回収との関係で利益相反が生じうる。その他の支援機関も、たとえば報酬契約の内容いかんによっては利益相反が生じうる。支援機関には、依頼者の利益の最大化の観点から、依頼者に対し十分な情報を提供し、依頼者の利益に真に忠実に行動することが求められる。

上記②のそれぞれの役割に応じた適切な支援と上記③の支援機関相互の連携は、支援機関が自らすべてのM&Aの工程を抱え込むのではなく、各支援機関の得意分野や中小企業との関係性を活かして、必要に応じ相互に連携しあって支援を行うことを求めたものである。支援機関がそれぞれの得意分野等を活かし相互に連携しあうことは、依頼者の利益の最大化にもつながるものといえる。

また、支援機関の側がガイドラインの示す上記①～③の基本姿勢を明確に掲げることにより、中小企業の側としても支援を受けることに対する心理的障害が小さくなるものと考えられる。

⑵ 弁護士による中小 M&A 支援

a 概　要

弁護士は、たとえば譲り渡し側企業が顧問先の場合や、顧問先でない場合においても継続的な法律相談というかたちにより、M&A の意思決定の前の段階から最終段階まで手続工程全体を通じて、助言等を行うことがある。

また、弁護士は、譲り渡し側企業の代理人として、譲り受け側企業等と交渉を行ったり、M&A の過程で生じる株主間、従業員、取引先、金融機関等との間の個別の法的課題につき交渉等を行うことがある。なお、弁護士でない者による代理交渉は、非弁行為として原則的に禁止されている（弁護士法72条）。

また、弁護士は、株式譲渡、事業譲渡等の M&A のスキームを策定し、M&A に関する権利関係を定める基本合意書や株式譲渡契約書等の契約書の作成ないしリーガルチェックを行う。

さらに、弁護士は、クロージング後の段階においても、たとえば、企業の代表者変更のための株主総会や取締役会開催を指導したり、必要な登記手続の手配を行うことがある。

弁護士は、法律や紛争解決の専門家として、利害関係者間の紛争予防や利益調整を得意としており、また支援機関のなかで最も利益相反に敏感であると考えられるから、弁護士が M&A の手続過程のなかで果たす役割はきわめて重要である。

b 弁護士による主な支援内容

⒜ 株式、事業用資産等の整理集約の支援

事業承継における M&A は、会社を譲り渡すということであるから、譲り渡しの対象を特定しておかないと契約もできないし、これを整理集約しておかないと、契約の履行もできないことになる。ここで重要なのは、株式と事業用資産である。

⒝ 株　式

M&A において株式譲渡の手法を用いる場合は、譲り渡し側企業のすべての株式を取得しておく必要があり、少なくとも株式譲渡の委任状を取得して

おく必要がある。

事業譲渡の手法を用いる場合も、株主総会の特別決議の要件（会社法309条2項）である総議決権の3分の2以上の株式を取得しておくか、少なくとも議決権行使の委任状を取得しておく必要がある。

株式を取得する方法としては、基本的には任意の交渉によるが、特別支配株主による株式等売渡請求（会社法179条）を利用する方法、株式併合（会社法180条）により少数株主の株式を1株未満（端株）にする方法、全部取得条項付種類株式（会社法171条）を利用する方法等、少数株主から強制的に株式を取得する方法もある。

株式のなかに株主名簿上の株主と実質上の株主が異なるいわゆる名義株がある場合は、名義株主と交渉する等して、実質上の株主への株主名簿の名義書換えを行うか、少なくとも株主たる地位に関する確認書を取得しておく必要がある。

株式のなかに先代等からの遺産である株式があり、遺産分割未了のため準共有状態になっている場合は、交渉や家事調停等を通じ、準共有を解消しておく必要がある。

株主のなかに所在不明株主がいる場合の対応として、当該株式についての競売、売却、買取りの方法も定められているが（会社法197条）、その要件は5年以上の継続した通知の不到達等とされており、準備に長期間を要することには留意すべきである。

(c) **事業用資産**

譲り渡し側企業の事業の遂行に必要な土地、建物、機械設備等の重要な事業用資産は、すべて譲り受け側企業に引き継ぐ必要がある。ところが、その事業用資産の全部または一部が、会社名義ではなく個人名義になっていたり、先代等からの遺産で遺産分割が未了であったり、賃借物件であったり、第三者との間で係争の対象となっていたりすることがある。

このような場合は、権利関係を整理したうえ、必要な交渉等を行い、譲り受け側企業による重要な事業用資産の利用に支障がないよう手当をしておく必要がある。

(d) 契約書等の作成、リーガルチェック

M&Aの交渉がおおむね合意に達すると、デュー・ディリジェンスを経ない段階で合意できる基本的事項について、基本合意書を締結する。基本合意書には、①譲渡価格や②経営者の処遇、役員・従業員の処遇、③最終契約までのスケジュール等を記載することが多い。

デュー・ディリジェンスの手続の後には、最終契約を締結する。最終契約書は、基本合意書の内容をベースとして、デュー・ディリジェンスの結果をふまえて内容の一部を修正したり、新たに合意した事項を付加したりする。最終契約書には、①譲渡価格、②譲渡対象、③譲渡時期、決済方法、④経営者・役職員の処遇を記載するほか、⑤表明保証条項（双方の取引実行能力や、譲り渡し企業による開示事項の真実性等を表明し保証すること）、⑥最終契約締結後クロージングまでの譲り渡し企業の善管注意義務、⑦譲り渡し企業の競業避止義務、⑧譲り渡し企業の経営者等の保証債務の解消条項等を盛り込むことが多い。

このような契約書の作成は、弁護士の得意とするところである。弁護士が契約書を作成しない場合にも、少なくとも弁護士のリーガルチェックを受けておくことが望ましい。

(e) 中小M&Aに伴う経営者保証解除の円滑な実現に向けた支援

経営者保証一般については、すでに経営者保証に関するガイドラインが策定されているところであるが、令和元年12月に事業承継に焦点を当てた経営者保証に関するガイドラインの特則が公表され、令和２年４月１日から適用されている。

上記特則によると、①原則として前経営者、後継者の双方から二重には保証を求めない、②後継者との保証契約は、事業承継の阻害要因になりうることを十分考慮し、保証の必要性を慎重に判断する、③前経営者との保証契約は、保証解除に向けて適切に見直しを行う、等とされている。

弁護士は、上記ガイドラインや特則に即した内容につき助言等を行うだけでなく、金融機関と積極的に交渉し、経営者保証解除の円滑な実現に努めるべきである。

c　他の支援機関との連携

他の支援機関との連携は、支援機関の基本姿勢とされているところでもあり、弁護士も必要に応じて他の支援機関と積極的に連携して業務を行うべきである。

たとえば、バリュエーション（企業価値評価）については公認会計士や税理士等、マッチング（譲り受け側の選定）についてはM&A専門業者や事業引継ぎ支援センター、金融機関等、財務および税務デューデリジェンスについては公認会計士や税理士等、クロージング後の登記手続については司法書士等との連携が考えられる。

d　弁護士の問合せ窓口

中小M&Aに関し弁護士の助言等を受けたい場合は、顧問弁護士や知り合いの弁護士に相談するのが通常であろうが、そのような弁護士がいない場合は、ひまわりほっとダイヤルを利用する方法がある。

ひまわりほっとダイヤルは、日本弁護士連合会および全国52の弁護士会が提供する電話等で弁護士との面談予約ができるサービスである。全国共通専用ダイヤル（0570-001-2 4 0（おおい ちゅーしょー））により申込みをすれば、担当弁護士から折返しの電話があり、面談相談の予約をすることができる。相談はその弁護士の事務所などで行うことになる。ちなみに、相談料は、一部の地域を除き、初回30分無料とされている。

2　事業承継・引継ぎ支援センターを活用する際の手続

(1)　初期相談対応（一次対応）

事業承継・引継ぎ支援センターにおける支援は、事業者同士の中小M&A支援においては、まず一次対応として、中小企業からの相談に対応し、支援の方向性を判断する。相談時点においてM&Aに対する意思決定ができていないものであっても、従業員承継や廃業に対する相談をも幅広く受けつけており、センターでは相談者のニーズも把握したうえで、適切な対応策の検討も行っている。

センターは、中小企業再生支援協議会やよろず支援拠点といった他の公的機関のほか、士業等専門家を含む支援機関とも連携をしており、中小M&A

以外の対応が適切であると判断した場合には、適切な支援機関への橋渡しも行う。中小 M&A の意思決定ができていない場合において、センターに相談することはさまざまな選択肢を検討するという観点から有益であると考えられる。

また、センターでは、公的な相談窓口として、他の仲介者や FA からのアドバイスについてのセカンドオピニオンを求めることもできるため、すでに中小 M&A の肯定が進んでいる場合において、支援を受けている仲介者・FA の対応に疑問が生じた場合等も、相談をすることが可能である。

相談のための資料としては、譲り渡し側の経営者についていえば直近３期分の決算書ならびに税務申告書のほか事業の概要がわかる会社案内や製品カタログなど相談者が持参のうえで臨む（ただし譲り受け側すなわち買い希望企業の場合は直近１期分の決算書持参で足りる）。

譲り渡し企業の顧問弁護士等の士業等専門家は、相談を受けた場合、センターの活用を提案する、相談に同席して経営者の意思決定を補助する等の支援をすることが求められる。

⑵　登録機関等による M&A 支援（二次対応）

一次対応の結果として、相談者が中小 M&A の実行について意思決定した場合に、センターが登録機関等のなかで適切な支援ができる者がいると判断した場合には、センターは二次対応として、当該登録機関等への橋渡しを行う。

登録機関等への支援を受ける場合には、登録機関等と仲介契約・FA 契約を締結することになるため手数料が発生するが、登録機関等からよりきめ細やかな支援を受けられることが期待できる。

登録機関等の選択をした後は、仲介者または FA を介した中小 M&A における一般的な手続の流れに沿うことになる。

その際の仲介契約、FA 契約についても、報酬の定めや専属契約か否か等について、弁護士が法的観点から助言すべきである。

⑶　センターによる M&A 支援（三次対応）

現在、M&A 支援のフローの三次対応としてセンターで行われていることは、二次対応において適当な登録機関等が存在しない場合、または、一次対応時点で特定のマッチング相手が決まっているかもしくは合意ができている者に対して、その後の手続の一部をセンターが直接支援するものである。

マッチング相手が決まっていない場合には、センターが保有するデータベースも活用しながら相手探しを実施する。マッチング相手が見つかった場合は、交渉から基本合意の締結、デュー・ディリジェンスを経て最終契約の締結およびクロージング（株式等の譲渡や譲渡対価の支払）までの、中小M&Aの一般的な流れを実行するため、士業等専門家の活用を含めた支援を行うことになる。

具体的には、センターは税務、法務面に関する士業等専門家への相談をかけることになるし、あるいはセンターが外部専門家等を紹介して、これらの者と連携してセンターが企業概要書の作成支援を行う。外部専門家等の利用は譲り渡し希望者にとって費用負担が生じるものの、税務面および法務面での見解が重要なポイントとなるケースもあるので、必要に応じ外部専門家の活用が期待されている。

⑷ 外部専門家（弁護士を含む）の役割

以上のとおり、センターは三次対応で士業を含む外部専門家の活用を行う。

センターから外部専門家としての弁護士の活用が明示的に期待されている場面としては、代理人として交渉が必要な場面および最終契約の締結において契約内容の法的なチェックを要する場合があげられている。株式や事業用資産の整理・集約については特に法務の専門家としての弁護士の役割が期待されている（中小M&Aガイドライン26頁）。そのほかにも就業規則の整備など労務における磨き上げにも弁護士の役割は存在する。

またセンターとしては、上記に限らず顧問として関与する弁護士を含む外部専門家に対しては、中小M&Aの流れの全部にかかわることを期待している。さらに、士業等の専門家による「持込み案件」でセンターを活用することはある。センターを活用する場合、弁護士も含めた士業等専門家が、センターや他の専門家等と連携を図りながら、譲り渡し企業あるいは譲り受け企業の意思決定を補助することが求められるといえる。

第4

個人に引き継ぐ場合

1　個人事業主が中小 M&A に関与するケースの増加と方法

後継者不在の中小企業の事業を M&A により社外の第三者が引き継ぐケースは、平成27年３月策定の「事業引継ぎガイドライン」以後増加し始めており、そのなかでも個人事業主において中小 M&A が成立する例は増加してきている。

そして、中小 M&A の当事者となる個人事業主は、顧問である弁護士を含む士業等専門家から紹介されることもある。そのほか、身近な支援機関である商工団体、金融機関、地方公共団体、中小企業診断士（コンサルタントや経営指導員）、M&A 専門業者、事業引継ぎセンターから把握される。後継者不在の譲り渡し企業である個人事業主の把握については、これら支援機関による把握によって、中小 M&A の流れのなかに乗ることになる。

他方、譲り受け側になる個人事業主を、商工会議所、商工会、地方公共団体、よろず支援拠点などの創業支援機関は、創業セミナーを実施する等の方法で把握する。

こうして、M&A 専門業者、金融機関、M&A プラットフォーマーに紹介された個人事業主が当事者となり、マッチングにより中小 M&A が成立することが近時増加してきているものである。

2　事業承継・引継ぎセンターによる「後継者人材バンク」

⑴　概　　要

このプラットフォーマーの一つとして、事業承継・引継ぎセンターは創業希望者（事業を営んでいない個人）とのマッチングを行う「後継者人材バンク」事業も行っている（中小 M&A ガイドライン43、44頁）。

情報収集・提供の段階では、センターは、後継者不在の小規模事業者の情報を収集するため、商工会議所・商工会、地域金融機関等に協力要請を行うとともに、「創業セミナー」を開催する商工会議所、商工会等からセミナー受講者の紹介を受ける。次に、マッチングの段階では、センターは、小規模事業者と起業家双方から引継ぎ条件等を聴取し、マッチングを行うものである。面談では、起業家側からの事業計画の説明や引継ぎ条件の擦合せが行われ、合意に達した場合は、合意文書が締結される。上記の段階を経て、事業引継ぎに向けて、合意内容の履行に係る手続を進める。

この後継者人材バンク事業の意義は、創業者にとっては有形・無形の経営資源（顧客、ブランド力、経営ノウハウ、店舗、在庫他）を承継できるため、一般的に資金負担も少なめになり、結果的に起業リスクを軽減できる可能性が高いことにある。

また過疎地域で後継者を求めている事業主と意欲ある移住者（希望者を含む）のマッチングや引継ぎを支援することで、Ｕ・Ｉ・Ｊターンにおける就業の選択肢になりえるものである。

⑵　情報収集・提供段階

センターは後継者不在の個人事業主を把握するため、連携する商工会議所、商工会、地方公共団体、よろず支援拠点、創業スクール等の創業支援機関に紹介を要請し、紹介を受けた小規模事業者を面談のうえでデータベースに登録する。

他方でセンターは起業家に対しても、自らも創業関係機関が実施する事業承継セミナー等に参加し「後継者人材バンク」事業の説明を行い、「後継者人材バンク」事業の紹介と登録申込みを、創業支援機関を経由して行うことを促す。

センターは、データベースに登録される小規模事業者と起業家との面談を通じて、引継ぎ条件等の詳細を把握したうえで、起業家側にノンネームの譲り渡し情報を提供し、了解が得られれば、マッチング段階に進む。

この行程では外部専門家が同席して関与することは想定されておらず、次のマッチング段階から外部専門家の同席が可能である。

⑶ マッチング段階

マッチングはセンター立会いのもと、３回をメドに実施される。上述のとおり、センターの責任者の判断により、以降の行程にその後のフォローアップを行う士業等外部専門家を同席させることが可能である。

a 初回面談

起業家と小規模事業者が秘密保持契約を締結する。

小規模事業者は青色申告書等の写しを、起業家は現経営者に対する提案書を持参するなどし、経営理念等についての意見交換を実施する。初回は、起業家を紹介した連携創業支援機関に対して面談への同席を要請する。

b ２回目面談

起業家が収支を含む事業計画書を持参するなどし、現経営者に対して引継ぎ後の事業展開等を説明する。

c ３回目面談

引継ぎの諸条件について擦合せを行い、基本合意に達した場合は双方で合意文書を締結する。

⑷ 引継ぎまでの行程

a 外部専門家等を活用したフォローアップ

合意文書を締結した後は、最終的な引継ぎに向けて、合意内容の履行に係る手続を進める。

センターは、引継ぎまでに必要となる各種手続（廃業、開業、物品売買契約、不動産賃貸契約等）を記載したマニュアルを譲り渡し側、譲り受け側双方に手交する。このフォローアップのため、センターは必要に応じて弁護士その他士業等を紹介する。

譲り渡し側である現経営者は、引継ぎ後の事業が順調に立ち上がるように、既存の顧客や仕入れ先、取引金融機関等と後継候補者との顔つなぎを行うとともに、これまでの経営で蓄積したノウハウ・技術等をしっかりと伝えていくことが重要であり、このための契約書作成支援が弁護士に求められる。

b 後継者としての試用期間

円滑な事業引継ぎを実施するために、一定の引継ぎ期間が必要であると判断される場合は、譲り受け企業である起業家が役員または従業員として一定の試用期間（半年～1年程度を目安とする）を設けることがある。

そのような場合、起業家が事業承継することの適否が明らかになるまで、事業承継に係る契約とは別途、①有償ないし無償で現経営者が起業家に研修を行う、②前経営者が役員ないし顧問として引き続き勤務する、などの方法がとられる。①の場合、起業家が従業員としての地位で研修を受けることもあり、事業引継ぎ支援センターとしては、職業安定法による職業紹介に該当するような雇用契約のあっせんにならないように慎重に運用している。①、②のいずれの方法においても、適法かつ円滑な承継を実現するため、起業家が後継者として使用される期間の契約について弁護士が契約書作成を担当するなど、士業等専門家の支援が求められる。

第5

トラブル対応

1　事業引継ぎの過程でトラブルが生じた場合

(1)　仲介者・アドバイザー（FA）との間のトラブル

a　FAを活用する際の留意点

フィナンシャル・アドバイザリー契約（以下「FA契約」という）では、着手金・成功報酬型の報酬体系が採用されているのが一般的であり、事業引継ぎが成立しなければ、成功報酬は発生しないこととなっている。そのため、FAに対し、事業引継ぎを思いとどまらせる方向での助言を期待するのが困難な場合も想定できる。

また、FAの役割は、抽象的には「事業引継ぎに関するアドバイスおよび取りまとめ」といいうるものの、具体的な局面において、FAが何をどこまですべきなのかは必ずしも明確ではない。

そのため、依頼者がFAに対して期待する業務と、FAが依頼者に対して提供した業務との間に食違いが生じてしまい、トラブルに発展する可能性がある。

b　仲介者を活用する際の留意点

仲介者との仲介契約では、仲介者が譲り渡し企業と譲り受け企業の双方と契約を締結することとなるため、利益相反のリスクがある（将来のリピーター候補であることから、譲り受け企業の利益に偏る可能性が高いといった指摘がなされている）。

もちろん、仲介者のほうでも、利益相反のリスクを最小限に抑え、適正な業務遂行をすべく、譲り渡し企業および譲り受け企業に対する情報開示等を実施する必要があるものの、譲り受け企業および譲り渡し企業においても、仲介契約に上記のような留意点があることを認識しつつ、必要に応じて専門家の意見を求めることが重要である。

c　トラブル回避のために事前に留意すべき点

FA 契約や仲介契約（以下「FA 契約等」という）におけるトラブルを未然に防ぐためには、契約内容をあらかじめチェックしておくことが重要である。特に注意すべき点として、以下のものがあげられる。

①　報酬・手数料の体系について

FA 契約等における報酬・手数料としては、「着手金」や「月額報酬」「中間金」「成功報酬」があり、どのような報酬・手数料の体系を採用するかは各契約によって異なる。支払時にトラブルに発展することも想定できるため、契約前に具体的な算定方法や発生時期を確認しておくことが重要である。

②　秘密保持条項について

事業引継ぎを進めるうえでは、秘密保持条項により情報の漏えいを防ぐことが重要である一方、特定の者（士業等専門家や社内の担当者）との間で情報共有がなされなければ、円滑な事業引継ぎが困難となることも予想される。また、どの段階で事業引継ぎの事実を公表するかという点も重要となる。こうした点について、事前に確認しておくことが望ましい。

③　専任条項について

FA 契約等においては、他の FA や仲介者（以下「FA 等」という）への依頼を禁止する「専任条項」が設けられているのが通常である。この場合において、どのような行為が禁止されているのか（たとえば、他の FA 等に対してセカンドオピニオンを求めることまで禁止されているのか等）を確認しておくのが望ましい。

d　トラブルが発生した場合の対応

事業引継ぎが終了する前、すなわち、FA 契約や仲介契約が終了する前に、FA 等の業務に関してトラブルが生じた場合は、FA 等に対して不満を告げ、改善を求めることとなる。そのうえで、改善が見込めなければ、FA 契約等を解除・解約することも考えられる。

ただし、FA 契約等では、依頼者が契約終了後一定の期間（期間について、「中小 M&A ガイドライン（旧名称、事業引継ぎガイドライン）」58頁では、「最長でも2～3年以内を目安とすることが望ましい」とされている）内に、FA契約等に基づいて紹介された譲り受け企業・譲り渡し企業間で事業引継ぎを成立させた場合、依頼者はFA等に対して、成功報酬相当額を支払わなければならない旨の規定（テール条項）が設けられているのが通常である。この点もふまえ、FA契約等を解除・解約すべきか否かは、慎重に判断する必要がある。

(2) 相手方当事者との間のトラブル

最終契約締結前にトラブルが生じた場合は、当該トラブルの軽重に応じ、相手方当事者に対して改善を求める、取引を中止するといった対応を検討することになる。

また、最終契約締結後、クロージングまでの間に、相手方当事者が契約上の義務に違反した場合は、最終契約書の条項に従い、履行の拒絶や契約の解除等の対応を検討することになる。

このように、事業引継ぎの過程で深刻なトラブルが生じた場合であれば、取引の中止や契約の解除等の措置をとることにより、損害の拡大を防ぐことが可能である。

2 事業引継ぎが終了した後にトラブルが生じた場合

(1) FA等との間のトラブル

FA契約等が終了した後に、FA等の業務に関してトラブルが生じるケースの多くは、譲り渡し企業の抱える問題点が事後的に判明した場合である。このような場合には、FA等に対して、債務不履行に基づく損害賠償請求の可否を検討することとなる。

もっとも、FA等が依頼者に対してどの程度の業務を提供すべきであったのかは必ずしも明確ではない。また、FA等の役割は、あくまで依頼者に対するアドバイス等であり、最終的な決断は依頼者自身がすることになる。

そのため、たとえFA等の助言等に従って行動した結果、依頼者に不利益が生じたとしても、そのことから直ちにFA等が法的責任まで負うことにはならない。FA等に対して法的責任を追及できる場面は、FA契約等における明確な債務不履行があった場合に限られるものと考えられる。

したがって、FA等とのトラブルを回避するためには、より慎重にFA等を選定することに加え、十分なデューデリジェンスを実施し、トラブル自体が発生しないよう準備することが特に重要となる。

(2) 相手方当事者との間のトラブル

事業引継ぎ後に深刻なトラブルが生じた場合として、たとえば譲り渡し企業において、財務情報が正確である旨表明保証したにもかかわらず、事業引継ぎ後に当該情報が実態を反映していないことが発覚した場合等が考えられる。

この場合、譲り渡し企業は、最終契約書の補償条項に基づき、譲り受け企業に対して補償請求をすることになる。

もっとも、表明保証違反を理由とする補償請求には、以下のとおり一定の限界がある。

a 補償の対象に含まれない可能性があること

そもそも、問題となっている事項が、表明保証の対象に含まれていなければ、表明保証違反の前提を欠くことになる。

また、たとえ当該事項が表明保証の対象に含まれていたとしても、補償の対象が、表明保証条項の「重大な違反に起因する損害」に限定されている場合もある。

このような場合には、そもそも補償請求権自体が発生しないこととなる。

b 請求期間や金額が限定されている可能性があること

表明保証違反を理由とする補償請求については、補償条項にて一定の期間制限がなされているのが通常である。そのため、表明保証違反の事実が発覚した時期いかんでは、補償請求ができなくなる可能性がある。

また、補償金額についても、上限が設定されているのが通常である。そのため、たとえ表明保証違反により、甚大な損害が生じたとしても、十分な補償を得られない可能性がある。

c 譲り受け企業が悪意または重過失の場合に売主は免責される可能性があること

たとえ譲り渡し企業側に表明保証違反の事実があっても、譲り受け企業において、表明保証違反につき悪意または重過失の場合には、売主は免責される可能性がある（東京地方裁判所平成18年１月17日判決・判例タイムズ1230号206頁）。

この点をふまえ、一方当事者の表明保証に関する他方当事者の認識は、当該表明保証の効力に影響を及ぼさない旨の条項が設けられるのが通常である。もっとも、かかる条項があっても、過失相殺等による減額がされる可能性は否定できない。

d　回収が見込めない可能性があること

これらの問題点をすべてクリアし、譲り渡し企業側に対する補償請求が認められたとしても、譲り渡し企業側が無資力となっているリスクがある。特に、事業引継ぎとあわせて事業再生を図る場合は、譲り受け企業から支払われた譲渡代金が、金融機関等の債権者への返済に充てられてしまうため、譲り渡し企業側の無資力のリスクはより現実的なものとなる。

以上のとおり、事業引継ぎ後に当事者間で深刻なトラブルが生じた場合は、事後的な補償すら期待できない可能性もある。

そのため、譲り受け企業においては、デュー・ディリジェンスの段階で譲り渡し企業の問題点をできる限り正確に把握しておくことが重要となる。また、譲り渡し企業側としても、事後的な補償請求を回避すべく、積極的かつ正確な情報開示に努める必要がある。

コラム

秘密保持の盲点

譲り渡し企業がM&Aを検討する場合、情報管理がきわめて重要である。M&Aを検討している事実はトップシークレットであり、万が一漏えいした場合、取引先にその意図あるいは真意を勘ぐられたり、業界内で信用を落としたりすることが考えられる。また、検討段階において社内で利用している契約書や規程などの内部書類、あるいは財務諸表などが流出してしまえば、経営に与える負の影響は甚大となる。

そのため、M&Aの検討を進める際には、情報を提供する先（譲り受け候補者、仲介者あるいはアドバイザー）との間で秘密保持契約を締結することが第一に必要になる。
　しかし、秘密保持契約を締結して安心してしまうのか、意外と盲点となるのが、社内における情報管理だ。M&Aの検討が進められていることが社内で広がってしまった場合、先行きに不安を感じた役員や従業員が反対したり、退職したり、従業員から相談を受けた第三者が介入したりして、その後の手続に支障が生じることがある。そのような事態が起これば、社内をまとめるのがむずかしくなるだけでなく、譲り受け企業の買収意欲を失わせることにもつながりかねない。M&Aというのは譲り受け企業にとっても大きなリスクがある手続であり、思わぬ躓きがリスクテイクの支障になって破談してしまうことは、決して珍しくないのである。
　譲り渡し企業が、社内で、だれにいつ、M&Aを検討していることを開示するか。まずは経営者だけで手続を進めることが無難である。ある程度交渉が成熟した段階で、事業の中心的な人物や信用のおける経理担当者などに絞り込んで開示することも考えられるだろう。それでは、譲り受け企業が「この人物が残ってくれないのであればM&Aは成立しない」と考える人物がいる場合、譲り渡し企業では、いつM&Aについて当該人物に話せばよいか。株式譲渡契約締結前に伝える場合も、株式譲渡契約締結後クロージング前に伝える場合もあるだろうが、これはどんなときでもむずかしい判断である。

第 5 部

事業承継の円滑化に資する手法

第１

種類株式

1　種類株式の概要

⑴　事業承継における意義

近年、事業承継の円滑化を目的とした種類株式の活用が広がってきているといわれている。それは、後継者の経営基盤を安定させるために先代経営者が保有する自社株を後継者に集中して承継させることが望ましいとはいえ、遺留分等の相続法や資金面での制約があってなかなか簡単ではない、あるいは、その他の株主が保有する自社株の分散を防ぐ有効な手立てがない、ということが背景にあると考えられる。

そこで、以下のとおり、事業承継における種類株式の活用についてみていくことにする。

⑵　種類株式の意義

種類株式とは、以下のとおり、会社法108条１項各号に列挙された９つの事項について異なる定めをした内容の異なる２以上の種類の株式をいう。

・剰余金の配当に関する種類株式（同項１号）

・残余財産の分配に関する種類株式（同項２号）

・議決権制限株式（同項３号）

・譲渡制限株式（同項４号）

・取得請求権付株式（同項５号）

・取得条項付株式（同項６号）

・全部取得条項付種類株式（同項７号）

・拒否権付種類株式（同項８号）

・取締役・監査役の選任に関する種類株式（同項ただし書、同項９号。なお、解任については会社法339条１項、347条参照）

図表５－１　種類株式の機能

機　能	種類株式
議決権に関するもの	①　議決権制限株式 ②　取締役・監査役の選任に関する種類株式 ③　拒否権付種類株式
株式の譲渡に関するもの	①　譲渡制限株式 ②　取得請求権付株式 ③　取得条項付株式 ④　全部取得条項付種類株式
経済的利益に関するもの	剰余金の配当または残余財産の分配に関する種類株式

いずれの種類株式を発行する場合でも、これらの事項と発行可能種類株式総数を定款で定めなければならない（会社法108条２項本文）。

なお、譲渡制限株式、取得請求権付株式、取得条項付株式については、会社の発行する全部の株式の内容とすることもできる（会社法107条１項）。

(3)　種類株式の機能

種類株式は、機能に応じて、図表５－１のとおり分類することができる。

(4)　種類株式と類似する機能を有する制度

a　属人的定め

(a)　意　　義

非公開会社（発行する株式全部について譲渡制限がなされている会社）では、①剰余金の配当を受ける権利、②残余財産の分配を受ける権利、③株主総会の議決権について、株主ごとに異なる取扱いを行う旨を定款で定めることができる。その株主が有する株式はこれらの事項に関する種類株式とみなして、会社法第二編、第五編の規定が適用される（「属人的定め」。会社法109条２項・３項、105条１項）。ただし、属人的定めの導入には、種類株式と同様、定款変更が必要であるが、そのための株主総会決議としては特殊決議（総株主の人数の半数以上（これを上回る割合を定款で定めた場合はその割合以上）、かつ、総株主の議決権の４分の３（これを上回る割合を定款で定めた場合はその割合）以上に当たる多数の賛成）が必要である点で異なる（会社法309条４項）。

また、属人的定めは、種類株式と異なり、登記事項ではない。

(b) 事業承継における活用方法

属人的定めは、認知症等により先代経営者の判断能力が低下した場合の対応策として（事業承継ガイドライン68頁）、あるいは、取締役に就任した株主だけが議決権を行使できるものとしたうえ、自社株を承継した相続人のうち後継者のみを取締役に就任させ、議決権を行使させる、という活用方法も考えられる[1]。

b 株主間契約との異同

株主間契約は、複数の株主が会社の組織・運営に関する事項を定款ではなく契約で定めることをいう[2]。株主間契約は、株主間の合意で成立するため、種類株式と異なり、定款変更や登記が不要であるほか、契約当事者以外の者には効力は及ばない。

2 事業承継における種類株式の活用

以下では、図表5－1の分類に従って、事業承継における種類株式の活用方法、定款記載例および留意点を概説する。

(1) 議決権に関する種類株式

a 議決権制限株式

(a) 意義と活用方法

議決権制限株式とは、株主総会において議決権を行使することができる事項についてなんらかの制限がなされた種類株式をいう（会社法108条１項３号）。

事業承継における活用方法としては、先代経営者が全発行済普通株式を保有する場合、定款変更により保有株式の一部を無議決権株式に変更し、後継者には普通株式を、非後継者には無議決権株式を取得させることで、後継者に議決権を集中できる、というものが考えられる（事業承継ガイドライン68

1　ただし、種類株式とみなされるので、本文のように議決権に関して属人的な定めがなされた場合には、相続人のうち後継者のみが議決権を行使できることとなるため、遺留分の算定等の場面においては、後述の議決権制限株式と同様の評価の問題は残る。

2　田中亘『会社法（第３版）』（東京大学出版会、2021年）24頁参照。なお、会社と特定の株主との間で同様の事項について契約で定める場合もある。

図表5－2　議決権制限株式の事業承継における活用方法

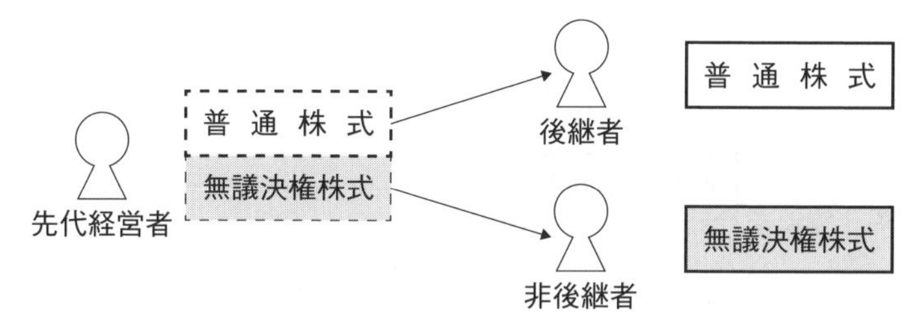

頁。図表5－2）。

(b)　**定款記載例**

定款には発行可能種類株式総数および株主総会で議決権を行使できる事項等を定める（会社法108条2項3号・3項、同法施行規則20条1項3号）。

書式5－1は、無議決権株式発行の定款の記載例である。

書式5－1　無議決権株式発行の定款の記載例

> **（発行可能株式総数及び発行可能種類株式総数）**
> **第○条**　当会社の発行可能株式総数は○○株とし、当会社の発行可能種類株式総数は次のとおりとする。
> 普通株式　　○株
> A種株式　　○株
> …
> **（無議決権株式）**[3]
> **第○条**　A種株式は、株主総会において議決権を有しない。

(c)　**主な留意点**

無議決権株式等の相続税等の課税上の評価については国税庁の方針が示されているが[4]、必ずしも遺産分割や遺留分侵害額請求における相続財産、遺留分算定基礎財産の算出のための評価の基準となるものではない、という指摘もあり、遺留分の算定における評価で争いが生じる可能性がある[5]。ま

3　神﨑満治郎ほか『会社法務書式集（第2版）』（中央経済社、2016年）78頁参照。

4　国税庁による文書回答事例「相続等により取得した種類株式の評価について」（平成19年2月26日）等。

図表５－３　拒否権付種類株式の事業承継における活用方法

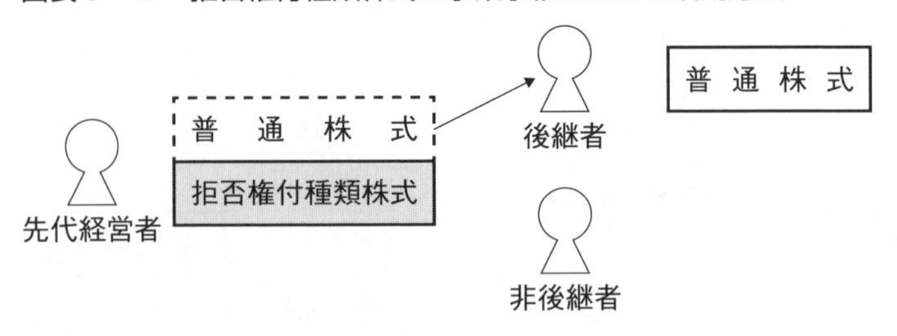

た、非公開会社は、公開会社と異なり、議決権制限株式の発行数に制限がない（会社法115条）。

b　拒否権付種類株式

(a)　意義と活用方法

拒否権付種類株式とは、株主総会等の決議事項のうち、当該決議のほか、当該種類株式の種類株主総会の決議があることを必要とするその種類株式である（会社法108条１項８号）。

事業承継における活用方法としては、先代経営者が全発行済普通株式を保有する場合、定款変更により拒否権付株式を導入し、株式無償割当ての方法で拒否権付種類株式を先代経営者に割り当てる。先代経営者は、後継者に普通株式を承継した後も拒否権付種類株式を保有し、会社の重要事項について拒否権を留保しつつ後継者を監督する、というものが考えられる（図表５－３）。

(b)　定款記載例

定款には発行可能種類株式総数および当該種類株主総会の決議事項等を定める（会社法108条２項８号・３項、同法施行規則20条１項８号）。書式５－２はその記載例である。

5　吉岡毅「事業承継と種類株式の評価―無議決権株式を中心として―」金融法務事情1818号59頁以下参照。

書式5－2　拒否権付種類株式の定款の記載例

> **（発行可能株式総数及び発行可能種類株式総数）**
> 　略
> **（拒否権付種類株式）**[6]
> **第○条**　次の各号に掲げる事項については、株主総会の決議のほか、A種株主を構成員とする種類株主総会の決議を要する。
> 　①　組織変更、合併、会社分割、株式交換又は株式移転
> 　②　事業の全部又は重要な一部の譲渡
> 　③　定款の変更
> 　④　解散

(c)　主な留意点

拒否権付種類株式を発行する場合、同時に譲渡制限株式とすることに加えて、拒否権付種類株式を有する先代経営者と新経営者の意見が対立し株主総会決議が成立しない事態や先代経営者の死亡・認知症の事態等に備え、これらの事実の発生を条件とする取得条項付種類株式（後述）とする等の対策が必要である。

c　取締役・監査役の選任に関する種類株式

(a)　意義と活用方法

取締役・監査役の選任に関する種類株式とは、当該種類株主総会で取締役または監査役を選任することを内容とする種類株式である（会社法108条1項9号）。

事業承継における活用方法としては、①先代経営者が全発行済普通株式を保有する場合、定款変更により保有株式の一部を当該種類株式に変更、後継者に普通株式を承継した後も当該種類株式を保有し、取締役・監査役を通じて後継者を監督する（図表5－4）、あるいは、②後継者が当該種類株式の過半数を承継し、会社の経営陣の人事を掌握する、というものが考えられる。

(b)　定款記載例

定款には発行可能種類株式総数および当該種類株主総会で取締役・監査役を選任すること等を定める（会社法108条2項9号・3項、同法施行規則19条、

6　神﨑ほか・前掲注3・81頁参照。

図表５－４　取締役・監査役の選任に関する種類株式の事業承継における活用方法

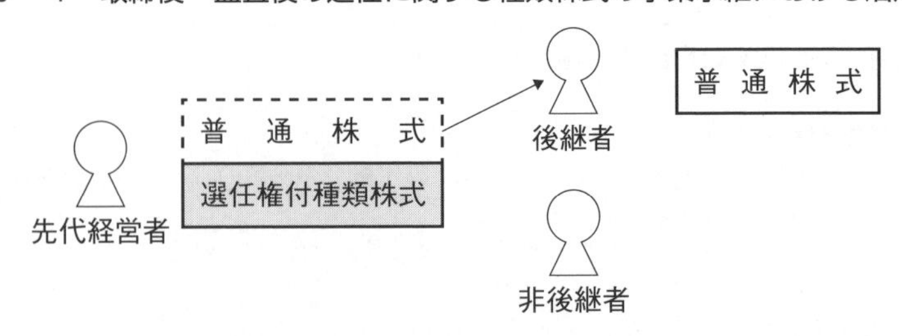

20条１項９号)。ある種類の株式については、定款上、取締役・監査役の一方または双方を一人も選任できない旨を定めることもできる[7]。書式５－３はその記載例である。

書式５－３　取締役の選任に関する種類株式の定款の記載例

> **（発行可能株式総数及び発行可能種類株式総数）**
> 略
> **（取締役の選任に関する種類株式）**[8]
> **第○条**　普通株主を構成員とする種類株主総会において、取締役○名を選任することができる。
> ２　Ａ種株主を構成員とする種類株主総会において、取締役○名を選任することができる。
> ３　Ｂ種株主を構成員とする種類株主総会において、取締役を選任することはできない。

(c)　主な留意点

取締役・監査役の選任に関する種類株式は、指名委員会等設置会社および公開会社では発行できない（会社法108条１項ただし書)。また、当該種類株式の定款の定めには廃止の特則がある（会社法112条)。さらに、当該種類株主総会によって選任された取締役・監査役の解任についても、定款によって別途定めがある場合等を除き、当該種類株主総会の決議によることとされている（会社法347条)。当該種類株式は、拒否権付種類株式と同様、譲渡制限株

7　江頭憲治郎『株式会社法（第７版)』（有斐閣、2017年）167頁参照。
8　森・濱田松本法律事務所編著『新・会社法実務問題シリーズ２　株式・種類株式（第２版)』（中央経済社、2015年）342頁以下参照。

式・取得条項付株式とする等の対策が必要である。

(2) 株式の譲渡に関する種類株式

a 譲渡制限株式

(a) 意義と活用方法

譲渡制限株式とは、譲渡による株式の取得について会社の承認を要することを内容とするものである。種類株式として発行される場合もある（会社法108条2項4号）が、中小企業の場合、全株式について譲渡制限がなされている（会社法107条1項1号）ことが多い（「譲渡制限会社」「非公開会社」）[9]。

事業承継における活用方法としては、先代経営者以外の者が譲渡制限のない発行済普通株式の一部を保有する場合、定款変更により全株式に譲渡制限を設定する（会社法107条2項1号）[10]。これにより、先代経営者以外の者が保有自社株を第三者に譲渡しようとする場合、取締役会（取締役会非設置会社では株主総会）の承認が必要となる（承認しない場合は、会社またはその指定する者が当該譲渡しようとした自社株を買い取ることができる。会社法140条1項・4項）ため、株式の分散化を防止できる、というものが考えられる（事業承継ガイドライン68頁）。

(b) 定款記載例

全株式に譲渡制限を設ける場合、定款には譲渡による株式の取得に会社の承認を要すること等を定める（会社法107条2項1号）。また、種類株式として譲渡制限を設ける場合、定款には上記のほか発行可能種類株式総数を定める（会社法108条2項4号）。書式5－4はその記載例である。

書式5－4　株式の譲渡制限に関する種類株式の定款の記載例

（発行可能株式総数及び発行可能種類株式総数）
略

9　ただし、昭和41年の株式譲渡制限制度創設以前に設立された会社のなかには、中小企業でも譲渡制限がないままの会社があることに注意を要する。

10　この場合には、株主総会の特殊決議（議決権を有する株主の人数の半数以上、かつ、議決権の3分の2以上の賛成）が必要（会社法309条3項1号）。また、この決議について反対株主に株式買取請求権がある（会社法116条1項1号）。

（株式の譲渡制限）[11]

第○条　当会社のＡ種類株式を譲渡により取得するには、株主又は取得者は取締役会の承認を受けなければならない。

(c)　主な留意点

前記のとおり、会社が株主等の承認請求に対し不承認を決定し譲渡制限株式を買い取る場合、株主総会の特別決議を要する（会社法140条２項、309条２項１号）ほか、財源規制がある（対価として交付する金銭等の帳簿価額の総額は効力発生日の分配可能額を超えてはならない。会社法138条、461条１項１号）。

なお、発行済種類株式に譲渡制限を付する定款変更には、通常の定款変更手続のほか、当該譲渡制限を付する種類株式およびその種類株式を交付される取得請求権付株式・取得条項付株式に係る種類株主総会の決議が必要である（会社法111条２項、324条３項１号）。反対株主には株式買取請求権がある（会社法116条１項２号）。

b　取得請求権付株式

(a)　意義と活用方法

取得請求権付株式とは、株主が会社に対してその取得を請求できるものである。通常、種類株式として発行される（会社法108条１項５号）が、全株式について取得請求権が付されていることもある（会社法107条１項２号）。

事業承継における活用方法としては、譲渡制限株式を同時に金銭対価の取得請求権付株式として導入し、遺留分に反しない限度で、非後継者にも、この株式を相続等により承継させる。これにより、非後継者は取得請求権を行使することができ、その結果、会社が当該株式を取得することとなるため、非後継者保有の自社株の会社への売却を促すこととなり、後継者の議決権割合を向上させるとともに、株式の分散化を防止できる、というものが考えられる。また、議決権制限株式を導入するに際し、あわせてこれに取得請求権を付することにより、前述の議決権制限株式の相続等における評価をめぐる紛争を予防する、という活用も考えられる。

11　会社法実務研究会編著『会社法実務マニュアル（第２版）―株式会社運営の実務と書式―第３巻　株式・種類株式・新株予約権』（ぎょうせい、2017年）38頁。

(b) **定款記載例**

定款には発行可能種類株式総数および株主が会社に当該株主の有する株式の取得を請求できること等を定める（会社法108条2項5号、107条2項2号イ～ヘ）。書式5－5はその記載例である。

書式5－5　取得請求権付株式の定款の記載例

> **（発行可能株式総数及び発行可能種類株式総数）**
> 略
> **（金銭を対価とする取得請求権）**[12]
> **第○条**　A種株主は、令和○年○月○日以降いつでも、当会社に対して、［金銭の交付と引き換えに、］その有するA種株式の全部又は一部を取得することを請求することができるものとし、当会社は、A種株主が取得の請求をしたA種株式を取得するのと引き換えに、A種株式1株当たり［払込金額相当額及びA種累積未払配当金の合計額］の金銭を、当該A種株主に対して交付するものとする。

(c) **主な留意点**

通常、会社は当該種類株主による取得請求をコントロールできないので、予期しない時期に会社資産が外部に流出する可能性がある。また、取得対価として会社の他の株式を交付できるが（会社法108条2項5号ロ）、株式以外の財産を交付する場合、当該財産の帳簿価額が当該請求日の分配可能額を超えるときは、取得請求権の行使が認められない（会社法166条1項ただし書、461条2項）。

c　取得条項付株式

(a) **意義と活用方法**

取得条項付株式とは、会社が一定の事由が生じたことを条件として当該株式を取得できるというものである。通常、種類株式として発行される（会社法108条1項6号）が、全株式について取得条項を付すことも可能である（会社法107条1項3号）。

事業承継における活用方法としては、①先代経営者が全発行済普通株式を保有する場合、定款変更により全株式を取得条項付株式に変更する。その

12　森・濱田松本法律事務所編著・前掲注8・308頁参照（ただし、「平成」を「令和」に修正した）。

図表5－5　取得条項付株式の事業承継における活用方法

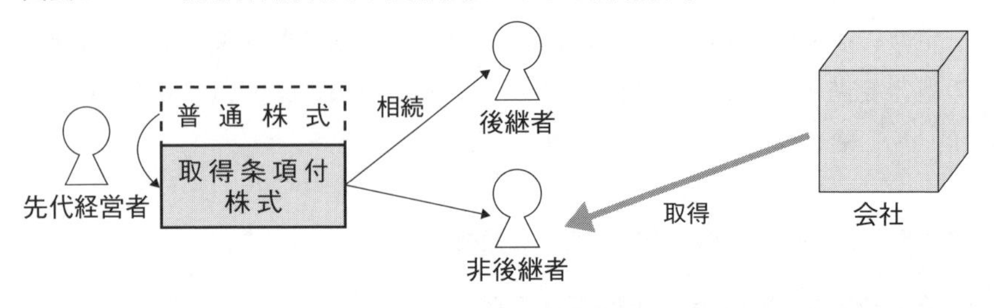

際、株主の死亡を取得条件とする。②先代経営者は、遺言等により、遺留分に反しない限度で非後継者にも自社株を相続させることとする。③先代経営者が死亡した場合に、会社が、先代経営者からこの株式を相続した非後継者からこれを取得し、後継者への議決権の集中、株式の分散化を防止できる、というものが考えられる（図表5－5）。ただし、この場合、後継者が取締役会等において、会社の意思決定を支配しておく必要はある。また、少数株主が保有する株式の分散化の防止にも有効である。

(b)　**定款記載例**

定款には発行可能種類株式総数および会社が取得事由発生日に当該株式を取得すること等を定める（会社法108条2項6号、107条2項3号）。書式5－6はその記載例である。

書式5－6　取得条項付株式の定款の記載例

（発行可能株式総数及び発行可能種類株式総数）
略
（金銭を対価とする取得条項）[13]
第○条　当会社は、令和○年○月○日以降いつでも、取締役会が別に定める日の到来をもって、A種株式の全部又は一部を取得することができるものとし、当会社は、A種株式を取得するのと引き換えに、当該A種株主に対して次項に定める額（以下「償還価額」という。）の金銭を交付する。なお、A種株式の一部を取得するときは、按分比例又は抽選の方法による。

13　森・濱田松本法律事務所編著・前掲注8・317頁（ただし、「平成」を「令和」に修正した）。

2　「償還価額」は、A種株式1株につき、(i)A種株式1株当たりの払込金額、(ii)A種株式累積未払配当金及び(iii)○○の合計額とする。

(c)　主な留意点

発行済株式全部またはある種類の種類株式全部に取得条項付株式とする定款変更には、通常の定款変更手続のほか、その株式を有する株主全員の同意が必要である（会社法110条、107条1項3号、111条1項、108条1項6号）。取得請求権付株式と同様、会社が取得条項付株式を取得条項に基づいて取得する場合、財源規制がある（会社法170条5項、461条2項）。なお、取得条項付株式の一部取得もできる（会社法108条2項6号イ、107条2項3号ハ）。

d　全部取得条項付種類株式

(a)　意義と活用方法

全部取得条項付種類株式とは、会社が株主総会の決議によって株式の全部を取得することができる種類株式をいう（会社法108条1項7号）。

事業承継における活用方法としては、先代経営者以外に株主が存在する場合、①定款変更により普通株式、全部取得条項付種類株式、無議決権株式を発行できる会社とし、現存する全普通株式を全部取得条項付種類株式に変更する（会社法111条2項、324条2項1号）、②第三者割当ての方法で普通株式を先代経営者および後継者に割り当てる、③会社が全部取得条項付種類株式を取得し、取得対価として無議決権株式を交付する。これにより、先代経営者および後継者のみに議決権を集中できる[14]、というものが考えられる（図表5－6）。また、取得対価を自社株以外のもの（金銭等）にすれば、先代経営者および後継者のみが株主となるため、株式譲渡によるM&A等における活用も考えられる（本書第4部第1の1参照）。

(b)　定款記載例

定款には発行可能種類株式総数および取得対価の内容・数等を定める（会社法108条2項7号、171条1項1号）。書式5－7はその記載例である。

14　第二東京弁護士会事業承継研究会編著『一問一答　事業承継の法務』（経済法令研究会、2010年）146頁参照。

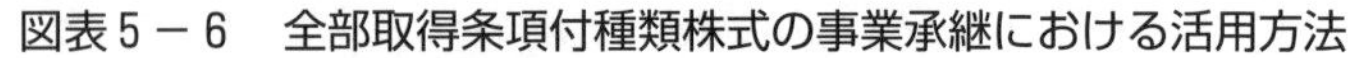
図表５－６　全部取得条項付種類株式の事業承継における活用方法

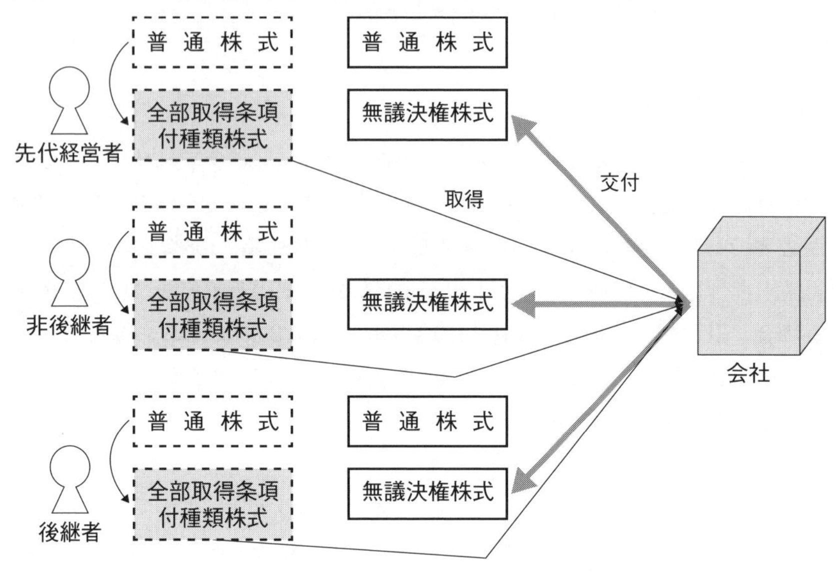

書式５－７　全部取得条項付種類株式の定款の記載例

（発行可能株式総数及び発行可能種類株式総数）
　略
（Ａ種全部取得条項付種類株式）[15]
第○条　当会社は、株主総会の特別決議によって、Ａ種全部取得条項付種類株式の全てを取得することができる。
２　当会社は、株主総会の特別決議により、Ａ種全部取得条項付種類株式の全てを取得する場合は、これと引き換えに、その１株に対して１株の割合で、新たに発行するＢ種議決権制限株式を交付する。

(c)　主な留意点

発行済種類株式を全部取得条項付種類株式とする定款変更には、通常の定款変更手続のほか、当該定款変更を行う種類株式およびその種類株式を交付される取得請求権付株式・取得条項付株式に係る種類株主総会の決議が必要で（会社法111条２項、324条２項１号）、定款変更決議に反対の株主には株式

15　会社法実務研究会編著『会社法実務マニュアル（第２版）―株式会社運営の実務と書式―第４巻　組織再編・事業承継』（ぎょうせい、2016年）271頁参照。

図表５－７　剰余金の配当・残余財産の分配に関する種類株式の事業承継における活用方法

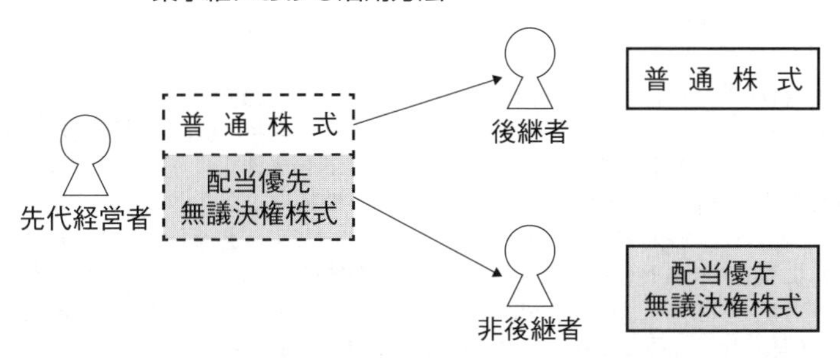

買取請求権がある（会社法116条１項２号）。取得条項付株式と異なり、会社が全部取得条項付種類株式の全部を取得するには、あらためて株主総会の特別決議が必要である（会社法171条１項、309条２項３号）。また、取得請求権付株式および取得条項付株式と同様、会社が全部取得条項付種類株式の全部を取得する場合、財源規制がある（会社法173条１項、461条１項４号）。

⑶　経済的利益に関する種類株式――剰余金の配当・残余財産の分配に関する種類株式

a　意義と活用方法

剰余金の配当（会社法108条１項１号）・残余財産の分配（同項２号）に関する種類株式とは、これらの事項について異なる内容の定めをした種類株式をいう。

事業承継における活用方法としては、図表５－２において、無議決権株式を同時に配当優先株式に変更し、これを非後継者に承継することで、非後継者の議決権を制限する一方でその経済的利益に配慮できる、というものが考えられる（図表５－７）。

b　定款記載例

定款には発行可能種類株式総数および当該種類株主に交付する配当財産または残余財産の価額の決定方法等を定める（会社法108条２項１号・２号・３項、同法施行規則20条１項１号・２号）。書式５－８はその記載例である。

書式5－8　剰余金の配当・残余財産の分配に関する種類株式の定款の記載例

（発行可能株式総数及び発行可能種類株式総数）
　略
（優先配当金）[16]
第○条　当会社は、定款第○条に定める期末配当をするときは、A種優先株式を有する株主（以下「A種優先株主」という。）又はA種優先株式の登録株式質権者（以下「A種優先登録株式質権者」という。）に対し、普通株式を有する株主（以下「普通株主」という。）又は普通株式の登録株式質権者（以下「普通登録株式質権者」という。）に先立ち、A種優先株式1株当たり金○円の配当金（以下「A種優先配当金」という。）を支払う。ただし、当該期末配当にかかる基準日の属する事業年度中の日を基準日としてA種優先株主又はA種優先登録株式質権者に対して第4項に従い配当金を支払ったときは、当該配当金の額を控除した額とする。
2　ある事業年度においてA種優先株主又はA種優先登録株式質権者に対して行う剰余金の配当の額がA種優先配当金の額に達しないときは、その不足額は翌事業年度以降に累積しない［非累積型］[17]。
3　A種優先株主又はA種優先登録株式質権者に対しては、A種優先配当金［及びA種累積未払配当金］を超えて剰余金の配当は行わない［非参加型］[18]。
4　当会社は、定款第○条に定める中間配当をするときは、A種優先株主又はA種優先登録株式質権者に対し、普通株主又は普通登録株式質権者に先立ち、A種優先株式1株当たり、A種優先配当金の2分の1の額の配当金を支払う。
（残余財産の分配）[19]
第○条　当会社は、残余財産の分配をするときは、A種優先株主又はA種優先登録質権者に対し、普通株主又は普通登録株式質権者に先立ち、A種優先株式1株につき金○円を支払う。A種優先株主又はA種優先登録株式質権者に対しては、前記のほか、残余財産の分配を行わない。

c　主な留意点

剰余金の配当等が期待できない場合、配当優先株式等では非後継者の経済的利益に配慮できず、当該種類株式が機能する場面は限定的である。そこで、一定以上の配当が実施されない限り議決権は制限されない、とすることも考えられる。なお、株主に剰余金の配当および残余財産の分配を受ける権

16　森・濱田松本法律事務所編著・前掲注8・283頁以下参照。
17　ある事業年度に所定の優先配当金額全額の配当が行われなかったときに、不足額が翌事業年度に繰り越される累積型とそうでない非累積型がある（田中・前掲注2・80頁参照）。
18　優先株主が所定の優先配当金額の配当を受けた後、残余の配当金額を普通株主と同一条件で配当を受けられる参加型と所定の優先配当金額を超えて配当に与れない非参加型がある（田中・前掲注2・80頁参照）。
19　森・濱田松本法律事務所編著・前掲注8・292頁参照。

利の全部を与えない旨の定款の定めは効力を有しない（会社法105条２項）。

3　種類株式の導入手続

(1)　定款変更・登記

a　定款変更

前述のとおり、種類株式を発行するには、発行可能種類株式総数および各種類株式の内容を定款に定める必要がある（会社法108条２項）。会社は、株主総会の決議で定款を変更できるが、その決議は特別決議で行わなければならない（会社法309条２項11号、466条。なお、「属人的定め」については特殊決議が必要である。会社法309条４項）。また、株式の種類の追加により、ある種類株主に損害を及ぼすおそれがあるときは、当該種類株主総会の特別決議が必要である（会社法322条１項１号イ、324条２項４号）。書式５－９は、臨時株主総会議事録の記載例である。

書式５－９　臨時株主総会議事録（種類株式の導入手続）

臨時株主総会議事録[20]

1	日　　時	令和○年○月○日　午前○○時○○分	
2	場　　所	東京都○○区○○○丁目○番○号　当会社本○会議室	
3	出 席 者	発行済株式の総数	○○株
		この議決権を有する総株主数	○○名
		この議決権の総数	○○個
		本日出席株主数	○○名
		この議決権の個数	○○個
4	議　　長	代表取締役　○○○○	
5	出席役員	取　締　役　○○○○	

6　会議の目的事項並びに議事の経過の要領及び結果

議長は、開会を宣し、上記のとおり定足数に足る株主の出席があったので、本総会は適法に成立した旨を述べ、議案の審議に入った。

第１号議案　定款一部変更の件

議長は、種類株式に関する定めである定款第○条を下記のとおり新設し、旧第○条以下を１条ずつ繰り下げたい旨を述べ、その理由を詳細に説明した。議長がその賛否

20　神崎ほか・前掲注３・80、175頁参照（ただし、「平成」を「令和」に修正した）。

を議場に諮ったところ、満場一致をもってこれに賛成した。よって、議長は、本議案は原案どおり可決された旨を宣した。

記

（発行可能種類株式総数及び各種類の株式の内容）

第○条（省略）

7 閉　　会　議長は午前○○時○○分閉会を宣言した。

以上、本議事録を作成し、議事録作成者が次に記名押印する。

令和○年○月○日

○○株式会社　臨時株主総会

議事録作成者　代表取締役　○○○○　印

b 登　　記

定款変更により発行可能種類株式総数および各種類株式の内容（「属人的定め」を除く）を定めた場合、これらについての登記事項に変更が生じるため、２週間以内に変更登記を行わなければならない（会社法911条３項７号、915条１項）。

⑵ 種類株式の発行

種類株式の発行方法は、①株式無償割当て、②第三者割当て、③発行済株式の内容の変更が考えられる。①株式無償割当ては、会社が株主に対し、保有株式数に応じて、当該会社の株式を無償で交付することをいう（会社法185条以下）。割当株式数・効力発生日等の事項の決定は、原則として株主総会の普通決議（取締役会設置会社では取締役会の決議）による（会社法186条）。②第三者割当ては、特定の第三者に募集株式を取得させる方法をいう（会社法199条以下）。募集株式数・払込金額等の事項の決定は、非公開会社では、株主総会の特別決議による（会社法199条２項、309条２項５号）。③発行済株式の内容の変更は定款変更によるが、株主総会の特別決議に加えて、その変更によりある種類株主に損害を及ぼすおそれがあるときは、当該種類株主総会の特別決議が必要である（会社法322条１項１号ロ、324条２項４号）。発行済株式の一部を他の種類株式に変更する場合、以上の手続のほか、(i)株式の内容の変更に応ずる個々の株主と会社との合意、(ii)株式の内容の変更に応ずる株主と同一種類に属する他の株主全員の同意が必要となる（昭和50年４月30日民四第2249号法務省民事局長回答）。書式５－10は、②第三者割当てに関する株主総会議案の記載例である。

なお、種類株式を発行したときは、株主名簿に、各株主が保有する株式の種類および種類ごとの数を記載しなければならない（会社法121条２号）。

書式５－10　株主総会議案（種類株式の発行）

第○号議案　募集株式発行及び総数引受契約承認の件[21]

議長は、下記のとおり会社法第205条に基づく総数引受契約方式によって募集株式を発行し、同時に下記の割当先との別紙・総数引受契約（省略）を承認したい旨を述べ、その理由を詳細に説明した。議長がその賛否を議場に諮ったところ、満場一致をもってこれに賛成した。よって、議長は、下記のとおり可決された旨を宣した。

記

⑴　募集株式の種類及び数（省略）
⑵　募集株式の払込金額（省略）
⑶　払込期日又は期間（省略）
⑷　増加する資本金及び資本準備金に関する事項（省略）
⑸　割当方法（省略）
⑹　払込みの取扱い場所（省略）

コラム

中小企業における種類株式の利用

中小企業において、種類株式を発行することはあまり行われていないが、M&Aを実施する際にはよく利用されているので、今後、中小企業のM&Aをきっかけとして利用が多くなるように思われる。

実施例を一例紹介したい。資本提携を行いながら、経営統合を進めていく前提において、まず最初に一定期間一緒に事業を実施し、一緒にやっていくことができるか判断するという場合に、種類株式を利用したケースがある。このケースは、最初は、提携先の資本傘下に入ることを予定していたのであるが、合意書締結後において、提携先に対し不信感が生ずる事情が生じたため、一緒にやっていけるか一定期間において判断することとし、その結果が出るまでは資本傘下には入らず、いつでも提携解消できるようにした。その時に利用したのが、全部取得条項付種類株式と取締役選任に関する種類株式

21　神﨑ほか・前掲注３・78頁以下参照。

である。一定期間内は、経営陣の過半数を従前の経営陣が占めるかたちとし、提携先が出資した株式はすべて全部取得条項付種類株式として、一定期間内であれば経営陣の判断によって提携先の株式をすべて買い取れるかたちとした。このケースは残念ながら、最終的には全部取得条項に基づき提携先の株式を買い取ったうえで提携解消となったが、きわめてスムーズに提携解消を行うことができた。

第2 信　託

1　信託の概要

信託では、委託者が受託者に対して信託財産の所有権等を移転して、受託者が信託行為（信託契約、遺言、信託宣言）の定めに従い、同財産を管理処分して受益者に給付を与えることが想定される（債権説）。そのため、通常、委託者、受託者および受益者の三者が信託の当事者となり、①委託者と受託者の間では委託者から受託者への信託財産の所有権等移転行為、②受託者が信託行為の目的に従った信託財産の管理処分を行い、③受益者はその給付を受ける権利を有する関係が存在する。

平成18年には信託法が全面改正された。この改正により、信託の自由度が広がり、信託行為の定め方を工夫することで幅広い設計ができるようになったので、信託を活用して、先代経営者・後継者の希望に沿った財産移転を行いスムーズな事業承継を実現する可能性が高まった（事業承継ガイドライン69頁以下）。

2　事業承継における信託利用の意義

信託の特徴のうち、事業承継に関連するものとしては、①信託財産の所有権が受託者に移転しても、受託者の固有財産には組み入れられることはなく、受託者の責任財産にはならないこと（信託法23条１項）、②委託者が受益権の内容を柔軟に決めることができ、受益者が死亡した場合に、受益権の帰属をどのようにするかも決めることができること等がある。

そして、事業承継において信託を利用することのメリットには、①経営者の意思を反映した事業承継を確実に、かつ、円滑に行うことができる可能性が高いこと、②後継者の地位を安定させることができること、③会社議決権

図表５－８　事業承継における基本的な信託のイメージ図

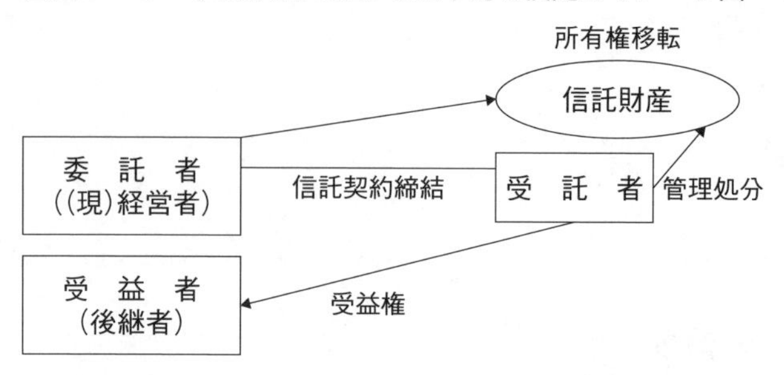

の分散化を防止する方法の選択肢が広がったこと、④財産管理の安定性があること等があげられる[22]（図表５－８）。

このような信託のメリットから、以下のような具体的要望がある場合には、事業承継において信託を活用するとよいといわれている。

・確実に特定の後継者に事業を承継させたい場合
・早期に先代経営者の希望する経営体制を準備・実現させたい場合
・相続により議決権が分散することを防ぎたい場合
・相続の際にトラブルになることを防ぎたい場合

なお、信託は受託者の性質により民事信託と商事信託に分けられる。事業承継で利用する場合、民事信託であれば経営者の親族や従業員が受託者となることが一般であるが、商事信託であれば信託銀行・信託会社が受託者となる。民事信託は、受託者についての制限がなく変更や解約について柔軟な設計が可能になり、報酬を無報酬とすることも可能である。一方、商事信託は、信託業法の制限を受けるため公正・中立性、安全性が担保されやすいが、受託者が営業として信託を引き受けるので必ず報酬を必要とする。事業承継において受託者をだれに定めて、民事信託と商事信託のいずれを利用するかは、信託目的、関係者の状況、費用面等をふまえてケースごとの判断になる。なお、費用を抑える観点からは委託者を当初の受託者とする自己信託という方法も考えられるが、当初から第三者を受託者としておいたほうが委

22　中小企業庁・信託を活用した中小企業の事業承継円滑化に関する研究会「中間整理～信託を活用した中小企業の事業承継の円滑化に向けて～」（平成20年９月）（以下「中間整理」という）１頁。

託者が死亡した場合等の後の混乱を少なくできると思われる（自己信託において、受託者でもある委託者の死亡等の場合に信託を継続するのであれば、信託行為において、次の受託者を定めておく等の処置が必要である。信託法56条1項）[23]。

3　信託の種類と事業承継における機能

(1)　遺言代用信託

a　遺言代用信託による事業承継

以下のようなケースでは、遺言代用信託による事業承継を検討することになる。

・先代経営者は、生存中は経営に携わり、議決権を行使したい。
・先代経営者は、生存中は株式の配当を受領したい。
・後継者は決まっており、確実にその者に事業承継を行いたい。
・先代経営者が受領する株式の配当金については、死亡後相続人間で平等に分け与えたい。
・先代経営者の財産が株式以外にはなく、議決権の分散や遺留分の問題が心配である。

遺言代用信託とは、委託者が死亡したときに受益者となるべき者として指定された者が受益権を取得する旨の定め、または委託者の死亡以後に受益者が給付を受ける旨の定めのある信託（信託法90条）のことをいう。たとえば、遺言代用信託により先代経営者が、その所有する自社株式の所有権を受託者に移転しつつ、生前は自らを受益者として株式の配当受領権と議決権行使の指図権（以下、単に「指図権」という）を取得し、死後は経営者が生前に意図していた者（後継者）が配当受領権と指図権を取得することが可能となる（図表5－9）。そのため、この信託は、遺言と同様の機能を有することになる。後述の受益者変更権の定めがある遺言代用信託を「狭義の遺言代用信託」という場合もあるが、本書では、遺言代用信託について、受益者変更権の定めの有無にかかわらない広義の遺言代用信託を指すこととする。

23　千葉鉱子＝名藤朝気「相続・事業承継における信託の活用に際しての実務上のポイント」KINZAIファイナンシャル・プラン381号（2016年11月）28頁。

遺言代用信託の特徴として、①先代経営者が死亡した際には確実に後継者に経営の実権を引き継がせることができること、②信託設定後は自社株の処分権が受託者に移るので、委託者（先代経営者）の受益者変更権を排除した場合は、先代経営者が自社株を他者に譲渡・処分することができなくなり後継者の地位が安定すること、③後継者は委託者である経営者が死亡して相続開始と同時に受益者となり経営上の空白期間が生じないことがあげられている[24]。なお、通常、信託契約において、受益者変更権を定めなければ、委託者は受益者を変更することはできない（信託法89条1項）が、遺言代用信託においては、委託者は原則として受益者変更権を有するとされている（ただし、信託行為で排除することは可能。信託法90条1項柱書）。したがって、受益者変更権の有無については、信託の設計において慎重に検討する必要がある。また、遺言代用信託の場合、自社株式以外の財産の扱いを別途決めておかないと円滑な事業承継は困難であること、信託設定時に会社の譲渡承認決議が必要となること等がデメリットとされている[25]。

特定の後継者に株式を取得させて経営の実権を取得させることは遺言によっても実現可能である。しかし、遺言の場合、滅失・毀損のリスクがあること、いつでも撤回やみなし撤回（自社株の他者への譲渡等）が可能である（民法1022条等）ことから後継者の地位が安定せず、場合によっては遺留分の問題が生ずるデメリットがある（遺言代用信託においても遺留分の問題は生じ

図表5－9　遺言代用信託を用いた事業承継のイメージ図

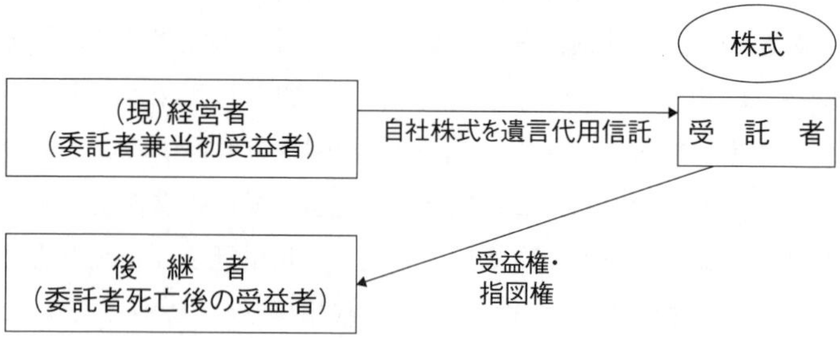

24　「中間整理」・前掲注22・3頁。
25　森田周一「商事信託の最新動向　自社株承継信託を活用した事業承継」信託フォーラム Vol.4・145頁。

うるが、この点については後述b「遺留分の問題」参照)。

b　遺留分の問題

遺言代用信託等において受益者が取得する受益権は、遺留分算定の基礎財産となると考えられている[26]。そのため、経営者に2人の子がいて、一方を後継者、他方を非後継者とする場合には、前述のような遺言代用信託を用いて後継者にのみ自社株の受益権を取得させると相続人間で不公平が生じその後の相続において紛争が生じることがある。そこで、遺言代用信託を活用する場合にも、経営者は自己の財産を把握して相続人間の調整をしておくことが円滑に事業承継を進めるポイントである。

もっとも、自社株式のみが唯一の財産であるような場合には、指図権を活用して、自社株の経済的受益権は相続人に分散させつつ経営の実権を後継者に集中させることも考えられる。この場合、議決権行使の指図権は、独立して取引の対象となる財産ではないから財産的価値はなく、遺留分算定基礎財産に算入されないから後継者にのみ指図権を与えても遺留分侵害の問題は生じない、という見解もある[27]。この見解によれば、相続人全員を受益者として自社株の経済的な利益を取得させつつ、議決権行使の指図権を後継者にのみ与えることで、議決権の分散を防止しつつ、遺留分侵害の問題を生じないようにすることができる、ということになる(図表5－10、書式5－11)。これに対し、このような場合には、後継者である相続人は議決権を有する株式

図表5－10　遺言代用信託で指図権の取得者を後継者に定めた場合のイメージ図

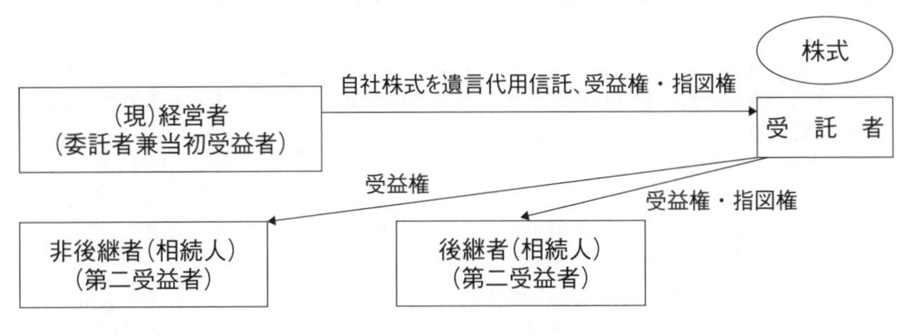

26　道垣内弘人『信託法(現代民法別巻)』(有斐閣、2017年) 62、63頁。
27　「中間整理」・前掲注22・4頁。

を、後継者でない相続人は議決権のない株式を、それぞれ承継した場合と同様であるので、遺留分侵害の問題が生じうる、とする見解もあるので、注意を要する。

書式５－11　遺言代用信託により経営者が株式を後継者に承継させる場合の契約書例

信 託 契 約 書

委託者を甲、受託者を乙として、以下のとおり、信託契約を締結する。

（基本合意）

第１条　甲は乙に対し、本契約により第３条記載の信託財産を譲渡し、信託の目的をもって乙をして受益者等のために管理処分させるものとし、乙はこれを引き受ける。

（信託目的）

第２条　本件信託は、甲が第３条記載の会社の経営を後継者であるＡに円滑に承継するとともに、同社の株式によって得られる配当等の経済的な利益を甲の相続人に公平に配分することにより、同社の企業価値の維持・発展を図りつつ甲の家族の幸福を増進することを目的とする。

（信託財産）

第３条　本件信託契約の信託財産は次のとおりとする。

①　甲が保有する次の会社（以下「本件会社」という）の株式○株（以下「本件株式」という）

本店所在地　○○県○○市○○

商号　丙株式会社

②　前号の財産から生じる配当等の果実、株式分割等によって得る株式、その他、一切の財産。

（信託的移転）

第４条　甲は、本契約締結により、本件株式の株主としての権利は乙に移転するものとする。

２　甲と乙は協力して、前項の移転について、本件会社による譲渡承認、株主名簿の書換え（本件株式が信託財産に属する旨の記載・記録を含む）等、本件信託のために必要な措置をとるものとする。

（信託財産の管理）

第５条　乙は、本契約に定めるもののほか、信託法の規定するところに従い、善良なる管理者の注意をもって、受託者として、信託財産である本件株式の維持、管理に関する必要な事項を適切に処理するものとする。

２　乙は、本件会社から剰余金等の金員を受領したときは、本件信託に要する費用（公租公課、通信費等）及び乙の報酬を控除し、その残余を第９条の受益者の指定する方法により公平に配分する。

３　乙は、本件会社の株主総会において、第10条の指図権者の指示に従って議決権を行使する。
4　乙は、信託財産である本件株式を処分しない。
（信託の費用）
第6条　乙は、信託事務の処理に要する費用は、信託財産から償還を受けることが出来る。また、乙は受益者から信託費用の前払いを受けることが出来る。
（帳簿等の作成、提出及び保管）
第7条　乙は、信託事務に関する財産状況の帳簿を作成する。
2　乙は、本件会社の事業年度の終了から○カ月以内に、信託財産目録及び収支計算書を作成して、各受益者に交付する。
3　乙は、第1項の帳簿を、作成から10年間保存する。前項の信託財産目録及び収支計算書は信託の清算の結了日まで保存する。
（受託者の報酬）
第8条　乙の報酬は、月○円とする。
（受益者）
第9条　受益者は、第5条第2項のとおり、乙から、本件株式の剰余金その他株主として得られる経済的利益を受領するものとする。
2　当初の受益者は甲とする。
3　甲が死亡したときは、次の者を受益者とする。
①　氏　名　A
住　所
生年月日　昭和○年○月○日
受益の割合○％
②　氏　名　B
住　所
生年月日　昭和○年○月○日
受益の割合○％
③　氏　名　C
住　所
生年月日　昭和○年○月○日
受益の割合○％
（指図権者）
第10条　指図権者は、第5条第3項のとおり、受託者に対し、本件会社の株主総会における本件株式の議決権行使に関して指図を行う。
2　当初の指図権者は、甲とする。
3　甲が死亡した場合又は甲について成年後見若しくは任意後見の開始があった場合は、指図権者はAとする。
（指図に関する協議）
第11条　前条の指図権者の指図の内容が第2条の信託目的に照らして不適切と判断される場合には、受託者と指図権者は、本件株式に係る議決権の行使につき協議するものとする。
2　受託者は、前項の協議の結果に従って、議決権を行使するものとする。
3　第1項の協議が整わないときは、受託者、委託者又は指図権者は、本信託契約を解除することができる。
（信託の終了）
第12条　本件信託は以下の事由により終了する。
①　甲と乙の合意
②　本件会社の解散
③　Aが死亡したとき
（残余財産受益者）
第13条　残余財産受益者は甲とする。甲が死亡したときは、第二次受益者とする。
～以下、略～

⑵　他益信託

事業承継において、以下のようなケースでは、他益信託を活用することが検討される。

・後継者はすでに決まっているが、未成年・未熟等の事情で、しばらくの間は先代経営者が経営の実権を行使して、後継者には経験を積んだら経営の実権を引き継がせたい。一方で、早期に後継者の地位を確立させておき、後継者には経営に専念してほしい。
・株式の配当については、後継者が受領してもかまわない。

委託者と受益者が別人格の場合を他益信託という（図表５－11）。事業承継ガイドラインでは、先代経営者が委託者となり、信託契約締結時に後継者を受益者とする一方で、議決権行使の指図権を保持したうえで、先代経営者が死亡した場合に自社株を交付するスキームを念頭に、他益信託の活用が紹介されている（事業承継ガイドライン70頁）。この場合、先代経営者の自社株を信託財産、先代経営者を委託者および指図権者、後継者を受益者として他益信託をすることになる。このスキームによれば、先代経営者が指図権の行使

図表５－11　他益信託のイメージ図

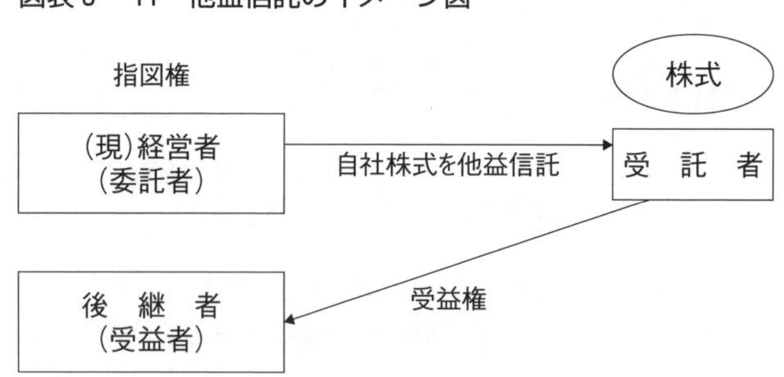

により経営の実権を把握する一方で、後継者の地位が早期に確立することや、信託を終了して自社株を後継者に交付する時期を自由に決められること、さらに拒否権付株式を利用せずに経営者が実権を握りつつ信託終了時に後継者が自社株を取得できるようにすることができる等のメリットがあげられている[28]。

前述のように、信託契約においては受益者変更権を定めなければ、委託者は受益者を変更することはできないため、委託者が信託契約後に受益者の変更を行う権利を留保したい場合にはその旨を契約で定めておく必要がある（信託法89条１項）。なお、委託者は受益者変更権を遺言で行使することもできる（同条２項）。したがって、先代経営者が後継者を変更する可能性があるのであればその旨の条項を入れておく必要があり、後継者の地位を安定させるのであれば特別に同条項を入れる必要はない。もっとも、受益者を変更することは、税の負担を重くすることにもなり、事業承継のコストを高くすることになるとの指摘もある[29、30]。

事業承継において、他益信託を用いる場合には、前記のように受益者を後継者と定めるほか、書式５－12のような条項を信託契約書に入れることが考えられる。

書式５－12　信託契約書（他益信託）

第○条（受益者）

受益者は、委託者から、本件株式の剰余金その他の株主として得られる経済的利益を受領するものとする。

第○条　（指図権）

議決権行使の指図権者は委託者とする。

第○条　（信託契約終了事由）

1　委託者又は受益者が死亡したとき

2　本信託契約締結から○年が経過したとき

3　委託者と受託者が合意したとき

28　「中間整理」・前掲注22・６頁。

29　森田・前掲注25・147頁。

30　成田一正監修・石脇俊司『財産を守り！活かし！遺す！相続事業承継のための民事信託ワークブック』（法令出版、2017年）145頁。

第○条　(信託契約終了時の処理)
受託者は、信託契約が終了した際には、信託財産である丙社株式を受益者に交付する。受益者が死亡して信託契約が終了した場合には、受託者は、丙社株式を委託者に交付する。

(3) 後継ぎ遺贈型受益者連続信託

事業承継において、以下のようなケースにおいては、後継ぎ遺贈型受益者連続信託を活用することが検討される。

・後継者は決まっているが、その者の子は経営に不適であるため、経営者がその次の代の後継者を別の者に決めておきたい。
・後継者の代では遺留分の関係で受益権を分割して相続人に取得させたが、その次の代では受益権を集約したい。

信託行為において、受益者が死亡した場合に次の受益者となる者を定めておくことができる(信託法91条)が、このような信託を後継ぎ遺贈型受益者連続信託という(図表5－12)。事業承継ガイドラインでは、先代経営者が委託者として自社株式に信託を設定し、後継者を受益者として定める一方で、後継者が死亡した場合には、その受益権が消滅して次順位の後継者を受益者とする旨を定めることを想定している(事業承継ガイドライン70頁)。この方法により、先代経営者が子の世代だけでなく孫の世代の後継者を決めることができたり、子の世代で遺留分に配慮して非後継者にも受益者として受益権

図表5－12　後継ぎ遺贈型受益者連続信託のイメージ図

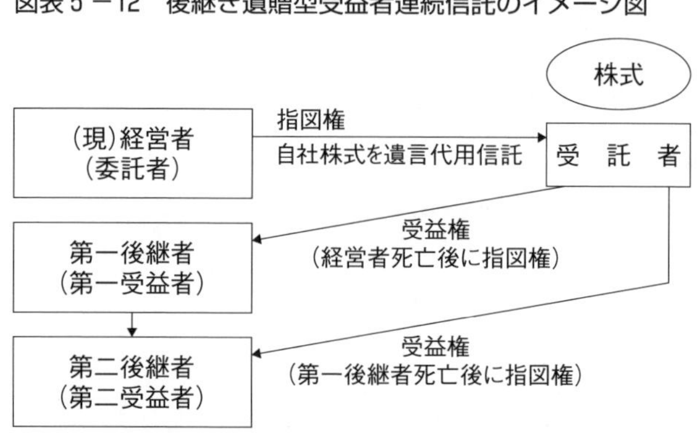

注：第一受益者を先代経営者ではなく、第一後継者とした場合。

を与えておいて孫の世代で受益権を集約したりするような柔軟な対応ができるとされている。なお、後継ぎ遺贈型受益者連続信託では、信託の効力について「信託がされた時から30年を経過した時以後に現に存する受益者が当該定めにより受益権を取得した場合であって当該受益者が死亡するまで又は当該受益権が消滅するまでの間」と信託法91条で定められており期間制限がある。

後継ぎ遺贈型受益者連続信託は、相続税との関係では、受益権が承継されるごとに、財産を相続したものとして相続税が課される[31]。そのため、税の負担が重くなる。

後継ぎ遺贈型受益者連続信託を用いる場合には、書式５－13のような条項を契約書に入れることが考えられる。

書式５－13　信託契約書（後継ぎ遺贈型受益者連続信託）

第○条　（２次受益者）
　△△死亡後は、○○を受益者とする。
第○条　（指図権）
1　議決権行使の指図権者は委託者とする。
2　委託者死亡後の指図権者は△△とする。
3　△△死亡後の指図権者は○○とする。

(4)　その他の信託の利用

前述のような信託の利用場面のほかに、先代経営者が認知症で判断能力が低下した場合に備えて信託契約を締結しておくことがある。この場合、財産管理を信託契約に基づいて受託者が行うことで、判断能力低下後も先代経営者の意志を尊重することができる。

4　受託者の義務と指図権の問題

受託者は信託事務を遂行するために、善管注意義務および忠実義務を負っている（信託法29条２号、30条）。そのため、指図権による議決権行使の内容

31　堂園昇平＝早坂文高「第４章　信託」中村廉平編『中小企業の事業承継』（有斐閣、2017年）267頁。

が信託目的に反するような場合には、指図どおりに議決権を行使することには問題がある[32]。そこで、書式５－14のような内容の条項を信託契約に入れることも検討される。

書式５－14　信託契約書（受託者と指図権者の協議）

第○条　（受託者と指図権者の協議） １　指図権者の議決権行使の内容が信託目的遂行に反すると判断される場合は、受託者と指図権者は、協議をすることとする。 ２　前項の協議が整わないときは、受託者又は指図権者は、信託契約を解除することができる。

５　遺留分侵害額請求について

前述のように、受益権は、相続財産および遺留分算定基礎財産に算入されて、遺留分侵害額請求の対象となると考えられている。そのため、遺言代用信託による第二受益者は遺贈や死因贈与を受けたことと同様に、遺言代用信託ではない信託の受託者・受益者は生前贈与等を受けたことに類するものとして、それぞれ、委託者が死亡した際、遺留分侵害額請求を受ける可能性がある。

遺留分侵害額請求が行われる場面においては、相手方を受託者・受益者とすることになり、その効果として、受託者・受益者が遺留分侵害額に相当する金銭債務を負うことになる（民法1046条１項）。受託者・受益者は、期限の許与の請求をすることも可能であるが（民法1047条５項）、支払原資の確保が必要となる。

遺言代用信託による受益者連続信託（図表５－12）の場合には、第二受益者が死亡すると、受益権は承継されずに消滅し、第三受益者は新たな受益権を取得することになる。しかしながら、このような場合には、第三受益者が取得した受益権は第二受益者からの遺贈または贈与と評価されず、その相続財産または遺留分算定基礎財産に算入されない。遺言代用信託ではない受益

32　「中間整理」・前掲注22・８頁。

者連続信託の当初受益者が死亡して受益権が消滅し、第二受益者が受益権を取得した場合も同様である。つまり、受益者連続信託においては、遺言代用信託の場合の第三受益者以降の受益者の受益権は委託者死亡時に期限付きで遺贈または死因贈与により取得したものとして、遺言代用信託でない信託の第二受益者以降の受益者の受益権も期限付きで委託者から生前贈与を受けたものとして、いずれも、委託者の死亡時にその遺留分算定の基礎財産に算入されることになると思われる。

なお、平成30年に相続法改正があり、その施行期日は段階的に定められているが、遺留分制度に関する部分は令和元年7月1日が施行日となっており（民法及び家事事件手続法の一部を改正する法律附則1条、民法及び家事事件手続法の一部を改正する法律の施行期日を定める政令（平成30年政令第316号））、同日より前に開始した相続については旧法が適用される（民法及び家事事件手続法の一部を改正する法律附則2条）。旧法では、遺留分権利者による遺留分減殺請求が行われると、目的物について遺留分権利者と受遺者・受贈者との共有関係が生じることになっていた。そのため、受託者・受益者が価格弁償を選択しない限りは原則は現物返還となり、その後の信託事務の遂行が困難となることが指摘されていた[33]。この相続法の改正により、遺留分権利者の権利内容が減殺請求（現物請求）から侵害額請求（金銭請求）に変更されたため、遺留分権利者と受託者・受益者が信託財産を共有する、ということはなくなった。他方、受託者・受益者としては金銭債務の負担以外に選択の余地がなくなったため、その弁済のための資金調達の必要が生ずることとなった。

6　信託財産である株式と一定の場合に納税が猶予される制度

事業承継の際の税負担の問題の改善のため、非上場株式等にかかわる贈与税・相続税の軽減措置として、一定の要件を満たした場合にはこれらの税額の全部または一部の納税が猶予される特例制度がある。ところが、この特例は信託による受益権の取得には適用されないため、贈与税・相続税の軽減が受けられない。この点については、信託を利用した円滑な事業承継を進める

33 「中間整理」・前掲注22・12頁。

ことができるように、特例適用を求める意見が平成29年度・平成31年度・令和２年度の税制改正要望として中小企業庁・金融庁からも出されている。

7　事業承継において信託を活用する場合のその他の留意点

先代経営者が想定より早く死亡したり認知症になったりした場合や、後継者が先代経営者よりも先に死亡した場合等もあるので、信託契約中の契約終了事由を工夫したり受益者代理人選任を予備的に書式５－15のような定めをしたりすることを検討する必要がある[34]。

書式５－15　受益者代理人の予備的な定めの例

> **第○条　（受益者代理人の選任）**
> １　第一受益者が信託契約締結から○年以内に死亡した場合には、○年間、丁を第二受益者の代理人とする。
> ２　第一受益者に後見開始の審判があった場合には、丁が受益者代理人とする。
> ３　受益者代理人は、指図権を行使する。

また、これまでの記述においては、後継者が親族である場合を主に念頭に置いているが、親族における後継者候補がいない場合には、従業員や第三者に対する事業承継も検討される。この場合には、後継者をいったん決めた後に、先代経営者が後継者と意見対立が生じたり、新たな後継者候補が出現したりする可能性が親族間における事業承継よりも高い。そのため、信託契約のなかに委託者の意向で受益者を変更できる旨や委託者が信託の目的を達成できなくなったと判断した際には一方的に契約を終了させることができる旨の条項を入れる等して、特別の配慮をしておくことが必要となる[35]。

34　宮田房枝「事業承継における信託の活用法～税理士に寄せられた相談事例をもとに～」信託フォーラム Vol.5・79頁。

35　森田・前掲注25・147頁。

第3 生命保険

1　事業承継における生命保険の活用

事業承継を行う際には、後継者が株式を相続するための代償金の支払であったり、新体制を軌道に乗せるまでの売上低下の埋合せであったり、勇退した先代経営者のその後の生活費であったり、資金需要に迫られる場面が多々ある。これらのような事業承継に関して資金が必要な場合に備えて、事業承継ガイドラインでは他の事業承継のスキームと一緒に生命保険を活用することについて触れられている（事業承継ガイドライン71、72頁）。

どのような生命保険を活用するべきかの選択は、使用している他の事業承継のスキーム、保険契約を活用する目的、会社の状況等を考慮した総合的な判断が必要となる。会社や経営者から相談を受けた弁護士としては、法的側面だけでなく税務面や経営面も加味して、的確なアドバイスをすることが求められる。

2　後継者を受取人とする生命保険の活用

相続税を支払う際に、相続財産中または相続人である後継者の財産に現金がない場合、相続税の支払のために先祖代々の財産・事業用資産の売却をして現金を捻出したり、それらの財産を物納したり、場合によっては、承継した会社から借り入れたりすることを検討することがある。また、先代経営者の相続財産に預貯金があっても、相続発生直後の遺産分割未了の段階では、相続税等の資金需要に充てることはできないことが多く、高額の相続税の負担があると、後継者のその後の生活を圧迫することにもなりかねない。このような場合の対策として、保険契約者兼被保険者を先代経営者、受取人を後継者とした生命保険を活用することが考えられる。先代経営者の死亡により

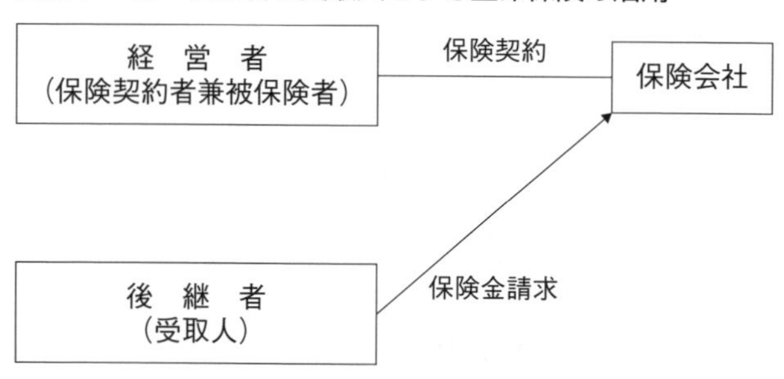

相続した財産について後継者が負担すべき相続税の納税資金として、保険金を充てることで、その負担の軽減を図る（図表5－13）。

原則として、保険契約者兼被保険者を先代経営者とする生命保険契約により後継者が受け取った先代経営者の死亡保険金は、先代経営者の遺産に当たらず[36]、原則として特別受益にも[37]当たらないため、遺産分割の対象や遺留分算定基礎財産にも含まれない。そして、保険金は遺産分割を待たずに受取人に支払われるので、後継者を受取人とした生命保険を利用することで、同人の資金需要にすみやかに対応することができる。

さらに、先代経営者の相続人である後継者に自社株や資産を多く相続させる場合、この保険契約を活用すれば、後継者を受取人とすることで、保険金を遺産分割の際の代償金や遺留分侵害額請求に対する支払原資とすることもできる。また、後継者が他の者から株式や事業用資産を買い取る場合に、保険金を原資とすることも可能となる。

他方、この死亡保険金はみなし相続財産とされ相続財産に加味されるので、受け取る保険金の額に応じて相続税額が増額することになるが、受取人が相続人の場合には、相続税の計算において生命保険金に一定の非課税枠が

36　最高裁判所昭和40年2月2日判決（最高裁判所民事判例集19巻1号1頁）。

37　特別受益には当たらないが、「保険金の額、この額の遺産の総額に対する比率、保険金受取人である相続人及び他の共同相続人と被相続人との関係、各相続人の生活実態等の諸般の事情を総合考慮して、保険金受取人である相続人とその他の共同相続人との間に生ずる不公平が民法903条の趣旨に照らし到底是認することができないほどに著しいものであると評価すべき特段の事情が存する場合には、同条の類推適用により、特別受益に準じて持戻しの対象となる」とする。最高裁判所平成16年10月29日決定（民集58巻7号1979頁）。

あることから、後継者が現金の相続ではなくて保険金を取得することは税負担の軽減に資する面もある。そのため、生命保険金を受け取ることによる相続税額を加味して、保険金の額を検討して保険の内容を決めることが求められる。

このように、生命保険を活用して、後継者が現有資産を切り崩すことなく先代経営者の資産を承継しつつ、事業承継に必要な支出を行うことも可能となる。

3　先代経営者を受取人とする生命保険の活用

事業承継により経営者が交代し、先代経営者が取締役等から退任すると役員報酬等がなくなって収入が減少し、生活資金の確保が困難になる場合もある。先代経営者がこのような事態に不安を感じると事業承継が適時にスムーズに進まないおそれがある。このような場合の対策として、年金型の生命保険を活用して、事業承継後の先代経営者の生活資金を捻出することが考えられる。年金型の生命保険を先代経営者が引退後から受け取れるようにしておくことで引退後の同人の収入の減少に一定程度対応可能となる（図表５－14）。

もっとも、年金型の生命保険を活用する場合には、その種類によっては運用がうまくいかない等の理由で、受取保険金が、払い込んできた保険料を大きく下回るリスクがある。引退後の生活資金のために生命保険の活用を始めるにあたっては慎重な検討が必要になる。

また、年金型の生命保険には、一定期間受け取る確定年金と一生涯受け取る終身年金があるので、経営者が引退する年齢や将来の生活資金に応じていずれが良いかの検討をする必要がある。

ほかに、在職中は急な死亡等に備えて長期平準型の定期保険を契約しておいて、事業承継の際に解約して高額の解約返戻金を先代経営者が受け取るモデルも同人の生活資金確保の方法としては考えられる。

図表５－14　先代経営者を受取人とする生命保険の活用

経　営　者
（保険契約者兼被保険者兼受取人）
―― 保険契約 ――
保険会社

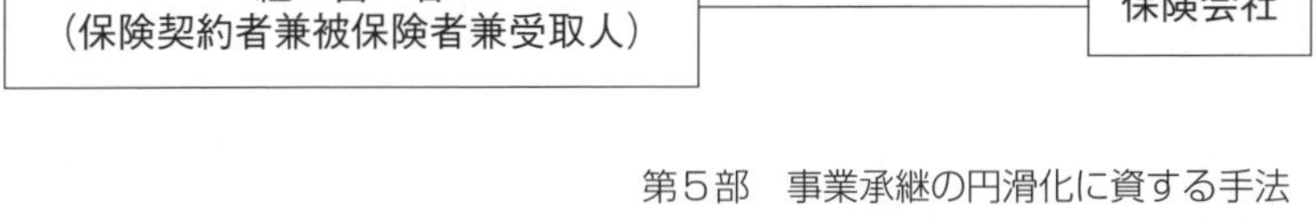

4　会社を受取人とする生命保険の活用

(1)　会社の資金需要への対応

a　概　　要

先代経営者が死亡した場合、会社は退職慰労金規程等により相続人等に死亡退職慰労金を支払う必要が生じることがあるため、急な資金繰りを迫られることもある。また、先代経営者が生前に引退する場合に、退職慰労金を支払わなければならない場合もある。このような場合の資金需要の対応として、会社を契約者、経営者を被保険者、保険金受取人を会社とする生命保険契約を締結することで、先代経営者が死亡した場合には保険金を死亡退職慰労金に、生前に引退した場合には解約返戻金を退職慰労金に充てることが、考えられる（図表5－15）。

このような保険契約（以下「経営者保険」という）により、経営者が死亡した際等に会社に支払われる保険金は雑収入として益金になるので、法人税額および退職慰労金等の必要な支出の額を考慮して受け取る生命保険金を設定しておくと会社の資金圧迫を回避することができるとの考えがある[38]。なお、退職慰労金を損金算入できる額には制限があるので、保険金の全額を退職慰

図表5－15　会社を受取人とする生命保険の活用

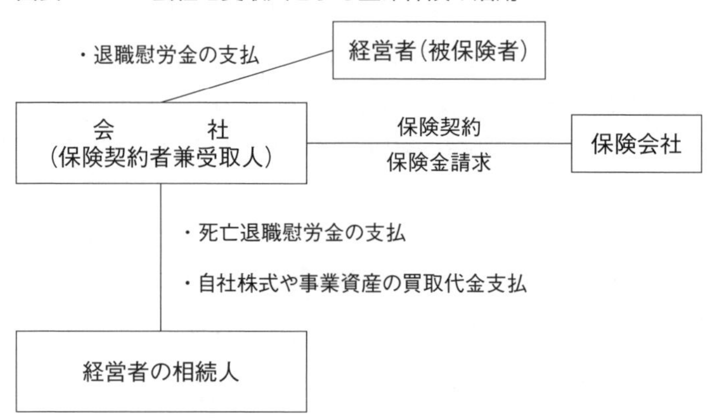

38　西浦善彦ほか『実務＆コンサルのプロによる　間違わない！　事業承継Q＆A』（清文社、2017年）164頁。

労金に充てたとしても全額を損金算入できるとは限らない点には注意が必要である。

先代経営者が死亡した場合、後継者の議決権比率を確保するため、先代経営者から後継者以外の相続人が相続した自社株を会社が買い取る必要が生じる場合もあるため、死亡保険金を原資とすることが考えられる。このような場合、会社が受け取る死亡保険金は、通常、益金計上されることになるので、財源規制上も自社株買取り資金の原資として活用できるといえる。なお、この場合、相続人は会社に自社株を売却することで得た代金を相続税の納税に充てることができ、所得税の負担等について軽減措置を受けることができる（租特法9条の7）。

また、先代経営者が会社に貸し付けていた不動産等の事業用資産があると、会社が相続人から買取りをしなければならない場合もあり、このような資金需要にも生命保険の保険金が活用される。このように、会社が受け取る保険金は全額を死亡退職金に充てるだけでなく、残金が生じた場合には事業承継の際のほかの資金需要に充てることも考えられる。

b　留意点

会社を保険契約者兼受取人、経営者を被保険者とする生命保険契約において、保険金を受領した会社に対して遺族等から一定額の保険金引渡請求を肯定する裁判例がある（名古屋地方裁判所岡崎支部平成12年4月26日判決・判例時報1730号140頁等）[39]。そのため、場合によっては受領した保険金全額を会社の資金需要に用いることができない事態になることもある。この種の保険契約を活用する際には、保険金引渡請求がなされる可能性も念頭に保険契約の内容を特に慎重に検討する必要がある。

(2)　経営者保険の税務上のメリット

経営者が自身で保険料を支払う場合には、その原資となる同人の給料（報酬）には所得税がかかる。一方で、会社が保険料を支払う場合には、保険料は損金算入できる（ただし、保険商品による）ため、経営者保険を活用すると、会社が現金を保険料に充てずにそのまま保持していたり、経営者が自費

39　真辺朋子「株式会社を契約者兼受取人、取締役を被保険者とする生命保険契約における取締役又はその遺族の会社に対する保険金引渡請求の可否」判例タイムズ1181号64頁。

で保険料を支払っていたりした場合と比較して、会社および経営者の税負担が軽減されることになる。

また、上述のように会社の支払う保険料は生命保険の種類によっては損金に計上することができるため、未上場企業の株価を評価する方法として類似業種比準価格方式を用いる場合には、保険料を損金に計上する結果として、自社株式の評価が高額にならずに、自社株式に関する相続税の負担を軽減することができることになるとの考えがある[40]。

⑶ 会社が保険料を支払う際の保険契約の検討

ある程度高額の保険料を支払うかわりに、高額の保険金が期待できて、解約返戻金の返戻率も良いような商品は、後述のように会社の種々の資金繰りに対応することができると考えられる。一方で、高額な保険料を支払うことなくリスクへの効用を最大限に考えるなら、短期の定期保険や保険料が安くて保証額が大きい掛捨て型を利用することにより、経営者の急な死亡に備えることになると考えられる[41]。

⑷ 事業承継以外の場面での会社の保険契約の活用

経営者が死亡したり引退をしたりした場合に備えて、会社が生命保険の保険料を払い込んでいると、会社が急に資金が必要になった場合には、生命保険を解約して得られる解約返戻金を活用したり、契約者貸付の機能を活用したりすることが考えられる。業績不振等の理由で生命保険を解約すると、解約返戻金は益金に計上されるが、損失との関係で課税所得が生じない場合もある。このような解約返戻金の利用も念頭に生命保険を利用するのであれば、参考返戻率・解約返戻金額等も参考にすると良いと考えられる[42]。

---

40 松木謙一郎監修『失敗しない事業承継』（日本経済新聞出版社、2016年）107頁。
41 松木監修・前掲注40・104頁。
42 松木監修・前掲注40・105頁。

コラム

贈与税・相続税の節税手段

事業承継の贈与税・相続税の節税手段としては、①会社の評価額を下げて株価を下げる方法、②事業承継税制などの特則を活用する方法、③相続税の評価方法（例：持株会社の場合に活用される純資産価額方式の含み益部分の37％控除など）を活用する方法、および④暦年課税制度の毎年の基礎控除や相続時精算課税制度の非課税枠などの一般的な相続税の非課税枠を活用する方法がある。

よく節税手段としていわれている不動産購入や法人保険の加入、退職金の支払は、①の方法に該当する。ただ、これらの手段は、会社のキャッシュを目減りさせたり、税務署に否認されて、かえって高額な税金が課されることもある。

弁護士に事業承継の相談をする依頼者は、節税に関心をもちつつも、そのような節税手段に不安をもつ方も多い。税理士等の協力も得たうえで、不安を取り除き、好ましい節税手段をとるよう、指導することが望ましいといえる。

第4 持株会社

1 持株会社スキームの概要

近年、持株会社を利用したスキームを事業承継に用いる例が多くなっているといわれている（事業承継ガイドライン72頁）。

持株会社とは、他の会社を支配する目的で、その株式を保有する会社のことをいう。持株会社には、自ら事業を行わず、株式を所有することにより他の会社の事業活動を支配することを目的とする「純粋持株会社」と、他の会社の株式を保有してその会社を支配しながら、自らも製造や販売等の事業を営む「事業持株会社」がある。純粋持株会社の場合、事業を行う子会社からの配当がその売上げとなる[43]。

事業承継ガイドラインにおいて紹介されているスキームは、①後継者が持株会社となる新会社を設立する、②持株会社は、事業承継の対象となる事業会社からの配当を返済の原資とすることを前提に、金融機関から融資を受ける、③持株会社は、後継者の出資と金融機関からの融資による資金で、事業会社の株式を先代経営者から買い取る、というものである（事業承継ガイドライン72頁）。このスキームを用いれば、事業会社の株式は先代経営者から持株会社に移る。持株会社の株主は後継者であるから、後継者が事業会社の経営権を先代経営者から承継し、一方で、先代経営者には、事業会社の株式を売却した対価として現金が残る。

なお、持株会社を用いた事業承継を行う場合の資金調達については、経営承継円滑化法上の金融支援措置である低利融資制度と信用保証制度（12条な

---

43 その他、事業会社の管理部門（総務、人事等）を持株会社に移し、その業務について事業会社が持株会社に業務委託料を支払う、というスキームもある。

いし14条）の利用もありうる[44]。

2　持株会社を用いた事業承継のメリット・デメリット

持株会社を用いた事業承継スキームには、以下のメリットおよびデメリットが存在する。

(1)　メリット

a　株式の分散リスクの回避

このスキームを活用すれば、先代経営者から持株会社が株式を買い取ることになるから、先代経営者の相続時の遺留分の問題を避けることができ、他の相続人との関係で相続対策として有効である。したがって、資金調達が可能であれば、後継者が確実に経営権を承継することができる。

b　先代経営者による現金の取得

このスキームを利用すると、先代経営者は事業会社の株式を譲渡する対価として現金を取得することができる。この現金は、先代経営者の相続時に、他の遺産に対する相続税の納税資金としても活用することができる。

c　株式買取資金の負担が軽減されること

業績が良い優良企業であるほど、一般的に株式の評価額は高いため、潤沢な資金を準備できなければ、後継者が株式を先代経営者から直接買い取ることは不可能である。しかしながら、このスキームでは、MBOの場合と同様に（本書第３部第２の３参照）自己資金に加えて金融機関からの融資を原資に株式を購入し、事業会社の配当金が融資の返済原資となる。金融機関からの融資には、後継者の保証や事業会社の資産等の担保提供が必須条件となる場合が多いと思われるが、そのような場合であっても、事業会社の配当金により融資の返済が可能である限り、後継者の株式買取りのための資金負担は軽減される。

44　低利融資と信用保証の制度（経営承継円滑化法12条ないし14条）の概要については、第３部第２「従業員承継」の「３　MBO・EBO」参照。

⑵　デメリット

a　納税額の軽減効果が期待できないこと

先代経営者が株式を持株会社に譲渡する際、譲渡所得税等が課税される可能性がある。譲渡の結果、先代経営者は多額の現金を保有することになるが、譲渡所得税等を控除した後の現金は、相続発生時に相続税の課税対象となる。相続税の財産評価に関し、現金について優遇評価する規定が存在しないため、先代経営者が多額の現金を保有したまま相続が発生した場合、高い相続税を負担しなければならないおそれがある。したがって、このスキームを利用した場合、全体としてみると、譲渡所得税と相続税の負担が生ずるので、納税額の軽減効果は期待できないと指摘されている。

b　金融機関に対する返済滞納のリスク等

このスキームでは、事業会社から持株会社への配当を金融機関からの融資の返済原資とすることを前提としている。ただ、会社法上、剰余金の配当は分配可能額の範囲内でのみ行うことができる（会社法461条）ものとされており、分配可能額は、決算日における剰余金（資産の額に自己株式の帳簿価額を加え、負債の額と資本金および準備金の額、その他法務省令で定める各勘定科目に計上した額の合計額を控除した額）をベースに、期中の剰余金の増減を反映して定められるが、事業会社の業績の悪化等により分配可能額が返済に必要な額を割り込んだ場合、持株会社の資金繰りが悪化し、金融機関に対する返済が困難になるおそれがある。金融機関に対する返済が滞れば、持株会社の資産（事業会社の株式等）を差し押さえられたり、後継者や事業会社が融資の保証や担保提供をしている場合には、これらの者に影響が生じたりすることになる。

また、返済が困難にならないまでも、持株会社は金融機関に対して、融資の完済に至るまでの金利を負担することになるが、融資額によってはこの金利負担が非常に多額になることもある。

このスキームを検討するにあたっては、これらの点に留意しておく必要がある。

3　設立の方法

持株会社スキームは、①まず後継者が新会社を設立して全株式を引き受け、②新会社が金融機関から資金を調達し、③先代経営者が新会社に対し事業会社の全株式を譲渡するというものである（図表5－16）。

上記ステップを経て、新会社が事業会社の持株会社となり、持株会社の株主である後継者が新経営者となる（図表5－17）。

(1)　ステップ①：新会社の設立

後継者が新会社を設立する場合は、株式会社を発起設立するのが一般的かと思われる。したがって、後継者は、会社法26条以下の規定に従い、①定款の作成および認証、②出資の履行、③設立時取締役等の選任、④設立登記といった手続を経る必要がある。

この場合、定款については、新会社が持株会社となることをふまえ、書式5－16のような記載になると思われる。

図表5－16　持株会社スキーム

事業会社
新会社
金融機関
後継者
①　新会社設立
③　株式譲渡
②　融資
現経営者
①　後継者は、新会社を設立して全株式を引き受ける。
②　新会社は金融機関から資金を調達する。
③　現経営者は新会社に対し、事業会社の全株式を譲渡する。

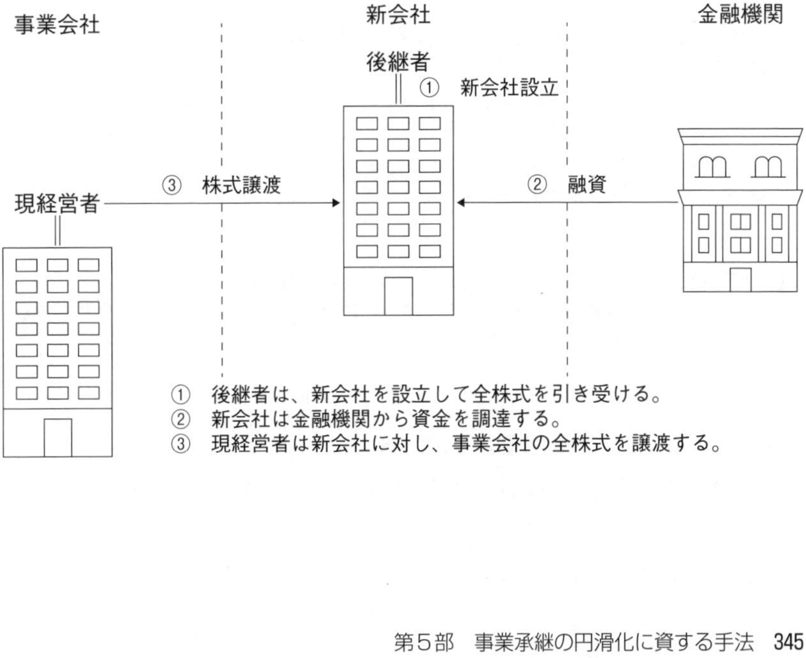

図表５－17　持株会社の運営

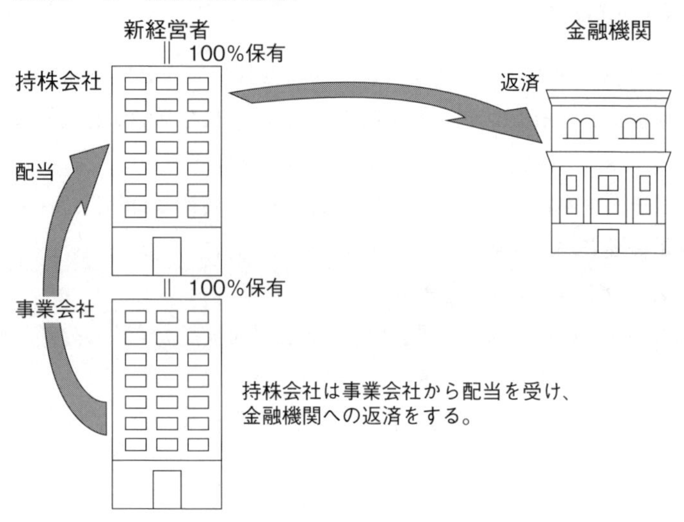

書式５－16　純粋持株会社の定款例

> **第１章　総　　則**
>
> **（商号）**
>
> **第１条**　当会社は、○○ホールディングス株式会社と称する。
>
> **（目的）**
>
> **第２条**　当会社は、次の各号に掲げる事業を営む会社の株式を所有することにより、当該会社の事業活動を支配又は管理すること及びこれに付帯又は関連する一切の事業を営むことを目的とする。
>
> 【以下、事業会社の目的を記載する】
>
> (1)…
>
> (2)…
>
> 【事業持株会社の場合、第２項として、以下の規定を入れる】
>
> ２　当会社は、前項各号に定める事業及びこれに付帯又は関連する一切の事業を営むことができる。

(2)　ステップ②：金融機関からの融資

新会社が金融機関から融資を受ける際は、金融機関が融資契約書を用意することになるかと思われる。

なお、新会社が金融機関から融資を受けることは、「多額の借財」（会社法

362条４項２号）に該当する。そのため、新会社が取締役会設置会社であれば、融資に際して、取締役会の承認決議を得ておく必要がある（書式５－17）。新会社が取締役会設置会社でない場合であっても、取締役が２人以上いる場合は、明示の委任または定款に別段の定めがある場合を除き、取締役の過半数の同意が必要となる（会社法348条２項）。

書式５－17　融資に関する取締役会議事録

第○号議案　○○株式会社株式の取得資金借入れの件

議長は、○○株式会社株式の取得資金につき、以下のとおり借入れを行いたい旨説明し、その賛否を議場に諮ったところ、出席取締役全員異議なくこれを承認した。

1　借入先　○○銀行
2　借入額　○○○○万円
3　金利　年○.○%
4　借入日　令和○年○月○日
5　返済方法　○○○○
6　借入条件　○○○○

(3)　ステップ③：株式譲渡

a　手続の概要

新会社が株式譲渡によって事業会社の株式を有効に取得し、事業会社が株主名簿の名義書換えを完了することにより、ステップ③は完了する。その際、以下の点に留意する必要がある。

(a)　事業会社が株券発行会社の場合

株券発行会社の株式譲渡は、株券を交付しなければ効力が生じない（会社法128条１項）。

そのため、事業会社において株券の発行が未了であれば、あらかじめ先代経営者に対し、株券を発行しておく必要がある。

(b)　先代経営者以外にも事業会社の株主がいる場合

多くの中小企業では、株式に譲渡制限が付されているのが通常であると思われる。この場合において、株式を譲渡する際は、会社法136条以下の規定に従い、譲渡承認手続を経る必要がある。ただし、唯一の株主が株式を譲渡する場合は、例外的に譲渡承認手続は不要となる（最高裁判所平成５年３月30

日判決・最高裁判所民事判例集47巻4号3439頁）。

したがって、先代経営者以外にも株主がいる場合は、原則どおり譲渡承認手続を経ることとなる。

(c) 新会社が取締役会設置会社の場合

新会社が事業会社の全株式を取得することは、「重要な財産の処分及び譲受け」（会社法362条4項1号）に該当する。そのため、新会社において、取締役会の承認を得る必要がある。

b 各書式について

(a) 株式譲渡契約書

株式譲渡契約書に盛り込むべき事項として、①目的、②譲渡の合意、③代金の支払方法、④必要な手続への協力等があげられる。

このうち、④については、事業会社が株券発行会社か否か、事業会社への譲渡承認をどのタイミングで行うかによって、若干記載が異なる。

なお、リスク管理の観点から、表明保証・補償条項等を盛り込むことも考えられるものの、本スキームが、先代経営者と後継者との間の信頼関係を基礎として、友好的になされるものであることをふまえると、表明保証・補償条項等が実際に活用されるケースはそれほど多くないものと思われる。

株式譲渡契約書の書式については、本書第3部第2の3「MBO・EBO」の書式3－5などを参照することが望ましい。

(b) 譲渡承認手続：現経営者以外にも株主がいる場合

事業会社に対する譲渡等承認請求は、①株式譲渡前に、譲渡人である株主が行う場合（会社法136条、書式5－18）と、②株式譲渡後に、譲受人である新会社が行う場合（会社法137条、書式5－19）がありうる。

このうち、②の方法では、原則として旧株主と新会社が共同して請求する必要がある（会社法137条2項）。ただし、事業会社が株券発行会社であり、譲受人である新会社が株券を提示した場合は、新会社が単独で請求することができる（会社法施行規則24条2項1号）。

譲渡等承認請求をする際は、当該株式の数および譲受人の氏名・名称を明らかにする必要がある（会社法138条）。

書式５－18　譲渡承認手続（株式譲渡前の請求）

令和○年○月○日

○○株式会社
代表取締役　○○○○殿

東京都千代田区霞が関○丁目○番○号
○○　○○

株式譲渡承認請求書

私は、貴社の普通株式○○株を有しています。この度、私の有する上記株式全てを、○○ホールディングス株式会社に対して譲渡することにしましたので、貴社に対し、会社法第136条に基づき、当該株式譲渡を承認するか否か決定していただきますよう請求します。

書式５－19　譲渡承認手続（株式譲渡後の請求）

令和○年○月○日

○○株式会社
代表取締役　○○○○殿

東京都千代田区霞が関○丁目○番○号
○○ホールディングス株式会社
代表取締役　　○○　○○

株式譲渡承認請求書

当社は、貴社の普通株式○○株を有する株主である○○○○氏から、上記株式全てを譲り受けましたので、貴社に対し、会社法第137条に基づき、当該株式譲渡を承認するか否か決定していただきますよう請求します。
注：株券発行会社でない場合は、譲渡人である旧株主と連名で請求する。

かかる請求に対し、事業会社は、株式譲渡を承認するか否かを決定することになる。承認機関は、定款に別段の定めがある場合を除き、取締役会設置会社では取締役会、その他の会社では株主総会である（会社法139条１項）。したがって、取締役会設置会社であっても、定款にて承認機関が株主総会と定められている場合には、株主総会決議が必要となる（書式５－20）。

また、事業会社は、譲渡等承認請求をした者に対して、承認の可否に関する決定の内容を通知する必要がある（会社法139条２項、書式５－21）。かかる通知は、原則として譲渡等承認請求の日から２週間以内にしなければならず、事業会社が上記期限までに通知をしなかった場合、事業会社と譲渡等承認請求をした者との間で別段の合意がない限り、事業会社は承認をする旨の決定をしたものとみなされる（会社法145条1号）。

書式5－20　譲渡承認決議：承認機関が取締役会設置会社の場合

第○号議案　当社株式の譲渡承認の件

議長は、当社の株主である○○○○氏より、以下のとおり○○ホールディングス株式会社に対して当社株式を譲渡したいので、当該株式譲渡につき承認してほしいとの請求があった旨を説明し、その賛否を議場に諮ったところ、出席取締役全員異議なくこれを承認した。なお、取締役○○○○は、本議案の特別利害関係人であるため、決議に参加しなかった。

1　譲 渡 人　　○○○○
2　譲 受 人　　○○ホールディングス株式会社
3　譲渡株式の数　　○○株

書式5－21　株式譲渡承認通知書

令和○年○月○日

○○　○○殿

東京都千代田区霞が関○丁目○番○号
○○株式会社
代表取締役　　○ ○　○ ○

株式譲渡承認通知書

貴殿が令和○年○月○日付け株式譲渡承認請求書で行った、当社株式○○株の○○ホールディングス株式会社に対する譲渡にかかる承認請求は、令和○年○月○日開催の当社取締役会において承認可決されましたので、ここに通知します。

(c)　新会社が取締役会設置会社の場合

新会社が事業会社の株式を取得することは、「重要な財産の処分および譲受け」に該当するため、取締役会決議が必要となる（書式5－22）。

書式5－22　取締役会議事録：新会社

第○号議案　○○株式会社株式の取得の件

議長は、○○株式会社株式につき、以下のとおり取得したい旨説明し、その賛否を議場に諮ったところ、出席取締役全員異議なくこれを承認した。

1　取得の相手　　○○○○
2　取得株式数　　普通株式○○株
3　取得代金　　　○，○○○万円
4　取得時期　　　令和○年○月○日

第 6 部

個人事業主の事業承継

1　人（経営）の承継

⑴ 概　　要

中小企業庁『小規模企業白書』（以下「白書」という）によれば、中小企業358万者の85％が小規模企業であり、その約6割（186.2万者）が個人事業主で占められている（2019年版白書第2－1－1図）。こうした小規模企業は、これまで若者や女性を含む多彩な人材に対してさまざまな価値観に基づく多様な働き方を提供し、雇用の拡大に貢献するなどわが国における経済の重要な一翼を担っている。しかし、個人事業主を含む小規模企業の高齢化が進むなかで、その事業（経営）が個人の能力に大きく依存していることから、後継者不足等が経営の悪化や廃業に直結しているのが現状である。ちなみに、白書によれば、平成30年時点で、経営者の年齢が60歳代以上の中小企業が全体の58.4％を占め（2020年版白書第1－3－23図）、個人事業主においては70歳代以上が90万人に到達している（2019年版白書第2－1－3図）。また、60歳代の経営者で約半数、70歳代で約4割、80歳代で約3割が後継者不在であり、休廃業・解散企業は、令和元年度時点で70歳代の経営者が最も多く39.1％、60歳代以上で83.5％を占め、かつ増加傾向にある（2020年版白書第1－3－27図）ことが認められ、小規模事業者、特に個人事業者の減少が顕著であることがわかる（2019年版白書第2－1－2図）。

こうした小規模事業者が廃業を考えている第一の理由が「後継者を確保できない」ことにある（2017年版白書第2－2－122図）という実情から政府は、小規模事業者の事業承継の円滑化を図るために、平成26年6月に小規模企業振興基本法を制定（平成26年6月27日施行）し、事業承継の円滑化を図るための制度整備など必要な施策を講じている（小規模企業振興基本法16条2項）。

⑵ 個人事業主の事業承継の特徴

会社形態であれば、その事業は会社が営み、事業用資産は会社名で保有することから、事業の経営や会社保有の資産は、すべて株式に包含され、株式の移転によって、その経営や資産が原則包括的に承継されることになる。

しかし、個人事業主の場合は、その事業主が個人で事業を営み、そして、その個人の信用や能力等によって開拓、維持してきた取引先や顧客等との間で多くの契約関係を有し、事業用資産である機械設備や不動産等は個人名で所有し、あるいは賃借等している。

したがって、個人事業主の場合には、個人が営む事業を引き継ぐとともに、個人事業主が有している契約関係や所有等している事業用資産を個々に承継する必要がある。こうした意味で、個人事業主においては「人（経営）の承継」とともに「資産の承継」が課題となる点に特徴がある。

要するに、会社形態で株式譲渡による場合は、株主や経営者が交代したとしても、会社としては、なんら変わるところなく存続するが、個人事業主の場合は、承継させる個人事業主（現経営者）は廃業し（「廃業届」を提出）、承継する個人（後継者）は、新たな開業（「開業届」を提出）という形態をとるのが通常である。もっとも、個人事業主の場合であっても、その承継に際しては、会社形態の場合とほぼ同様の課題を有している。したがって、前述した会社形態での事業承継の課題や、特に事業譲渡による場合の課題を参考とすべきである。

⑶　類型ごとの課題と対応

a　親族内承継

事業承継ガイドラインによれば、個人事業主の場合、平成27年時点で親族内承継が97％（うち子供81.1％）を占め、会社形態での事業承継と比較すると親族内承継の割合が著しく高いことが認められる（事業承継ガイドライン73頁）。

白書では、個人事業主では、平成30年時点で親族内承継が86.4％、うち子供が76.7％（男性75.3％、女性1.4％）と、親子（男性）間での承継がやはり大半を占めているが、やや親族内承継、親子間承継の割合が低下傾向にあることが認められる。他方、小規模法人では、親族内承継が60.3％、うち子供が47.7％（男性44.7％、女性3.0％）と個人事業主に比べて親族内承継の割合が低い一方で、親族外承継が３割を超え、増加傾向にある（2019年版白書２－１－５図）。

また、個人事業主が後継者の選定を始めてから後継者の了承を得るまでに要した期間は、３年までが過半数で、５年超も２割以上いる（2017年版白書第２－２－８図、第２－２－９図）。後継者が決定していない個人事業主は、決定している個人事業主に比べ後継者候補との対話ができていない割合が高いし、対話ができている場合には、対話ができていない個人事業主に比べ、後継者の選定を始めてからその了承を得るまでにかかった時間が短い傾向にあり、後継者を円滑かつ早期に選定するには、対話が重要であることが認められる。

したがって、後継者の了承を得たうえで、後継者教育やノウハウ等の継承に要する時間をふまえると、個人事業主の場合は、早期に「親族内」での後継者を選定し、その後継者に対して経営を譲る意思を明確に伝える必要がある。もっとも、後継者候補はいるが、承継したがらないという問題もある。しかし、それは、後継者候補が事業に魅力を感じないからということが往々にしてあり、「事業を承継したい」と思えるような経営状態を確保することが肝要である。

次に、後継者が決定した後、実際に後継者が引継ぎまでの期間として、白書によれば、個人事業主で約４割、小規模法人で約半数が１年以上の時間をかけていることが示され（2019年版白書第２－１－７図）、事業を引き継いだ際の問題として、準備期間不足をあげる個人事業主が多いとされている（2017年版白書コラム２－２－１②図）。したがって、個人事業主としては、上記のとおり承継には時間がかかるということを十分に認識し、その承継が親族内であるか親族外であるかにかかわらず、引継ぎに向けて可能な限り早期に計画的な社内体制の整備や人材育成を図る必要がある。

また、個人事業主の場合は、取引先、金融機関および顧客等との関係で、事業主個人の信用や人柄など人的色彩が濃厚であることが多い。個々の契約関係や事業用資産の承継が課題となるが、特に、個人事業主の承継者が子供である場合は、そうした人的関係の承継が受けやすいし、財産関係も円滑に承継しやすいという長所がある。

その他、個人事業主の親族内承継の課題としては、会社形態の場合と変わらず、後継者の資質・能力不足、相続税等の税金負担が上位にあげられている（中小企業庁「個人事業主を巡る状況と事業承継に係る課題について」（平成26年４月）９頁）。

b　従業員、その他第三者への承継

個人事業主の場合、2017年版白書では、親族外承継は4.9％とかなり低く、親族外承継への抵抗感の強さが認められた（2017年版白書第２－２－８図）。しかし、2019年版白書では、親族外承継が11.2％と倍以上にその割合が増加し（2019年版白書第２－１－５図）、小規模法人では、前述のとおり親族外承継は３割を超え、有力な選択肢となってきている。

このように、個人事業主においては、依然として親族内承継の傾向が強いものの、近年は親族外承継も一つの選択肢となる傾向にあることが認められる。

個人事業主の場合、個人の優れた技能や技術等によって事業が営まれていることが多いことから、そうした属人的な知的財産を承継するには、親族が望ましいといえる。

しかし、個人事業主の背中をみながら、一定期間その事業に携わってきた従業員のなかには、その後継者としてふさわしい人物がいる場合もある。また、従業員の場合、その事業に比較的精通し、かつ取引先等の理解も得やすいであろうし、個人事業主としても気心が知れていて事業を委ねやすいという利点がある。後継者候補が従業員にもいない場合は、第三者への承継を検討せざるをえない。

もっとも、従業員以外の第三者の場合、個人事業主の当該事業に対する思い入れが各段に強いだけに、後継者候補とのマッチングがなかなかむずかしいし、許認可事業である場合には、承継者が新たな許認可を受けなければならないという課題があるなど、事業の特性によっては、短期間での承継はより困難である。他面、第三者であっても、取引先等へ譲渡する場合は、既存の事業がそのまま承継され、個人事業主の要望も受け入れやすい場合が多いと思われる。

このように、親族内に後継者候補がいない場合は、親族外における後継者候補の可能性について検討することも重要であり、その点に関する個人事業主への啓発が求められる。

中小企業庁の調査（前掲「個人事業主を巡る状況と事業承継に係る課題について」９頁）によると、親族外承継では、事業用資産の買取りが困難なことが課題となっている。もし、事業用資産の買取りが可能であるならば、第三者の場合、個人事業主の既存の事業をベースにした新たな起業（開業）という側面も有しているので、個人事業主は、既存の事業そのものの承継に固執することなく、個々の事業用資産等の譲渡と割り切り、第三者の自由な経営手法に委ねるのも一つの考え方である。

その他、個人事業主の親族外承継の課題としては、会社形態の場合と変わるところがないので、前述した会社形態での課題が参考となる。

2　資産の承継

資産の承継とは、事業を行うために必要な資産（設備や不動産などの事業用資産、販売先・顧客、知的財産権、その他事業に必要な債権、債務など）を承継することを意味する。なお、個人事業主の資産の承継では、前述のとおり親族内承継が大半を占めていることから、相続税・贈与税への配慮が重要となる。後述するとおり、新たに個人版事業承継税制が設けられたので、その活用の検討が必要である。会社形態であれば、会社保有の資産の価値は株式に包含され、株式の承継が基本となるが、個人事業主の場合は、機械設備や不動産等の事業用資産を現経営者個人が所有していることが多いため、個々の資産の承継というかたちをとる。

積極財産だけでなく、現経営者の負債や保証関係の整理もあわせて行うことになる。また、親族内承継の場合は、事業用資産以外の個人財産の取扱いや後継者以外の推定相続人との関係を考慮した対策が必要である。

事業承継における資産の承継は、単なる事業用財産の譲渡ではなく、有機的一体となって機能する財産を譲渡することを意味するため、商法における「営業譲渡」として位置づけられる（会社法では「事業譲渡」）。そのため、営業譲渡に伴う法的規制を念頭に置く必要がある。商法16条１項は、営業譲渡の日から20年間、同一の市町村の区域内またはこれと隣接する市町村の区域内で譲渡した営業と同一の営業を行うことを禁止している。譲受人が譲渡人の商号を引き続き使用する場合には、譲渡人の営業によって生じた債務を弁済する責任を負う（商法17条１項）。会社が個人事業主に譲渡する場合は商法の営業譲渡に関する規定が適用され、個人事業主が会社に譲渡する場合は会社法の事業譲渡に関する規定が適用される（会社法24条）。

事業用資産を贈与・相続により承継する場合は、状況によって多額の贈与税・相続税が発生する可能性があるため、税負担を考慮して、事業用資産を分散して承継させるなどの早期の対策が重要である。

法人については株式に関する納税猶予制度があったが、個人事業者については、事業用の土地に関する特例（特定事業用小規模宅地特例）のみで、土地以外の事業用資産の承継や、生前の事業承継を促すための支援策はなかった。飲食店や小売業など多くの個人事業者が活躍しわが国の経済を下支えしているにもかかわらず、税制面での優遇措置がないことは、懸案であった。そこで、個人事業者の事業承継を集中して促進するために、令和元年度（平成31年度）税制改正で、個人事業主についての事業承継税制が「10年間」の時限措置として創設された。制度の特徴として、事業用の土地以外に事業を行うために必要な資産（建物、機械・器具備品、車両・運搬具、乳牛や果樹などの生物、特許権等の無形償却資産など）が対象となることがあげられる。相続税だけでなく、贈与税も猶予の対象とすることで、生前贈与による早期の事業承継準備を支援するねらいもある。

節税を目的とした制度濫用を防止するために、厳格な要件（事業継続要件や資産保有要件など）が設けられているが、贈与税・相続税が100％猶予され後継者の承継時の現金負担が不要となることや、親族外への承継も対象となること（小規模宅地特例との違い）などのメリットを勘案し、活用が検討されるべきである。個人版事業承継税制の知識は、個人事業者の事業承継に関する相談を受ける際には必須である（経済産業省中小企業庁のホームページに、マニュアルをはじめ、制度の内容や利用に関する詳細な説明がある）。

3　知的資産の承継

「知的資産」とは、人材、技術、組織力、顧客とのネットワーク、ブランド等の目にみえない資産のことで、企業の競争力の源泉となるものである（経済産業省ホームページ、図表６－１）。

特許やノウハウなどの「知的財産」だけではなく、組織や人材、ネットワークなどの企業の強みとなる資産を総称する幅広い考え方で、企業規模に関係なく、その企業の製品・商品・サービスを購入する顧客がいる限り、知的資産は存在する。

図表6－1　知的資産の概要

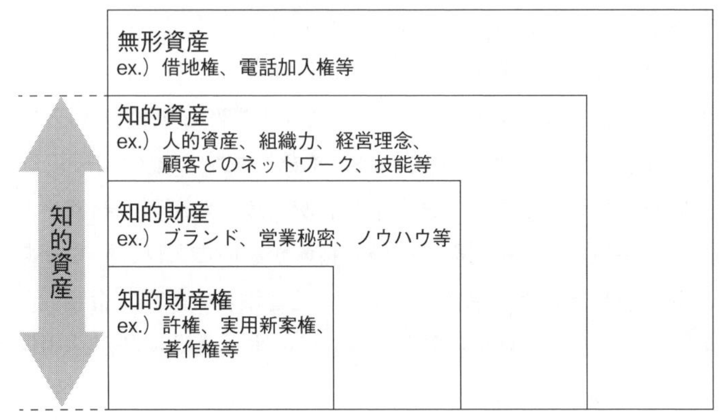

出所：経済産業省ホームページ

知的資産こそが会社の「強み」「価値の源泉」であり、これを次の世代に承継できなければ、その企業は競争力を失い、事業の継続すら危ぶまれてしまう。

そこで、事業承継に際しては、自社の強み・価値の源泉がどこにあるのかを現経営者が理解し、後継者に承継させるための取組みが重要となる。

知的資産の承継にあたっては、自身の知的資産の存在や内容を明確化すること（＝見える化）からスタートさせるとよい。

中小企業基盤整備機構では、知的資産経営の普及を行っており、事業承継対策に活用できるツールも提供されている（中小企業基盤整備機構が開設しているサイトからダウンロードが可能である）。

「事業価値を高める経営レポート」（具体的な書き方については、中小企業基盤整備機構のホームページ上の「事業価値を高める経営レポート事例集」が参考になる）や「知的資産経営報告書」等の書式をもとに、提示されている枠組み・着眼点に沿って、現経営者自らが、事業開始時からの事業運営の経緯や経営努力を振り返りつつ、自社の強み・価値の源泉を整理する。この作業を事業承継対策に活かすには、単にアウトプットとしてレポートを作成することを終局的な目標とするのではなく、作成過程において、後継候補者と知的資産に関する認識を共有することが不可欠である。

また、知的資産の承継の一つの選択肢として、独占的使用権を合意する方法もありうる。たとえば、商標の基本的な機能は、事業者の商品等を他者の商品等と識別する機能であるが、商標が継続使用されることで顧客層においてその商標を付した商品は同一事業者が提供する商品であるとの認識が形成される。商標が品質の高い商品に付され反復継続して販売されるとその商標が付された商品の品質に対する信頼が形成される。このような商標には顧客吸引力が生じており、それ自体経済的価値を有する。その顧客吸引力を利用したいという需要に対して、商標の所有者がその財産的活用をするのが商標の使用許諾である（商標法30条、31条）。

4　後継者人材バンク

(1)　後継者人材バンクとは

多くの小規模事業者（大半が個人事業主）は、これまで苦労して築き上げてきた事業（経営）を次世代に引き継ぎたいという思いがある。しかし、現実には、親族や従業員のなかに後継者候補がいない、あるいはいてもその事業を継ぐ予定がないといった小規模事業者が多くいる。事業引継ぎハンドブックによると、そうした小規模事業者を支援するために設けられた国の制度として後継者人材バンクがある。そして、この後継者人材バンクは、中小企業庁が全国47都道府県に各設置している事業承継・引継ぎ支援センターにおいて順次立ち上げていくことを計画し、平成26年４月に静岡で開設して以来令和２年４月期時点で全国48カ所に設置されるに至っている。なお、地域によっては、創業希望者と後継者不在の中小企業および個人事業主とのマッチングという上記目的以外に、自治体が推進しているＵ・Ｉターンの移住促進事業と連携し、Ｕ・Ｉターン希望者や地域おこし協力隊員と後継者不在の中小企業および個人事業主とのマッチングも目的とし、この後継者人材バンクを活用することで、地域経済の活性化や人材流入に寄与しているところもある。

この後継者人材バンクの事業は、事業承継ガイドライン（76頁）によれば、後継者のいない小規模事業者（多くは個人事業主）と起業を志す個人起業家をマッチングすることであり、地域に必要な事業を存続させ、意欲ある起業家の創業も支援する取組みであるとされている。具体的には、小規模事業者が保有する店舗や機械装置等事業用資産、そして、小規模事業者の経営理念や蓄積されたノウハウ・技術等を起業家に引き継がせるとともに、地域の顧客や仕入れ先、取引金融機関等との顔つなぎもあわせて行うこととしている（なお、後継者人材バンク事業の内容については、事業承継ガイドライン（76頁）の図表27：「後継者人材バンクのスキーム図」を参照）。

このように、後継者人材バンク事業は、個人事業主の後継者問題の解決だけでなく、創業を志す個人が、既存の個人事業主の有形・無形の経営資源を引き継ぐことで、ゼロから企業を立ち上げ創業を開始する場合に比べて、そのリスクを大幅に軽減させることができるという役割も果たしている。要するに、創業を促進する機能も併せ持っているところに特徴がある。

⑵　後継者人材バンク事業の課題

中小企業庁『小規模企業白書［2019年版］』（以下「白書」という）によると、前述したとおり、近年経営者の高齢化が進む中で（白書第２－１－３図）、小規模企業、特に個人事業主において、事業を引き継がずに引退していくことが、個人事業者数の顕著な減少傾向の要因となっている（白書第２－１－２図）。こうした事業を継続せずに廃業した理由について、白書によると、個人法人ともに「もともと自分の代で畳むつもりだった」が最も多く、次いで、「事業の将来性が見通せなかった」「事業に引継ぐ価値があると思わなかった」「資質ある後継者候補がいなかった」となっている（白書第２－１－７図）。しかし、こうした理由からすると、早期の後継者探しやあるいは前述したとおり小規模企業および個人事業主において、依然として親族内承継の傾向が強いものの、親族外承継も近年一つの選択肢となりつつあることからすれば、より幅広い第三者への引継ぎ（M&A）などの支援が得られるならば、廃業ではなく事業の引継ぎに向かわせることができた可能性がある。したがって、後継者人材バンクの目的が、後継者不足による中小企業の廃業件数を減らすことと、起業を目指す者の創業を支援することにあることから、もし、この後継者人材バンクがうまく機能し、価値ある商品・サービスを提供する小規模企業および個人事業主と起業家志望者とが相互に容易に相手方を探すことができるようになれば、廃業に歯止めがかかり、事業の存続が可能となり、ひいては雇用の維持や地域経済の活性化に資することになるので、後継者人材バンクの活用は有用である。

また、同白書によると、経営者が引退に向けて相談した専門機関・専門家として、税理士・公認会計士が多く、商工会議所・商工会が続いているが、事業引継ぎ支援センターも一定数いる（白書第２－１－25図）。そして、親族外（社外の第三者）承継をした企業では、「外部の専門機関・専門家」への相談が多く、相談したことで最も役に立ったこととして、「事業の引継ぎ先を見つけることができた」が他よりも高くなっている（みずほ情報総研「中小企業・小規模事業者の次世代への承継及び経営者の引退に関する調査」（2018年12月）の図表３－２－11および３－２－14ならびに白書２－１－26図参照）ことから、事業承継の相談先および支援機関としての事業承継・引継ぎ支援センターおよび後継者人材バンクの役割がより一層高まっている。

創業を志す個人がこの人材バンクを利用して創業をするメリットは、小規模事業者が時間と労力とコストをかけて築き上げてきた建物、設備、信用、取引先、固定客等といった有形無形の資産を受け継ぐことで、単に、物的施設等を譲り受けて創業する場合と異なり、創業当初から安定した経営が望めることになるし、既存の資源を利用することで、事業を早期に拡大成長させることができる可能性があることなどにある。半面、ゼロから立ち上げる場合と比較すると、経営の自由度が抑制され、既存の事業用資産を前提とすることで、おのずと立地や規模が制限されるというデメリットもある。

また、単なる個々の資産の承継と異なり、最もむずかしいことは、「人（経営）」の承継であることから、個人事業主と後継候補者との人間関係である。この点、後継者人材バンクでは、個人事業主と後継候補者との間での経営方針に関する打合せに力点を置いているが、概して、経営者が後継候補者に求める水準が高いために、破談になるケースが多いようである。

以下で述べる実例（ただし、特定を避けるため筆者が脚色したもの）は、破談となったケース（実例１および２）と成功したケース（実例３）である。

【実 例 1】

Ａ氏は、長年Ｘ市において、個人事業主として洋菓子店を営んでいた。地元での評判も良く、洋菓子はよく売れていた。しかし、Ａ氏は、70歳を前にして体調面に不安を感じるようになったことから、洋菓子店の承継とその後の生活設計などについて地元の商工会議所等に相談をしていた。たまたま、洋菓子店の創業を希望するB氏が相談に来ていたことから、A氏にB氏を紹介することになった。その後、商工会議所等が間に入り、A氏とB氏との間で複数回話合いがもたれ、ほとんどの課題は解消した。しかし、B氏は、資金の問題もあり、シンプルな内装にとどめたい意向であるのに対し、もともと内装にこだわりのあるA氏は、これを譲ることがないために、結局合意に至らずに破談となってしまった。

【実 例 2】

A氏（70代）は、X市において、個人事業主として仏壇店2店舗を経営していた。A氏夫妻には、子供がなく、従業員のなかにも後継者候補がいないことから、商工会議所等に後継者候補のあっせん等の相談をしていた。その結果、仏壇店の創業を希望するB氏がいたことから、商工会議所等の指導・助言のもとで、A氏とB氏とで一定期間共同で店舗を経営し、その後B氏に全店舗を承継すること、その間B氏に一店舗の経営を委ねてみることなどの合意が成立し、両者の間で基本合意書が交わされた。しかし、合意後しばらくして、A氏がB氏の働きぶりに不満をもち始め、B氏もA氏にはついていけないということになり、両者が合意を解消することになってしまった。

いずれも、承継する者の考え方や能力などが、個人事業主のお眼鏡に適わなかったというケースである。これが、個人事業主の親族や気心の知れた従業員であれば、その対応が違ったはずであり、真に後継者を求めるのであれば、多少のことには目をつむる覚悟と我慢が必要である。

また、承継する側でも、承継し創業することは、前述のとおり多くのメリットがある反面、赤の他人である個人事業主との人間関係を克服する覚悟と辛抱が必要なはずであり、往々にしてその心構えができていない場合が多く見受けられる。

要するに、後継者人材バンク事業では、当事者が抱える課題の多くは、弁護士をはじめとする専門家の助言・助力によって解決が可能である。しかし、この異なる価値観を有する当事者の考え方を擦り合わせ、意思の疎通を図るなどの内面の調整が最も難題であり、そのために、成功事例の報告が少ないものと思われる。

【実 例 3】

A氏は、個人事業主としてX市で長年蕎麦屋を営んでいた。地元では、味に定評があり繁盛していた。ところが、70歳を過ぎた頃より健康を害し、蕎麦屋を続けていくことに不安を感じるようになった。しかし、A氏夫妻には子供がいないなどから店を継いでくれる人のあてもなく、常連のお客や店の設備資金として借り入れた負債のことを考えると店を閉めることもできずに悩んでいた。そこで、A氏はX市の中小企業支援機関を訪ねて相談をした。X市の中小企業支援機関では、蕎麦屋を創業したいと相談に来たB氏がいたことから、A氏にB氏を紹介した。

B氏は、自動車の修理関係の会社を経営していたが、蕎麦大好き人間でいつかは蕎麦屋を経営したいと考えていた。B氏は、会社の経営が軌道に乗り、会社を息子と従業員に任せられるようになったことから念願の蕎麦屋を個人で経営したいと考え、X市の中小企業支援機関に相談をしていた。その後、A氏とB氏との間でとんとん拍子に話がまとまり、両者の間で事業譲渡契約が締結された。そして、B氏はA氏のもとで、一定期間の研修を受けた後A氏の店を引き継ぎ、A氏の指導に従って、A氏のノウハウである味を忠実に守った結果、その店はA氏時代と同様にお客に支持され現在も繁盛している。

この事例の成功要因は、譲受人であるB氏が当初創業を考え、創業に比較すれば、A氏の希望する譲渡価格は割安であったこと、B氏の手元資金に問題がなく、金銭面に関しての両者の信頼関係が早期に築けたこと、B氏は、蕎麦屋の営業に関してはまったくの素人であり一旗あげようなどという野心やこだわりがなかったこと、A氏は同じ味を守れることを希望していたことに対し、B氏は純粋に蕎麦が好きで、A氏特製の蕎麦の味にほれ込み、その味を守るために一定期間の研修を受け入れ、A氏特製の味作りなどを素直に身につけたことなどにある。

第7部

ポスト事業承継

第1 ポスト事業承継とは

1　ポスト事業承継の意義

ここまでは「事前」の事業承継対策をみてきたが、事業承継は、事前に対策して承継してそれで終わりではない。事業承継実行後（経営交代実行後）には、後継者が新たな視点をもって従来の事業の見直しを行い、中小企業が新たな成長ステージに入ることが期待されている[1]。実際、2019年度版中小企業白書111頁では、「事業承継は、他の要因を制御した上でも、企業の売上高や総資産を押し上げる効果があり、従業員数を押し上げる場合もあることが確認できた」とされており、また、2021年度版中小企業白書495頁以下でも同趣旨の分析がされるなど、事業承継が生産性向上のきっかけとなっている事例が存在している（ただし、事業承継しさえすればただちに生産性向上につながるということではなく、後継者による積極的な取組みがあってこそのことである点には留意が必要である）。

そこで、事業承継をきっかけとして、生産性向上（あるいは、経営改善・業績拡大）に取り組めないか、一連の事業承継対策をこれらの手段としても考えられないか、あるいはこれらの前提として、それを睨んだ事業承継対策をすべきではないか、というのがここでいう「ポスト事業承継」の意義である[2]。

1　事業承継ガイドライン31頁参照。

2　このような生産性向上に向けた取組みを後押しするため、事業承継・引継ぎ後の新たな取組みへの補助として、令和２年度三次補正予算・令和３年度当初予算において、「事業承継・引継ぎ補助金」などの施策が設けられた。

2　経営者の年齢と経営の特徴

ポスト事業承継を考えるにあたって、事業承継により、経営者の意識にどのような変化がありえ、それが事業経営にどのような効果を発揮するのかをみることが有用である。この点、各種調査結果から、経営者の年齢や経営者としての経験年数が事業経営に対する姿勢に表れているといわれている。

「事業承継ガイドライン」で紹介されているように、経済産業省中小企業庁において実施した調査によれば、「経営者年齢が上がるほど、投資意欲は低下し、リスク回避性向が高まる」ことが明らかとなっている。

具体的には、70歳以上の経営者の82％が「売上高を伸ばしていく必要がある」と考えつつも、雇用の維持・拡大に関しては、49歳以下の経営者の77％がその必要性を認めるのに対し、70歳以上の経営者の回答割合は65％、積極的な投資に関しては、49歳以下の経営者の32％がその必要性を認めるのに対し、70歳以上の経営者の回答割合は21％にとどまる。70歳以上の経営者の25％は「リスクを伴ってまで成長はしたくない」と考えており、49歳以下の経営者の回答割合16％とは約10％の開きがある。

事業運営における今後３年間の投資意欲に関しても、「設備投資」「IT 投資」「人材投資」「海外展開投資」「研究開発投資」「広告宣伝投資」のすべてについて、49歳以下の経営者のほうが70歳以上の経営者よりも強い意欲を有していることが回答結果として明らかになっている。

高齢であっても積極的な経営者は多数存在するが、全体でみれば、「若手経営者」が増えることは、企業の活動を活発にし、経済の活性化に寄与しうることが予想できるとの指摘もある[3]。たとえば、高齢の現経営者が敬遠しがちな最新の技術を後継者となる若手経営者がうまく活用することで、効率や生産性が飛躍的に向上したり、業域拡大につながることも考えられる。また、若手経営者と中高年経営者のそれぞれに経営者になった理由を質問した結果として、若手経営者は「事業経営のおもしろさ」と回答した割合が高いとのアンケートの結果があるが[4]、このような若手経営者の関心事をふまえ

3　深沼光＝藤田一郎＝分須健介「経営者の年代別にみた中小企業の実態―若手経営者の特徴―」日本政策金融公庫論集第28号（2015年８月）40頁。

ると、事業の磨き上げによって後継候補者が事業経営を「おもしろい」と評価する素地をつくることが積極的な事業承継に結びつくことがわかる。

他方で、組織マネジメントに関しては、若手経営者が苦手意識をもっているところであり、人生経験の豊富な中高年経営者に一日の長がある。この点については、現経営者において、引退までの間に計画的に後継候補者の能力向上をサポートする必要がある。

若手経営者の特徴として、積極的に外部資源を活用していることも指摘されているが[5]、この点、各地の中小企業関連機関・団体、弁護士会などが提供する中小企業支援の専門家相談窓口の活用が期待される（日弁連と各地の弁護士会が連携してサービスを提供する相談事業ひまわりほっとダイヤル（0570－001－240）は気軽に相談申込みができ便利である）。

4　深沼＝藤田＝分須・前掲注3・35頁。

5　深沼＝藤田＝分須・前掲注3・36頁。

第2

ポスト事業承継を睨んだ事業承継対策の検討

1　はじめに

後継者が事業自体の課題の解決にすみやかに着手するためには、経営者交代の時点で当該課題が明確になっていることが望ましいが、事業承継を行った直後では、後継者が事業自体の課題をすべて把握できているとは限らない。この点、事業承継対策を検討する段階では、各種専門家が関与しているので、専門家の観点から事業の課題を洗い出し、またその解決に向けた見通しを立てるには絶好の機会であるといえる（2021年版中小企業白書479頁以下では、事業承継前後の後継者の取組みが分析されており、参考になる）。

そのため、事業承継の支援機関としては、事業承継対策を検討する段階から、単に経営者の交代だけを目指すのではなく、その承継あるいは承継対策が生産性向上等のきっかけになることを意識した支援をするべきといえる。

具体的には、下記のような支援が考えられる。

2　課題の洗い出しと事業承継計画の策定

(1)　事業自体の課題をふまえた事業承継計画の策定

事業承継を生産性向上等のきっかけとするには、あらかじめ当該事業の課題を洗い出したうえで、承継後を見据えて、付加価値の維持・向上等のための事業計画を事業承継計画に組み込んでおくべきである。つまり、事業承継に関する課題（第三者承継の場合は、シナジーや補完関係を生み出すうえでの統合の課題を含む）だけでなく、事業自体に関する課題についても、洗い出しとその解決に向けた計画策定を実施すべきである。これは、事業承継を実施するタイミングで、あるいは実施したあとすみやかに課題解決に取り組むことによって、新体制の基盤づくりを目指すためである（事業承継計画については、第2部第1の5「ステップ4（計画の策定）」を参照）。

また、この事業承継計画の策定は、後継者主導で行うことが有用である。後継者が事業の現状を把握するきっかけとなり、課題を認識し、改善の施策を検討することになるためである。加えて、上記第1の2で言及した積極的な投資の計画を立てることにもつながるし、一連の作業のなかで、役員や従業員とのコミュニケーションも期待できる。あるいは逆に、現経営者が将来を見据えて、子会社を設立して後継者に経営を経験させたり、後継者のきょうだいが複数いる場合に、きょうだい間の紛争を防ぐためにそれぞれが担当する事業を分社化するという方法も考えられる（なお、組織内再編については、下記第3の3の(2)および(3)も参照）。

(2) 事業承継DDの有用性

a 第三者承継の場合

事業計画策定の前提として、上記(1)のような事業の現状・事業自体の課題・事業統合のための課題を認識するにあたり、第三者承継の場合は、財務DD、法務DD、労務DD、ビジネスDD等の各種DDが実施されていることが多いため、その結果を活用することが有用である。このDDは、いわば会社の健康状態等のチェック資料であるため、会社自体の課題、事業統合のための課題が浮き彫りになっていることから、後継者が新たな体制で事業運営を開始するために非常に重要である。

このような観点から、後にDD結果をより実効的に活用するためには、DD実施の際、事業承継に関する課題だけでなく、事業自体や今後の事業統合に関する課題も洗い出すよう意識して実施するべきであろう[6]。

b 親族内承継および従業員承継の場合

各種DDは、通常は第三者承継の際にしか行われないことが多いが、上記(1)の観点からすれば、親族内承継や従業員承継の場面でも積極的に実施する

6　令和3年6月9日に成立した「産業競争力強化法等の一部を改正する等の法律」における中小企業等経営強化法の改正によって、経営力向上計画の記載事項として、事業承継に先立ち実施するデュー・ディリジェンスに関する事項も対象とされたことで（同法17条4項2号。条文上は「事業承継等事前調査」という名称が使用されている。）、デュー・ディリジェンスも一定の経営資源集約化を促進する税制や金融支援等の対象となり得ることとなった。また、2021年版中小企業白書537頁も参照。

ことが、課題の洗い出しに資するものであるといえよう。これらの場合においては、経営者も後継者も、自社の強みや課題を明確には認識していないことがままあるためである。

したがって、事業承継局面においては、第三者承継か、親族内承継・従業員承継かにかかわらず、単に事業承継の課題を顕出するためだけでなく、事業自体の現状や課題を明確にするため、積極的にDDを実施すべきであるといえる。これを「事業承継DD」ということができる[7]。

3　経営改善・事業再生

上記2では、承継後を見据えた課題の洗い出しとその解決に向けた事業承継計画について述べたが、場合によっては現経営者のうちに対策を検討しておくべきこととして、経営改善・事業再生があげられる。

そもそも、後継者の立場になってみれば、赤字会社を積極的に引き継ぎたいと思うことは考えにくい。さらに進んで、いわゆるPL改善では間に合わず、過大な負債を負っていて会社の資金繰りが相当に圧迫されているような場合は、いわゆるBS改善を行わなければ、事業の継続性自体にすら疑義が生じてしまう。

また、これらにとどまらず、ビジネスモデルを変えるなどの大胆なPL改善をする前提として、BS改善が必要となる場合がある。たとえば、過大な金融負債を負っていて月々の返済で手一杯となっているような会社が、どうしても売上げがほしいがために、採算を度外視した大量生産大量販売のモデルから抜け出せないような場合である。

これらのような観点から、金融債務が過大な場合には、事業承継対策を検討する段階で、経営改善・事業再生も検討するべきである（詳細は第2部第1の4「ステップ3（磨き上げ）」を参照）。特にBS改善で債権カットを伴うような場合は、経営責任が問われる可能性もあるため、次世代に持ち越さ

7　簡易的に、「事業承継トラブル・チェックシート」（本書第8部の3「事業承継トラブル・チェックシート」参照）や、日本弁護士連合会作成の「中小企業のためのコンプライアンス・チェックシート」（日本弁護士連合会ホームページ参照）を活用することも考えられる。

ず、現経営者のうちに対策しておくべきであるといえる。また、経営者保証についても対策を検討しておく必要がある（詳細は第２部第１の５「ステップ４（計画の策定)」、第３部の第１の４「債務・保証・担保の承継」、同第２の４「債務・保証・担保の承継」を参照)。

第3

ポスト事業承継の取組み

1　既出の課題の解決等に向けた取組み

⑴　親族内承継および従業員承継の場合

a　新体制づくり

親族内承継や従業員承継においては、後継者は、大きな期待と不安を抱いていることが通常であるといえる。したがって、まず、法的な面からだけでなく、実態面からも、後継者をトップとした新体制を築き上げることが重要になってくる。

引継ぎのために必要とはいえ、先代経営者や古参従業員の影響や意向が悪い意味で色濃く残りすぎることのないよう、資本政策や会議体の構成には留意すべきである[8]（なお、引継ぎについては第3部第1および第2も参照）。後継者がさらに世代交代するときのことも考えると、特定の人物に依存しすぎるのではなく、組織としてのかたちをしっかりとつくりあげておくことが望ましい（下記第4の「2　ガバナンス体制の構築」も参照）。

b　個別の課題の解決

上記aのとおりの新体制のもとで、前述の事業承継DD結果等を、会社を支援する各専門家とともに最大限に活用し、あるいはDDを実施していなかったとしても、「見える化」（詳細は第2部第1の3「ステップ（見える化）」参照）の過程で顕出された会社の現状と課題に対して、積極的に取り組んでいくことになる。

たとえば法務面でいえば、下記第4で述べるような問題点が顕出されたの

8　たとえば、先代経営者の手元に、一定割合を超えた議決権数の株式を残していると、先代経営者の意向に沿わなければ会社の重要な意思決定ができなくなるという事態も生じうる。

であれば、必要に応じて会議体や規程類、契約書類の整備をあらためて行うことが考えられる。事業面でも、非採算部門の見直しを行うことなどが考えられる。

(2) 第三者承継の場合

a 企業文化の統一

第三者承継の場合、譲り受け企業と譲り渡し企業との間で、経営方針から具体的な業務の進め方まで、多くの点で相違があるのが通常であろう。

そのため、まずはそういった広い意味での企業文化の統一を図らなければ、譲り渡し企業の従業員、場合によってはその取引先も含め、離散を招いてしまいかねない[9]。ところが、新経営者は譲り渡し企業にとっては外部の第三者であることから、特に新経営者と譲り渡し企業の従業員との間で、十分な意思疎通を行う必要がある[10]。

b 個別の課題の解決

第三者承継の場合、個別の課題の解決の方向性やスケジュールは、譲り受け企業の事情に左右されることがあるものの、基本的には上記(1)のｂ同様、事業承継DD結果や「見える化」の過程を参考にして、課題の解決に取り組んでいくことになる。

2 事業承継を契機とした新たな取組み

(1) 事業承継を契機とした新たな取組みの必要性

中小企業は、資金繰りをつなぐためにマネタイズを重視し、結果、事業活動の選択肢の幅を狭め、人件費削減等のコストカット等、わかりやすい方法を採用してきた。それは、短期的には効率的かもしれないが、長期的にみれば、組織は保守的になり柔軟性を失い、新しい取組みができなくなる。それ

---

9 事業引継ぎガイドライン48頁参照。

10 前提として、事前のデュー・ディリジェンスを通じて譲り渡し企業の企業文化を把握・理解しておくことが有用である。そのうえで、単純に決定事項を伝えるだけにとどまるのではなく、①承継前と比較して何が変わり何が変わらないのか、②最終的に実現したい従業員の意識や行動はどのようなものか、などについて、新経営者等からのメッセージを発信するとともに、譲り渡し企業の従業員からも不安や改善点などの聴取を行うなど、積極的なコミュニケーションが不可欠である。なお、いわゆるPMI（統合の問題）については、本文2(3)も参照。

では、生産性は向上せず、稼ぐ力を培うこともできない。したがって、上記１で述べた既出の課題の解決等に向けた取組みのみに終始することなく、新たな成長ステージを目指して、事業承継を契機とした新たな取組みが必要となる[11]。

(2) 親族内承継および従業員承継

a PL 改善

親族内承継および従業員承継をしたとしても、企業の負債が軽減されるわけではなく（BS 改善）、収益体質も変わるわけでない（PL 改善）。事業承継を契機として、BS 改善と PL 改善を図るべきであるが、社外への引継ぎ（M&A）の場合と比較して、保守的な企業体質や従前の経営課題が温存されやすい。事業承継に向けた５つのステップのうちの「経営状況・経営課題等の把握（見える化）」「事業承継に向けた経営改善（磨き上げ）」を徹底し、さらには、自社の人材・技術・顧客とのネットワーク等の知的資産や事業環境をふまえて、新規分野への進出も積極的に検討し、PL 改善を図るべきである。

b 「新たな取組み」の前提条件

「新たな取組み」とはいっても、自らビジネスをしない弁護士等の士業専門家に、事業の中身がわかるのか、という声も聞こえる。しかし、すべての中小企業（大企業も含めてすべてである）が抱える課題は、共通であり、企業は、その外部要因のなかでしか存続することはできない。この外部要因のなかで、今日、最も普遍的でかつ経営に対するインパクトが大きいものが、2019年版中小企業白書に記載されている。

同白書によれば、「平成の約30年間を振り返ると経済・社会の構造は大きく変化し、今後この変化はさらに大きく速くなることが見込まれる。中小企業経営者は、このような社会変化の中で、柔軟に変化に対応し自己変革を続けていく必要がある」としたうえで、「人口減少」「デジタル化」および「グローバル化」という３つのキーワードを指摘する（同書272頁）。

事業承継を契機とした新たな取組みとして、まず、「人口減少」への適応

11　前掲注２の「事業承継・引継ぎ補助金」は、まさにこのような取組みを支援するものといえる。

が必要である。人口減少は、労働力不足による供給能力の低下を招き、消費者不足による需要の低下が見込まれる。大量消費を満たすための大量生産、それを支える機械化を追及していては、生きていくことはむずかしい[12]。

次に、「デジタル化」への適応が必要である[13]。PEST分析[14]において検討してみても、政治も経済も社会も揺れ動くことから、これからの政治動向(たとえば、保守かリベラルか、自由か平等か)、経済の動向（たとえば、景気変動や景況の変化)、社会が進む方向（たとえば、中央集中か地方分散か、分断か統合か）は、行きつく先はみえない。これに対し、技術については、「テクノロジーの性質そのものに、ある方向に向かうけれど他の方向には行かないという傾向がある」といわれる[15]。いまあるデジタル化の傾向は、不可避である。不可避なものに適応することは、事業の成功への近道である。

そして、「グローバル化」である。グローバル化は、新型コロナウイルス感染症感染拡大により、国内移動および海外移動は、大きな制約を受け、最も打撃を受けた部分である。しかし、「グローバル化」は、人や物の物理的な空間的な移動ばかりではない。「デジタル化」を上手に取り込むことが大切となる。

もっとも、令和２年春からの新型コロナウイルス感染拡大により、国境を超える人の移動は大幅な制限を受け、「グローバル化」は後退したかのようにみえる。新型コロナウイルス感染の影響もいつまで続くか、現段階では予測はつかない。しかし、ICT（Information and Communication Technology)

12　20世紀について、大量消費と機械化を追求する「第１の消費」、自己顕示や消費の差異を求める「第２の消費」、そして、20世紀末からみられる、文化を通じた幸福と社会的配慮による安定を目指す「第３の消費」と時代分けした文献として、間々田孝夫『21世紀の消費』（ミネルヴァ書房、2016年）を参照するとよい。

13　令和３年６月９日に成立した「産業競争力強化法等の一部を改正する等の法律」の概要資料においては、ポストコロナにおける成長の源泉として、「『デジタル化』への対応」もその要素としてあげられており、具体的には、DX投資促進税制が創設されるとともに、令和３年度財政投融資計画において財政投融資を原資とした融資が措置されることとなった。また、2021年版中小企業白書320頁以下でも、詳細な分析がされている。

14　EST分析のPESTとは、「Politics（政治）、Economy（経済）、Society（社会）、Technology（技術）」の４つの頭文字をとったものである。

15　ケヴィン・ケリー著［服部桂訳］『インターネットの次に来るもの　未来を決める12の法則』(NHK出版、2016年）７頁。

を取り込んだグローバル化は、さらに広がり深化すると考えられ、「グローバル化」が「新たな取組み」の前提条件であることは変わらない[16]。

c 「持続可能な社会の実現のため」への企業の積極的な貢献

中小企業に自己変革を迫るこの３つのキーワードが、「新しい取組み」の前提条件というのであれば、企業の存在価値を大きくする価値的な条件は、「持続可能な社会の実現のため」への企業の積極的な貢献ということができる。

一般社団法人日本経済団体連合会は、平成29年11月８日「企業行動憲章―持続可能な社会の実現のために―」を発表した。そのなかで「企業は、公正かつ自由な競争の下、社会に有用な付加価値および雇用の創出と自律的で責任ある行動を通じて、持続可能な社会の実現を牽引する役割を担う。そのため企業は、国の内外において次の10原則に基づき、関係法令、国際ルールおよびその精神を遵守しつつ、高い倫理観をもって社会的責任を果たしていく」と謳い上げられている。これは経団連の企業行動憲章ということで、大企業を前提とした宣言であるが、ここに列挙された10原則は、中小企業として、ないがしろにできず、むしろ積極的に推進すべき課題である。この課題の追求のなかに新しい経営課題やビジネスチャンスがあるといえ、事業承継を契機とし、まず取り組まなければならないと考える。

⑶ 第三者承継

第三者承継には、承継する第三者（買主）が事業会社（またはその経営者）の場合と投資ファンドの場合に分けて、事業承継を契機とした新たな取組みについて論じることが適当である。

前者の場合には、対象会社の経営者が交代することになるのが通常であり、特に、株式譲渡の場合には、第三者（買主）は、対象会社そのものを自

16 政府の令和２年12月１日付け成長戦略実行会議の第７章では、「ポストコロナを見据え、中小企業の経営基盤を強化することで、中小企業から中堅企業に成長し、海外で競争できる企業を増やしていくことが重要である」とされている。また、令和３年６月９日に成立した「産業競争力強化法等の一部を改正する等の法律」の概要資料においては、ポストコロナにおける成長の源泉として、中小企業の足腰強化等を促進するための措置を講じるとされ、「中堅企業へ成長し、海外で競争できる企業を育成する」ともされており、各種措置が設けられた。さらに、2021年版中小企業白書305頁以下でも、詳細な分析がされている。

らの新しい「事業ポートフォリオ」の一つとして取り込むことになる。経営者が交代することから、企業体質や従前の経営課題は一掃される。しかし、営業、生産、人事、経理、システム等における統合の問題（PMI）が生じる。新たな経営者は、PMIの諸問題と闘いながら、M&A前に企図した成長戦略を承継した会社や事業において実現しなければならない。

PMIの諸問題は、多数の論点をもつが、まずは、新たな経営者となる第三者（買主）のリーダーシップの発揮である。企図したM&Aの目的、すなわち、対象会社の株主利益、従業員利益および取引先、地域社会等のステークホルダーの利益の継続的な増大にあることを明瞭に対象会社の役員・従業員に伝えることである。次に、新たな経営者の意を体した人材によるマネジメントである。これを担当するのは、第三者（買主）側のコア人材であることもあれば、対象会社のコア人材であることもある。総務経理担当者であることもあれば、営業または製造や販売分野の人材であることもある。新たな経営者は、M&Aが成立すればマネジメント人材に任せて「終わり」ではなく、マネジメント人材に企図したM&Aの目的を説き続け、PMIの諸問題に立ち向かうエネルギーを注入し続けなければならない。もちろん、新たな経営者の従前の会社には適切な人材を置いておくことができる余裕があるならば、新たな経営者が、直接、対象会社に入って、指揮をとる方法もあり、そうであれば、PMIはより強力に推し進められるであろう。

承継する第三者（買主）が事業会社（またはその経営者）の場合に対し、承継する第三者（買主）が投資ファンドの場合には、趣が異なる。投資ファンドそのものには、対象会社を運営する能力がないことが多く、対象会社の代表取締役社長（多くの場合、株式の売主）をはじめ、旧経営陣が事業承継後も従前の地位に残留することになる。となると、親族内承継および従業員承継の場合と同じように、保守的な企業体質や従前の経営課題が温存されるという問題点がある。しかし、投資ファンドの場合、対象会社の株式を長く保有し、これを運営する意図はなく、通常、３年から５年後には、対象会社の株式を売却するのが普通である。この売却が出口であり、出口戦略の策定・実現こそ、投資ファンドの腕の見せ所である。投資ファンドには、多くの対象会社の出口戦略を策定し、実現（失敗）した経験がある。「経営状況・経営課題等の把握（見える化）」「事業承継に向けた経営改善（磨き上げ）」、そして事業承継を契機とした新たな取組みは、出口を目指して加速度的に進められる（これができなければ失敗の事例となる）。

3　事業承継を契機として組織の再編を図る場合

(1)　組織再編の意義と留意点[17]

a　意　　義

少子高齢化、市場の飽和、顧客ニーズの急速な変化や多様化、人手不足、AIをはじめとする日進月歩の技術革新など、経営環境は厳しさを増しているが、他方で創意工夫や努力により事業を成長させるチャンスも広がっている。昨今のコロナ禍により人々の意識や社会構造が不可逆的に変化している状況下では、なおさらである[18]。

このような状況に対応するためには、知的資産などの元々の強みを活かしつつ、既存事業の抜本的な再構築や新規事業への進出などが必要となってくるが、組織の再編はそのための有用な手段となりうる。次世代への承継や第三者承継を契機に、経営者は企業の成長発展のために組織再編に取り組むことも検討すべきであろう。

b　留 意 点

注意すべきなのは、組織再編とはあくまで手段にすぎないことである。大切なのは何を経営の目標としていくかであり、そのための最適な手段が組織再編であれば、それを選択していくべきである。

また、組織再編は利害関係者（特に社員）への影響度が大きいため、理解

17　事業再編に関しては、経済産業省が2020年7月31日に「事業再編ガイドライン～事業ポートフォリオと組織の変革に向けて～」を策定した（https://www.meti.go.jp/press/2020/07/20200731003/20200731003.html）。対象は主に上場大企業を意識されているが、中小企業にも参考になると思われる。特に、成長性を縦軸、資本収益性を横軸にした「象限フレームワーク」（同42、53頁）は、複数事業を有する会社にとっての事業ポートフォリオの大切さを認識させる。

18　令和3年6月9日に成立した「産業競争力強化法等の一部を改正する等の法律」の概要資料において、「『新たな日常』に向けた事業環境の整備」の一つとして「事業再編の推進」があげられており、具体的には、株式対価M&A（会社法上の株式交付制度）の株式譲渡益の課税繰延の事前認定の不要化と、株式対価M&Aにおける反対株主の株式買取請求権の適用除外（ただし買収企業が上場会社の場合）が措置された。

を得るための配慮が求められる。

⑵ 組織再編の種類

a 企業内再編

別の法人格の新しい会社を設立し、自社内にある複数の事業の一部を移管させたり、新たな事業を始めることがあげられる（以下「分社化」という）。

また、戦略立案や経営資源配分等に特化した持株会社を設立し、事業はすべてその子会社に移管する方法もある。

b 企業外再編（いわゆるM&A）

① 他社の事業を獲得・吸収すること

② 他社へ事業を売却すること

⑶ 企業内再編を戦略的に進めるために[19]

a 分社化による組織力の向上

⒜ 意　義

一部の事業を分社化することにより、次のような面で組織力の向上が期待できる。

＊事業ごとの責任・権限を明確化できる。これにより、意思決定の迅速化などにも資する。

＊社員の責任意識を醸成することができる。分社化により、事業ごとに業績や費用などが可視化されるからである。

＊事業の性質にあわせて、社員の給与体系や勤務体制などを最適化できる。同じ会社内だと、給与体系等は一律にせざるをえない面がある。

＊事業ごとに業績を適正に評価できる。これにより、個々の事業について、投資等によりさらに成長させるか、現状のまま続けていくか、縮小・撤退していくかの経営判断がしやすくなる。また、個々の社員の人事評価の適正（それに伴うモチベーションの向上）にも資することになる。

⒝ リスクや留意点

分社化にあたっては、次のような面で組織力を損なうリスクがあるため、十分に留意・配慮することが望まれる。

---

19 本項は土岐敦司＝辺見紀男編『企業再編の理論と実務―企業再編のすべて―』（商事法務、2014年）を参考にした。

＊縦割りの弊害が生じ、関連する事業部門間での連携が弱体化するリスクがありうる。事業間での情報共有やコミュニケーションが肝要となる。

＊業務の無駄な重複が生じるリスクがありうる。生産性向上のための効率化の不断の努力工夫が欠かせない。

＊経営陣による監督・監視が及びにくくなるリスクがありうる。経営陣においては、各社員の自発性に委ねつつ、要所を締めるメリハリも必要になってくるであろう。

＊自企業内の社員の一体感や企業・経営陣への求心力が低下するリスクも否定できない。分社化の趣旨や目的を社員に理解してもらうことが大切なのはもちろん、分社化を機に、企業全体の経営理念やビジョンを明確にして浸透させることや、社員一人ひとりのやりがいやキャリアアップなどを大切にすることにも取り組むべきであろう。

b　分社化による新規事業の育成

(a)　意　　義

新規事業を立ち上げたり、既存の一部の事業が異なる事業領域に進出（新製品の開発、新市場の開拓）するために（以下「新規事業等」という）、別の法人の会社を設立して分社化することには、次のようなメリットが期待できる。

＊既存事業に比べて、新規事業等は、よりチャレンジやリスクテイクを求められるため、まったく別組織の異なる会社に任せるほうが取り組みやすい面がある。

＊経営陣としては、厳しく変化に富む経営環境下において、新規事業等が重要であることは承知していながら、えてして日々の煩雑な業務に追われて後回しになりがちである。分社化することで、思い切って新規事業に踏み出すことが可能となる。

(b)　留 意 点

新規事業等のための分社化には、上記のａ(b)に加えて、次のような留意・配慮をすることが望まれる。

＊新規事業等に本気で取り組むのであれば、意欲的な人材、将来のマネジメントを任せたい人材を新会社の経営陣に送り込むことが必要である。

＊新規事業等がなかなか成果を出せないときの対処が肝心である。やはり、あらかじめ撤退の基準（たとえば○年後までに黒字化しない場合は清算するなど）を設けておくことが必要である。事業をやめることを決められるのは社長のみであるということを肝に銘じるべきである。

c　分社化による既存事業の分離

(a)　意　　義

既存の一部の事業を分社化して切り出すことには、次のような意義やメリットが期待できる。

＊不振な事業部門の奮起を促すことができる。

＊事業部門が独立を志向しているのであれば、将来的な独立の準備のために分社化することが考えられる（その後、新会社の株式を新会社の経営陣（元社員）が元の会社から買い取る（いわゆるMBO）ステップが考えられる）。

＊不採算な事業部門を他社に売却することの準備のために、分社化することも考えられる（分社化した後に、譲渡先を探して、新会社の株式を他社に譲渡する）。

＊上記の複合的な理由で分社化することもありうる。不採算部門をいったん分社化して社員の奮起を促し、業績が回復すればよいし、業績が芳しくなければ、他社への売却や社員による買収（MBO）を検討するというように、時間の経過に伴って多様な選択をできるようにすることも考えられる。

(b)　リスクや留意点

分社化による既存事業の分離には、次に述べるようなリスクや留意点がある。

＊企業内の分断を生み出し、社員の一体感を阻害するリスクがある。

　この点、不採算部門の分離もやむをえないという雰囲気が社内で醸成されていれば取り組みやすいであろうし、既存事業の切り分けの目的や意義を、特に分離される部門の社員と十分に協議をして理解をしてもらうことが重要である。

＊既存事業を分社化によって切り分けた後、当該会社を清算することには慎重な取扱いが求められる。

会社の清算に伴って社員を整理解雇することは一般的に認められているといわれているが、解雇目的で分社化すれば解雇権の濫用と訴えられる可能性がある。分社化による清算にあたっては、弁護士と相談して慎重に手続を進めていくべきである。

d　分社化によるマネジメント人材の育成

(a)　意　　義

将来の経営を担うマネジメント人材を育成するために、次のように分社化を活用することも考えられる。

* ＊マネジメント人材（将来の社長・役員候補）を育成するためには、組織のトップを任せてみるのが近道である。経営の全責任を担う社長は、意思決定の重圧に常にさらされることになり、それ以外の副社長以下では責任の重さがまったく異なるからである。
* ＊子会社の経営を任せてみることにより、その人材がマネジメントに適しているかを見極めることができる。

(b)　留 意 点

マネジメント人材の育成のために分社化を活用するには、次の点を留意すべきである。

* ＊新会社の社長になる社員自身に、育成という意味合いを十分に理解してもらう。周囲にもその位置づけを理解してもらう。
* ＊企業内の無用な分断を生まないように、新会社の社長の立候補を募るなど、公平に機会を与えるように努める。

e　分社化による財務の改善

(a)　意　　義

分社化により、事業ごとの収益構造を可視化することができる。これにより、各事業の財務上の課題が認識できたり、各事業の貢献利益の算出等により、投資を拡大するか縮小・撤退するかなどの経営判断に役立てることができ、財務の改善に資する。

(b)　留 意 点

全事業に共通する間接費用（多くは固定費）を、各事業部門（分社化した子会社）にどう配賦するかという問題がある。

f 持株会社の組成

(a) 意　　義

自社内に複数の事業がある場合に、持株会社を組成して、複数の子会社に個々の事業をすべて移管することには、組織力の向上に関して述べた上記a(a)に加えて、次のような意義がある。

＊持株会社は全社的な戦略の立案や経営資源の配分に集中し、各子会社に事業の執行を担い、適正な役割分担により、状況の変化に迅速・的確に対応できるようにする。

＊持株会社に子会社（事業会社）としてぶら下げることができるため、他の事業を買収しやすくなる。

(b) 留 意 点

持株会社の組成には、組織力の向上に関して述べた上記a(a)リスクや留意点が、よりいっそう当てはまりやすいことに注意すべきである。

(4) 企業外再編（M&A）を戦略的に進めるために

a 他の事業の獲得・吸収

(a) 意　　義

＊やはり、「時間を買う」ことのメリットが大きい。収益が安定的に生み出せるように事業を育てるためには、相当な労力・費用・時間を費やさなければならず、外部環境の激しい変化に対応するためには、M&Aはきわめて有力な選択肢である。

＊買収した事業と自社の事業とのシナジー（相乗効果）を期待できる。

(b) リスク・留意点

＊買収した後のPMI（Post Merger Integration、M&A成立後の統合プロセス）を、当初の買収目的に沿って着実に進めていくことが重要である。

＊企業文化の違いなどに配慮することも大切である。

＊M&Aは成功しない確率が相当程度あるのが現実である[20]。その点を念頭に置いて、たとえば買収した事業を相当期間別会社にしておいて、自社との完全な融合が効果的か見極めるなどの工夫も考えられる。また、

20　デロイトトーマツコンサルティング㈱の「M&A企業によるM&A実態調査（2013年）」によると、成功基準を達成している企業は36%にとどまるとのことである。

規模の小さい事業の買収を何度か繰り返して学習することも大切である。

b　他社等への事業の売却

(a)　意　　義

＊不採算部門を整理し、経営資源を収益性の高い事業に集中することができる。雇用や取引先との関係、各種ノウハウなどの知的資産を活かしたままにできるのは、社会的にも意義がある。

＊自社よりも成長できる可能性のある他社に事業を引き取ってもらうのは、経営資源の最適化という意味でも社会的に意義がある。

＊自社の社員たちが事業を買収して独立する（MBO）ことも考えられる。

(b)　リスク・留意点

＊利害関係者（社員、得意先、仕入外注先、金融機関など）への配慮が欠かせない。特に、売却される事業部門の社員については、協議や対話を重ねて、理解を得られるように努めるべきである。

＊過剰な債務を負っている会社が事業を売却して債務を整理する手法はよく行われるが、これは事業承継の段階ですませておくべきことである。

(5)　組織再編の手法

上記で述べた組織の再編を行うための法律的な手法はさまざまにあるが、大きく分けると、①会社分割、②事業譲渡、③株式譲渡がある。

a　会社分割

会社が自社の権利義務の全部または一部を、新設する会社か既存の会社に包括的に承継させる方法である。新設分割（会社（分割会社）の権利義務を新たに設立する会社（新設会社）に承継させる方式、図表7－1）と吸収分割（会社（分割会社）の権利義務を既存の他の会社（承継会社）に承継させる方式）がある。

企業内再編で一部の事業を分社化するうえで有用な方法であるし、企業外再編で他社から事業を買収したり、他社に事業を売却する場合にも活用できる。

登記事項であり、株主総会の特別決議のほかに債権者保護手続を踏む必要があり、後述ｂの事業譲渡に比べると手間がかかる。しかし、相手方の同意

図表７－１　会社分割（新設分割）

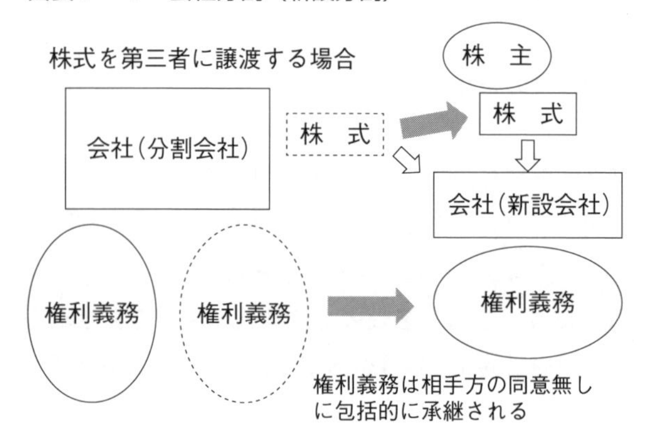

を要せずに権利義務を包括承継させることができる点で、法的安定性に優れている。

特に企業内再編においては時間を掛けて取り組む余裕があることが多いので、会社分割を選択することが望ましいと思われる。

b　事業譲渡

事業すなわち一定の営業目的のために組織化され、有機的一体として機能する財産（機械設備等の資産のみならず、従業員との雇用契約や、取引先との取引関係等の経済的価値のある事実関係も含む）の全部または一部を譲渡する方法である。

株主総会の特別決議を必要とするし、契約関係や債務を承継させる場合には相手方の同意を必要とする。しかし、前述ａの会社分割に比べると、同意が得られれば簡便かつスピーディに進められる。

企業内再編の分社化では、新会社を設立したうえで事業譲渡することが考えられるし、企業外再編でも活用できる。

c　株式譲渡

株式会社のいわば所有権である株式を譲渡する方法である。会社の権利義務関係は動かないため、事業を移動させる手法として簡便である。資産とあわせて負債も引き継ぐことになる（もっとも、負債を負っているのは対象会社であり、株式を譲り受けた者自身が負債を引き継ぐわけではない）。

企業外再編で他社からの事業を買収したり、他社に事業を売却する場合に活用できる。ただし、負債も引き継ぐため、一部の負債が過大で引き継がせることが求められていない場合には、会社分割や事業譲渡の手法で元の会社に負債を残して、事業だけ移転することになる。

図表7－2　事業譲渡

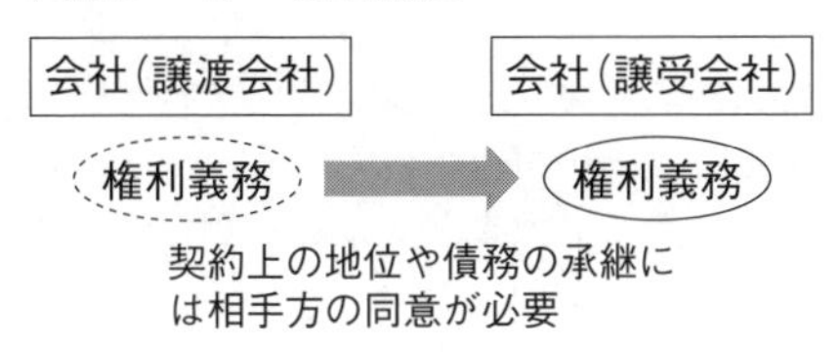

図表7－3　株式譲渡

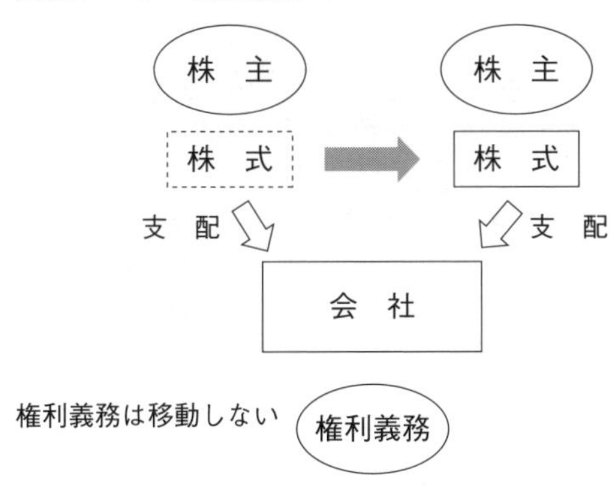

コラム

製造業のグループ化による技術承継

東京都の製造業の会社のエピソードを紹介したい。

この会社は先代の頃から技術の高さには定評があった。そこで、３代目となる現社長は、他の産業に進出できないかと考え、別業界の展示会に出展したところ、技術力の高さから関心を集め、新規事業の開拓に成功したとのことである。また、自社内に開発部を設置して受諾開発を可能としたり、広報を強化することによりアピール力を強化するなどして、従業員にとって魅力のある会社づくりをし、有能な人材を求めるとともに、粘り強く新規事業の種まきをして、売上げを増やしていくといった経営をしている。

これらに加えて、現社長は、中小製造業の技術を残したいという思いから、技術力はあるが後継者がいない会社をM&Aでグループに招き入れ、各会社の業績の改善に取り組んでいる。その取組みの特徴として、招き入れた各会社の人事・労務・資金調達・事業計画などのバックヤード業務等を、ホールディングス会社が統一して担当し、下支えすることで、各会社の付加価値増加やコスト削減等を実現している点があげられる。

今後も、「買収して売上げを上げる」ではなく、「高い技術力を後世に残す」という理念をもって、地に足のついた経営を続けたいという考えを現社長はもっている。

第4　ポスト事業承継と弁護士

1　はじめに

第3で述べたポスト事業承継の取組みにおいて弁護士が活躍できる場面には、例として以下にあげるようなものが考えられる。

総じて、①既存の課題等の解決のサポートを行うこと、②後継者と旧経営者や従業員、その他利害関係者とのトラブルを防止し、後継者が経営に注力できる体制を構築するサポートを行うこと、③当該中小企業が新たな成長ステージないし事業展開に入るのをサポートしていくことが、ポスト事業承継における弁護士の役割であるといえる。特に弁護士は、課題の整理と利害関係の調整に長けているため、法務面に限らず、これらの観点からのサポートを積極的に行っていくべきである。

また、このようなサポートを実現するためには、たとえば株式譲渡契約書の作成、あるいはデュー・ディリジェンスの実施のみなどといった、事業承継対策スキームのみへの短期的な関与の仕方ではなく、顧問として、あるいは一定期間のプロジェクトとして、中長期的な伴走支援を行うことが有用となってくる。親族内承継および従業員承継の場合のみならず、第三者承継の譲り渡し企業（ないし株主）の代理人として対応を行っていた場合であっても、その後の対応に関与することが望ましい場合もある[21]。

21　たとえば、(旧) 経営者保証の解除・連帯保証人変更に向けた取組みや、表明保証条項との関係でトラブルになった際にアドバイスを行うこと（第4部の第4も参照）などといった、法的な事項のサポートをすることが考えられる。そのほか、M&Aにおけるいわゆる PMI の例について、中小 M&A ガイドライン38頁以下参照。

2　ガバナンス体制の構築

(1)　ガバナンス体制の構築の意義

社長をはじめとした経営陣が企業価値向上に向けて役割を果たすための仕組みづくりという意味で、ガバナンス体制の構築は重要な課題である。

たとえば、事業承継後に積極的な事業展開を行うにあたり、事業上・経営上のリスクに対して常に適切に対応できる仕組みを構築しておくことで、安定した経営を実現することができるし、これにとどまらず、①経営陣に適切なインセンティブを与えつつその成果をチェックしていく、②少数株主の利益への配慮や、オーナー社長ら経営陣が暴走や腐敗したときの歯止め、などといった観点からも、ガバナンスの仕組みを設けておく必要性が高い[22]。また、適切なガバナンス体制の構築は、経営者保証の解除にもつながりうる[23]。

(2)　弁護士のサポート

上記(1)のような観点からは、会社法上要求される会議体（取締役会や株主総会）の適切な構築とその機能に期待されるところが大きいが、中小企業においては、そもそもこれらの開催や議事録の整備についても、おざなりにされていることがままあるため、弁護士としては、各会議体の存否やその内容、そして構成員について検証し、適切な会議体の構築のサポートを行うことが考えられる（特に親族内承継および従業員承継の場合について、第３の１の(1)のａも参照）。また、議事録の作成についても助言を行うことが考えられる。

これらにとどまらず、たとえば、株主名簿や定款、役員登記から未整備・未更新の会社も存在しているのが実際である。そのため、弁護士としては、これらの最新の内容をチェックし、必要に応じて整備・更新をすることが考えられる。

22　①②等について、詳細は経済産業省「コーポレート・ガバナンス・システムに関する実務指針」（平成30年９月28日改訂版）４頁以下参照。

23　経営者保証に関するガイドライン研究会「事業承継時に焦点を当てた『経営者保証に関するガイドライン』の特則」参照。

また、そもそも株式が分散し安定的な企業運営ができていない中小企業も散見されるため、事業承継時に対応ができていないようであれば、株式の集約[24]のサポート、具体的には、既存株主との交渉や株式譲渡契約書の作成等を行うことも重要な任務になることがある。

これらに加え、各種業法規制対応や、コンプライアンス支援[25]なども弁護士の重要な役割である。

3　労務管理体制の整備

(1)　労務管理体制の整備の意義

近時、労働事件が増加傾向にあるが、事件化しなくとも、労務管理体制に不備があれば従業員が最大限のパフォーマンスを発揮できず、生産性等向上の観点からも障害となりかねない。

他方、特に条件変更等が伴う場合は労働法に基づいた適切・適法な対応が必要となるため、弁護士の果たす役割は大きい。

(2)　弁護士のサポート

具体的には、未整備であれば、就業規則や賃金規程など規程類の整備が最も基本的な事柄といえる。また、事業承継をきっかけとして労働条件の変更を伴うこともあり、その手続の法務面のサポートも弁護士の任務となってくる。

その他、未払残業代をはじめとした労使紛争の予防や、顕在化している紛争があればそれへの対応も行うことが考えられる[26]。

24　令和３年６月９日に改正された中小企業における経営の円滑化に関する法律15条１項において、一部株主が所在不明であるため事業承継が困難となっている旨の認定を受けた中小企業者について、所在不明株主からの株式買取り等の手続に必要な期間が、会社法所定の５年間から１年間に短縮された。なお、第３部第１、３、(3)、ｅ「所在不明株主の整理」、(b)「経営承継円滑化法による特則」参照。

25　日本弁護士連合会　日弁連中小企業法律支援センター編『中小企業法務のすべて』（商事法務、2017年）137頁以下参照。

26　その他詳細は、日本弁護士連合会　日弁連中小企業法律支援センター・前掲注25・104頁以下参照。

4　契約関係・権利関係の整理

(1)　契約関係・権利関係の整理の意義

契約関係・権利関係について不明瞭な点があると、予期せぬトラブルに見舞われるリスクがある。

たとえば、中小企業では、日常的な取引契約でさえ、契約書を作成せず、最低限の条件のみ取り決めて取引を行っていることがままみられる。これでは紛争を予防することなどできないし、いざ紛争になっても解決の糸口が見つからない。また、会社の事業に必要な資産が会社名義でないこともままあり、その所有者に相続が発生したときなど、必要な資産の利用に支障をきたす場合がある。

(2)　弁護士のサポート

まず、特に重要な取引契約などについて、契約書が存在しているか、存在しているとしても会社にとって著しく不利になっていないかなど、見直しを行い、必要に応じて作成や修正を試みることで、取引先等とのトラブルやリスクの顕在化を予防し、安定的な事業運営を目指すことが考えられる[27]。

関連して、資金の出入りや事業に不可欠な資産等に関する権利関係の整理も行っておくべきである。特に中小企業では、役員と会社との間で名目の不明瞭な金銭のやりとりがあったり、役員や創業家の個人が所有している資産を事業に使用していることがままみられるが、このような権利関係を整理し、必要に応じて消費貸借契約書や賃貸借契約書・使用貸借契約書を作成するなどして、関係性を明確にしておくべきである。この点は、経営者保証の解除にも影響しうる点である[28]。

27　日本弁護士連合会　日弁連中小企業法律支援センター・前掲注25・87頁以下も参照。

28　令和元年12月に公表された「事業承継時に焦点を当てた『経営者保証に関するガイドライン』の特則」3(1)では、法人と経営者との関係の明確な区分・分離を確認したうえで、その結果を後継者と共有し、必要に応じて改善に努めることが望ましいとされている。

5　事業拡大等の場合の法務的サポート

第3の3で述べたような事業の再編、特にM&Aを伴う場合、必要な法的手続などのサポートを行うことが第一の役割である。

また、当該再編の実行後の事業運営についても、サポートが必要となる場合がある。たとえば、新経営者と従業員とのコミュニケーション不足や企業風土の違いなどの理由により、従業員から不平不満が出たり、従業員が退職してしまい、それによって業務に支障が出ることも考えられる。上記3で述べたように、労務管理体制の面から弁護士がサポートすることが可能である。

6　海外展開支援

日本市場の縮小や海外人材の活用、製造原価・経費の圧縮といった観点、あるいは上記第3の2で述べた「グローバル化」の観点から、中小企業も海外展開を検討することは避けて通れない。

しかしながら、中小企業の場合、契約書（現地語）を理解できない、交渉できない、現地の法律がわからないなどといった理由から、相手方の言い分そのままに契約書を締結したり、債権回収せず諦めるなど、適切とは言いがたい対応となっていることも多く、弁護士のサポートは重要である。

このような中小企業の海外展開においては、契約書の作成ないしレビュー[29]、契約交渉、紛争時に備えた証拠の収集・保全、債権回収や裁判等の支援を行うことが考えられる[30]。

7　アドバイザーや外部役員としての関与

弁護士の中小企業に対するかかわり方として、会社から依頼を受けて案件単位でなんらかの法律事務を行うだけではなく、アドバイザーや外部役員と

29　必ずしも弁護士が現地語のやりとりをするまでの必要はなく、通訳等を介してでも、リスクの把握と指摘ができることが重要である。

30　詳細は日本弁護士連合会　日弁連中小企業法律支援センター・前掲注25・162頁以下参照。

して、会社の役員会等に出席し、経営陣に対して意見を述べることもありうる[31]。

法的観点からのアドバイスそのものだけではなく、経営判断のサポート、経営者の意思決定のサポートを行うことに大きな意義があるといえる。

コラム

弁護士による経営者のサポート

京都府で数百年続く飲食業の会社のエピソードを紹介したい。

現社長の方が入社した５年後に先代であるお父様が亡くなられたため、実質的な世代交代の準備がほとんどできていない状態から始まった。

その現社長が代表に就任し、まず対処した課題は以下のとおりである。

① 会社の経理の透明化→顧問税理士の交代
② 退職金制度の見直し→顧問弁護士との連携・従業員との交渉
③ 赤字店舗のリストラ→店舗の減少と財務体質の健全化
④ 意思決定の方法の変更→トップダウン型からボトムアップ型へ
⑤ 経営理念や業務改革の社員への浸透→顧問弁護士の同席による説明等
⑥ 人手不足→一般的な求人方法だけでなく、ヘッドハンティングによる採用

特に②については、不利益変更を伴うものであったが、実現には顧問弁護士の力が大きかった。現社長はもともと別の仕事をされていて会社の外から戻ってきた後継者であり、言葉が受け手に通らないことを懸念していたが、「法律的な裏付けがあるというのは、経営者の言葉に説得力を与えてくれる」と、弁護士に依頼して非常に良かったとのことである。この例からも、弁護士は、紛争解決だけが業務ではなく、経営に関するサポートでも頼りになるといえる。

また、先代にカリスマ性が高く強固なトップダウン型である会社ほど、先代の経営手法を真似できる後継者は少ないため、弁護士には、そうした経営者の相談相手・助言役の役割を望んでいる。

31 ただし、社外取締役や社外監査役は、会社法上の責任が伴うものであり、その就任にあたっては、会社規模・会社の業種業態・監査法人の有無・会社経営者との関係性等を考慮して、慎重に検討すべきことはいうまでもない。

第 8 部

事業承継を
サポートする仕組み

1　中小企業を取り巻く事業承継支援体制

事業承継ガイドラインでは、中小企業支援機関同士の連携の重要性を指摘している。そのうえで、地域の中小企業支援機関の連携のイメージとして図表８－１を提示している。

さらに、平成29年度から「事業承継ネットワーク」事業が開始され、各地の都道府県、市区町村において、連絡会議が設置され、金融機関、商工会、商工会議所、中央会、顧問先を有する士業等専門家等が中小企業の事業承継診断等を実施し、必要に応じて、以下の各支援団体の支援を受けながら事業承継を実施していくこととしている。

- ・中小機構地域本部（診断の方法等、支援機関への研修等を実施）
- ・事業引継ぎ支援センター（Ｍ＆Ａ案件をフォローして支援）
- ・ミラサポ等の士業等専門家（専門的課題を伴う案件への対応等）
- ・経済産業局・財務局（施策情報の提供等）
- ・信用保証協会（連携して金融支援）
- ・よろず支援拠点・再生支援協議会等（連携して再生支援）

さらに、令和２年度から事業承継ネットワーク事務局に新たに経営者保証コーディネーターを配置し、事業承継時における経営者保証解除のサポート体制が構築されている。

経営者保証コーディネーターは、令和２年４月から開始された「経営者保証解除に向けた、専門家による中小企業支援」の一貫として、経営者保証が問題となって事業承継が進まない場合に、中小企業の求めにより、「事業承継時判断チェックシート」に基づいて確認作業を実施するとされている。

なお、2021年４月１日から、事業承継ネットワーク事務局と事業引継ぎ支援センターが統合し、「事業承継・引継ぎ支援センター」となっている。

2　事業承継診断の実施

事業承継ガイドラインでは、さらに潜在的な事業承継ニーズの掘起しのためには支援機関からの積極的なアプローチが必要であるとし、その際に事業承継診断を活用することを提唱している。事業承継ガイドライン別紙では、

図表８－１　支援体制のイメージ

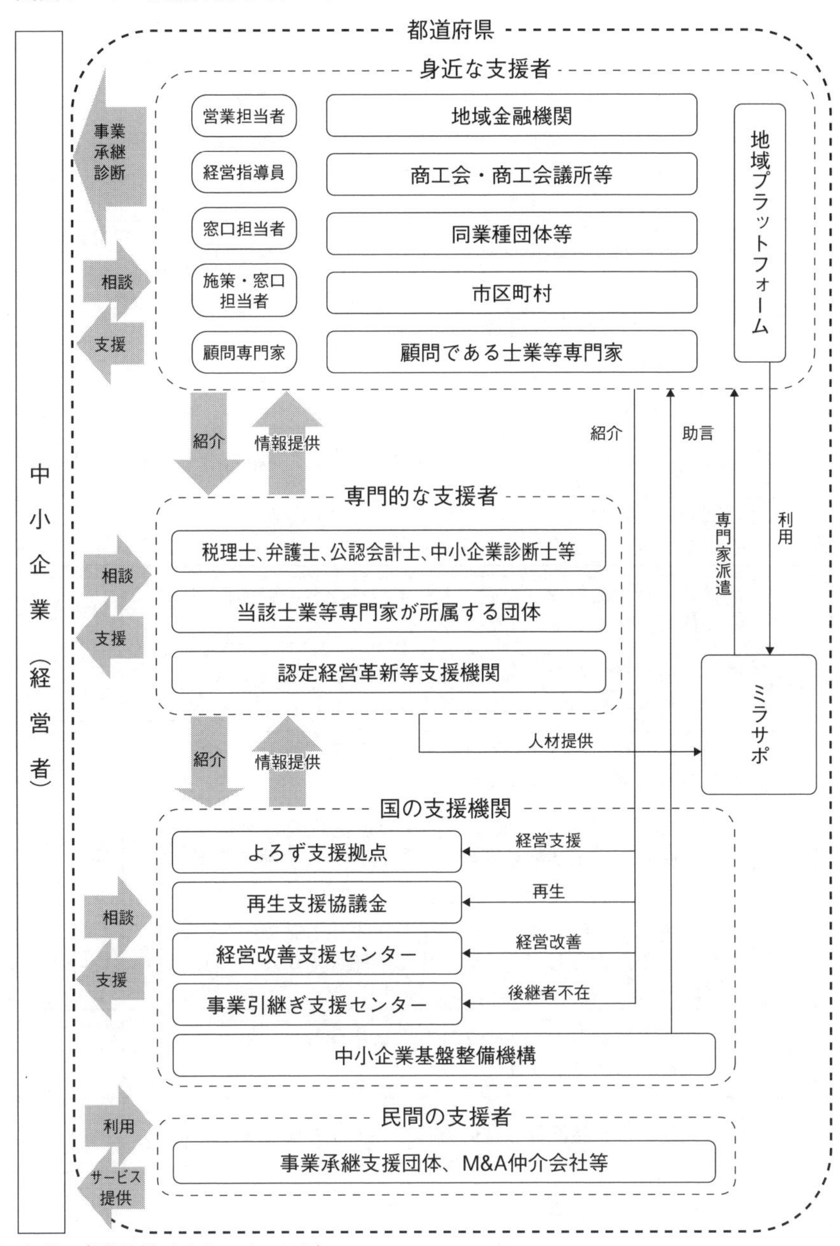

出所：事業承継ガイドライン79頁

図表8－2　事業承継診断票（自己診断用）

事業承継自己診断チェックシート

以下の設問について、「いいえ」という回答があった方は、次ページをご覧ください。

Q１	事業計画を策定し、中長期的な目標やビジョンを設定して経営を行っていますか。	はい	いいえ
Q２	経営上の悩みや課題について、身近に相談できる専門家はいますか。	はい	いいえ

【以下の中から、当てはまる設問へお進みください】
・私には後継者がいる【子ども、親族、従業員】…☆へ
・私には後継者にしたい人材がいる【子ども、親族、従業員】…Q６～Q７へ
・私には後継者がいない…Q８～Q９へ

☆後継者に対し将来会社を託すことを明確に伝え、後継者として事業を引継ぐ意思を確認しましたか。
※「はい」の方はQ３～Q５を回答してください。
「いいえ」の方はQ６～Q７を回答してください。

Q３	後継者に対する教育・育成、人脈や技術などの引継ぎ等の具体的な準備を進めていますか。	はい	いいえ
Q４	役員や従業員、取引先など社内外の関係者の理解や協力が得られるよう取組んでいますか。	はい	いいえ
Q５	法務面や税務面、資金面などについて将来の承継を見据えた対策を進めていますか。	はい	いいえ
Q６	後継者の正式決定や育成、ご自身の退任時期の決定など、計画的な事業承継を進めるために必要な準備期間は十分にありますか。	はい	いいえ
Q７	後継者候補に承継の意向について打診をする時期や、ご自身がまだ打診をしていない理由は明確ですか。（後継者候補が若く、打診するには早すぎる　等）	はい	いいえ
Q８	第三者に事業を引継ぐ（企業売却・事業譲渡等）場合の相手候補先はありますか。	はい	いいえ
Q９	企業売却・事業譲渡等の進め方についてご存知ですか。	はい	いいえ

出所：事業承継ガイドライン92頁

対面で10分程度で実施するための相対用のチェックシートと、自己診断用のチェックシートを用意している。自己診断用のチェックシートは図表８－２のとおりであり、「いいえ」の回答の場合は支援機関に相談することを促している。

3 「事業承継トラブル・チェックシート」——現経営者向けと後継者向け

事業承継ガイドライン別紙のチェックシートとは別に、事業承継に伴うトラブルを予防するため、さらにはトラブル防止の相談を契機として事業承継全体について専門家がアドバイスを実施することを目的として、「事業承継トラブル・チェックシート」を作成した。

この点、事業承継には、親族内承継でも第三者承継でも、事業のバトンを渡す側の現経営者と、バトンを受け取る側の後継者が登場するが、ケースによっては、両者の利害が対立し、事業の承継を検討するにあたって調整が必要な場合が出てくる。また、現経営者側からみて、事業承継を検討するにあたって注意しなければならない事項と、後継者側からみて注意しなければならない事項は、共通する項目も当然あるが、それぞれ特有な項目も考えられる。そこで、もともと作成していた「事業承継トラブル・チェックシート」を【現経営者向け】とし、新たに【後継者向け】のチェックシートも作成した。両者のチェック項目や解説内容をみていただければ、立場の違いを反映して異なる視点の注意点も含まれていることがおわかりいただけると思う。事業承継のアドバイスを行う金融機関やコンサルタントなどのなかには、同一の案件について現経営者と後継者の双方から依頼を受けているケースが少なくないが、本来、立場の異なる当事者から依頼を受けるのは利益相反の観点から慎重な配慮が必要である。この点、弁護士が事業承継を行うにあたっては、必ずいずれか一方の立場から最善のアドバイスを行うこととなる。事業承継を検討されている中小企業の方々には、この点の弁護士活用の有用性にも気づいていただきたい、との思いがある。

現経営者で事業のバトンを渡そうと検討している方は、「事業承継トラブル・チェックシート」【現経営者向け】により、また、バトンを受け取ろうとしている後継者の方は、【後継者向け】により、チェックシートで該当する項目があるかどうかを確認してもらいたい。もし、自分の会社にかかわりがありそうな項目があったり、気になる項目があったら、ぜひ、弁護士に相談してみてほしい。また、現経営者側が【後継者向け】をチェックしたり、後継者側が【現経営者向け】をチェックすることも、相手方の立場を知る、という意味で有効と思われる。

そして、アドバイスを求められた弁護士としては、問題となった項目に関して解説編の説明を参考としながらアドバイスを実施することを推奨するものである。解説編では、①2019（令和元）年７月の相続法改正、②同年12月に公表された「事業承継に焦点を当てた『経営者保証に関するガイドライン』の特則」（経営者保証に関するガイドライン研究会）、③2020（令和２）年３月に公表された「中小Ｍ＆Ａガイドライン――第三者への円滑な事業引継に向けて」（中小企業庁・財務課）など最新の動向もフォローしているので、ぜひとも、事業承継に関する講演の際などで利用していただきたい。

事業承継トラブル・チェックシート【現経営者向け】

2021年7月更新版

事業承継においては、専門的な法律知識が必要とされる場面が多くあります。これから事業承継を行うに際して、トラブルが生じないよう、チェックシートを利用してリスクの確認をしましょう！

これまでの会社運営が要因となって起こるトラブル

Q1. 株主が不明確なために起こるトラブル

① 会社の株主が誰なのかを把握している □

② 株主名簿に記載されている株主と実際に出資をした者が一致している □

Q2. 経営がルールに沿っていないために起こるトラブル

③ これまで重要なことは取締役会や株主総会を開いて決めてきた □

④ 従業員には残業代を全額支払っている □

Q3. 株式の譲渡や相続に関するルールを決めていないために起こるトラブル

⑤ 定款上、株式譲渡には会社（取締役会など）の承認が必要とされている □

⑥ 定款上、会社が株式を相続した者に売渡しを求めることができる □

Q4. 会社の財産と個人の財産が区別されていないために起こるトラブル

⑦ 本社・工場の敷地や建物は全て会社名義となっている □

⑧ 自分と会社の間の貸付金や負債は多くなく、内容も貸借対照表に正確に記載されている □

相続や贈与が要因となって起こるトラブル

Q5. 相続によって株式が分散するために起こるトラブル

① 自分が死んだ場合、誰が株式を相続するか決まっている □

② 相続人が複数いる場合、株式は法定相続分に応じた数で当然に分割されないことを知っている □

Q6. 相続や贈与で財産を集約し過ぎるために起こるトラブル

③ 後継者だけに財産を生前贈与すると、どのようなリスクがあるか知っている □

④ 後継者だけに財産を相続させる遺言には、どのようなリスクがあるか知っている □

Q7. 遺言の効力を十分理解していないために起こるトラブル

⑤ 公正証書による遺言でも、無効になる場合があることを知っている □

⑥ 誰が借金を引き継ぐか決めるには、遺言だけでは不十分であることを知っている □

親族以外の第三者に事業承継をするケースでのトラブル

Q8. 検討段階での準備が不十分なために起こるトラブル

① 第三者との交渉に当たり、自社の企業秘密などを守る必要があることを知っている □

② 交渉相手と同じ仲介業者に依頼すると、どのようなリスクがあるのか知っている □

③ 契約書作成を業者に丸投げすると、どのようなリスクがあるのか知っている □

Q9. 契約内容の理解や検討が不十分なために起こるトラブル

④ 表明保証責任という言葉の意味を知っている □

⑤ 事業承継をしても金融機関が個人保証を抜くとは限らないことを知っている □

⑥ 免責条項という言葉の意味を知っている □

⑦ 競業避止義務という言葉の意味を知っている □

⑧ 事業承継後に従業員や取引先が残るとは限らないことを知っている □

Q10. M＆A仲介・斡旋業者をめぐるトラブル

⑨ 着手金だけでなく、月額報酬や中間報酬を確認する必要があることを知っている □

⑩ 成功報酬の算定方法を確認する必要があることを知っている □

⑪ 契約期間中に別の業者に依頼すると、契約違反になる場合があることを知っている □

⑫ 業者に依頼した後に業者を通さずに直接交渉すると、契約違反になる場合があることを知っている □

相続や贈与に関する税金をめぐるトラブル

Q11. 税金のことをよく知っていれば避けられたトラブル

① 毎年110万円の範囲内で株式を贈与しても、課税される場合があることを知っている □

② 相続時精算課税制度のことを知っている □

③ 非上場株式の相続税や贈与税の優遇税制のことを知っている □

信託の活用をめぐるトラブル

Q12. 信託のことをよく知っていれば避けられたトラブル

① 事業承継に信託を活用できる場合があることを知っている □

② 信託を活用しても、遺留分をめぐる争いが起きる場合があることを知っている □

③ 会社の顧問弁護士を信託の受託者にすると、問題があることを知っている □

④ 信託を活用すれば、生前に決めた順番で経営を引き継げることを知っている □

＜チェックを終えた皆様へ＞

事業承継において必要とされる専門的な法律知識については、税理士、M＆Aの仲介・斡旋業者、金融機関等の中小企業の事業承継をサポートしてくれる専門家であっても、十分理解していない場合もあります。

もし、自分の会社に関わりがありそうな項目でチェックが10個以上なかったり、気になる項目がありましたら、ぜひ、弁護士の意見を聞いてみることをお勧めします！事業承継は一生に一度の問題ですので、理解が不十分なまま誰かに任せてしまうより、弁護士のアドバイスを受けながら、自ら理解をして進めていくことがトラブルを回避する秘訣です。

日本弁護士連合会・弁護士業務改革委員会企業コンプライアンスPT作成

事業承継トラブル・チェックシート　解説編～現経営者向け～

2021年7月改訂版

これまでの会社運営が要因となって起こるトラブル

Q1. 株主が不明確なために起こるトラブル

① 会社の株主が誰なのかを把握している

【具体的ケース】

私は運送会社を長年経営してきましたが、高齢になりそろそろ事業承継を考えています。子どもたちはサラリーマンになっており事業を承継するつもりがないため、誰か良い人に会社の株式を譲って経営をしてもらいたいと思っています。ただ長年経営するなかで株主名簿がどこにあるか分からなくなっています。何か問題がありますか。

【トラブルの原因】

株主名簿がきちんと整備されていなかったため誰が株主かよく分からなくなり、事業承継の妨げとなる場合があります。

【解説】

株主名簿は、株主とその持株等に関する事項を記載するため、株式会社に作成が義務付けられた帳簿です（会社法121条）。ところが、中小の株式会社では株主名簿がきちんと整備されていないケースがあります。このため、経営者が亡くなった後、そもそも、その経営者が何株の株式を持っていたのかという前提問題に争いが生じてしまい、遺産分割協議が進まず事業承継が上手くいかない、というケースは弁護士がよく経験するところです。また、上記の具体的ケースのように、経営者が親族以外の人に対して株式を譲渡して事業を承継することを検討するに当たっても、株主名簿がきちんと整備されていないと、買い手にとっては不安要素となり、良い買い手が現れない、ということにもなりかねません。このようなことを避けるためにも、もし現在、株主名簿が整備されていなければ、当初の出資状況などを調べて作成をすることから始める必要があります。

1

【参考裁判例】

福岡地判平16.4.27（金判1198号36頁）、東京地判平8.8.26（判タ941号264頁）

② 株主名簿に記載されている株主と実際に出資をした者が一致している

【具体的ケース】

私は株式会社を設立し町工場を長年経営してきました。設立に当たって、実際には私が全額出資したのですが、当時の商法で発起人が7人以上必要だったので、友人や従業員らに名目上の発起人になってもらいました。このため、株主名簿上は、私が700株、6人の友人や従業員がそれぞれ100株ずつ、となっています。株券はどこかに行ってしまってありません。今は長男が事業を手伝ってくれているため、長男に事業を承継しようと思っています。何か問題がありますか。

【トラブルの原因】

株主名簿があっても、実際に出資をした人と違う人が株主とされている場合や、株式が譲渡されたにもかかわらず、名簿の書換えがされないケースがあります。このため、誰が真の株主かが争いになり、事業承継に支障が生じる場合があります。

【解説】

株主名簿があっても、実際に出資した人と違う人が株主とされていることもあります。1990年の商法改正（平成2年法律64号）前は、株式会社を設立するためには、最低7人の発起人が必要とされていました。このため、実際には創業者が全部出資しているのに、発起人の名前だけを友人に借りる、ということもよく行われていました。この場合、実際の出資者が真の株主になるはずですが、本当に出資したのは誰であったのか、また単に名前を貸しただけなのか、その後に贈与されていたのではないかなど、争いが生じる余地があります。特に具体的ケースのように株券が見当たらない場合には、創業者が死亡した後に遺産分割協議で事業を承継する者を決める場合や、親族外の方に株式を譲渡して事業承継を行う場合に、大きなトラブルとなってしまいます。最終的には真の株主が誰であったのかを裁判で決着せざるを得ないこととなり、円滑な事業承継は望めません。やはり、当初の会社設立時の事情をよく知る創業者が健在なうちに、名簿上の株主となっている方にも説明をして株主名簿を正しい内容に訂正しておくべきです。

【参考裁判例】

東京地判平18.1.30、東京高判平24.2.8

2

Q2. 経営がルールに沿っていないために起こるトラブル

③ これまで重要なことは取締役会や株主総会を開いて決めてきた

【具体的ケース】

私は長年飲食店を経営してきましたが、10年ほど前に株式会社にしました。その時点では、長男と長女が手伝ってくれていたため、私が500株、長男が250株、長女が250株出資しました。ところが、その後、長男と長女の関係が悪くなってしまい、今は長男だけが手伝ってくれています。株式会社を設立してからも、個人事業時代と同じように、取締役会や株主総会は開かず重要なことを決めてきました。長女が会社を出てからも、取締役選任や取締役報酬の決定も適宜行っています。今後、この会社を長男に承継していきたいと思っていますが、何か問題がありますか。

【トラブルの原因】

実際に取締役会決議や株主総会決議を適正に行わないと、後々になって会社法上の重要な行為が無効となるリスクがあり、結果的に事業承継に支障が生じかねません。

【解説】

株式会社では取締役の選任は株主総会の決議で決めるとされています（会社法329条１項）。また、取締役会設置会社の場合、代表取締役は取締役会決議で選定することになっています（同法362条２項）。ところが中小企業では、株主総会や取締役会を実際には開かず、書面の体裁だけを整えて、取締役選任や代表取締役選定の登記をしていることがあります。全ての株主の仲が良い状態で会社を運営できている場合には問題が明らかになりませんが、具体的ケースのように、同族会社でも一部の株主との関係が悪くなってしまった場合、トラブルが生じる場合があります。具体的ケースの場合で言えば、長女から、実際に株主総会を開いていないのに開いたことにして取締役の選任をしたり、取締役の報酬を支給したりしているのは無効だ、と裁判を起こされるリスクがあります。そうなってしまうと、長男への円滑な事業承継は望めません。また親族外への事業承継の場合でも、将来、訴訟を起こされるリスクがあると、良い買い手が現れません。会社法が定めた経営上のルールをきちんと守ることが事業承継を円滑に進める第一歩です。

【参考裁判例】

東京地判平17.5.30、東京地判平19.3.28

3

④　**従業員には残業代を全額支払っている**

【具体的ケース】

父が亡くなった後、もともと私が父の会社を手伝っていたこともあって、私が会社の株式を相続して事業を承継し、その他の預貯金については弟が相続することが話し合いで決まりました。ところが、私が会社を承継した後、会社の従業員らから、これまで残業代が全く払われていなかったので払って欲しい、払わなければ退職をして別の会社を作る、と言われました。残業代を一度に支払うと会社の経営が傾いてしまう可能性があり困惑しています。

【トラブルの原因】

残業代を支払っていない場合など、貸借対照表上に現れない潜在的な債務があると、事業承継を円滑に進めることができなくなる可能性があります。

【解説】

最近、誰もが知っているような有名な上場企業が残業代を支払っていなかった、ということで労働基準監督署から指導を受け、多大な残業代を従業員に支払うこととなった、というような報道に接することが少なくありません。ましてや中小企業においては、具体的ケースのように残業代を支払っていなかったという場合や、極端な場合には取引金融機関に債務超過の状態であることを隠すために一部の負債を貸借対照表に計上していないというような理由で、事業を承継した人が後になってはじめて潜在的な債務があったことに気付くというケースもあります。そうなってしまうと、具体的ケースのように、折角、遺産分割協議がまとまり事業承継が終わったと思っていたのに、その後になって従業員から未払い残業代の請求をされ会社経営が苦しくなる、というようなことになりかねません。また、株式譲渡などによって親族外への事業承継を実行するに際しては、買い手の方から、残業代などの潜在的な債務がないかを資料などをもとに確認されることが多く、このような債務があると買取金額から差し引かれてしまい、思ったより大幅に安い買取金額となってしまう、ということもあります。事業承継を検討するに当たって、まず現在の会社の運営を見直して、残業代のように潜在的な債務がないかを確認し、これを踏まえた事業承継を計画していく必要があります。また、感染症対策のための融資についても、緊急に行われた可能性が高く、明確に把握しておく必要があります。

【参考裁判例】
仙台高判平20.7.25（労判968号29頁）

Q3. 株式の譲渡や相続に関するルールを決めていないために起こるトラブル

⑤ 定款上、株式譲渡には会社（取締役会など）の承認が必要とされている

【具体的ケース】

私は父がやっていた工務店（株式会社）の株式を、父が死亡した後に弟と共に相続することになり、遺産分割協議の結果、私が200株、弟が100株を相続しました。弟は工務店の仕事には関係せず、専ら私が経営し、お蔭様で会社経営は順調に推移し、会社資産も結構な金額になりました。私もそろそろ自分の長男に会社の経営を譲ろうと考え、その準備のため、弟から株式をいわゆる昔の額面金額で買い取らせて欲しい、と話しました。ところが、弟から、「そんな安い金額では売れない、定款に譲渡制限がないから別の人に売る」などと言われました。小さな工務店の株を買う人がいるとは思えませんが、勝手に弟が株式を譲渡することなどできるのでしょうか。

【トラブルの原因】

株式の譲渡制限の定款の定めがされていなかったため、望ましくない人が株主に入ってきてしまい会社経営に支障が発生してしまうケースがあります。

【解説】

多くの中小企業の株式会社の定款には、株式を譲渡するにあたっては取締役会や株主総会の承認を得なければならない、という譲渡制限の定めが置かれています（会社法107条１項１号）。人的な関係が強い中小企業においては、経営方針が合わない株主が入ってくることを防ぐことに合理的な理由があります。そして、この譲渡制限の定めがあることで、経営を行っている株主は、経営に参加していない株主に対し、比較的強い立場で株式の譲渡代金の交渉を行うことができることとなり、事業承継を進めやすくなります。ところが、なかには具体的ケースのように、中小企業でも定款上、株式の譲渡制限の定めが置かれていない場合があり（1950年から1966年までの間、株式の譲渡制限制度がない時期があったため、このころ設立された会社は要注意です。）、事業承継を進める妨げとなる可能性があります。そこで、もし定款に譲渡制限の定めがなければ、予め株主総会の特殊決議（会社法309条３

項１号）により定款変更を行っておくことを検討しておく必要があります。ただ、その場合、定款変更に反対の株主には、一定の要件のもと、会社に対して株式を公正な価格で買い取ることを請求することができる、とされています（会社法116条１項１号）。したがって、定款変更に反対の意思を持つ株主がいる場合で、会社が純資産を多く持つなど買取り価格が高くなる可能性があるような場合には、定款変更を行うべきかどうか、弁護士にも相談して考えていくことが必要でしょう。

【参考裁判例】
最判昭63.3.15（判タ665号144頁）

⑥　定款上、会社が株式を相続した者に売り渡しを求めることができる

【具体的ケース】

私の父は、ネジを作る小さな会社を経営していました。会社の株主は父が70％、父の友人でネジの技術者をしていたＡさんが30％で、定款上、株式の譲渡制限が定められています。その後、約半年前に父が死亡し私が70％の株を相続しましたが、そのすぐ後にＡさんも亡くなり、息子のＢさんが30％の株を相続しました。Ｂさんはネジの製造とは全く関係ない仕事をしていますので、私はＢさんに株式を譲って欲しい、と申し入れました。ところがＢさんは株を譲ってくれないだけでなく、色々と会社の経営にまで口を出してきます。私がＢさんに何とか売って欲しいと頼んだところ、会社の経営状態から考えて常識的には考えられないような買取金額を提示してきました。何とかならないでしょうか。

【トラブルの原因】

株式を相続などで一般承継した者に対して、株式会社がその株式を売り渡すことを請求することができる旨の定款の定め（会社法174条）を置いていれば避けられたかもしれないトラブルです。

【解説】

株式会社が、株式を相続した者から譲渡制限株式を取得するためには、①会社が相続人との合意により任意に取得する方法（会社法160条１項）と、②相続人に対して売渡請求権を行使して強制的に取得する方法（同法174条）があります。相続人と話し合いができれば①の方法が望ましいですが、具体的ケースにあるように、相続人と話合いがまとまらず、会社経営に色々と注文を付けてこられたり、非常に高額な買取金額

を要求してこられたり、というトラブルがあり得ます。この点、中小企業のように株主相互の人的信頼関係が重視されるような会社の場合には、前記⑤で紹介したように定款で株式の譲渡制限を定めることができますが、たとえ譲渡制限の定めがあっても、相続や会社の合併などの一般承継の場合には、譲渡制限の効力は及ばない、とされています。そこで、定款で、株式を相続などで一般承継した者に対して、株式会社がその株式を売り渡すことを請求することができる旨の定款の定め（会社法174条）を置くことができる、とされています。そして、この定款に基づいて会社が売渡請求を相続人等に行い、会社側が安い金額を主張し、相続人等が高い金額を主張する等の事情で売渡金額が協議によって決まらない場合には、一定のルールに従って裁判所が売買価格を決定してくれることになっています（会社法177条）。このため、具体的ケースのように、相続人等が常識に反するような高額な買取金額を主張してきた場合も対応が可能です。ただし、当該売買価格は売渡請求が効力を生じる日の剰余金分配可能額を超えることができない（「財源規制」。会社法461条1項5号）ので、注意が必要です。

そこで、まず定款上、会社法174条の定めがされていない場合には、株主総会の特別決議により定款変更を行うことを検討すると良いでしょう。なお、実際の相続等が発生した後に、この定款変更を行い相続人等に対して売渡請求を行うことも可能との見解もあります（後記裁判例参照）が、株式取得後の定款変更は不意打ちとなりかねない、として売渡請求を行うことはできないと解すべきではないか、との見解もあり（山下友信編「会社法コンメンタール4・株式【2】」121頁（伊藤雄司））、事前の対策を行っておくことが重要です。

【参考裁判例】

東京地判平20.1.16

東京地決平18.12.19（資料版商事法務285号154頁）

Q4. 会社の財産と個人の財産が区別されていないために起こるトラブル

⑦ 本社・工場の敷地や建物は全て会社名義となっている

【具体的ケース】

私は父と一緒に自動車部品を作る会社を経営していました。会社の株主は父が100％でした。自動車部品を作る工場の敷地は父の個人所有で、建物は会社所有でしたが、借地契約を結んでおらず地代も支払っていませんでした。その後、父が死亡し、私と弟が相続しました。父は遺言を残していなかったため、私と弟は遺産分割協議を行い、会社の株は私が、工場の敷地は弟が相続しました。私は、もともと

7

会社は地代も払っていなかったのだから、敷地の所有者が弟になっても地代を支払う必要はないと思っていたのですが、弟は納得してくれず地代を支払わないのであれば工場の明渡しを求めると強硬なことを言ってきます。何とかなりませんか。

【トラブルの原因】

承継の対象となる会社の本社や工場の土地所有権と、建物の所有権が、会社と個人に分かれてしまっており、オーナーに相続が発生したことによりトラブルが発生することがあります。

【解説】

中小企業においては、会社の本社や工場の土地は個人（オーナー）所有で、建物は会社所有になっている、というようなことがあります。オーナーが存命中は、実質的には会社所有の建物もオーナー個人所有と同じ、ということで、会社とオーナーとの間の賃貸借契約書を作成していなかったり、地代の支払もあいまいになっていたりするようなことがあります。ところが、オーナーに相続が発生すると、建物を所有する会社の株式価値が思ったより高く算定された結果、具体的ケースにあるように、事業を承継する相続人が株式を相続し、土地は他の相続人が相続する、ということが出てきます。極端なケースでは、土地を相続した相続人が地代の支払を求めてきたり、なかには本社や工場の明渡しを求めて裁判になってしまったり、という事例があります。まずは本社や工場などの会社の重要な拠点の所有状況を確認することです。もしオーナーなどの個人所有の不動産を会社が利用している場合には契約書が整備されているか、地代がどうなっているかを確認しましょう。その上で事業を承継する予定の推定相続人が会社の事業を承継した際に円滑に事業が遂行できるように、重要な拠点の所有権が相続で分散されないようにするにはどうすればよいのか、生前贈与の検討、不動産を会社名義とする方法の検討、遺言書の作成の検討などを行っていく必要があります。法律的な問題が密接に関係しますので、必要に応じて弁護士とも相談する必要があります。

【参考裁判例】

東京地判平23.6.15

⑧　自分と会社の間の貸付金や負債は多くなく、内容も貸借対照表に正確に記載されている

【具体的ケース】

私は父が経営する会社を長年手伝ってきました。先日、父が亡くなり私と弟が相続しました。私が父の会社を長年手伝ってきたことや、会社がこれといった資産も保有していなかったことから、弟も、会社の株式を私が相続し事業を承継することに異存はない、と言ってくれました。ところが、その後、弟は、「会社の貸借対照表上には、父に対する多額の借入金や未払金が計上されている、つまり父は会社に対して貸金債権や未払金債権を持っていたことになる。この債権も相続財産であり最低でも法定相続分の２分の１は自分が相続することになる、会社を継いだのだからこのお金を返せ」と強く言ってきました。確かに貸借対照表上、借入金や未払金が計上されていますが、実態はこのような借入金や未払金はなかったと思います。また会社の資産はなく、とても払える金額ではありません。それでも払わなければいけないのでしょうか。

【トラブルの原因】

会社の帳簿上、オーナーに対する多額の借入金や未払金が計上されていたため、相続発生後の事業承継が上手く行かなくなることがあります。

【解説】

オーナーのいる中小企業の場合、オーナーの意識としては、「会社の資産も個人の資産もいずれも自分のもの」という場合が少なくありません。このため、会社の資金繰りが厳しくなった時に、オーナー個人のお金で会社の資金繰りを行ったり、会社の債務を支払ったりすることがあります。オーナーとしては、会社に将来返してもらうつもりはないものの、税務上の問題が発生することを避けるために帳簿上は借入金や未払金として多額の債務が計上されていることがあります。ところがこのような状態でオーナーが死亡した場合、外形上はオーナーが会社に対する貸付債権などを持っていたことになるため、具体的ケースのように、会社を承継しない相続人が、法定相続分に従って貸金債権を相続したと主張してその返還を求め、その結果、円滑な事業承継ができなくなることがあります。このようなことにならないように、あらかじめ実態に沿った貸借対照表に修正する、事業を承継する推定相続人に対して貸金債権を相続させる遺言を作成する、などの対応をとっておくことがよいでしょう。

なお、最高裁は2016年12月19日大法廷決定（民集70巻８号212頁・判例タイムズ1433号44）で、普通預金債権等について、相続開始と同時に当然に法定相続分に応じて分割されることはなく、遺産分割の対象となると判示しましたが、その決定の

9

理由付けや補足意見などからすると、会社に対する貸付債権などには決定の趣旨は及ばず、従前どおり、相続開始と同時に当然に相続分に応じて分割される、と考えられそうです。したがって、事前の対策は変わらず重要です。

【参考裁判例】

東京地判平26.2.20

相続や贈与が要因となって起こるトラブル

Q5. 相続によって株式が分散するために起こるトラブル

① 自分が死んだ場合、誰が株式を相続するか決まっている

【具体的ケース】

私Xが代表取締役を務めるY社の発行済み株式総数は1200株で全ての株式を私が持っています。私は妻に先立たれましたが3人の息子がいます。長男Aは当社の後継者候補、次男Bは自営業、三男Cは別の会社で勤めています。

Aの経営者としての適性も判断がつきませんし、BやCが将来的に当社の経営に参加してくれるかもしれませんので、現時点では株式を誰に承継するか決めていません。

【トラブルの原因】

会社における重要な意思決定は株主総会で行われますが、その議決権の数は株主が保有している株式の数によって決まります。

相続をきっかけに株式が会社の後継者以外に分散してしまうと、後継者による会社の運営に支障を来してしまう可能性があります。

【解説】

原則として株主総会における議案の可決のためには、議決権を行使できる株主の議決権の過半数を有する株主が出席し（定足数要件）、出席した株主の議決権の過半数の賛成が必要です（会社法309条1項）。

株主の地位に重大な影響を及ぼす等の理由で慎重な判断が必要な一定の事項（定款変更や組織変更等）については、出席した株主の議決権の3分の2以上の賛成が必要です（同法309条2項）。

本件で株式を承継する者を決めないまま、Xの死亡による相続が起きると、1200株を3人の相続人A、B、Cで相続することになり、後継者となる長男Aは3分の1しか保持していない状態（どういう状態であるかは次の設問で解説します）で会社を経営しなくてはいけなくなります。これは次男や三男が反対すると株主総会において議案を可決できなくなることを意味し、会社の経営に重大な支障を来すことになります。

そこでXとしては、①長男Aに株式を生前贈与する、②長男Aに株式を相続させ

11

る遺言を作成するといった事前対策を講じなくてはいけません。これらの事前対策を講じる際の注意点はQ6でお話しします。

【参考裁判例】

東京高決平26.3.20（判時2244号21頁、判タ1410号113頁）

② 相続人が複数いる場合、株式は法定相続分に応じた数で当然に分割されないことを知っている

【具体的ケース】

①のケースの代表取締役Xです。私が株式の承継者を決めない状態で死んでしまった場合ですが、私が持っている株式は３人の息子が自動的に400株ずつを保持することになるのでしょうか？このようなケースでの問題点を教えてください。

【トラブルの原因】

相続が発生すると株式は自動的に法定相続分に従った数に分割されるのではなく、全ての株式が共有状態になる、と解されています。そして、株式について共有状態が生ずると、議決権等の権利行使者を指定して会社に通知しなければ議決権等の株主としての権利が行使できません（会社法106条本文）。

後継者が議決権等の権利行使者と指定されないと、会社の経営権を失ったのと同様の結果になります。

【解説】

本件で相続が起きた場合、A、B、Cが400株ずつを保持するのではなく、１株の３分の１ずつをA、B、Cが共有し、その数が1200株あるということになります。

株式の議決権等の権利行使者を指定するに当たっては共有持分の過半数による多数決（民法252条本文）を要するとされています（後記【参考裁判例】の最判平9.1.28）。

本件においては、株式の議決権等の行使者の指定にあたって後継者ではないBとCが合計で３分の２の持分を有していることになりますので、共同してA以外の者を行使者と指定することができます。すなわち、非後継者が後継者を排除することができます。

このことによりY社の経営は、経営者ではないB、Cの意向によって左右されることになり、著しく不安定になります。

かかる状態に陥らないように事前対策が必要であることは、Q5①の解説で記載したとおりです。

【参考裁判例】

大阪高判平20.11.28（判時2037号137頁、金判1345号38頁）、最判平9.1.28（最高裁判所裁判集民事181号83頁、裁判所時報1188号56頁）

Q6. 相続や贈与で財産を集約し過ぎるために起こるトラブル

③　後継者だけに財産を生前贈与すると、どのようなリスクがあるか知っている

【具体的ケース】

①のケースの代表取締役Ｘです。会社の後継者であるＡだけに私名義の財産を生前贈与しようと思います。会社の跡を継いでくれるＡにそれなりの見返りを与えるのは当然かなと思います。私の対応に問題はないですよね。

【トラブルの原因】

Ｘが生前、Ａに対して行っていた財産の贈与は特別受益としてＸの死後に相続財産の計算対象になる可能性があります。この点、2019年７月１日に施行された改正後の民法（以下、当該改正後の民法については「新民法」、改正前のものについては「旧民法」といいます。）では、相続人に対する生前贈与で、婚姻若しくは養子縁組のため又は生計の資本として行われたもの（特別受益）は、原則として、相続開始前の10年間にしたものに限り、計算上、遺留分を算定するための財産の価額に算入されることになりました。また、ＢやＣが遺留分を行使した場合の効果についても、新民法では遺留分侵害額請求権という金銭債権になり、株式の共有という状態は生じないこととなりました。

【解説】

被相続人から生前贈与や遺贈を受けた者がいる場合、特別受益として相続分を算定する際に、相続財産とみなされることになります（民法903条１項）。

本件でＸが遺した遺産が2000万円（Ｙ社の株式を含む。債務は０だと仮定します。）、Ａが生前にＸから贈与を受けた財産が１億6000万円で、ＢとＣは生前に何ら贈与等を受けていない場合、Ａ、Ｂ、Ｃの相続分は以下のようになります。

Ａが受けた生前贈与が特別受益に該当する場合、その持戻しをする（相続財産と

13

みなして加算する）ので、相続財産の総額は、

2000万円（相続開始時の財産）＋１億6000万円＝１億8000万円

それぞれの相続人の相続分は、

A：１億8000万円×１／３－１億6000万円（特別受益の額）
　　＝－１億円（マイナスのため相続分はなし）

B：１億8000万円×１／３＝6000万円

C：１億8000万円×１／３＝6000万円

上記の例ではAには相続分がないので、Xが残した遺産はY社の株式を含めてB及びCが1000万円分ずつ相続することになります。Aが受けていた生前贈与の中に、Y社の株式が含まれていないと、AはY社の後継者でありながら株式を相続できず、経営が不安定になる可能性があります。

そこで、Xとしては予め遺言などで、生前贈与について持ち戻し免除の意思表示をしておく、という対策が考えられます（民法903条３項）。

この点、旧民法では、持ち戻し免除の意思表示を行っても、遺留分を侵害することはできない、とされていました。上記の例ではB及びCにはそれぞれ法定相続分である３分の１の２分の１、すなわち６分の１の遺留分があります。すると、１億8000万円の６分の１の各3000万円が遺留分となり、相続する各1000万円との差額の各2000万円分が遺留分侵害額となりますので、Aに対してその侵害額に相当する遺留分減殺請求を行うことができることになります。Aの受けていた生前贈与にY社の株式が含まれていれば、遺留分減殺請求権によりY社の株式の共有状態が生じる可能性があります。

ところが、この点に関連して、2019年７月１日に施行された新民法では以下の２つの大きな改正がされました。

ア　１つ目は、遺留分の関係では、相続人の一部が婚姻若しくは養子縁組のため又は生計の資本として贈与を受けた場合（特別受益）には、旧民法では何年前の贈与であっても遡って遺留分算定の財産の価額に算入され、遺留分減殺請求の対象となる可能性がありましたが、新民法では、原則として、相続開始前の10年間にしたものに限り算入され、その受贈者が遺留分侵害額請求を受ける可能性がある、とされたことです（新民法1044条３項）。

イ　２つ目は、遺留分権利者の権利が、旧民法では、遺留分減殺請求権が行使されると減殺請求の対象となった目的物の所有権の全部または一部が遺留分侵害額の限度で、遺留分権利者に移転する（いわゆる「物権的効力」）とされていたのが、新民法では、遺留分侵害額請求権という金銭債権になった、という点です。旧民法では遺留分侵害者は、贈与等により取得した対象財産の減殺（共

14

有化を含む）を甘受するか、それとも、これに代えて金銭で弁償するかの選択が可能でしたが（旧民法1041条１項）、新民法では金銭支払以外の余地がなくなりました（詳しくはQ6④）。

アについて具体的に説明すると、仮にAが受けた生前贈与が相続開始前10年以内より前に行われていたとすれば、遺留分算定の財産の価額には算入されず、相続開始時の2000万円のみが遺留分算定の財産の価額となります。したがって、B、Cの遺留分は相続開始時の財産2000万円の各６分の１となり、Aに遺留分侵害はありません（ただし、新民法1044条１項の害意がX及びAにある場合は別）。

イについて具体的に説明すると、仮にAが受けた生前贈与がY社の株式で相続開始前10年以内に行われており、AがB、Cの遺留分について2000万円ずつ侵害していることになりますが、B、CがAに対して請求できるのは金銭であり、Y社の株式の共有状態は生じない、ということになりました（新民法1046条）。

旧民法では、特別受益について何年前でも遡って遺留分算定の価額に算入され、その効果も財産を共有状態に戻す、ということであったため、中小企業の株式を後継者以外の相続人も共有することとなり、遺留分制度が事業承継の障害となり得る、という批判がありました。そこで、上記２つの改正が行われることとなりました（Q&A「改正相続法のポイント－改正経緯をふまえた実務の視点－」（編集日本弁護士連合会・新日本法規）230頁）。

以上のとおり、新民法では相続人の特別受益の遺留分での扱いが大きく変わったため、従来に比べて、生前贈与を使った事業承継が行いやすくなった、と言えるでしょう。ただ、相続はいつ発生するかは分からず、相続開始前10年超の生前贈与となるか否かはコントロールできません。また、後記Q6④で解説しますが、遺留分侵害額請求権という金銭請求を受けたものの、すぐに金銭を用意できない場合のために、裁判所に対して相当の期限を許与してもらうための制度も新たに設けられましたが（新民法1047条５項）、あくまでも期限の許与に過ぎません。したがって、承継後の会社の経営を安定化させるためには、後継予定者への生前贈与の対象財産に会社の株式を入れておくこと、生前贈与の持ち戻し免除の意思表示をしておくこと、他の相続人の遺留分も考慮して進めることなどが必要です。

【参考裁判例】

大阪高判平11.6.8（判タ1029号259頁）

15

④　後継者だけに財産を相続させる遺言には、どのようなリスクがあるか知っている

【具体的ケース】

①のケースの代表取締役Xです。株式の承継者を決めないことの問題点や生前に後継者Aに私名義の財産を贈与するにあたって注意すべき点があるのは分かりました。それなら、遺言でY社の全株式を含めた私の全財産をAに相続させる遺言を書いてしまえば問題ないですよね。

【トラブルの原因】

後継者に全てを相続させる遺言を遺していた場合、その内容がそれ以外の相続人の遺留分を侵害しており、後継者が遺留分減殺請求を受けることになります。

この場合も新民法では、遺留分侵害額請求権に基づく金銭請求を受ける可能性があります。また、遺留分を侵害した相続人がすぐに金銭の支払をできない場合、裁判所にその全部又は一部の支払について相当の期限を許与するよう申立てることができることになりました。

【解説】

本件のように遺言者が１人の相続人Aに全財産を相続させる遺言を書くと残りの相続人B、Cの遺留分を侵害することになります。以下、具体的に説明します。

Xが亡くなった時点でのX名義の財産が１億2000万円相当、相続人はXの子であるA、B、Cの３名で、Xが遺した負債は０であるとします。

この場合、BとCの遺留分は６分の１ずつであり、１億2000万円の６分の１である2000万円がB、C各々の遺留分となります。

Xの遺言によってB、Cは各々2000万円の遺留分を侵害されたことになりますので、旧民法では、X名義の財産を取得したAによって遺留分を侵害されたとしてAを相手方として遺留分減殺請求権を行使することになり（旧民法1031条）、その結果、Xの相続財産に含まれていたY社の株式にB、Cの持分が６分の１ずつ入ることになり株式の共有状態が生じる、とされていました（ただし、旧民法1041条１項で遺留分侵害者は、贈与等により取得した対象財産の減殺を甘受するか、それとも、これに代えて金銭で弁償するかの選択は可能）。これに対して新民法では、前記Q6③で解説したように、遺留分権利者が権利を行使した場合でも財産の共有状態は生じることはなく、遺留分侵害額請求権という金銭債権が発生することになりました（新民法1046条）。

ただ、例えば上記の事例でAが相続した財産１億2000万円が、Y社の株式やY社が事業を行っている工場不動産が中心のため、すぐに換金できないようなケースも

16

考えられます。そのような場合に備えて、裁判所は受遺者又は受贈者の請求により、支払の全部又は一部につき相当の期限を許与することができる、という制度も新設されました（新民法1047条５項）。この点、立法担当者は、この制度による期限の許与が認められるための要件は一義的にその考慮要素を書き切ることが難しいため、法律に記載はなく裁判所の裁量に委ねられると説明していますが、受遺者等が単に手元不如意というだけでは足りず、手元不如意に加え、一定期間の猶予が得られれば遺贈等の目的たる不動産、動産その他資産を換価して資金を調達し得るなどの事情が必要であると考えられます（Q&A「改正相続法のポイント－改正経緯をふまえた実務の視点－」（編集日本弁護士連合会・新日本法規）257頁～）。

なお、この点への対策として、①対象自社株の価額を遺留分算定の基礎財産に算入しない（除外する）旨の合意（「除外合意」。中小企業における経営の承継の円滑化に関する法律４条１項１号）をする方法があります。この合意をしておけば、後継者による遺留分侵害額の負担を回避ないし低額化できます。更に②対象自社株の遺留分算定の基礎財産への算入価額を合意時の価額（時価）とする旨の合意（「固定合意」。同法４条１項２号）をして合意後の価額変動を遺留分算定の基礎財産から除外するという方法もあります。この固定合意は、自社株の値上がりが想定されている場合には有効な方法となります。

これらの事前対策はいずれも法律問題であり、弁護士に相談して進めていく必要があります。

【参考裁判例】

東京地判平28.10.11

Q7. 遺言の効力を十分理解していないために起こるトラブル

⑤　公正証書による遺言でも、無効になる場合があることを知っている

【具体的ケース】

会社を長年経営してきた父が高齢になり、最近では記憶力が減退し夜間に徘徊するといった認知症の症状も目立つようになりました。

以前から父は、長男の私に会社を継がせると言ってくれていましたので、万が一のことを考え、会社の株式を全部私に相続させる遺言を作ってもらおうと思います。

公正証書で遺言を作れば無効にならず確実だと聞いたことがあるのですが、何か問題はあるでしょうか。

17

【トラブルの原因】

公正証書遺言であっても、遺言当時の遺言能力や遺言方式（特に口授）に問題があるとして、遺言の有効性が争われるケースがあります。

【解説】

遺言者本人が作成する自筆証書遺言と異なり、公正証書遺言は、公証役場において法律の専門家である公証人が遺言書を作成する遺言方式です（民法969条）。

公正証書遺言に当たり、公証人は遺言者の本人確認を行いますし、遺言の方式や内容に法律上の不備がないか確認し、不備があれば補正を求めることが通常です。また、公正証書の作成には証人二人が立ち会います。作成された公正証書の原本は公証人が保管しますので、正本や謄本を紛失しても内容が分からなくなることはなく、隠匿や改ざんの危険性も低いものといえます。このようなことから、一般的に、公正証書遺言は自筆証書遺言に比べて確実性の高い方式とされており、後日、遺言内容を巡るトラブルにはなりにくいということができます。

他方、公正証書遺言であっても、遺言当時に遺言能力（遺言内容を理解し、遺言の結果を弁識し得るに足りる意思能力）を欠いている者が行った遺言であれば無効となりますので、十分な注意が必要です。

多くの裁判例において、遺言能力の有無は、精神上の障がいの程度、年齢及び当時の言動といった遺言者の能力に関わる事情に加え、遺言の複雑性や遺言作成の動機といった遺言内容に関わる事情を考慮して判断されています。

しかしながら、公正証書遺言に当たり、受け答えに特段不自然な点がなく、法定された手順に従っていれば、遺言能力がなくても公正証書が作成されてしまうことがあります。

また、公正証書遺言の有効性が争われるトラブルでは、法律上求められている口授（民法969条２号及び３号）の有無が問題とされることもあります。口授とは、遺言者が遺言の趣旨を公証人に口頭で伝えることであり、公証人の質問に頷いたり首を振ったりしただけの場合は、口授があったとはいえません。特に、遺言者以外の第三者（親族等）が公正証書の作成手続を進める場合、事前に遺言内容を記載した原稿を作成し、遺言者に原稿を確認させて署名捺印させるだけで済ますこともあり、そのような場合に適法な口授があったかが争いになることがあります。

上記の具体的ケースのように、遺言者の遺言能力に不安がある場合、仮に公正証書遺言を行ったとしても、後日、その有効性が争われて無効とされることにもなりかねません。

このようなことを避けるためにも、事前に遺言者の遺言能力を確認しておき、疑

18

いがあれば医師の診断書を取得するなどの手段や、遺言者と事前に遺言内容について十分相談し、作成当日も適切な口授がなされたかを確認するなどの手段を講じておく必要があります。

なお、新民法によって2019年１月13日以降に作成された自筆証書遺言については、遺言本文に添付する財産目録については自筆でなくてもよい、と要式が緩和されました（新民法968条２項前段）。例えば、財産目録をパソコンで作成することはもちろん、遺言者以外の第三者による代筆、不動産の登記事項証明書、預金通帳のコピー等を添付する方法もできると考えられています（Q&A「改正相続法のポイント－改正経緯をふまえた実務の視点－」（編集日本弁護士連合会・新日本法規）102頁）。ただ、偽造等を防止する必要があるため、自筆証書遺言に添付する財産目録を自書により作成しない場合には、遺言書はその目録の毎葉（表裏に自書によらない記載がある場合にはその両面）に署名押印する必要があります（新民法968条２項後段）。

また、自筆証書遺言を確実に保管し、相続人等が相続開始後にその存在を簡単に把握することができるように、自筆証書遺言の法務局での保管制度が新設され、2020年７月10日から施行されることになりました（法務局における遺言書の保管等に関する法律）。この制度を使えば、これまでの自筆証書遺言に必要とされていた家庭裁判所の検認手続は不要とされています。

【参考裁判例】

東京地判平28.3.4

⑥　誰が借金を引き継ぐか決めるには、遺言だけでは不十分であることを知っている

【具体的ケース】

町工場を長年経営してきた父が亡くなりましたが、生前、父は、会社を承継する次男に株式を全部相続させる遺言を作っていました。

父は、会社が金融機関から借入れをする際の連帯保証人にもなっていましたが、上記遺言では、負債もすべて次男に相続させるとの内容になっていました。

私は長男ですが、サラリーマンになり会社を継ぎませんでしたし、次男が負債を全部相続してくれるので、何も問題は生じないですよね。

【トラブルの原因】

経営者の死亡を契機に、経営者が負っていた個人保証債務の承継や債務引受けを

めぐって問題が生じるケースがあります。

【解説】

被相続人が相続開始の時において有していた債務の債権者は、遺言で相続分の指定がされていた場合であっても、各共同相続人に対し、法定相続分に応じてその権利を行使することができますが、債権者が自ら共同相続人の1人に対してその指定された相続分に応じた債務の承継を承認したときは、指定相続分による請求が可能です（新民法902条の2。大審院昭和5年12月4日決定・民集9巻12号1118頁、最高裁判所昭和34年6月19日判決・民集13巻6号757頁、東京高等裁判所昭和37年4月13日決定・判例タイムズ142号74頁、最高裁判所2009年3月24日判決・民集63巻3号427頁・判例タイムズ1295号175頁など）。

このように、遺言において金銭債務を特定の相続人に相続させると記載しても、相続債権者にはその効力を及ぼすことが出来ず、相続債権者から法定相続分どおりの請求をされると拒否できないことになります。上記の具体的ケースでは、長男としては、金融機関からの支払請求に対して、遺言を盾に支払義務がないとの主張をしても通らないことになります。このようなことを避けるためには、被相続人において、新民法の考え方を前提として遺言書を作成する必要があったということになります。

他方、金銭債務について記載することで遺言自体が無効になるわけではなく、相続人間では有効になる場合がありますし、指定された相続人が金銭債務の負担を受け入れることには問題がありません。

また、前記のとおり、債権者が遺言で指定された相続分に応じた債務の承継を承認すればよいので、遺言内容に従って相続債権者と交渉をし、特定の相続人が金銭債務を承継する債務引受契約を締結することも問題ありません。

いずれにしても、遺言作成に当たっては、債務を誰が負担することが事業承継にとって望ましいのか、負担を引き受けることをどのように納得してもらうかを検討しておくことが必要です。場合によっては債権者と事前に相談し、相続開始後の債務負担や債務引受契約の申入れ等に理解を求めておくことも有用でしょう。

親族以外の第三者に事業承継をするケースでのトラブル

Q8. 検討段階での準備が不十分なために起こるトラブル

① 第三者との交渉に当たり、自社の企業秘密などを守る必要があることを知っている

【具体的ケース】

私は産業廃棄物を処理する会社を長年経営してきました。産業廃棄物を取り扱っている会社などというとイメージが悪いのか、求人にも困っていた時期が長くありました。ですから、もし会社を引き継ぐことを検討していただけるという方がいらっしゃれば、すぐにでも、会社の取引先や産業廃棄物の処理方法、収集運搬コストなど全ての経営状態を見てもらおうと思っています。産業廃棄物の処理を志す人に悪い人などいるわけがありません。相手の気が変わらないうちにさっさとなんでも見てもらわないと、事業を承継してもらうことなんかできないのではないかと思います。

【トラブルの原因】

事業承継を急ぐあまり、なんら対処を施すこともなく交渉を進めると、その第三者に取引先を奪われたり、会社の重要な情報を不正利用されたりしてしまう危険性もあり、事業承継の妨げとなる場合があります。

【解説】

事業承継は、一方が営む事業を、他方に移すという重大な結果を発生させる出来事です。その上、案件の検討を開始してから、最終契約に至るまでに相当長期間の交渉が必要となることも少なくありません。特に、事業承継を検討する第三者が財務・税務・法務等の観点から対象会社を調査（いわゆる、デュー・デリジェンス）しようとする場合などには、様々な情報が提供されることになるわけですから、最終契約が締結されるまでの交渉段階でも一定の契約を締結しておく必要が高いということができます。事業承継は、当事者だけでなく、その事業自体にも重大な影響を与えることになりますから、これを成功させるためには、取引の存在及び内容を公表できる段階に至るまでの間、秘密にしておく必要性が高いといえます。

また、開示された情報を他の目的に転用したり、第三者に開示したりすることも

21

避けなければなりません。

したがって、最終契約に至る前の交渉段階でも、少なくとも秘密保持契約を締結しておく必要があるでしょう。

【参考裁判例】

東京地判平28.11.11（裁判所ウェブサイト掲載判例）

② 交渉相手と同じ仲介業者に依頼すると、どのようなリスクがあるのか知っている

【具体的ケース】

私はパチンコ事業を行う会社を長年経営してきました。そろそろ引退しようかと思っていた矢先に、ある業者から事業承継の打診を受けました。話を聞いてみると、その業者は、我が社のパチンコ事業のライバルとしてしのぎを削ってきた隣接地域の会社が依頼した仲介業者であることがわかりました。

しかし、引退するときが事業をやめるときとばかり考えていましたので、私自身、事業を承継してもらうことなど考えたこともありませんし、事業承継に詳しい知人もいません。

話をもってきた仲介業者は、何件も事業承継を成功させてきた業者だと聞いていますし、これから当方の仲介業者を選任するのも手間がかかって面倒です。同じ仲介業者に私も事業承継を依頼することにしました。

【トラブルの原因】

事業承継の手間暇を省くために、同一の仲介業者へ依頼をすることとすると、ライバル会社に有利で当方に不利な契約を交わされたりする危険性もあり、事業承継の妨げとなる場合があります。

【解説】

本件は、パチンコ事業自体の価値を不当に低く設定するなどして、事業譲受者に有利、事業譲渡者に不利な契約を、仲介業者の一存で締結されてしまうこともあり得る契約類型です。

仲介業者への依頼や選任の内容にもよりますが、仲介業者が事業承継当事者の双方から依頼を受けることは、一方の「利益」が他方の「不利益」となる可能性が高く、仲介業者が行った事業譲渡自体が認められないこともあり得ます（民法第108条参照）が、むしろ、紛争に巻き込まれないという観点からは、自分だけの利益を

22

基礎として先方と交渉してもらえる人に依頼するべきでしょう。

この点に関して、2020年３月に公表された「中小M＆Aガイドライン―第三者への円滑な事業引継ぎに向けて―」（以下「中小M＆Aガイドライン」といいます。）は、売り手と買い手双方の１者による仲介は「利益相反」となり得る旨を明記し、仲介業者に対して不利益情報（両者から手数料等を徴収している等）の開示の徹底等、そのリスクを最小化する措置を講じることを求めています。仲介業者に依頼する側としては、仲介業者から利益相反のおそれがある事項について開示・説明を受け、その内容を慎重に検討した上で依頼するかどうかを判断すべきです。

こちら側の仲介業者を立てることが難しいのであれば、少なくとも、弁護士に適宜相談しながら進めることなどを検討することが必要です。その意味では多少の手間暇を惜しまないことが肝要です。

【参考裁判例】

東京地判平27.10.28

③　契約書作成を業者に丸投げすると、どのようなリスクがあるのか知っている

【具体的ケース】

私は、先代から引き継いで建設会社を長年経営してきました。地場には影響力がありますが、事業を引き継いでもらう親族もおらず困っていたところ、建築会社の事業承継の専門家と称する仲介業者と知り合い、意気投合して口頭で依頼し、なんとか事業譲渡について最終契約に至ることになりそうです。

業者は、なんでも手際よくやってくれていますし、なんといっても建設会社の事業承継の専門家でしょうから、私どもが口を挟まなくても、プロとして的確に事業譲渡を進めてくれているはずです。

今般、先方と交わす最終契約書が出来上がってきましたが、プロとして的確に作成された契約書に私がいちいちコメントすることもありません。このまま合意しようと思います。

【トラブルの原因】

契約書は当事者の権利義務を定める重要な書類です。事業承継は専門家に委ねていれば大丈夫と思い込んでいたところ、その信頼を裏切られたという事例も少なくないようですから、契約書を作成し、作成された契約書の内容を精査することはトラブル回避のために必要不可欠です。

23

【解説】

事業承継の内容は、事業の特性や日々行われている事業活動の具体的な中身によって様々です。また、専門家といえども、契約当事者の意向が契約書と合致しているかどうかまでチェックすることは困難です。

事業譲渡について最終契約に至ることになったわけですから、事業特性や事業活動の中身が契約書に反映されているかどうかをチェックし、自己が思い描いている事業譲渡が契約書上明らかにされているかを精査しなければなりません。

また、同様に、自分の思い描いていた事業譲渡が実行できたが、通常の報酬と比して、巨額の報酬を請求されたという事態に陥らないためにも、事業譲渡に関する仲介業者との契約も書面にしておく必要があるでしょう。

自分の意向が反映しているのかどうかについてチェックするために、弁護士に適宜相談しながら進めることも有用です。

専門業者が作っていても、思わぬ不利益条項が存在する場合もあります（具体的にはQ9を参照ください。）。

【参考裁判例】

東京地判平29.3.15（裁判所ウェブサイト掲載判例）

Q9. 契約内容の理解や検討が不十分なために起こるトラブル

④ 表明保証責任という言葉の意味を知っている

【具体的ケース】

第三者に会社を譲渡することになりました。

譲渡の相手方から契約書の案文が送られてきましたが、そこには、私が相手方に対して一定の事項について表明し保証する旨の記載があります。特に気にしなくてもよいでしょうか。

【トラブルの原因】

その記載は、契約において表明保証責任を定める規定です。表明し保証した内容が間違っていると、表明保証責任に基づいて、譲渡相手から多額の損害賠償請求を受ける場合がありますので注意が必要です。

24

【解説】

企業を譲渡する契約における表明保証は、企業の譲渡人が譲受人に対し、契約の締結日や譲渡日等の一定の時点において、譲渡対象企業の財務や法務等に関する一定の事項が真実であることを表明し、その内容を保証するものです。表明し保証した内容が事実と異なっていた場合、譲渡人は譲受人に対して損害賠償責任を負うことになります。

一般的にいえば、譲受人が限られた期間内に対象企業の状態を完全に把握することは困難ですので、譲渡人が譲渡対象企業の状態について一定の事項を表明してその内容を保証し、その内容が事実と異なっていた場合には、この表明保証責任に基づいて、譲受人が譲渡人に対して損害賠償請求ができるようにするものです。

表明保証をしているにもかかわらず、それに反する重要な事実を隠したり、事実と異なる説明をしてそれに基づき表明保証をしたりすると、表明保証責任に基づいて多額の損害賠償を請求されることが考えられますので、譲渡人は、対象企業の状態に関する重要な事項について隠したりせず、十分に情報を開示し、正確に説明を行うように心がける必要があります。

【参考裁判例】

東京地判平28.6.3

⑤ 事業承継をしても金融機関が個人保証を抜くとは限らないことを知っている

【具体的ケース】

私が代表者を務めている会社を第三者に譲渡することになりました。

会社は金融機関から融資を受けており、会社の代表者である私もこの借入れについて連帯保証人となっています。

会社を譲渡することによって私は会社の事業とは全くの無関係となりますので、会社を譲渡した後、当然、金融機関は私の個人保証を抜いてくれると思っていますが、違うのでしょうか。

【トラブルの原因】

会社を譲渡しても金融機関は当然に従来の保証人との保証関係を解消するわけではありません。会社を譲渡した後であっても、保証関係が解消されない限り、保証責任を負担し続けることになります。

25

【解説】

金融機関にとって、保証人は、会社に万一のことがあった場合の大事な担保となるものですから、金融機関は保証人との関係を簡単には解消しません。

一般的には、買い手側で代わりの保証をするなどした上で、売り手側と金融機関との間の保証関係を解消することになります。会社を譲渡したとしても、この保証関係を解消する手続が完了するまでの間に会社の債務が支払えなくなった場合には、保証人としての責任を免れることはできません。

ただ、近時は、保証人の責任について、これを緩和して行く傾向があります。例えば、経営者の個人保証による過度の負担は企業の事業展開や早期事業再生を阻害する面があるため経営者保証の弊害を解消すべきであるとの考え方から、2013年12月に「経営者保証に関するガイドライン」が公表され、金融庁や中小企業庁などもその積極的な活用に向けて取り組んでいます。金融機関も、同ガイドラインを尊重し順守することを表明するなどして、実際に保証契約の変更・解除や無保証融資を実施する例も増加しています。

また、同ガイドラインを補完するものとして事業承継時に先代経営者及び後継者の双方から二重に保証を求めること（二重徴求）を原則として禁止する「事業承継時に焦点を当てた『経営者保証に関するガイドライン』の特則」が2019年12月に公表され、2020年４月より適用されています。この特則が関係者によって活用されることにより事業承継がより円滑に行われるようになることが期待されます。

さらに、保証の期限や極度額を定めずに継続的取引から発生する一切の債務を保証する包括根保証契約について、一定の場合に保証人からの解約権を認めた裁判例もあります（なお、従来は、貸金等の債務についてのみ自然人が極度額を定めない根保証契約をしても無効とされていましたが、2020年４月１日に施行された改正民法ではこの規律が個人根保証全般に拡大されました（新民法465条の２）。）。

上記具体的ケースのような場合も、これらの傾向を踏まえて、弁護士と相談するなどしながら、保証契約の解消に向けて金融機関と交渉することを検討すべきでしょう。

【参考裁判例】

最判昭和48.3.1（最高裁判所裁判集民事108号265頁）

東京地判平28.12.28

⑥ 免責条項という言葉の意味を知っている

【具体的ケース】

会社を譲渡することになりました。

会社の譲渡などに詳しい友人に相談したところ、譲渡した後に会社の内容に問題があったなどといって、譲渡の相手方からクレームをつけられることがままあるので、譲渡人としては譲渡後は一切責任を負わないという免責条項を契約書に入れておけばよいとのアドバイスを受けました。この条項を入れておけば、一切責任を負わないと考えてよいですか。

【トラブルの原因】

免責条項があまりに一方的であり譲渡の相手方に不合理な不利益を負担させる場合には、免責条項が無効となったり、その効力が一部制限されたりする場合があります。その場合には、譲渡人が免責されずに責任を負う場合があります。

【解説】

免責条項とは、一定の事項について契約当事者が責任を負わないことを内容とする条項です。契約当事者の責任の範囲を限定するために定められるものであり、例えば、一定の事項に関しては損害が発生したとしても賠償責任を負わないとするような条項がこれにあたります。

このような免責条項が定められていると、何らかの事情で損害が発生し、本来であれば契約相手に損害賠償を請求できる場合でも、この免責条項があることによって損害賠償が請求できなくなります。

しかし、相手方にとって一方的に不利な内容の免責条項は、相手方に不合理な不利益を負担させるものとして無効になったり、その効力が一部制限されたりすることがあります。例えば、会社に重大な問題があるのに、それを隠して譲渡し、後にそれが明らかになったときに一方的に免責条項を主張して責任を免れることができるかといった問題です。その場合に免責条項が無効とされれば、譲渡人は免責されずに責任を負うことになります。

譲渡人としては、会社の状況について相手方にきちんと情報を開示するように努めるとともに、どのような点で免責を得ておく必要があるかを十分に吟味して、免責条項を検討するべきです。

27

【参考裁判例】
東京地判平16.9.17

⑦ 競業避止義務という言葉の意味を知っている

【具体的ケース】
私の会社を買いたいという申入れがありました。ここまで大きくした会社ですが、条件も申し分ないので、この申入れに応じるつもりです。会社を売った後は、新しい会社を立ち上げて、これまでの経験や人脈を活かしながらもう一度会社を大きくしたいと考えています。何か問題があるでしょうか。

【トラブルの原因】
通常、企業を譲渡する場合には競業避止義務が定められており、譲渡人が同一の事業を行うことは制限されます。

【解説】
企業を買収しても、譲渡人が同じ商圏で同一の事業を行えば、取引先や顧客がそちらに奪われ、買収した企業の価値が大きく損なわれて買収の目的を達することができなくなるおそれがあります。そこで、通常、企業を譲渡する場合には、契約において、譲渡人は一定の期間・範囲で競業してはならないことが定められます。この「競業してはならない」という義務が競業避止義務です。
競業避止義務を負う譲渡人は定められた期間・範囲において競業行為を行うことはできませんし、これに反すると譲受人に対して損害を賠償しなければならないことになります。
企業買収の場合は、上記のように譲受人の利益を保護する観点から競業避止義務を定めることが多いと思われますが、他方、譲渡人の営業の自由に過度の制約となることは避けるべきです。少なくとも競業避止義務を負う期間があまりに長すぎる、競業避止義務の範囲があまりに広い等、競業避止義務が不当に厳しい内容になっていないかという点は確認した方がよいでしょう。

【参考裁判例】
東京地判平28.12.7（裁判所ウェブサイト掲載判例）

⑧　事業承継後に従業員や取引先が残るとは限らないことを知っている

【具体的ケース】

会社の全株式を譲渡することになりました。

譲受人は、会社を譲り受けた後も従業員や取引先が変わらず残ってくれるかどうか心配していましたが、会社を丸ごと譲り渡すので大丈夫だと思っています。

【トラブルの原因】

雇用契約や取引契約は、会社が契約当事者となって契約が成立しているわけですから、会社の全株式を譲渡して、株主や経営者が交代したとしても、法律的には何ら影響は受けないのが本則です。しかし、中小企業の経営は、その企業を支配する株主や経営者の信頼によって成り立っていることが多いので、株主や経営者が交代した時は、従業員や取引相手から信頼を得られないことがあり得ます。

【解説】

雇用契約や取引契約は、会社が契約当事者となって契約が成立しています。会社の全株式を譲渡して、株主や経営者が交代したとしても、雇用契約や取引契約の契約当事者が交代するわけではなく、契約当事者は相変わらず会社のままですから、法律的には何ら影響は生じないのが本則です。

しかし、事実上は、中小企業の経営は、その企業を支配する株主や経営者の信頼によって成り立っていることが多いのです。したがって、株主や経営者が交代した時は、従業員や取引相手から信頼を得られないことがあり得ます。

また、そのような取引相手方の心配が契約書で手当てされていることもあります。取引契約において、会社を支配する株主や会社代表者が交代した時は相手方は契約を解除することができると定めるのがその一例です。その取引契約が、会社の事業にとって必要不可欠な契約（ライセンス、ノウハウ提供、大口取引先との継続的契約）などであるときには、契約を解除されると会社の死活問題にもなりかねません。

従業員との雇用契約では、契約に上記のような条項が入っていることはありませんが、従業員は、退職することによって一方的に雇用契約を破棄することができます。会社にとって重要なノウハウを持っている人が辞めたり、工場の取りまとめ役だった人が辞めたりすれば、やはり会社の死活問題になることがあり得ます。

譲渡人としては、会社の結んでいる各種契約において上記のような条項があるかないかを調査しておくことが必要ですが、それ以上に、皆から信頼される譲受人を

29

探すことや、譲受人候補者について然るべき時期に従業員や取引先の意見を聞いて、譲受人と従業員や取引先との間に新たな信頼関係が醸成されるように努めることが必要です。

なお、会社の全株式を譲渡する場合とは異なり、会社の事業の一部を切り離して事業だけを譲渡する場合は、法律的には契約主体も別の者に変わりますので、当該事業に従事する従業員はもとの会社を退職して譲渡先と新たに雇用契約を行うことになりますし、取引先との契約関係も新たに結び直す必要があります。ただ、この点に関しては、一定の要件のもと従業員との雇用関係や取引先との契約関係を当然に承継できる会社分割という方法もあることに留意してください。全株式を譲渡する方法、事業譲渡、会社分割のいずれを選択するのが良いのかは、具体的事情によって個別に判断する必要がありますので、弁護士に相談することをお勧めします。

【参考裁判例】

東京高判平28.9.28

Q10. M＆A仲介・斡旋業者をめぐるトラブル

⑨ 着手金だけでなく、月額報酬や中間報酬を確認する必要があることを知っている

【具体的ケース】

私は20年以上に渡り会社を経営してきましたが、最近は不景気の煽りを受け、経営が厳しくなり、自転車操業している状況です。子どもたちはサラリーマンになっており、事業を承継するつもりがありません。従業員も、自ら会社を経営していくつもりはないようです。私も高齢になりましたので、第三者に事業を承継してもらうために、M＆Aの仲介業者に依頼することにして、着手金を支払いました。不動産の仲介業者のように、後は買主が見つかって契約が成立し、売却代金が入金されたら、その中から報酬金を支払うものだと考えていたのですが、依頼したM＆Aの仲介業者から、毎月月額でコンサルティング報酬を請求されています。当初は、仕方なく払っていましたが、もともと会社の経営が厳しい状況ですので、大きな負担となっています。月額の報酬は支払い続けなければならないのでしょうか。また、改めて契約書を見直してみると、基本合意書作成時に中間報酬としてまとまった金額を払う条項がありますが、中間報酬は払わなければならないのでしょうか。

【トラブルの原因】

M＆Aの仲介・斡旋業者と契約を交わす際に、まとまった着手金を支払いますが、その際契約書を十分に確認しなかったために、月額報酬を請求され続けたり、中間報酬を請求されたりすることがあります。これを支払う経済的余裕があればいいのですが、その余裕がない状況でM＆Aの仲介・斡旋業者と契約を交わすことも多いので、業者との間でトラブルが生じて、M＆Aによる事業承継の妨げとなる場合があります。

【解説】

M＆Aの仲介・斡旋業者に支払う報酬は、業者との間で締結する契約書によって定められます。M＆Aによる事業承継を進めることに気を取られて、契約書の内容を十分に読まないまま、契約を締結してしまうこともあるようです。最初に支払う着手金の金額や最終的に支払う成功報酬（売却金額に応じて何パーセントという形で算定されることが一般的であり、通常、最低報酬金額が定められています。）については、理解されていることが多いのですが、月額報酬や中間報酬については見落としていたり、理解が不十分であったりします。

毎月支払う月額報酬については、最初の支払いがすぐに来ますので、完全に見落としていることは少ないかと思いますが、M＆Aの仲介・斡旋は、長い時間を要することも多いので、すぐに買主が見つかることを期待していたような場合には、月額報酬が売主にとって大きな負担となってしまうことがあります。月額報酬の定めが本当に必要なのか、仮に必要であったとしても合理的な金額に収まるよう支払うべき月額報酬の総額に上限を定めるべきではないか等、契約書を細かくチェックしておくことは重要です。

また、月額報酬の定め方として、毎月発生することを前提にしながら、途中では支払う必要はなく、最終的に売却ができた段階で成功報酬とともに売却代金の中から業者に支払う形式のものがあります。このような定め方の場合には、売主は途中で支払うことがないので、月額報酬が嵩んで多額になることに気づかず、いざ売却ができた段階で、多額の月額報酬を支払わなければならないことに初めて気がつくことがあるので、要注意です。

さらに、基本合意書が成立した時点で業者に一定額の中間報酬を支払う旨の契約も多くあります。業者としても、開始してから契約成立まで時間がかかりますので、一応の成果が出た時点で中間報酬を請求すること自体は合理的な話です。ただ、この時点では、まだ、売却代金が入ってきてはいませんので、経営が厳しい会社にとっては、中間報酬を支払うことを十分に理解していないと、そのことが重い負担としてのしかかってくることがありますので、注意が必要です。特に、基本合意書は締結したものの問題があって決済まで進めない場合に大きな問題となってきます。

売主側としては、M＆Aの仲介・斡旋業者の報酬については、細かにチェックし、誤解が生じないよう、理解できるまで十分に説明してもらうことが肝要です。M＆Aの仲介・斡旋業者との間で契約を締結するまでに、あらかじめ弁護士にチェックをしてもらうことも有益です。この点に関しては、中小M＆Aガイドラインでも、報酬等の妥当性については、必要に応じて他の支援機関に意見を求めること（セカンド・オピニオン）が有効であると指摘されています。

なお、同ガイドラインの参考資料「仲介契約・FA契約締結時のチェックリスト」では、報酬に限らずその他の事項を含めチェックすべき主なポイントが列記されていますので、仲介契約・FA契約の締結に当たってはこのリストも活用するとよいでしょう。

【参考裁判例】

東京地判平28.12.16

⑩　成功報酬の算定方法を確認する必要があることを知っている

【具体的ケース】

私は会社を長年経営してきましたが、高齢になり、事業を承継する親族も従業員もいなかったので、第三者に事業を承継してもらうために、M＆Aの仲介業者に依頼し、事業譲渡により事業を承継させることとしました。M＆Aの仲介業者は、何とか２億円で買主を探してきてくれました。M＆Aの仲介業者の成功報酬は、売却代金の５％と聞いていましたので、1000万円かと思っていましたが、契約を成立させる段階になって、契約書に成功報酬の最低報酬金額の定めがあるとのことで3000万円を請求されることが判明しました。買主を見つけてきてくれたことはありがたいのですが、想像していたよりも高額の成功報酬が発生するので、もう少し高い金額で売却できる買主を探してきてくれればよかったのにと思ってしまいます。本件の売却代金に比して高い成功報酬を本当に払わなければならないのでしょうか。

【トラブルの原因】

M＆Aの仲介・斡旋業者の成功報酬は、売却金額に応じて何パーセントという形で、段階的に算定されることが一般的です。また、そのような算定方法とは別に、通常、最低報酬金額が定められていることも多くあります。契約書を十分に確認しなかったために、M&Aにおいて予想していたよりも高い金額で売却できなかったときなどに、当初、気にしていなかった最低報酬金額が適用されることになり、売却金額と比して高額な成功報酬を請求されることがあります。売却代金から借入金の返済をするような場合には、不足が生じてしまい、業者との間でトラブルが生じ、M&Aによる事業承継の妨げとなる場合があります。

【解説】

M&Aの仲介・斡旋業者に支払う成功報酬は、売主にとっても、関心がある事項ですので、契約に際しては、説明を受け、一応の理解をしているとは思います。

成功報酬の算定方法は、業者との間で締結される契約書によって、売却金額に応じて何パーセントという形で、段階的に算定されることが一般的です。複雑なM&Aでは、どのような場合に成功報酬が発生するか、その算定方法をどうするかなどが問題になるケースもあります（例えば、海外の業者に売却する場合などには、算定の根拠となる売却代金について何を基準に計算するのかさえも問題になってしまうことがあります。）。

また、売却金額の何パーセントということは説明を受け、頭に残っていたとしても、予想していたよりも売却代金が低い金額になった場合に、成功報酬について最低報酬額が定められていることが多くありますので、最低報酬額が適用され、売却代金と比して高い金額になることがあります。

M&Aの仲介・斡旋は、開始してから契約成立に至るまでに長い時間を要することが多く、売却代金が高くならない案件でも、契約を成立させるのには十分な手間暇がかかっていますので、最低報酬額を定めること自体は合理的な話です。しかし、売却代金と比して、あまりに高額な成功報酬の最低報酬額の定めは経済的合理性を損ねることとなります。

成功報酬の支払は売主にとって影響が大きいことですので、成功報酬の算定方法がどのようになっているか、解釈によって複数の読み方ができてしまわないか、最低報酬額の定めは合理的な金額となっているかなど、M&Aの仲介・斡旋業者と契約を締結する際には予め十分に確認しておくべき事項と言えます。あらかじめ弁護士に契約書をチェックしてもらうことも有益です。

【参考裁判例】

東京高判平25.3.27（判タ1389号184頁）

33

⑪ 契約期間中に別の業者に依頼すると、契約違反になる場合があることを知っている

【具体的ケース】

私は長年経営してきた会社を、なかなか承継者が見つからないため、第三者に承継してもらおうと思い、M＆Aの仲介業者に依頼し、事業譲渡により事業を承継させることを考えています。ところが、依頼したM＆Aの仲介業者は、動きが悪く、なかなか買主候補者を見つけてきてはくれません。そのような折に、私が会社の譲渡を考えていることをどこで知ったのかわかりませんが、他のM＆Aの仲介業者が事業の譲り受けを考えている会社があると言って売り込みに来ました。話を聞いてみると、その候補会社は譲渡先としての条件は揃っており、話を進められたらと思っています。しかし、依頼していたM＆Aの仲介業者から、買主候補を見つけてもいないのに、その候補会社と話を進めることは契約違反になると言われています。本当に私は当初から依頼していたM＆A仲介業者以外の別の業者から紹介を受けた候補者と交渉することはできないのでしょうか。

【トラブルの原因】

M＆Aの仲介・斡旋業者との契約では、業者に独占的な交渉権が認められていることが通常です。したがって、契約の有効期間中は、その独占的な交渉権を超えて、他のM＆Aの仲介、斡旋業者と交渉をすることは契約違反となります。売主としては、買主候補者を紹介してもらえると期待して契約を締結するので、独占的な交渉権を与えることに不安を持たないことも多いですが、業者が適切な買主候補者をなかなか見つけて来ない場合には、独占的交渉権を付与したことが、売主にとっては妨げとなってしまうことがあります。

【解説】

複雑に権利関係が錯綜するM＆Aにおいては、交渉窓口が複数に分かれていると、買主候補者らとの間で信頼に値するような適切な交渉ができなくなり、却って、契約の成立を妨げることになります。そのため、M＆Aの仲介・斡旋業者との契約では、業者に独占的に交渉権が付与されるのが一般です。売主としても、M＆Aの仲介・斡旋業者と契約を締結する段階では、これからたくさんの買主候補者を紹介してもらえると期待しているので、独占的交渉権の意味を十分に考えないことが多いのですが、独占的交渉権を付与した以上、他の業者から買主候補者を紹介してもらったとしても、そちらと交渉する訳にはいかなくなってしまいます。

このことは、契約をしたM&Aの仲介・斡旋業者が適切な買主候補者を見つけられない場合に問題になることですので、契約を締結する際には業者の能力を十分チェックすることが必要です。しかし、業者が買主候補者を見つけてくる能力があるかどうかは必ずしもわかるものではありませんし、タイミングや運に左右される場合もあります。そこで、売主としては、契約締結時に、独占的交渉権が付与されることになる契約期間が長くないかは十分検討することが必要です。

また、売主としては、業者がなかなか適切な買主候補者を見つけることができない場合に、独占的交渉権の例外をどのように認めるか、契約の解除をどのように認めるかなどについては、予め協議し、契約書で定めておくことも重要です。業者の書面による同意があれば交渉を認める規定はよくみられるところですが、そもそも適切な買主候補者を見つけてこないということは、着手金に見合った業務をしていないことにならないか、そのような場合にまで契約に拘束されなければならないのかという問題にもなりかねません。

この点、中小M&Aガイドラインでは、いわゆる「専任条項」について、仮にそれを設けるとしても、その対象範囲を可能な限り限定すべきである（例えば、依頼者が他の支援機関に対してセカンド・オピニオンを求めることを一定限度で許容する等。）、それに長期間拘束されることを避けるため仲介契約・FA契約の契約期間を最長でも6か月～1年以内を目安として定めるべきである、依頼者が任意の時点で仲介契約・FA契約を中途解約できることを明記する条項等も設けることが望ましい等と定めています。

もっとも、業者がいろいろ活動して買主候補者を見つけてはいるものの、売主側の要望の基準が高くて話が進まないような場合には、独占的交渉権を付与した以上、契約書に従った拘束を受けてもやむを得ないと考えられます。

【参考裁判例】

東京地判平18.2.13（判時1928号3頁、判タ1202号212頁）

⑫ 業者に依頼した後に業者を通さずに直接交渉すると、契約違反になる場合があることを知っている

【具体的ケース】

私は長年経営してきた会社を、なかなか承継者が見つからないため、第三者に承継してもらおうと思い、M&Aの仲介業者に依頼し、事業譲渡により事業を承継させることを考えています。ところが、私の会社は規模も小さく、業種も特殊ですので、依頼したM＆Aの仲介業者は、なかなか買主候補者を見つけることができません。私は、親友として付き合ってきた同業者仲間の一人には、会社の譲渡を考えていることを相談していたところ、同業者仲間で、業務拡張のために事業の譲り受けを考えている会社があることを調べてきてくれました。私も、その会社のことはよく知っており、社長とも仲が良いので、直接自分で交渉してみることを考えています。しかし、依頼していたM＆Aの仲介業者は買主候補を見つけてもいないのに、その会社と私が交渉することは契約違反になると言っています。本当に、私がもともとよく知っているその会社の社長と交渉することはできないのでしょうか。

【トラブルの原因】

M＆Aの仲介・斡旋業者には、業者に独占的交渉権が認められていることが通常であり、契約の有効期間中は、直接買主候補者を探して交渉をすることは契約違反となることがあります。他の業者を通じて買主候補者と交渉することが、業者の独占的交渉権を侵害することは理解されやすいですが、自分が知っている会社と業者を経由せずに交渉することは独占的交渉権を侵害することにはならないと考えている売主も少なくはありません。

このことは、業者から適切な買主候補者が紹介されている場合には、あまり問題になりませんが、買主候補者がなかなか見つからない時に、自分で買主を探そうとする場合に、売主にとっては妨げとなることがあります。

【解説】

M＆Aの仲介・斡旋業者との契約で、業者に独占的交渉権が認められている場合に、自分が知っている会社と業者を経由せずに交渉することについて、独占的交渉権を侵害することになることまでは売主の理解が及ばないことがあります。

特に、もともと仲のよい友人であったり、仕事仲間であったりする場合には、どこまで話を進めていいのか境界がはっきりしなくなってしまうことが多くあります。

しかし、契約書上は、業者に独占的交渉権が付与されている以上、もともとよく知っている買主候補者であったとしても、独占的交渉権の効力が及ぶことになります。複雑に権利関係が錯綜するM＆A契約においては、交渉窓口が複数に分かれていると、買主候補者らとの間で信頼に値するような適切な交渉ができなくなり、契約の成立を妨げることになるので、業者に独占的交渉権が認められるのです。

このことの弊害は、契約をしたM＆Aの仲介・斡旋業者が適切な買主候補者を見つけている場合には、あまり問題にならず、なかなか適切な買主候補者を見つけることができない場合に発生する問題です。もっとも、自分で買主候補者を見つけてきたとしても、複雑なM＆A契約を進めていくためには、M＆Aの仲介・斡旋業者に参加してもらった方が便利なことがあります。

単純に自分が見つけてきた買主候補者をM＆Aの仲介・斡旋業者に紹介して手続を進めるのも一つの方法ですが、そもそもM＆Aの仲介・斡旋業者との間で契約を締結するに際して、買主候補者が見つからない場合に備えて、自分で買主候補者を見つけた場合に、独占的交渉権の例外をどのように認めるか、その場合の費用をどのように算定するかなどについても、予め協議しておき、必要があれば契約書で定めておいた方がいいこともあります。

なお、M＆Aの仲介・斡旋業者が買主候補者を見つけてきて、話を進めているにもかかわらず、自分で別の買主候補者を探してしまうことは、独占的交渉権を付与している以上、契約違反と言われても仕方がありません。

37

相続や贈与に関する税金をめぐるトラブル

Q11. 税金のことをよく知っていれば避けられたトラブル

① 毎年110万円の範囲内で株式を贈与しても、課税される場合があることを知っている

【具体的ケース】

私は、株式会社のオーナー経営者です。まだ先の話ですが、私の会社は長男に継いで貰いたいと思っています。一度に会社の株式を譲ると多額の贈与税がかかると思いますので、将来のために少しずつ会社の株式の名義を長男に移そうと思っています。贈与税は年110万円まで非課税ということですから毎年110万円の範囲内で贈与していけば大丈夫ですよね。

【トラブルの原因】

自己所有の株式を毎年110万円以下ずつ長男に贈与すると、１個の贈与契約を結んだものと税務署長に認定されるおそれがあります。

また、相続税・贈与税の計算をする場合の株式の評価は、資本金を発行済み株式総数で割った金額と必ずしも一致するわけではありません。

【解説】

財産を生前贈与する場合、贈与税が課税されますが、いわゆる暦年課税贈与を活用する場合、年間110万円の基礎控除を受けることができます。ただ気を付ける必要があるのは、父から長男に形式的に110万円以下の株式を毎年贈与していても、自己所有の株式を一括して贈与する契約を締結して財産を取得したものとして、贈与税が課される可能性があります。毎年、贈与契約を結んで株式を譲渡していたというのであれば、毎年、贈与契約書を作成して、税務署からの指摘に対応できるようにしておくべきでしょう。なお、長男が知らずに贈与を受けていたというようなことにならないよう、贈与を受ける意思の確認もきちんと行いましょう。

株式は、上場株式、気配相場等のある株式、取引相場のない株式に分けてその評価をすることになっています（財産評価基本通達168以下）。取引相場のない株式の場合では、従業員数や総資産価額等で区分されて、それぞれの区分で認められる方法で株式を評価します。

適切に評価していないと、後で税務署長の更正決定等を受けて税額が増大してしまうことになるかもしれません。

② 相続時精算課税制度のことを知っている

【具体的ケース】
私は、経営している会社を長男に承継してもらうことに決めました。長男が安定して経営していってもらうために、私の持つ自社株式を生前贈与してやりたいと思っています。自社は黒字経営で贈与する株式が高額な評価を受けそうです。しかし、不動産などの財産はあるのですが、贈与税を支払うためのキャッシュの用意に不安があります。

【トラブルの原因】
専門家への相談をためらって、正確な知識を仕入れなかったばかりにトラブルになってしまうことがあります。

【解説】
相続時精算課税制度（相続税法21条の９以下）とは、60歳以上の親等から20歳以上の子等に対して財産を贈与した場合に選択できる制度です。複数年にわたり利用できる特別控除額（2500万円）を贈与財産の合計額から控除した金額に20％の税率で贈与税を計算して、贈与した者が亡くなったときに贈与された財産を相続財産に含めて相続税を計算して既に納めた贈与税を控除して調整するというものです。ただし、一旦、相続時精算課税制度を選択すると、その後同一の贈与者からの贈与については同制度が強制適用され、前記 Q11①の暦年課税制度によることができないため、注意が必要です。
この制度を選択するには、税務署長に届出書を提出する等の手続が必要です。
税制は毎年変更されていますし、事業承継に関わる税制も頻繁に改正されていますから、事業承継の計画全体を弁護士に相談する中で税制についても検討してもらうようにしましょう。

39

③　非上場株式の相続税や贈与税の優遇税制のことを知っている

【具体的ケース】

私は、父が創業して一人株主だった株式会社の二代目社長です。父が亡くなったことで、父の持っていた当社の株式を私が相続することになりました。相続税がかなり課されそうなので、納税のための資金の捻出に悩んでいます。

【トラブルの原因】

事業承継の円滑化のための税制措置について知っていればトラブルを避けられたかもしれません。

【解説】

2008年に成立した中小企業における経営の承継の円滑化に関する法律に基づき、2009年度税制改正により、「非上場株式等についての相続税及び贈与税の納税猶予・免除制度」（事業承継税制）が創設されました。事業承継税制は、事業承継に伴って発生する相続税・贈与税の負担により事業承継に支障が生ずることを防ぐため、一定の要件のもと、その納税を猶予・免除する制度です。

具体的には、中小企業における経営の承継の円滑化に関する法律における都道府県の認定を受け、５年間平均８割の雇用維持等の要件を満たした非上場企業について、その後継者が先代経営者から相続又は遺贈により取得した株式に係る相続税の80％の納税が猶予される制度です。ただし、相続開始前から後継者が既に保有していた完全議決権株式を含めて会社の発行済完全議決権株式の総数３分の２が上限とされています。（租税特別措置法70条の７以下）。

また、後継者が贈与により取得した株式（ただし、贈与前から後継者が既に保有していた完全議決権株式を含めて会社の発行済完全議決権株式の３分の２が上限）に係る贈与税の100％の納税が猶予される制度もあります。

これらの制度に加え、2018年度税制改正では、2023年３月31日までの特例承継計画の提出等を要件として、2018年１月１日から2027年12月31日までの10年間、雇用維持の要件の緩和や相続税の納税猶予の割合を100％に拡大し対象株式数の上限を撤廃するとの特例措置が創設されました（同法70条の７の５～70条の７の８）。

40

信託の活用をめぐるトラブル

Q12. 信託のことをよく知っていれば避けられたトラブル

① 事業承継に信託を活用できる場合があることを知っている

【具体的ケース】

私には、40年前に離婚した先妻との間に２人、38年前に結婚した今の妻との間に１人の子がいます。

私は、35年前に創業した金属加工業を営む会社を経営し、発行済み株式全部を保有しているのですが、70歳を過ぎたこともあり、そろそろ今の妻との間の子に会社の経営を任せたいと考えています。離婚した先妻との間の子らと揉めることなくスムーズに会社の経営を承継させるためにはどうすればよいでしょうか。

【トラブルの原因】

先代経営者の生前に会社の株式を後継者に集中的に承継させる対策を講じなければ、先代経営者の死亡後に会社支配権を巡るトラブルが生じる原因となります。最近では贈与や遺言だけではなく、信託を活用してトラブルを避ける工夫もされるようになっています。

【解説】

会社の経営権を確実に後継者に円滑に承継させるためには、先代経営者の生前に、少なくとも過半数、できれば３分の２以上の議決権を後継者に確保させておく必要があります。先代経営者の生前に議決権を後継者に確保させる方法としては、売買、生前贈与、死因贈与、遺言のほか、「信託」を利用する方法があります。

「信託」とは、委託者と受託者との間の契約や委託者の遺言等の方法により、委託者が自己の財産（信託財産）を一定の目的に従って管理・処分することを受託者に委ねる仕組みです（信託法２条、３条)。「信託」を利用して先代経営者の生前に議決権を後継者に確保させるには、例えば、先代経営者の生前に、自社株式を信託財産として、会社の当初の受益者は先代経営者、先代経営者死亡後の受益者は後継者を含む全ての相続人としつつ、先代経営者死亡後の議決権行使の指図権は後継者のみが有する旨を定める信託契約を締結する方法が考えられます（信託法90条１項１号)。このスキームを利用した場合、議決権の行使は株式の名義人となる受託者が行うことになりますが、先代経営者の生前には先代経営者が、先代経営者死亡後には後継者がそれぞれ受託者に対して指図権を行使することにより、経営に関与しない相続人には配当受領などの経済的利益を享受させつつ、先代経営者や後継者の考えを会社経営に反映することが可能になります。

具体的ケースにおいて「信託」を利用するメリットとしては、①売買や生前贈与の場合とは異なり、先代経営者が亡くなるまで会社経営に関与することが可能になることや、②議決権行使の指図権を後継者のみに帰属させることができるため、会社の経営権を確実かつ安定的に後継者に承継させることが可能になることが挙げられます。

もっとも、具体的ケースにおいて実際に「信託」が利用できるのは、適切な受託者が確保できる場合に限られることになるでしょう。

② 信託を活用しても、遺留分をめぐる争いが起きる場合があることを知っている

【具体的ケース】

私は今、会社を経営していますが、私名義の会社の株式や会社の工場用地として提供している私名義の土地については、会社の後継者として考えている次男に承継させたいと考えています。ただ、他にも子どもが２人いるのですが、兄弟間の仲が悪く、私が会社株式や会社の工場用地を次男に相続させるという内容の遺言を作成したとしても、遺留分を巡って兄弟間で争いになることが予想されます。

ところが先日、信託を利用すれば、遺留分を巡る兄弟間の争いを避けることができるという話を聞きました。信託を利用することで、本当に遺留分を巡る争いを避けることができるのでしょうか。

【トラブルの原因】

信託を利用すれば、遺留分減殺請求（2018年民法改正後は遺留分侵害額請求）を排除することができるとの誤解からトラブルが発生することがあります。

【解説】

信託行為に民法の遺留分に関する規定の適用があるか否かについて、近時、下記の【参考裁判例】に掲げる裁判例では、適用があることを前提とした判断がなされており、いずれにしろ、信託を利用して会社経営に必要な資産を後継者に承継する場合でも、遺留分を侵害する内容となっていれば、他の相続人から遺留分減殺請求（2018年民法改正後は遺留分侵害額請求）を受けるリスクがあることは予め想定し

ておく必要があります。遺留分侵害のリスクへの対策はQ6③④の解説などを参照してください。

【参考裁判例】

東京地判平30.9.12（金融法務事情2104号78頁）

③　会社の顧問弁護士を信託の受託者にすると、問題があることを知っている

【具体的ケース】

私は、自身が経営している会社の発行済み株式全部を保有していますが、信託を利用して私が保有している会社の株式を次男に承継したいと考えています。そこで、古くからのお付き合いで信頼している会社の顧問弁護士に受託者になっていただき、信託を設定しようと考えているのですが、そのようなことはできるのでしょうか。

【トラブルの原因】

会社の顧問弁護士であれば、信託の受託者として問題なく対応できるとの誤解があります。

【解説】

信託の引受けを営業として行うことは「信託業」にあたり（信託業法２条１項）、内閣総理大臣の免許を受けた者でなければ営むことができません（信託業法３条）。そのため、弁護士が信託の受託者となるためには、信託業の免許を取得する必要があると言われていますが、免許を取得するためには、資本金１億円以上の株式会社であることなど厳しい規制があるため、免許の取得は容易ではありません。

もっとも、「営業」（＝営利目的をもって反復継続して行うこと）として信託の引受けを行わなければ、信託業法に違反することにはなりませんが、上記具体的ケースにおいて会社の顧問弁護士が受託者に就任した場合には、仮に当該弁護士が受託者としての報酬を受領していなかったとしても、営業として信託の引受けを行ったものと認定されるおそれがあると思われます。

また、会社の顧問弁護士が受託者に就任することは、信託業法上の問題以外にも、弁護士職務基本規程に抵触するおそれがあることに留意する必要があるでしょう。

したがって、信託を利用して自らが経営している会社の経営権を後継者に承継しようとする場合に、会社の顧問弁護士を受託者とするのは問題があるというべきでしょう。

なお、信託業法との関係で、一般的に弁護士が受託者として信託に関与することは非常に難しいと思われますが、弁護士が信託監督人や受益者代理人として信託に関与することは十分考えられるところです。

④　信託を活用すれば、生前に決めた順番で経営を引き継げることを知っている

【具体的ケース】

私は、自身が経営している会社をゆくゆくは長男に承継したいと考えていますが、長男はまだ年齢も若く、十分な経験を積んでいません。そこで、私が亡くなった後しばらくは、長年にわたって、ともに会社を支えてくれた弟に会社の経営を委ね、弟が亡くなった時点で、長男に会社の経営権を承継したいと思っています。

ただ、会社の株式を一旦、弟に承継してしまうと、その後に弟が会社の株式を確実に長男に承継してくれるかが分からないので不安です。会社の経営権をまずは弟に承継し、弟が亡くなった時点で長男に承継させられる方法はあるのでしょうか。

【トラブルの原因】

「後継ぎ遺贈型受益者連続信託」（信託法91条）を知っていればトラブルを避けられるかもしれません。

【解説】

死亡後の財産の承継方法を生前に指定しておく方法として遺言によることが考えられますが、遺言において、第一次受遺者（弟）の受ける財産上の利益を、ある条件の成就や期限の到来した時（本件では、弟が亡くなった時点）から第二次受遺者（長男）に移転させる内容の遺贈（いわゆる後継ぎ遺贈）の定めを設けたとしても、その定めは無効とする見解が有力です。したがって、遺言では、先代経営者の死亡後に会社の株式を弟に承継した後、弟の死亡後にこれを確実に長男に承継させることはできません。

これに対し、いわゆる「後継ぎ遺贈型受益者連続信託」（信託法91条）を利用すれば、上記具体的ケースにおいて、先代経営者の死亡後に会社の経営権を確実に弟、長男の順に承継させることが可能です。すなわち、先代経営者が生前に、委託者（先代経営者）と受託者との契約により、自社株式を信託財産とし、第一次受益者を先代経営者、先代経営者が死亡した時の第二次受益者を弟、弟が死亡したとき

の第三次受益者を長男に指定する旨の定めを置きかつ議決権行使について、第一次受益者の生前は第一次受益者が指図権を有し、第一次受益者の死亡後は第二次受益者が、第二次受益者の死亡後は第三次受益者がそれぞれ指図権を取得する旨の定めを置く方法です。このスキームを利用すれば、議決権の行使は株式の名義人となる受託者が行うことになりますが、議決権行使の指図権者が先代経営者、弟、長男の順に確実に承継されますので、先代経営者の意向を反映することが可能になります。

なお、信託の設定から30年が経過した時点で第一次受益者（先代経営者）及び第二次受益者（弟）がいずれも生存しており、かつ、その後に第一次受益者が死亡した時点においても依然として第二次受益者が生存している場合には、第二次受益者が死亡した時点で信託が終了するため（信託法91条）、「後継ぎ遺贈型受益者連続信託」を利用したとしても、第三次受益者である長男は当然に議決権行使の指図権を取得できるわけではありません。ただ、そのような場合であっても、信託終了後の残余財産の帰属先を長男に指定しておくことにより、最終的に自社株式を長男に承継させるという先代経営者の意向を貫徹させることは可能でしょう。

日本弁護士連合会
弁護士業務改革委員会
企業コンプライアンス推進PT
（2021年7月改訂）

45

事業承継トラブル・チェックシート【後継者向け】

2021年7月更新版

事業承継においては、専門的な法律知識が必要とされる場面が多くあります。これから事業承継を行うに際して、トラブルが生じないよう、チェックシートを利用してリスクの確認をしましょう！

承継の対象となった会社運営が要因となったトラブル

Q1. 会社の株主が誰かが不明確で起こるトラブル

- ① 承継予定の会社の株主を把握している □
- ② 現経営者の説明する出資内容と株主名簿の記載が一致している □

Q2. 承継予定の会社の経営状態を確認しなかったことにより起こるトラブル

- ③ 承継予定の会社において実際に取締役会や株主総会が開催されていたことを把握している □
- ④ 承継予定の会社が従業員に残業代を全額支払っているのを把握している □

Q3. 株式の譲渡や相続に関するルールを決めていなかったことによって起こるトラブル

- ⑤ 承継予定の会社において、定款上、株式の譲渡を行うにあたって会社（取締役会など）の承認が必要とされている □
- ⑥ 承継予定の会社において、定款上、株式を相続した者に株式の売渡しを求めることができる □

Q4. 承継予定の会社の財産と個人の財産が区分されていないために起こるトラブル

- ⑦ 承継予定の会社の本社・工場の敷地や建物が全て会社名義となっている □
- ⑧ 承継予定の会社の貸借対照表上、オーナーからの借入金やオーナーに対する貸付金がいくらあるかを把握し、承継後の処理について取り決めをしている □

相続や贈与で真の株主が誰か不明確となって起こるトラブル

Q5. 相続した人から株式譲渡を受ける場合に起こるトラブル

- ① 相続人は誰であるのかについて戸籍謄本等で把握している □
- ② 遺産分割協議前に相続人からその法定相続分の株数（発行済み株式総数に法定相続分を乗じた数の株式）を譲り受ける旨の合意をすると、どのようなリスクがあるのかを知っている □

Q6. 遺言や生前贈与で株式を取得した人から譲渡を受ける場合に起こるトラブル

- ③ 生前贈与で全ての財産を取得した人から株式の譲渡を受ける場合に、どのようなリスクがあるのかを知っている（特別受益） □
- ④ 遺言で唯一の相続財産である株式全部を相続した人から譲渡を受ける場合に、どのようなリスクがあるのかを知っている（遺留分） □
- ⑤ 死亡直前に作成された公正証書遺言で株式を相続した人から譲渡を受ける場合に、どのようなリスクがあるのかを知っている □
- ⑥ 民法が改正されて遺留分など相続に関する法律が、どのように改正されたかを知っている □

親族以外の第三者が事業承継をするケースでのトラブル

Q7. 事業承継を検討する段階でのトラブル

① 事業承継を打診してきた会社の経営状態について確認する前に当事者の間で一定の取決めをすることが普通であるのを知ってる □

② 交渉相手と同じ仲介業者に依頼すると、どのようなリスクがあるのか知っている □

③ 契約書作成を仲介業者に丸投げすると、どのようなリスクがあるのかを知っている □

Q8. デュー・デリジェンス（DD）に関するトラブル

④ デュー・デリジェンスについて、どのような目的で何をするのかを知っている □

⑤ デュー・デリジェンスの進め方を具体的に知っている □

⑥ デュー・デリジェンスの調査項目を具体的に知っている □

⑦ デュー・デリジェンスの結果、色々問題点が発見された場合の対処法を知っている □

Q9. 事業承継の契約内容をめぐるトラブル

⑧ 承継した会社に問題があった場合に、現経営者に責任追及できるような条項を契約書に入れている □

⑨ 競業避止義務がどのような義務であるのかを知っている □

⑩ 承継した会社の借入先金融機関から、現経営者に代わって個人保証を求められる可能性が高いことを知っている □

⑪ 承継後も従業員や取引先が引き続き残ってくれるとは限らないことを知っている □

Q10. M＆A仲介・斡旋業者をめぐるトラブル

⑫ 成功報酬はもちろん、月額報酬や中間報酬についてもその額や計算方法も知っている □

⑬ 仲介業者から紹介された売主側と直接自由に交渉できないことを知っている □

⑭ クロージング後に売主側との間で発生したトラブルを仲介業者が解決してくれることを期待していない □

⑮ クロージング後に明らかになった売主側の表明保証違反により、対価が事実上減額されることになったとしても、仲介業者から成功報酬の一部を返還してもらえるとは限らないことを知っている □

税金のことをよく知っていれば避けられたトラブル

Q11. 株式譲渡による事業承継の場合に税金が原因で起こるトラブル

① 株式の譲渡価格が不相当に廉価である場合、株式の譲受人に贈与税がかかることがあるのを知っている □

② 譲受人側に知らされていなかった未払いの税金の負担を求められたり、追加で税金が発生したりすることがあるのを知っている □

<チェックを終えた皆様へ>

事業承継において必要とされる専門的な法律知識については、税理士、M＆Aの仲介・斡旋業者、金融機関等の中小企業の事業承継をサポートしてくれる専門家であっても、十分理解していない場合もあります。

もし、承継予定の会社の事業承継において、関わりがありそうな項目でチェックが10個以上なかったり、気になる項目がありましたら、是非、弁護士の意見を聞いてみることをお勧めします！

事業承継は一生に一度の問題ですので、理解が不十分なまま誰かに任せてしまうより、弁護士のアドバイスを受けながら、自ら理解をして進めていくことがトラブルを回避する秘訣です。

日本弁護士連合会・弁護士業務改革委員会企業コンプライアンスPT作成

事業承継トラブル・チェックシート　解説編～後継者向け～

2021年７月改訂版

承継の対象となった会社運営が要因となったトラブル

Q1. 会社の株主が誰かが不明確で起こるトラブル

①　承継予定の会社の株主を把握している

【具体的ケース】

運送会社を長年経営してきた知人から、高齢になりそろそろ事業承継を考えているが、子どもたちはサラリーマンになっており事業を承継するつもりがないため、同業の私に会社の株式を譲って経営をしてもらいたいという申し出がありました。その知人は、自分が一人株主だと言い、ただ長年経営するなかで株主名簿がどこにあるか分からなくなっているということです。このことから私の方で運送会社の株主が誰なのかが把握できません。何か問題がありますか。

【トラブルの原因】

株主名簿がきちんと整備されていなかったため誰が株主かよく分からなくなり、事業承継の妨げとなる場合があります。

【解説】

株主名簿は、株主とその持株等に関する事項を記載するため、株式会社に作成が義務付けられた帳簿です（会社法121条）。ところが、中小の株式会社では株主名簿がきちんと整備されていないケースがあります。このため、経営者が亡くなった後、そもそも、その経営者が何株の株式を持っていたのかという前提問題に争いが生じてしまい、遺産分割協議が進まず事業承継が上手くいかない、というケースは弁護士がよく経験するところです。また、上記の具体的ケースのように、経営者が親族以外の人に対して株式を譲渡して事業を承継することを検討するに当たっても、株主名簿がきちんと整備されていないと、買い手にとっては株主であることを主張する第三者が現れるのではないかといった不安要素となります。もし現在、株主名簿が整備されていなければ、買い手としては、株式を譲り受ける前に、売り手に対して、当初の出資状況などを調べて株主名簿を作成してもらうよう求め、株式の売買契約書等の中で売り手が一人株主であることを表明保証してもらうべきです。

1

【参考裁判例】
福岡地判平16.4.27（金判1198号36頁）、東京地判平8.8.26（判タ941号264頁）

② 現経営者の説明する出資内容と株主名簿の記載が一致している

【具体的ケース】
父は株式会社を設立し町工場を長年経営してきました。父が言うには、会社の設立に当たって、実際には父が全額出資したとのことです。しかし、当時の商法で発起人が７人以上必要だったので、友人や従業員らに名目上の発起人になってもらったそうです。このため、株主名簿上は、父が700株、６人の父の友人や従業員がそれぞれ100株ずつ、となっています。株券はどこかに行ってしまってありません。長男の私は、父の事業を手伝っていて、いずれは父の会社を承継しようと思っています。父の話と株主名簿の記載が食い違っていることについて何か問題がありますか。

【トラブルの原因】
株主名簿があっても、実際に出資をした人と違う人が株主とされている場合や、株式が譲渡されたにもかかわらず、名簿の書換えがされないケースがあります。このため、誰が真の株主かが争いになり、事業承継に支障が生じる場合があります。

【解説】
株主名簿があっても、実際に出資した人と違う人が株主とされていることもあります。1990年の商法改正（平成２年法律64号）前は、株式会社を設立するためには、最低７人の発起人が必要とされていました。このため、実際には創業者が全部出資しているのに、発起人の名前だけを友人に借りる、ということもよく行われていました。この場合、実際の出資者が真の株主になるはずですが、本当に出資したのは誰であったのか、また単に名前を貸しただけなのか、その後に贈与されていたのではないかなど、争いが生じる余地があります。特に具体的ケースのように株券が見当たらない場合には、創業者が死亡した後に遺産分割協議で事業を承継する者を決める場合や、親族外の方に株式を譲渡して事業承継を行う場合に、大きなトラブルとなってしまいます。最終的には真の株主が誰であったのかを裁判で決着せざるを得ないこととなり、円滑な事業承継は望めません。後継を予定する人は、当初の会社設立時の事情をよく知る創業者が健在なうちに、名簿上の株主となっている方にも説明をして株主名簿を正しい内容に訂正してもらっておくべきです。株式を売買あるいは生前贈与する場合は、Q1①と同様に契約書の中で現経営者が一人株主であることを表明保証してもらうべきでしょう。

【参考裁判例】

東京地判平18.1.30、東京高判平24.2.8

Q2. 承継予定の会社の経営状態を確認しなかったことにより起こるトラブル

③ 承継予定の会社において実際に取締役会や株主総会が開催されていたことを把握している

【具体的ケース】

私は、父が長年経営してきた飲食店を承継することを考えています。飲食店は10年ほど前に株式会社にして、その時点では、私と妹が手伝っていたので、父が500株、私が250株、妹が250株出資しました。ところが、その後、私と妹の関係が悪くなってしまい、今は父と私で経営しています。株式会社を設立してからも、父は個人事業時代と同じように、取締役会や株主総会は開かず重要なことを決めていました。妹が会社を出てからも、取締役選任や取締役報酬の決定も適宜行っています。一応、形式上は取締役会議事録や株主総会議事録は作っており、私も確認しています。このように取締役会や株主総会が実際には開催されていたかった会社を今後、私が承継するにあたって、何か問題がありますか。

【トラブルの原因】

実際に取締役会決議や株主総会決議が適正に行われていないと、後々になって会社法上の重要な行為が無効となるリスクがあり、結果的に事業承継に支障が生じかねません。

【解説】

株式会社では取締役の選任は株主総会の決議で決めるとされています（会社法329条１項)。また、取締役会設置会社の場合、代表取締役は取締役の中から取締役会決議で選定することになっています（同法362条２項)。ところが中小企業では、株主総会や取締役会を実際には開かずに議事録を作成するなどして書面の体裁だけを整えて、取締役選任や代表取締役選定の登記をしていることがあります。全ての株主の仲が良い状態で会社を運営できている場合には問題が明らかになりません

3

が、具体的ケースのように、同族会社でも一部の株主との関係が悪くなってしまった場合、トラブルが生じる場合があります。具体的ケースで言えば、会社の株主である妹から、実際に株主総会を開いていないのに開いたことにして取締役の選任をしたり、取締役の報酬を支給したりしているのは無効だ、と裁判を起こされるリスクがあります。そうなってしまうと、相談者への円滑な事業承継は望めません。また親族以外の方が事業を承継する場合でも、承継を検討している方が、承継対象の会社が会社法の定める経営上のルールをきちんと守っていることを確認することが事業承継を円滑に進める第一歩です。

【参考裁判例】

東京地判平17.5.30、東京地判平19.3.28

④　承継予定の会社が従業員に残業代を全額支払っているのを把握している

【具体的ケース】

父が亡くなった後、もともと私が父の会社を手伝っていたこともあって、私が会社の株式を相続して事業を承継し、その他の預貯金については弟が相続する予定となりました。私は、従業員が時々サービス残業をしていたことは知っていますが、会社と従業員の関係は良好だと思っているので、私が会社を承継するとしても従業員のことは心配していません。何か問題がありますか。

【トラブルの原因】

会社が従業員に残業代を支払っていない場合など、貸借対照表上に現れない潜在的な債務があると、事業承継後に問題が発生する可能性があります。

【解説】

誰もが知っているような有名な上場企業が従業員に残業代を支払っていなかった、ということで労働基準監督署から指導を受け、多額の残業代を従業員に支払うこととなった、というような報道に接することがあります。ましてや中小企業においては、残業代を支払っていなかったという場合や、労働災害が発生していた場合、極端な場合には取引金融機関に債務超過の状態であることを隠すために一部の負債を貸借対照表に計上していなかったというような理由で、事業を承継した人が後になってはじめて潜在的な債務があったことに気付くケースもあります。そうなってしまうと、具体的ケースのように、折角、遺産分割協議がまとまり事業承継が終わると思っていたのに、その後になって従業員から未払残業代の支払いを請求される等して想定外の支出をすることにより会社経営が苦しくなる、というようなことになりかねません。また、株式譲渡などによって親族外への事業承継が行われるに際しては、譲渡を受けることを検討している方が、譲渡会社に残業代などの潜在的な債務がないか、過去に従業員の労働災害が発生していないかなど資料をもとによく確認する必要があり、このような債務がある場合には、その債務があることを前提に買取金額を検討したり、債務の額によっては買取りするのかどうかについても再検討する必要があります。事業承継を検討するに当たって、まず承継対象会社の運営をよく確認して、未払残業代のような潜在的な債務があったとすればこれを踏まえた事業承継を計画していく必要があります。

【参考裁判例】
仙台高判平20.7.25（労判968号29頁）

Q3. 株式の譲渡や相続に関するルールを決めていなかったことによって起こるトラブル

⑤　承継予定の会社において、定款上、株式の譲渡を行うにあたって会社（取締役会など）の承認が必要とされている

【具体的ケース】
私は父が経営していた建設会社の株式を、父が死亡した後に弟と共に相続することになり、遺産分割協議の結果、私が600株、弟が200株を相続しました。会社の発行済みの株式会社の総数は1000株で、残り200株は昔に会社で働いていた父の弟と取引先の会社の社長何名かが所有しています。私は、弟と一緒に何とか会社の経営を続けてきましたが、現在の会社の経営状態は厳しいです。私達兄弟も歳をとりましたので会社経営を続けていく意欲もありません。私の子は全く別の仕事をしていますし、弟には子がいないので、会社をＭ＆Ａにより譲渡し、従業員や取引先を引継いでもらい、事業承継をしようと思っています。ところが、承継を希望している会社から、「定款に株式の譲渡制限がないから、あなた方兄弟以外の方が所有している200株が他人に渡り、承継後の会社経営に支障を来す可能性がある」などと言われ、この点が原因で事業承継の交渉が難航しているようです。当社のような、そんなに儲かっていない、小さな建設会社の株を買う人がいるとは思えませんが、誰かが当社の株式を買って株主になり、その結果、会社経営に支障を来すなんてこと

5

を考えなくてはいけないのでしょうか。

【トラブルの原因】

株式の譲渡制限の定款の定めがされていないと、望ましくない人が株主に入ってきてしまい会社経営に支障が発生してしまう可能性があり、事業承継の障害となるケースがあります。

【解説】

多くの中小企業の株式会社の定款には、株式を譲渡するにあたっては取締役会や株主総会の承認を得なければならない、という譲渡制限の定めが置かれています（会社法107条１項）。人的な関係が強い中小企業においては、経営方針が合わない株主が入ってくることを防ぐことに合理的な理由があります。そして、この譲渡制限の定めがあることで、経営を行っている株主は、経営に参加していない株主に対し、比較的強い立場で株式の譲渡代金の交渉を行うことができることとなり、事業承継を進めやすくなります。ところが、具体的ケースのように中小企業であるにも関わらず定款上、株式の譲渡制限の定めが置かれておらず（1950年から1966年までの間、株式の譲渡制限制度がない時期があったため、このころ設立された会社は要注意です。）、かつ、現経営者が会社の発行済株式の一部（具体的ケースでは200株）を保有していない場合、事業承継を検討している会社は、承継後に一部の株式（具体的ケースでは200株）が第三者に譲渡されて経営に関与するリスクを検討すると思われます。そうすると定款に株式譲渡制限の定めがないことが事業承継を進める妨げとなる可能性があります。そこで、予め株主総会の特殊決議（会社法309条３項１号）により定款変更を行っておくことを検討する必要があります。ただ、その場合、定款変更に反対の株主には、一定の要件のもと、会社に対して株式を公正な価格で買い取ることを請求することができる、とされています（会社法116条）。この場合に、定款変更に反対の意思を持つ株主が買取り価格を高くしようとして争うこともあるので、事前に弁護士にも相談して、定款変更を行うべきかどうかも含め、対応を考えた方が良いと思われます。

⑥　承継予定の会社において、定款上、株式を相続した者に株式の売渡しを求めることができる

【具体的ケース】

私の父は、ネジを作る小さな会社を経営していました。会社の株主は父が70％、父の友人でネジの技術者をしていたAさんが30%で、定款上、株式の譲渡制限が定められています。約半年前に父が死亡し私が70%の株を相続して、会社の経営をひきつぎました。私には、娘が二人いますが、娘の配偶者は大きな会社に勤務しており、ひとりは海外に、もう一人も地方に転勤していますので、株式を売却して会社を譲渡することを考えています。Aさんの一人息子のBさんもネジの製造とは全く関係ない仕事をしています。Bさんは、変わり者と言われており、色々と会社の経営に口を出してくることを心配していたのですが、先日Aさんも亡くなりBさんがAさんの財産を全て相続しました。そこで私からBさんに株式を譲って欲しいと申し入れました。ところがBさんは会社の経営状態から考えて常識的には考えられないような買取金額を提示してきました。何とかならないでしょうか。

【トラブルの原因】

株式を相続などで一般承継した者に対して、株式会社がその株式を売り渡すことを請求することができる旨の定款の定め（会社法174条）を置いていれば避けられるトラブルです。

【解説】

株式会社が、株式を相続した者から譲渡制限株式を取得するためには、①会社が相続人との合意により任意に取得する方法（会社法160条１項）と、②相続人に対して売渡請求権を行使して強制的に取得する方法（同法174条）があります。相続人と話し合いができれば①の方法が望ましいですが、具体的ケースにあるように、相続人（本件ではB）と話し合いがまとまらず、会社経営に色々注文を付けてこられたり、非常に高額な買取金額を要求してこられたり、というトラブルがあり得ます。この点、中小企業のように株主相互の人的信頼関係が重視されるような会社の場合には、前記⑤で紹介したように定款で株式の譲渡制限を定めることができますが、たとえ譲渡制限の定めがあっても、相続や会社の合併などの一般承継の場合には、譲渡制限の効力は及ばない、とされています。そこで、定款で、株式を相続などで一般承継した者に対して、株式会社がその株式を売り渡すことを請求することができる旨の定款の定め（会社法174条）を置くことができる、とされています。そして、この定款に基づいて会社が売渡請求を相続人等に行い、会社側が安い金額を主張し、相続人等が高い金額を主張する等の事情で売渡金額が協議によって決まらない場合には、一定のルールに従って裁判所が売買価格を決定してくれることになっています（会社法177条）。これを使えば、具体的ケースにおいて、Aの死亡後に相続人Bが常識に反するような高額な買取金額を主張してくる場合も対応が可能です。ただし、当該売買価格は売渡請求が効力を生じる日の剰余金分配可能額を超えることができない（「財源規制」。会社法461条１項５号）ので、注意が必要です。

そこで、まず定款上、会社法174条の定めがされていない場合には、株主総会の特別決議により定款変更を行うことを検討するとよいでしょう。なお、実際の相続等が発生した後に、この定款変更を行い相続人等に対して売渡請求を行うことも可能との見解もあります（後記裁判例参照）が、株式取得後の定款変更は不意打ちとなりかねない、として売渡請求を行うことはできないと解すべきではないか、との見解もあり（山下友信編「会社法コンメンタール４・株式【２】」121頁（伊藤雄司））、事前の対策を行っておくことが重要です。

【参考裁判例】

東京地決平18.12.19（資料版商事法務285号154頁）

Q4. 承継予定の会社の財産と個人の財産が区分されていないために起こるトラブル

⑦　承継予定の会社の本社・工場の敷地や建物が全て会社名義となっている

【具体的ケース】

私は自動車部品を作る会社を経営しています。昨年、同業他社の経営者から会社を売却したいという申し出があり、製造力及び販売力の強化につながると考えた私は、その会社の株式の全てを譲り受けました。その後、譲り受けた会社の工場の敷地の一部の所有者であると名乗る人物から、地代を支払ってほしいという連絡がありました。調べてみると、譲り受けた会社の工場の敷地の一部が同社のオーナー個人の所有名義で、連絡してきた人物はその土地を譲り受けた者であることがわかりました。もともと会社の工場の敷地として会社が無償で使用していた土地であり、地代を支払いたくないのですが、相手は地代を支払わないのであれば工場の明渡しを求めると強硬なことを言ってきます。何とかなりませんか。

【トラブルの原因】

承継の対象となる会社の本社や工場の土地所有権と、建物の所有権が、会社と個人に分かれてしまっており、個人の所有不動産を譲受けの対象に含めなかったことによりトラブルが発生することがあります。

8

【解説】

中小企業においては、会社の本社や工場の土地は個人（オーナー）所有で、建物は会社所有になっている、というようなことがあります。オーナーが存命中は、実質的には会社所有の建物もオーナー個人所有と同じ、ということで、会社とオーナーとの間の賃貸借契約書を作成していなかったり、地代の支払もあいまいになっているようなことがあります。ところが、この状態を看過して、個人所有の不動産を譲受けの対象に含めず会社だけを譲り受けると、個人所有の不動産の所有権を取得した者から地代の支払いを求められたり、本社や工場の明渡しを求められて裁判になってしまう、ということがあります。会社を譲り受ける前に本社や工場などの会社の重要な拠点の所有状況を確認すべきです。もしオーナーなどの個人所有の不動産を会社が利用している場合にはオーナーと会社との間の契約書が整備されているか、地代がどうなっているかを確認しましょう。その上で会社を取得し事業を承継した際に円滑に事業が遂行できるように、不動産を会社名義とすることの検討等を行う必要があります。こういった場合は法律的な問題が密接に関係しますので、必要に応じて弁護士とも相談しなければなりません。

【具体的ケース】の場合のように譲り受け後に問題が明らかになった場合には、通謀虚偽表示や権利濫用などを土地の譲受人に主張できないか検討することになります。弁護士にすぐに相談して、法的な主張とともに会社の事業継続を守る解決案を検討してもらうべきです。

⑧　承継予定の会社の貸借対照表上、オーナーからの借入金やオーナーに対する貸付金がいくらあるかを把握し、承継後の処理について取り決めをしている

【具体的ケース】

私は機械部品等を製造・販売する会社を経営していますが、類似業種の会社を経営している知人から、仕事を引退することになり後継者もいないので会社を買い取ってほしいとの申し出を受け、その会社を買い取ることになりました。譲り受けた会社には、過去にオーナーが個人の財産から運転資金を出した際に計上された、オーナーからの借入金がありましたが、会社からオーナーに対して返済されたことは一度もなく、オーナー自身も口頭で会社に対して返済を求めるつもりはないと言っていました。後日そのオーナーは亡くなりましたが、その後、そのオーナーの子から、会社に対する貸付金を相続したとして、返済を求める連絡がありました。会社を譲り受けた時のオーナーの話からすると、返済する必要がないものであると思っていましたし、返済に充てるお金もありません。それでも支払わなければいけ

9

ないのでしょうか。

【トラブルの原因】

会社の帳簿上、オーナーからの多額の借入金や未払金が計上されていたため、その返済について問題になることがあります。

【解説】

オーナーのいる中小企業の場合、オーナーの意識としては、「会社の資産も個人の資産もいずれも自分のもの」という場合が少なくありません。このため、会社の資金繰りが厳しくなった時に、オーナー個人のお金で会社の資金繰りを行ったり、会社の債務を支払ったりすることがあります。オーナーとしては、会社に将来返してもらうつもりはなかったものの、税務上の問題が発生することを避けるために帳簿上は借入金や未払金として多額の債務が計上されていることがあります。ところが外形上はオーナーが会社に対する貸付債権などを持っていたことになるため、具体的ケースのように、会社に対する貸付債権を取得したという者がその返済を求めてくることがあります。このようなことにならないように、あらかじめ実態に沿った貸借対照表に修正する、会社を譲り受ける際にオーナーからの借入金等の処理についてオーナーとの間で契約書を取り交わすなどの対応をとっておくことがよいでしょう。

【具体的ケース】の場合のように前オーナーの死亡後に相続人と会社との間で紛争になった場合は、相続人に対して、例えば、借入金が存在していない、既に時効消滅している、前オーナーが債権放棄した等と主張して争うことが考えられます。どのような主張をしていくのかにせよ、自分で対応して借入金があることを承認してしまう等の不利な対応をする前にすぐに弁護士に相談すべきです。

相続や贈与で真の株主が誰か不明確となって起こるトラブル

Q5. 相続した人から株式譲渡を受ける場合に起こるトラブル

① 相続人は誰であるのかについて戸籍謄本等で把握している

【具体的ケース】

私Xは運送会社Aの代表取締役です。この度、ある人からの紹介で別の運送会社Bの株式を買い取らないか、と持ち掛けられています。事情をお聞きしたところ、B社は創業者兼社長Yが100％の株式（100株）を持って経営していたのですが、つい最近、Yさんが急にお亡くなりになり、相続人の妻Zと子ども2人は事業に全くタッチしていなかったため、株式を売却したい、ということのようでした。相続人が妻と子ども2人であることは口頭で説明を受けただけですが、信用して売買契約を締結しようと思いますが、問題ないですよね。

【トラブルの原因】

相続人が誰かについて口頭だけで説明を受け売買契約を締結し、その後、他にも相続人がいた、というトラブルが考えられます。相続の専門家でもある弁護士に依頼して、Yさんの妻子から戸籍謄本などの写しの交付を受けてもらい相続人が誰かを確認してもらったうえで、進めるべきでしょう。

【解説】

相続人が誰かを確認するにあたって確実な方法は、お亡くなりになった被相続人が出生した時からお亡くなりになるまでの戸籍謄本・除籍謄本などを間断なく確認することが必要です。例えば、お亡くなりになった際の戸籍謄本だけを見ると妻と子ども2人だけであっても、実は以前に結婚していて子どもができた後に離婚し再婚している場合や、ご結婚をされていたわけではないものの以前にお子さんを認知されていた、ということが分かるケースがあります。このため、上記のとおり出生から死亡までの戸籍謄本・除籍謄本などを間断なく確認することが必要となるのです。これらの謄本は、株式の売却を考えている妻子の側に取得してもらい、その交付を受けて確認することが必要です。しかし、過去の戸籍などを全て株式の買主に交付するのに抵抗感を持つ方もおられるでしょう。また、戸籍が間断なく連続しているかは、戸籍謄本や除籍謄本を見て判断のできる専門家に依頼するのが確実で

11

す。そこで、この点の専門家である弁護士に確認をしてもらう方法が有効です。

② 遺産分割協議前に相続人からその法定相続分の株数（発行済み株式総数に法定相続分を乗じた数の株式）を譲り受ける旨の合意をすると、どのようなリスクがあるのかを知っている

【具体的ケース】

先のケース①の代表取締役Xです。亡Yの妻Zから戸籍謄本などの提供を受け、間違いなく妻Zと子ども２人の３人が相続人であることは確認できました。ただ、どうやら妻Zと子ども２人とは仲が上手くいっていないようで遺産分割協議が進んでいないようです。妻Zは、Yの遺産であるB株式100株のうち、自分が法定相続分に従って相続した２分の１（50株）だけを先に私に売りたい、と希望しているようなのですが、進めても問題ないですよね。

【トラブルの原因】

相続が発生すると株式は自動的に法定相続分に従った数に分割されるのではなく、全ての株式が共有状態になる、と解されています。そして、株式について共有状態が生ずると、議決権等の権利行使者を指定して会社に通知しなければ議決権等の株主としての権利が行使できません（会社法106条本文）。

後継経営者が議決権等の権利行使者と指定されないと、会社の経営権を失ったのと同様の結果になります。

【解説】

本件の場合、この状態で相続が起きた場合、Yの遺産である100株が、法定相続分に応じて、自動的に、Zに50株、お子さん２人にそれぞれ25株ずつ、分割されるのではなく、１株の２分の１をZが、残りの４分の１ずつをお子さん２人が共有し、その数が100株あるということになります。

株式の議決権等の権利行使者を指定するに当たっては共有持分の過半数による多数決（民法252条本文）を要するとされています（後記【参考裁判例】の最判平9.1.28）。

本件においては、株式の議決権等の行使者の指定にあたってZと仲が上手くいっていないお子さん２人が合計で２分の１の持分を有していることになりますので、Zさんの共有持分は過半数に届かず、自らを議決権等の行使者と指定できないことになります。逆にお子さん２人が協力しても過半数に届きませんので、お子さん２

人が、どちらかを議決権行使者に指定することもできません。いわゆる、デッドロック状態になってしまいます。このことによりＹ社の経営は著しく不安定になります。

もちろん、上記の法的な状況を理解したうえで、Ｚから100株についての２分の１の持分を敢えて取得して、あとはお子さん２人と共有物の分割協議を行い解決していく、という覚悟があれば、それも１つの方法ではあります。しかし、強引に事を進めると却って問題がこじれることが多いでしょう。このようなことを避けるためには、お子さん２人も納得するよう事前に協議をして、100株とも買い取るか、少なくとも遺産分割協議がきちんと終了するのを待って、相続人から株式を買い取るのが良いでしょう。

【参考裁判例】

大阪高判平20.11.28（判時2037号137頁、金判1345号38頁）、最判平9.1.28（最高裁判所裁判集民事181号83頁、裁判所時報1188号56頁）

Q6. 遺言や生前贈与で株式を取得した人から譲渡を受ける場合に起こるトラブル

③ 生前贈与で全ての財産を取得した人から株式の譲渡を受ける場合に、どのようなリスクがあるのかを知っている（特別受益）

【具体的ケース】

私Ｘは、ある人からの紹介で株式会社Ａの株式を乙さんから買い取ることを検討しています。Ａ社はもともと乙さんの父親である甲さんが創業し、甲さんが100％の株式を持っていたのですが、甲さんは乙さんにＡ社を継いでもらおうと全株式を乙さんに贈与していました。ところが、その後、甲さんがお亡くなりになり、乙さんはＡ社の株式を全て売却することを決意され、私のところに話が持ち込まれたのです。ところで、乙さんには弟の丙さんがおられるのですが、丙さんは、兄の乙さんが父親から全株式の生前贈与を受けていることについて納得されておらず、現在紛争になっている、とのことです。乙さんとしては、一刻も早く、Ａ社の全株式を私に購入して欲しいと言っておられるのですが、何か問題はないでしょうか。

【トラブルの原因】

甲が生前乙に対して行っていた全株式の贈与は、「婚姻若しくは養子縁組のため又は生計の資本として」行われたものとして特別受益に該当し、甲の死後に相続財産の計算対象になります。この点、2019年７月１日に施行された改正後の民法（以下「新民法」といいます。）の施行前に相続が発生した場合には、改正前の民法（以下「旧民法」といいます。）が適用され、特別受益は全ての期間について遺留分を算定する財産の価額に算入されることになります。そして、実際に遺留分減殺請求権が行使された場合には、物権的効力により生前贈与された株式が共有となるリスクがあります。なお新民法では、相続開始前10年以内になされた特別受益のみが遺留分算定の財産の価額に算入され、遺留分権利者の権利も金銭請求権になり、株式の共有という状態は生じないこととなりました。

【解説】

上記の【トラブルの原因】にあるように、相続が発生したのが2019年７月１日以降であれば新民法が適用され、それより前であれば旧民法が適用されることになり、その後の法律関係が大きく異なってきます。したがって、まずは甲さんがお亡くなりになったのがいつかを正確に確認する必要があります。

1　旧民法が適用される場合（2019年６月30日以前に相続発生）

被相続人から生前贈与や遺贈を受けた者がいる場合、特別受益として相続分を算定する際に考慮されます（旧民法903条１項）。

仮に甲の保有財産がＡ社の株式のみで、その全財産を乙に生前贈与していたとします。この場合、乙には特別受益があることになり、旧民法での判例通説では、特別受益に該当する贈与は相続開始前１年間より前になされたものも遺留分算定の財産の価額に含まれる、と考えられていました（最判昭和51年３月18日民集30巻２号111頁、最判平成10年３月24日民集52巻２号433頁）。また、遺留分減殺請求権の行使の効果は減殺請求の対象となった目的物の所有権（共有持分権）は、遺留分権利者に戻る（物権的効力）と考えられていました。このため、甲の乙に対するＡ社の株式の生前贈与はその時期に関係なく遺留分算定の基礎とされ、弟の丙には４分の１の遺留分がありますので、丙が遺留分減殺請求権を行使した場合には、生前贈与されたＡ社の株式について丙が４分の１の共有持分を有していることになります。

したがって、Ｘとしては、丙が乙に対して遺留分減殺請求権を行使し株式が共有状態になっているのか否かを、十分に確認のうえでないと乙からＡ社の株式を購入することにはリスクがある、ということになります。旧民法では遺留分減殺を受けるべき受贈者が贈与の目的を他人に譲り渡した場合、仮に譲受人が譲渡の時において遺留分権利者に損害を加えることを知っていたときは、遺留分権利者は、譲受人に対して減殺請求することができるとされていますので（旧民法1041

14

条1項ただし書き)、この意味でも注意が必要です。

2　新民法が適用される場合（2019年7月1日以降に相続発生）

この点に関連して、2019年7月1日に施行された新民法では、遺留分制度について以下の2つの大きな改正がされました。

ア　1つ目は、特別受益について、旧民法では、何年前の贈与であっても遡って遺留分算定の財産の価額に算入され、遺留分減殺請求の対象となる可能性がありましたが、新民法では、原則として、相続開始前の10年間にしたものに限り算入され、その受贈者が遺留分侵害額請求を受ける可能性がある、とされたことです（新民法1044条3項）。

イ　2つ目は、遺留分権利者の権利が、旧民法では遺留分減殺請求権が行使されると減殺請求の対象となった目的物の所有権の全部又は一部が、遺留分侵害額の限度で遺留分権利者に移転する（いわゆる「物権的効力」）とされていたのが、新民法では遺留分侵害額請求権という金銭債権になった、という点です。

アについて具体的に説明すると、仮に乙が受けた生前贈与が相続開始前10年以内より前に行われていたとすれば、遺留分算定の財産の価額には算入されず、結局、丙は乙に対して遺留分侵害額請求を行うことはできない、ということになります(ただし、新民法1044条1項ただし書の害意がある場合は別)。

イについて具体的に説明すると、仮に乙が受けた生前贈与が相続開始前10年以内に行われており、乙が丙の遺留分について侵害していたとしても、乙は丙に対してA社の株式の4分の1に相当する金銭で支払えばよく、株式の共有、という状態は生じない、ということになります（新民法1046条)。そして、旧民法では、遺留分減殺を受けるべき受贈者が贈与の目的を他人に譲り渡した場合、仮にその譲受人が譲渡の時において遺留分権利者に損害を加えることを知っていたときは、遺留分権利者は、譲受人に対しても減殺請求することができるとされていましたが（旧民法1040条1項ただし書き)、新民法では削除されました。

旧民法では、特別受益について何年前でも遡って遺留分算定の価額に算入され、その効果も財産を共有状態に戻す、ということであったため、中小企業の株式が後継者以外の相続人と共有状態になり、遺留分制度が事業承継の障害となり得る、という批判がありました。そこで、上記2つの改正が行われることとなりました（Q＆A「改正相続法のポイント－改正経緯をふまえた実務の視点－」(編集日本弁護士連合会・新日本法規) 230頁)。

以上のとおり、新民法では相続人の特別受益の遺留分での扱いが大きく変わったため、従来と比べると生前贈与を使った事業承継が行いやすくなった、と言えるでしょう。

15

④　遺言で唯一の相続財産である株式全部を相続した人から譲渡を受ける場合に、どのようなリスクがあるのかを知っている（遺留分）

【具体的ケース】

私Xは、ある人からの紹介で株式会社Aの株式を乙さんから買い取ることを検討しています。A社はもともと乙さんの父親である甲さんが創業し、甲さんが100％株式を持っていたところ、甲さんがお亡くなりになり、甲さんの遺言により乙さんが株式を取得した、とのことです。ところで、乙さんには弟の丙さんがおられるのですが、丙さんは、兄の乙さんが遺言で全株式を取得したことについて納得されておらず、現在紛争になっている、とのことです。乙さんとしては、一刻も早く、A社の全株式を私に購入して欲しいと言っておられるのですが、何か問題はないでしょうか。

【トラブルの原因】

先代経営者が後継者に全てを相続させる遺言を遺していた場合、その内容がそれ以外の相続人の遺留分を侵害していれば、後継者が遺留分減殺請求又は遺留分侵害額請求を受けることになります。Q6③で解説したように、相続の発生した時期に応じて、遺留分制度の内容が異なってきますので、注意が必要です。

【解説】

Q6③で詳しく解説したように、2019年7月1日施行の新民法により遺留分制度が大きく改正されました。すなわち、旧民法では遺留分減殺請求権を行使されると減殺請求の対象となった目的物の所有権（共有持分権）が、遺留分権利者に移転した（物権的効力）のが、新民法では遺留分侵害額請求権は金銭債権となりました。

したがって、相続が発生したのが、2019年6月30日以前であれば旧民法が適用され、弟の丙の遺留分減殺請求によりA社の株式が共有状態になっている可能性があります。また、旧民法では、遺留分減殺を受けるべき受贈者が贈与の目的を他人に譲り渡した場合、仮にその譲受人が譲渡の時において遺留分権利者に損害を加えることを知っていたときは、遺留分権利者は、譲受人に対しても減殺請求することができるとされていましたので（旧民法1040条1項ただし書き）、この点でも注意が必要です。

これに対し、相続が発生したのが、2019年7月1日以降であれば新民法が適用され、丙は乙に対して遺留分侵害額請求という金銭請求を行うことはできますが、株式の共有という状態は生じず、また旧民法1040条1項ただし書きも削除されましたので、譲受人としては安心です。

⑤　死亡直前に作成された公正証書遺言で株式を相続した人から譲渡を受ける場合に、どのようなリスクがあるのかを知っている

【具体的ケース】

私Xは友人YからA株式会社の株式の譲渡を受けようと考えています。A社を長年経営してきたのは友人Yの父親Zだったのですが、Zは生前、公正証書でYにA社の株式全てを相続させるとの遺言を残していたとのことで、Z死亡によりYが相続したとのことです。ただ、Zが公正証書遺言を作成したのが死亡する直前だったらしく、Yの兄弟らが遺言は無効だと主張して争いになっている、とのことです。私も友人Yから、以前、Zが高齢になり記憶力が減退し夜間に徘徊するので困っていると聞いたこともありました。世間ではよく、公正証書遺言は一番確実だ、と言われているので、大丈夫だろう、とは思っているのですが、後々公正証書が無効になるというようなことはないですよね。

【トラブルの原因】

公正証書遺言であっても、当時の遺言能力や遺言方式（特に口授）に問題があるとして、遺言が無効になるケースがあります。

【解説】

遺言者本人が作成する自筆証書遺言と異なり、公正証書遺言は、公証役場において法律の専門家である公証人が遺言書を作成する遺言方式です（民法969条）。

公正証書遺言に当たり、公証人は遺言者の本人確認を行いますし、遺言の方式や内容に法律上の不備がないか確認し、不備があれば補正を求めることが通常です。

また、公正証書の作成には証人二人が立ち会います。

作成された公正証書の原本は公証人が保管しますので、正本や謄本を紛失しても内容が分からなくなることはなく、隠匿や改ざんの危険性も低いものといえます。

このようなことから、一般的に、公正証書遺言は自筆証書遺言に比べて確実性の高い方式とされており、後日、遺言の成否や内容を巡るトラブルにはなりにくいということができます。

他方、公正証書遺言であっても、遺言当時に遺言能力（遺言内容を理解し、遺言の結果を弁識し得るに足りる意思能力）を欠いている者が行った遺言であれば無効となりますので、十分な注意が必要です。

多くの裁判例において、遺言能力の有無は、精神上の障がいの程度、年齢及び当時の言動といった遺言者の能力に関わる事情に加え、遺言の複雑性や遺言作成の動機といった遺言内容に関わる事情を考慮して判断されています。

しかしながら、公正証書遺言に当たり、受け答えに特段不自然な点がなく、法定された手順に従っていれば、遺言能力がなくても公正証書が作成されてしまうことがあります。

また、公正証書遺言の有効性が争われるトラブルでは、法律上求められている口授（民法969条２号及び３号）の有無が問題とされることもあります。

口授とは、遺言者が遺言の趣旨を公証人に口頭で伝えることであり、公証人の質問に頷いたり首を振ったりしただけの場合は、口授があったとはいえません。

特に、遺言者以外の第三者（親族等）が公正証書の作成手続を進める場合、事前に遺言内容を記載した原稿を作成し、遺言者に原稿を確認させて署名捺印させるだけで済ますこともあり、そのような場合に適法な口授があったか争いになることがあります。

上記の具体的ケースのように、遺言者の遺言能力に不安がある場合、仮に公正証書遺言を行ったとしても、後日、その有効性が争われて無効とされるリスクがあります。

⑥　民法が改正されて遺留分など相続に関する法律が、どのように改正されたかを知っている

【具体的ケース】

最近民法が改正されて相続についてのルールが変わったと聞きましたが、事業承継にはどのような影響がありますか。

【トラブルの原因】

民法改正で相続についてのルールが変わりました。事業承継にも大きく影響する改正がありますので、注意が必要です。

【解説】

1　改正法の骨子

改正法の内容は多岐に亘りますが、改正項目としては、①配偶者の居住権を保護するための方策、②遺産分割等に関する見直し、③遺言制度に関する見直し、④遺留分制度に関する見直し、⑤相続の効力等に関する見直し、⑥相続人以外の

18

者の貢献を考慮するための方策、があります。それぞれの改正内容は次の表のとおりです。

改正項目	改正内容
①配偶者の居住権を保護するための方策	・配偶者短期居住権の新設 ・配偶者居住権の新設
②遺産分割等に関する見直し	・配偶者保護のための方策（持ち戻し免除の意思表示推定規定） ・遺産分割前の預貯金払戻制度の創設 ・遺産分割前に遺産に属する財産を処分した場合の遺産範囲
③遺言制度の見直し	・自筆証書遺言の方式緩和 ・遺言執行者の権限明確化 ・遺言執行者がある場合の遺言に反する相続人の行為の効力 ・法務局における自筆証書遺言保管制度の創設
④遺留分制度に関する見直し	・遺留分侵害額請求の効果の金銭債権化と裁判所による期限の付与制度の創設 ・遺留分算定の財産の価額に算入される特別受益については、原則として、相続開始前10年間に限定
⑤相続の効力等に関する見直し	・相続させる遺言による財産の承継（移転）の第三者に対する効力について対抗要件主義に
⑥相続人以外の者の貢献を考慮するための方策	・相続人以外の被相続人の親族が被相続人の療養看護等を行った場合に一定の要件のもとで、相続人に金銭請求ができる制度（特別の寄与制度）の創設

2　施行期日

原則として2019年７月１日ですが、自筆証書の方式緩和については2019年１月13日、配偶者居住権を保護するための方策については2020年４月１日、法務局における自筆証書遺言保管制度については2020年７月10日から施行されています。

3　事業承継への影響が大きい改正項目

事業承継への影響が大きい改正項目としては、③遺言制度の見直しと、④遺留分制度に関する見直しが挙げられます。

19

③　遺言制度の見直し

新民法によって2019年１月13日以降に作成された自筆証書遺言については、遺言本文に添付する財産目録については自筆でなくてもよい、と要式が緩和されました（新民法968条２項前段）。例えば、財産目録をパソコンで作成することはもちろん、遺言者以外の第三者による代筆、不動産の登記事項証明書、預金通帳のコピー等を添付する方法もできると考えられています（Q＆A「改正相続法のポイント－改正経緯をふまえた実務の視点－」（編集日本弁護士連合会・新日本法規）102頁）。ただ、偽造等を防止する必要があるため、自筆証書遺言に添付する財産目録を自書により作成しない場合には、遺言書はその目録の毎葉（表裏に自書によらない記載がある場合にはその両面）に署名押印する必要があります（新民法968条２項後段）。

また、自筆証書遺言を確実に保管し、相続人等が相続開始後にその存在を簡単に把握することができるように、自筆証書遺言の法務局での保管制度が新設され、2020年７月10日から施行されています（法務局における遺言書の保管等に関する法律）。この制度を使えば、これまでの自筆証書遺言に必要とされていた家庭裁判所の検認手続は不要とされています。

このように今回の改正によって、事業承継を円滑に進めるために重要な制度である遺言がより使いやすいものとなった、と言えます。

他方、「相続させる」遺言による財産の承継については、旧民法では、対抗要件なしに第三者に主張し得る（いわゆる絶対効）とされていましたが、新民法では、法定相続分を超える部分の取得については対抗要件なしに第三者に主張できないこととされました（新民法899条の２第１項）。

また、遺言執行者がある場合において、旧民法では、相続人が遺言に反して遺贈の目的物を第三者に処分しても絶対的に無効であり、受遺者は遺言による取得を対抗要件なしに第三者に対抗できる、とされていました（いわゆる絶対的無効）が、新民法では、遺言執行者がある場合の遺言に反する相続人の行為は無効としつつ、その無効を善意の第三者に対して主張できないものとされました（同法1013条２項）。

したがって、今回の改正により、遺言によって事業承継に必要な株式等の財産を承継しようとする場合、第三者との間では対抗問題等となる場面が多くなると思われますので、遺言を活用する場合には、対抗要件の具備（株主名簿の書換）等の遺言執行を速やかに行うことが求められます。

④　遺留分制度に関する見直し

旧民法では、相続人へ事業承継の対象となる会社の株式が生前贈与され特別

20

受益に該当する場合、それが相続の何年前であっても遡って遺留分算定の価額に算入されていました。しかも、特別受益が遺留分算定の基礎財産に算入される場合、その算入価額は相続開始時のものとされる一方、贈与後に受贈者の貢献によってその価額が上昇した場合であってもその貢献は考慮されないものとされています。したがって、例えば、20年も前に株式が生前贈与され、受贈者（後継者）が努力をして株式の価値が上がった後に相続が発生したような場合、後継者以外の相続人の遺留分が増大することとなり、後継者の経営意欲を阻害しかねない、との問題が指摘されていました（金融法務事情2017号23頁・「論説　民法（相続法）の改正と事業承継」・弁護士吉岡毅、最判平成11年12月16日民集53巻９号1989頁）。そこで、今回の改正で、特別受益については相続開始前の10年間にしたものに限り遺留分算定の価額に算入する、とされました（新民法1044条３項）。

また、旧民法では遺留分減殺請求権が行使されると減殺請求の対象となった目的物の所有権（共有持分権）が、遺留分権利者に移転する（物権的効力）とされていました。例えば、承継対象となる会社の株式について遺留分減殺請求されると株式の共有状態が生じ、事業の円滑な運営に支障を来すということが問題となっていました。そこで、今回の改正では、遺留分権利者の権利は遺留分侵害額請求権という金銭債権とされ（新民法1046条）、承継対象となった株式が共有になる、という事態は避けられることとなりました。ただ、遺留分侵害者が取得した財産が即座に換金不可能なもの（不動産や非上場株式等）である場合、直ちに遅滞に陥るのは侵害者に酷な場合もあることから、裁判所が、侵害者の請求に基づき、負担すべき侵害額債務の全部または一部の支払につき相当の期限を許与することができるものとされました（新民法1047条５項）。遺留分制度の見直しの点については、Q6③④の解説でも触れていますので、そちらも参照ください。

21

親族以外の第三者が事業承継をするケースでのトラブル

Q7. 事業承継を検討する段階でのトラブル

① 事業承継を打診してきた会社の経営状態について確認する前に当事者の間で一定の取決めをすることが普通であるのを知っている

【具体的ケース】

私はビル管理業を経営する会社を経営していますが、この度当社の取引先である産業廃棄物を取り扱う会社から同社の事業を引き継いでほしいとの話がありました。その会社は、取引先、産業廃棄物の処理方法、収集コストなど全ての経営状態を見せてくれるということですが、当社に開示した情報の取り扱い等についてきちんと取り決めをしておきたいと言っています。事業承継に際しては相手の会社との間で何らかの取り決めをしてから交渉を進めるのが普通であると聞きましたが、そうなんですか？

【トラブルの原因】

親族以外の第三者（以下「譲受人」といいます。）が事業を譲り受ける取引を行う場合、きちんと取り決めをすることなく交渉を進めると、事業を譲渡する側には、交渉相手である譲受人に取引先を奪われたり、会社の重要な情報を不正利用されたりしてしまう危険性もあり、事業承継の妨げとなる場合があります。このため実務上は事業承継の交渉段階において相手方との間で秘密保持契約等の取り決めをするのが通例です。

【解説】

事業承継は、一方が営む事業を、他方に移すという重大な結果を発生させる出来事です。その上、案件の検討を開始してから、最終契約に至るまでに相当長期間の交渉が必要となることも少なくありません。特に、事業承継を検討する第三者が財務・税務・法務等の観点から対象会社を調査（いわゆる、デュー・デリジェンス）しようとする場合などには、様々な情報が提供されることになるわけですから、最終契約が締結されるまでの交渉段階でも一定の契約を締結しておく必要性が高いということができます。

事業承継は、当事者だけでなく、その事業自体にも重大な影響を与えることにな

22

りますから、これを成功させるためには、取引の存在及び内容を公表できる段階に至るまでの間、秘密にしておく必要性が高いといえます。

また、開示された情報を他の目的に転用したり、第三者に開示したりすることも避けなければなりません。

したがって、最終契約に至る前の交渉段階でも、少なくとも秘密保持契約を締結しておく必要があるでしょう。

実務上は事業承継の交渉段階において相手方との間で秘密保持契約等の取り決めをするのが通例です。

②　交渉相手と同じ仲介業者に依頼すると、どのようなリスクがあるのか知っている

【具体的ケース】

私はパチンコ事業を行う会社を経営しています。当社のパチンコ事業のライバルとしてしのぎを削ってきた隣接地域の会社が依頼した仲介業者から、同社が事業承継を考えているので検討して欲しいとの打診を受けました。

当社は地元に根差してコツコツと商売をやって事業を拡大してきましたし、別会社から事業を承継する形で事業を拡大することなど全く考えたことがありませんでした。また、事業承継に詳しい知人や専門家もいません。

当社に話をもってきた仲介業者は、何件も事業承継を成功させてきた業者だと聞いていますし、これから当方の仲介業者を選任するのも手間がかかって面倒です。同じ仲介業者に私も事業承継を依頼することにしました。

【トラブルの原因】

事業承継の手間暇を省くために、同一の仲介業者へ依頼をすることとすると、ライバル会社に有利で当方に不利な契約を交わされたりする危険性もあり、事業承継の妨げとなる場合があります。

【解説】

本件は、事業を譲渡する会社のパチンコ事業自体の価値を不当に高く設定するなどして事業譲渡者に有利、事業譲受者に不利な契約を仲介業者の一存で締結されてしまうこともあり得る契約類型です。

仲介業者への依頼や選任の内容にもよりますが、仲介業者が事業承継当事者の双方から依頼を受けることは、一方の「利益」が他方の「不利益」となる可能性が高く、仲介業者が行った事業譲渡自体が認められないこともあり得ます（民法第108

条参照）が、むしろ、紛争に巻き込まれないという観点からは、自分だけの利益を基礎として先方と交渉してもらえる人に依頼するべきでしょう。

この点に関して、2020年３月に公表された「中小M＆Aガイドライン―第三者への円滑な事業引継ぎに向けて―」（以下「中小M＆Aガイドライン」といいます。）は、売り手と買い手双方の１者による仲介は「利益相反」となり得る旨を明記し、仲介業者に対して不利益情報（両者から手数料等を徴収している等）の開示の徹底等、そのリスクを最小化する措置を講じることを求めています。仲介業者に依頼する側としては、仲介業者から利益相反のおそれがある事項について開示・説明を受け、その内容を慎重に検討した上で依頼するかどうかを判断すべきです。

こちら側の仲介業者を立てることが難しいのであれば、少なくとも、弁護士に適宜相談しながら進めることなどを検討することが必要です。その意味では多少の手間暇を惜しまないことが肝要です。

③　契約書作成を仲介業者に丸投げすると、どのようなリスクがあるのか知っている

【具体的ケース】

私は現在、建設会社を経営していますが、さらなる事業の拡大を考えている矢先、建設会社の事業承継の専門家と称する仲介業者と知り合い、意気投合して、口頭で、事業譲渡を検討している建設会社から当社への事業譲渡についての諸々を依頼し、なんとか事業譲渡について最終契約に至ることになりそうです。

業者は、なんでも手際よくやってくれていますし、なんといっても建設会社の事業承継の専門家でしょうから、私どもが口を挟まなくても、プロとして的確に事業譲渡を進めてくれているはずです。

今般、先方と交わす最終契約書が出来上がってきましたが、プロとして的確に作成された契約書に私がいちいちコメントすることもありません。このまま合意しようと思います。

【トラブルの原因】

契約書は当事者の権利義務を定める重要な書類です。事業承継は専門家に委ねていれば大丈夫と思い込んでいたところ、その信頼を裏切られたという事例も少なくないようですから、契約書を作成し、作成された契約書の内容を精査することはトラブル回避のために必要不可欠です。

24

【解説】

事業承継の内容は、事業の特性や日々行われている事業活動の具体的な中身によって様々です。また、専門家といえども、契約当事者の意向が契約書と合致しているかどうかまでチェックすることは困難です。事業譲渡について最終契約に至ることになったわけですから、事業特性や事業活動の中身が契約書に反映されているかどうかをチェックし、自己が思い描いている事業譲渡が契約書上明らかにされているかを精査しなければなりません。

また、同様に、自分の思い描いていた形で事業を譲り受けることができたが、通常の報酬と比して、巨額の報酬を請求されたという事態に陥らないためにも、事業譲渡に関する仲介業者との契約も書面にしておく必要があるでしょう。

自分の意向が反映しているのかどうかについてチェックするために、弁護士に適宜相談しながら進めることも有用です。専門業者が作っていても、思わぬ不利益条項が存在する場合もあります（具体的にはQ9を参照ください。）。

【参考裁判例】

東京地判平29.3.15（裁判所ウェブサイト掲載判例）

Q8. デュー・デリジェンス（DD）に関するトラブル

④ デュー・デリジェンスについて、どのような目的で何をするのかを知っている

【具体的ケース】

私は長年建設会社（X社）を経営してきたのですが、最近業績が伸び悩んでおり、新規事業分野を開拓できないかと考えていました。そんな矢先、取引先の電気工事会社（Y社）の経営者から、後継者がいないので会社を引き継いでもらえないかとの話がありました。その経営者から、会社の経営は順調で問題ないと聞いていますし、公共工事の入札資格も持っているので今後も安定して利益が出せると思います。破格の安値で株式を譲ってもらえるそうなので、すぐに株式を購入して事業を引き継ぎたいのですが、特に気を付ける点はありませんよね。

【トラブルの原因】

第三者がM＆Aにより対象会社、又は、対象会社の営む事業の全部もしくは一部（以下「対象会社等」といいます。）を引き継ぐ場合、事前に財務・税務・法務等の観点から対象会社等を調査するデュー・デリジェンス（Due Diligence = DD）を

十分に行っておかなければ、承継後に思わぬトラブルに巻き込まれ、対象会社等の円滑な運営に支障が生じたり、対象会社に多額の簿外債務が発見されて経営に行き詰ってしまったりするおそれがあります。

また、対象会社等の買収にあたって十分なDDを行わなかったため、DDを行っていれば容易に発見できた問題点を発見することができず、その結果、譲受会社やその株主等が損害を被った場合には、譲受会社の取締役が善管注意義務違反に問われる可能性もあります。

【解説】

現経営者の親族以外の第三者がM＆A（株式譲渡、事業譲渡、合併、会社分割等）により対象会社等を引き継ぐにあたり、現経営者から事前に対象会社等に関する十分な情報を入手することは困難です。とりわけ対象会社等にとって不利益な情報については、現経営者が自ら進んで開示することが期待できないというべきでしょう。また、対象会社の財務諸表を見ただけで、対象会社の資産・負債の状況や経営状況の実態を十分に把握することができるわけでもありません。

そのため、譲受会社では、M＆Aによる対象会社等の承継前に、財務・税務・法務等の観点から対象会社等を調査するDDを実施し、調査時における対象会社等の状況やリスクを可能な限り把握しておくことが重要です。

こうした過程を経由することなく譲受会社が対象会社等を承継した場合には、承継後に、対象会社が多額の簿外債務を抱えていたことが発覚したり、譲渡対象となった資産の価値が想定より低かったり、対象会社等に存在していた潜在的な紛争リスクが顕在化して法的紛争に巻き込まれたりするなどの事態が生じるおそれがあります。そうなれば、対象会社等の円滑な運営に支障が生じたり、対象会社が多額の負債を抱えて経営に行き詰ってしまったりすることにもなりかねませんし、そのことが譲受会社の経営に影響を及ぼす事態にもなりかねません。他方、事前にDDを実施しておけば、M＆Aによる承継前に対象会社等に内在するリスクを把握することができますので、そのリスクが譲受会社において許容できないものであれば、対象会社等の承継を断念することもできますし、また、そのリスクが許容範囲内であったとしても、譲渡会社においてクロージング前にリスクを解消すべく措置を講じてもらったり、譲受会社においてクロージング後にリスクに対応した措置を講ずべく事前に対策を検討しておくことも可能になります。

実施するDDの種類にもよりますが、DDの実施に当たっては、財務・税務・法務に関する専門的な知見が不可欠ですので、財務、税務、法務の専門家に依頼することが一般的です。もっとも、中小企業における事業承継では、費用負担の観点か

26

ら、DD の実施を敬遠する例も見られるところです。

しかしながら、M&Aによる対象会社等の買収を検討するにあたり、対象会社等の抱える問題点を正確に把握しておかなければ、そもそも対象会社等を買収するか否か、買収するとしてどのような条件（金額、表明保証条項の内容等）で買収すべきか、どのような買収スキーム（株式譲渡、事業譲渡、合併、会社分割等）を選択すべきかといった重要事項を適切に判断することができませんので、基本的にはDD を実施すべきであるといえます。

また、対象会社等の買収にあたって十分なDD を行わなかったため、DD を行っていれば容易に発見できた問題点を発見することができず、その結果、譲受会社やその株主等が損害を被った場合には、譲受会社の取締役が善管注意義務違反に問われ、株主代表訴訟等が提起される可能性もありますので、その点には十分に留意しておく必要があります。

⑤ デュー・デリジェンスの進め方を具体的に知っている

【具体的ケース】

先のケースの建設会社（X社）の経営者です。取引先の電気工事会社（Y社）の事業譲渡を受けることになり、今度、基本合意書を締結する予定です。会社を買収する場合には、事前にデュー・デリジェンスをしておかなければならないという話を聞いたのですが、具体的にどのように進めれば良いか分かりません。とりあえず、Y社に財務会計資料を提出してもらうとともに、主要な従業員や取引先からY社の状態を聞いておけば大丈夫でしょうか。

【トラブルの原因】

デュー・デリジェンス（DD）を実施する場合には、承継対象の事業に関する調査に加え、財務・税務・法務の中から必要な調査項目を譲受会社においてピックアップし、調査をする必要があります。限られた期間内で計画的にDD を実施するためには、調査項目に優先順位をつけ、専門的な知見を有する専門家を活用することが非常に重要となります。

【解説】

DD では、承継対象の事業に関する調査に加え、特に財務・税務・法務を対象として調査実施することが多いと思われます。DD を限られた期間内で効果的に実施するには、ファイナンシャルアドバイザー、公認会計士、税理士、弁護士等の専門的な知見を有する専門家の活用が非常に重要です。

もっとも、DDでは必ずしもあらゆる調査項目を網羅的に実施するのではなく、承継対象となる事業の内容や買収スキーム等に応じて、譲受会社側で必要なDDの調査項目をピックアップして実施することも多いと思われます。

DDは、対象会社と譲受会社との間で基本合意及び守秘義務契約を締結した後に実施することが一般的ですが、DDを実施するタイミングでは、未だ譲受会社がM＆Aにより対象会社の事業を承継する予定であることが対象会社の社内に公表されていないことも少なくありません。そのため、譲受会社においてDDを実施するにあたっては、対象会社の役職員の動揺を招かないよう慎重を期す必要がありますし、譲受会社において実施するDDには限界があることにも留意しておく必要があります。また、DDの実施期間は限られますので、限られた時間の中で得られる情報の中から必要な情報を抽出して進めるためには、調査項目に優先順位をつけて計画的に実施する必要があります。

DDでは、関係者の事前ミーティングを踏まえて、対象会社から関係資料の開示を受け譲受会社側の担当社員や専門家で構成されたDDチームにおいてその精査、分析をします。なお、資料開示の方法としては、対象会社内にデータルームを設置し、譲受会社側のDDチームが対象会社のデータルームで資料の精査・分析を行う方法や、インターネット上に設置されたバーチャルデータルームに対象会社が開示資料をアップロードし、譲受会社側のDDチームがバーチャルデータルームから開示資料をダウンロードして精査・分析をする方法などがあります。その後、譲受会社側のDDチームにおいて対象会社の役職員にインタビュー（面談ないしは電話会議の方法で実施する場合のほか、書面（Eメール）による質問と回答のみの場合もあります。）を行ったうえで、開示資料の精査と役職員に対するインタビューの結果を取りまとめた報告書を譲受会社に提出する流れで進むことが一般的です。

⑥　デュー・デリジェンスの調査項目を具体的に知っている

【具体的ケース】

先のケースの建設会社（X社）の経営者です。取引先の電気工事会社（Y社）の事業譲渡を受けるに当たり、Y社を調査するデュー・デリジェンスを実施します。特に、対象会社に労働問題がないのかという点や、取引先との契約条件がどうなっているかという点に不安があります。弁護士に依頼して法務デュー・デリジェンスを実施する場合、何を調査してもらえば良いのでしょうか。

28

【トラブルの原因】

法務デュー・デリジェンス（法務DD）の調査項目は非常に多岐にわたるため、重点項目を中心に実施します。特に、対象会社の法令遵守状況及び訴訟リスクを十分確認しておかなければ、承継後、重大な法令違反の可能性が判明したり、法的紛争に巻き込まれて会社経営の支障が生じる場合があります。

【解説】

M＆Aに際して法務DDを行う場合の調査項目は、会社組織及び管理システム、株式・株主、事業に不可欠な不動産等の資産・知的財産権その他資産の状況、取引先との契約など事業に不可欠な契約関係、株主・関係会社との取引関係・契約関係、人事・労務関係、行政規制関係、環境問題、訴訟事件及びその他の紛争等と、非常に多岐にわたります。

法務DDを行う場合の調査項目、及び各調査項目における具体的な調査事項は、以下のとおりです。

調査項目	具体的な調査事項
株式・株主に関する調査	対象会社の株主が真の株主かどうかを確認することが必要不可欠。 中小企業では、株主名簿が整備されていない場合や、設立時の名義貸しや名簿の書換未了等により、名義人と真の株主が異なる場合もあるので、注意が必要。 また、種類株式の発行の有無や新株予約権の発行の有無などについても調査が必要な場合がある。
事業に不可欠な不動産・知的財産権その他の資産の状況に関する調査	不動産の権利証・建築確認書等の有無、境界紛争の有無、知的財産権の存続の有無、実施権の有無、担保権の設定状況（登記留保されているものを含む）などについて調査を行う。
事業に不可欠な契約関係（取引先との契約など）に関する調査	対象会社が著しく不利な契約条件で取引している取引先の有無のほか、契約書に対象会社の支配権変更を契約の解除事由としたり取引先への事前通知や事前承諾を求める条項（チェンジ・オブ・コントロール条項）や、一定の期間・場所で対象会社の特定の事業活動を禁止する条項（競業禁止条項）が存在しないかを確認する必要がある。

29

株主・会社との取引関係に関する調査	会社資産と現経営者等の個人資産が混在していないか、対象会社と現経営者等の間で金銭の貸し借りや不必要・不相当な取引がないか、対象会社が現経営者や関係会社の債務保証や担保提供をしていないかなどを確認する必要がある。
人事・労務に関する調査	就業規則類や三六協定の作成・遵守状況、労働時間管理の方法、未払残業代の有無、労災事故やハラスメントの有無、対象会社が行った懲戒処分や退職勧奨が違法・無効と判断されるおそれの有無などを確認する必要がある。
行政規制関係・環境問題に関する調査	各種業法、消防法関係、環境法関係、廃棄物処理法関係の遵守状況などについて調査する。
訴訟その他の紛争に関する調査	上記各調査を踏まえ、現在の法的紛争の有無に止まらず、将来法的紛争となりうる可能性がある事実の有無についても慎重に調査する。

以上のとおり法務DDの対象となる調査事項は多岐にわたりますので、M&Aスキームやクロージングまでの時間・予算等に応じて、実際の法務DDでは、調査項目をピックアップしたうえで、重点項目を中心に調査を実施することも多いと思われます。また、限られた期間内で法務DDを効果的に実施するためには、弁護士を十分に活用し、専門的支援を受けながら進めてゆくことが不可欠といえるでしょう。

⑦ デュー・デリジェンスの結果、色々問題点が見つかった場合の対処法を知っている

【具体的ケース】

弁護士に法務デュー・デリジェンスを実施してもらったところ、対象会社の従業員に多額の未払残業代が発生しており、最近、労働基準監督署の調査を受けていたことが分かりました。また、対象会社と取引先との契約書の中に、対象会社の支配権変更があった場合に取引先への事前通知を求めるチェンジ・オブ・コントロール条項が入っていたことが分かりました。早急に事業を引き継ぎたいと思いますので、このまま最終契約を締結しても問題ないでしょうか。

【トラブルの原因】

法務デュー・デリジェンス（法務DD）で問題が発見された場合、譲受会社は、問題の種類や程度に応じた対応を検討する必要があります。リスクに対する十分な対応を行わなかった場合、譲受会社の取締役が善管注意義務違反に問われる可能性もあります。

【解説】

法務DDで問題が発見された場合、譲受会社は、問題の種類や程度に応じて、契約条項の調整（クロージングの前提条件・表明保証条項の修正）、譲渡価格の修正、M＆Ａスキームの変更といった対応を検討する必要があります。改善の難しい重大な問題が発見された場合、取引の中止が必要となることもあります。

発見された問題が承継前に改善できるものであった場合、最終契約の締結又はクロージング（経営権移転の完了）までに対象会社が改善すれば問題はありません。クロージングまでに改善を求める場合は、最終契約において、改善のための具体的手続の履践をクロージングの前提条件として記載することが望ましいといえます。

発見された問題がどのようなリスクとして顕在化するか不明確である場合は、承継後に顕在化した場合に備えた表明保証条項を最終契約に記載し、将来特定の事由が発生した場合には、契約当事者となる現経営者や対象会社に一定の補償をさせることも考えられます。

発見された問題が承継後に改善できるものであった場合、リスクを許容し、譲受会社で対応することも考えられます。その場合は、リスクに見合う調整を織り込んで譲渡価格を修正することが考えられます。しかしながら、リスクに見合う調整を見積もること自体が容易ではないことも多く、また対象会社と譲受会社との間で調整額について合意し譲渡価格を修正することが難しい場合もあります。譲渡価格自体の修正が難しい場合は、支払方法を変更（アーンアウト、後払い等）することで対応することもあります。

発見された問題が重大である場合、M＆Ａスキームの変更を検討したり、一定の期間内の改善が難しい場合には取引を中止せざるを得ない場合もあります。

譲受会社において発見された問題に対する十分な対応を行わず、その後リスクが顕在化して譲受会社やその株主が損害を被った場合には、譲受会社の取締役が善管注意義務違反に問われ、株主代表訴訟等が提起される可能性もあります。

法務DDで発見された問題のリスクを評価し、リスクに対応するための適切な措置を講じるためには、弁護士を十分に活用し、専門的支援を受けながら進めてゆく必要があります。

Q9. 事業承継の契約内容をめぐるトラブル

⑧ 承継した会社に問題があった場合に、現経営者に責任追及できるような条項を契約書に入れている

【具体的ケース】

私は長年不動産会社を経営してきたのですが、最近業績が伸び悩んでいました。知り合いのリフォーム会社の経営者から、後継者がいないので会社を引き継いでもらえないかとの話があり、事業を譲り受けることになりました。

相手方から基本合意書の案文が送られてきましたが、対象会社の財務や法務等に問題があった場合について何も記載されていません。他方、事業譲渡後、相手方は一切責任を負わないという免責条項が記載されています。

特に気にせず、このまま契約を進めても問題はないでしょうか。

【トラブルの原因】

事業承継の契約に対象会社の財務や法務等に関する現経営者の表明保証責任を定めておかなければ、事業承継後に重要な問題が見つかり、その後の経営に支障が生じてしまう可能性があります。また契約上、現経営者の包括的な免責条項が規定されている場合には、仮に事業承継に伴って損害が発生したとしても、現経営者に対する賠償責任を追及できなくなってしまう可能性があります。

【解説】

一般的に、事業承継の場面において、限られた期間内に譲受人が対象会社の状態を完全に把握することは困難です。

そのため、事業承継の契約には、譲渡人が譲受人に対し、契約の締結日や譲渡日等の一定の時点において、対象会社の財務や法務等に関する一定の事項が真実であることを表明し、その内容を保証する表明保証責任を定めておく必要があります。

表明し保証した内容が事実と異なっていた場合、表明保証責任に基づいて、譲受人は譲渡人に対して損害賠償責任を追及できることになります。

対象会社の重要な問題を隠したり事実と異なる説明をしたりすると、表明保証責任に基づいて多額の損害賠償を請求されるという心理的プレッシャーを与えることにより、譲渡人に対し、対象会社の重要な問題を隠すことなく十分情報を開示し、正確な説明を行うよう促すことが期待できます。

事業承継の契約には、一定の事項について契約当事者が責任を負わないことを内

32

容とする免責条項が定められることもあります。契約当事者の責任の範囲を限定するために規定されるものであり、例えば、一定の事項に関しては損害が発生したとしても賠償責任を負わないとするような条項がこれにあたります。

このような免責条項が定められていると、何らかの事情で対象会社のリスクが顕在化して損害が発生し、本来であれば現経営者に損害賠償を請求できる場合でも、免責条項があることによって損害賠償請求ができなくなる場合があります。

現経営者に過大な責任を負担させず円滑に事業承継を行うために免責条項を定めるとしても、その対象や範囲について十分に吟味して内容を検討するべきです。

⑨ 競業避止義務がどのような義務であるのかを知っている

【具体的ケース】

先のケースの不動産会社の経営者です。リフォーム会社の経営者から事業を譲り受けることになりましたが、その現経営者からは、事業譲渡後も、個人で細々とリフォーム業を続けたいという意向を聞きました。

会社自体は私が譲り受けて経営するのですから、現経営者が同じような事業を続けても問題ないと考えて良いでしょうか。

【トラブルの原因】

事業承継の契約において、譲渡人の競業避止義務を定めた条項を記載しておく必要がありますが、譲渡人の営業の自由に対する過度の制約とならないよう、十分に検討した上で記載する必要があります。

【解説】

事業承継で企業を買収しても、譲渡人である現経営者が同じ商圏で同一の事業を行えば、取引先や顧客がそちらに奪われ、買収した企業の価値が大きく損なわれて買収の目的を達することができなくなるおそれがあります。

そこで、事業承継の契約において、譲渡人は一定の範囲・期間で、対象会社の事業と競業する事業を行ってはならないという競業避止義務を定めた条項を記載しておく必要があります。この条項により、競業避止義務を負う譲渡人は定められた範囲・期間において競業を行うことはできなくなり、同義務に違反すると譲受人の被った損害を賠償しなければならないことになりますので、譲受会社の利益が保護されます。

他方、競業避止義務の範囲が余りに包括的で広すぎたり期間が長すぎる場合、現経営者との合意形成が難しくなります。また、仮に合意形成ができたとしても、後に法的紛争になった場合、譲渡人の営業の自由に対する過度の制約と判断され、競業避止義務が制限される可能性もあります。

そのため、事業承継後の譲受会社の利益を保護するためにはどのような範囲・期間の競業避止義務が必要かを検討するに止まらず、現経営者の意向も把握した上で、合理的な内容の競業避止条項を事業承継の契約に記載することが必要となります。

【参考裁判例】

東京地判平28.12.7（裁判所ウェブサイト掲載判例）

⑩　承継した会社の借入先金融機関から、現経営者に代わって個人保証を求められる可能性が高いことを知っている

【具体的ケース】

先のケースの不動産会社の経営者です。リフォーム会社の経営者から事業を譲り受けることになりましたが、対象会社は金融機関から融資を受けており、代表者である現経営者は借入れの連帯保証人となっているようです。

金融機関から、現経営者の個人保証を抜くのであれば、事業を譲り受ける私が新たに連帯保証人になるよう求められたのですが、保証しなければならないのでしょうか。

【トラブルの原因】

会社を譲渡しても、金融機関は当然に従来の保証人との保証関係を解消するわけではなく、保証関係が解消されない限り、現経営者は保証責任を負担し続けます。現経営者との保証関係が解消される場合、後継者が、金融機関から過度な保証責任を負担するよう求められ、トラブルとなる可能性があります。

【解説】

金融機関にとって、保証人は、会社に万一のことがあった場合の大事な担保となるものですから、保証人との関係を簡単には解消しません。

一般的には、買い手側で代わりの保証人を用意した上で、売り手側と金融機関との間の保証関係を解消することになります。会社を譲渡したとしても、保証関係の解消手続が完了するまでの間に会社の債務が支払えなくなった場合、従前の保証人が責任を免れることはできません。

ただ近時は、保証人の責任を緩和して行く傾向があります。例えば、経営者の個人保証による過度の負担は企業の事業展開や早期事業再生を阻害する面があるとの考え方から、2013年12月に「経営者保証に関するガイドライン」が公表され、金融庁や中小企業庁などもその積極的な活用に向けて取り組んでいます。金融機関も、同ガイドラインを尊重し順守することを表明するなどして、実際に保証契約の変更・解除や無保証融資を実施する例も増加しています。

また、同ガイドラインを補完するものとして事業承継時に先代経営者及び後継者の双方から二重に保証を求めること（二重徴求）を原則として禁止する「事業承継時に焦点を当てた『経営者保証に関するガイドライン』の特則」が2019年12月に公表され、2020年４月より適用されています。この特則が関係者によって活用されることにより事業承継がより円滑に行われるようになることが期待されます。

さらに、保証の期限や極度額を定めずに継続的取引から発生する一切の債務を保証する包括根保証契約について、一定の場合に保証人からの解約権を認めた裁判例もあります（なお、従来は、貸金等の債務についてのみ自然人が極度額を定めない根保証契約をしても無効とされていましたが、2020年４月１日に施行された改正民法ではこの規律が個人根保証全般に拡大されました（新民法465条の２）。）。

上記具体的ケースのような場合も、後継者としては、弁護士と相談しながら、上記傾向を踏まえて、個人保証による過度な保証責任を負わないよう金融機関と交渉してゆくことが考えられます。

【参考裁判例】

最判昭和48.3.1（最高裁判所裁判集民事108号265頁）、東京地判平28.12.28

⑪　承継後も従業員や取引先が引き続き残ってくれるとは限らないことを知っている

【具体的ケース】

先のケースの不動産会社の経営者です。リフォーム会社の経営者から全株式を譲り受けることになりましたが、当面の事業内容は変わらないので、譲り受けた後も、従業員や取引先は引き続いて残ってくれると思っています。

特に気を付ける点はありませんよね。

【トラブルの原因】

雇用契約や取引契約は、会社が契約当事者となって契約が成立しているわけですから、株主や経営者が交代しても、法的に何ら影響は受けないのが本則です。しかし、中小企業の経営は、その企業を支配する株主や経営者の信頼によって成り立っていることが多いので、株主や経営者が交代した時は、従業員や取引相手から信頼を得られないことがあり、トラブルとなる可能性があります。

【解説】

雇用契約や取引契約は、会社が契約当事者となって成立しています。会社の全株式譲渡や事業の全部譲渡により、株主や経営者が交代したとしても、雇用契約や取引契約の契約当事者が交代するわけではなく、契約当事者は相変わらず会社のままですから、法的には何ら影響は生じないのが本則です。

しかし、事実上、中小企業の経営は、その企業を支配する株主や経営者に対する信頼によって成り立っていることが多いのです。従って、株主や経営者が交代した時は、従業員や取引相手から信頼を得られないことがあり得ます。

そのような取引相手方の心配が契約書で手当てされていることもあります。取引契約において、会社を支配する株主や会社代表者が交代した時は相手方は契約を解除することができると定めるチェンジ・オブ・コントロール条項がその一例です。取引契約が、会社の事業にとって必要不可欠な契約（ライセンス、ノウハウ提供、大口取引先との継続的契約）等であるときは、契約を解除されると会社の死活問題にもなりかねません。

従業員との雇用契約では、契約に上記条項が入っていることはありませんが、従業員は、退職することによって一方的に雇用契約を解消することができます。会社にとって重要なノウハウを持っている人が辞めたり、工場の取りまとめ役だった人が辞めたりすれば、やはり会社の死活問題になることがあり得ます。

譲受人としては、M＆Aに当たり、法務デュー・デリジェンスを実施し、会社の結んでいる各種契約において上記条項の有無を調査しておくことが必要です。また、従業員や取引先との間に新たな信頼関係が醸成されるように努めることも必要です。

なお、会社の全株式を譲渡する場合とは異なり、会社の事業の一部を切り離して譲渡する場合、法的には契約主体も別の者に変わりますので、当該事業に従事する従業員は元の会社を退職して譲渡先と新たに雇用契約を結ぶことになりますし、取引先との契約関係も結び直す必要があります。ただ、この点に関しては、一定の要件のもと、従業員との雇用関係や取引先との契約関係を当然に承継できる会社分割という方法もあることに留意してください。

全株式譲渡、事業譲渡、会社分割といったM＆Aスキームのいずれを選択するの

36

が良いのかは、具体的事情によって個別に判断する必要がありますので、弁護士に相談することをお勧めします。

Q10. M＆A仲介・斡旋業者をめぐるトラブル

⑫　成功報酬はもちろん、月額報酬や中間報酬についてもその額や計算方法も知っている

【具体的ケース】

私は、M＆Aにより事業を拡大したいと考え、M＆Aの仲介業者に依頼して、買収先を探している企業の紹介をしてもらうことにしました。依頼したM＆Aの仲介業者からは、成功報酬については詳しい説明を受けましたが、それ以外の報酬について詳しい説明を受けていません。にもかかわらず、依頼したM＆Aの仲介業者から、毎月月額のコンサルティング報酬を請求されています。これまでは疑問を感じつつも仕方なく請求書どおりに払ってきましたが、この月額報酬は払い続けなければならないのでしょうか。また、改めて契約書を見直してみると、紹介を受けた企業との間で基本合意を締結した時点で、中間報酬としてまとまった金額を払う条項がありますが、この中間報酬も払わなければならないのでしょうか。

【トラブルの原因】

M＆Aの仲介・斡旋業者と契約を交わすにあたり、通常、成功報酬がいくらになるかについては確認すると思われますが、契約条項を十分に確認しなかったために、月額報酬を請求され続けたり、中間報酬を請求されたりすることにより、業者との間でトラブルが生じて、M＆Aによる事業承継の妨げとなる場合があります。

【解説】

M＆Aの仲介・斡旋業者に支払う報酬は、業者との間で締結する契約書によって定められます。M＆Aによる事業買収を進めることに気を取られて、契約書の内容を十分に読まないまま、契約を締結してしまうこともあるようです。最初に支払う着手金の金額や最終的に支払う成功報酬（売却金額に応じて何パーセントという形で算定されることが一般的であり、通常、最低報酬金額が定められています）については、理解されていることが多いのですが、月額報酬や中間報酬については見落としていたり、理解が不十分であったりします。

毎月支払う月額報酬については、最初の支払いがすぐに来ますので、完全に見落としていることは少ないかと思いますが、M＆Aの仲介・斡旋は、長い時間を要することも多いので、すぐに売主が見つかることを期待していたような場合には、月額報酬が大きな負担となってしまうことがあります。月額報酬の定めが本当に必要なのか、仮に必要であったとしても合理的な金額に収まるように支払うべき月額報酬の総額に上限を定めるべきではないか等、契約書を細かくチェックしておくことは重要です。

また、月額報酬の定め方として、毎月発生することを前提にしながら、途中で支払う必要はなく、最終的に売却ができた段階で成功報酬とともに売却代金の中から業者に支払う形式のものがあります。このような定め方の場合には、買主は途中で支払うことがないので、月額報酬が嵩んで多額になることに気づかず、いざ売却ができた段階で、多額の月額報酬を支払わなければならないことに初めて気がつくことがあるので、要注意です。

さらに、基本合意を締結した時点で業者に一定額の中間報酬を支払う旨の契約も多くあります。業者としても、開始してから契約成立まで時間がかかりますので、一応の成果が出た時点で中間報酬を請求すること自体は合理的な話です。ただ、この時点ではまだクロージングに至っておらず、この段階で中間報酬を支払うことを十分に理解していないと、とりわけ基本合意は締結したもののクロージングまで至らなかった場合に、M＆Aの仲介・斡旋業者との間でトラブルが生じることになりかねませんので、注意が必要です。

買主側としては、M＆Aの仲介・斡旋業者の報酬については、細かにチェックし、誤解が生じないよう、理解できるまで十分に説明してもらうことが肝要です。M＆Aの仲介・斡旋業者との間で契約を締結するまでに、あらかじめ弁護士にチェックをしてもらうことも有益です。この点に関しては、中小M＆Aガイドラインでも、報酬等の妥当性については、必要に応じて他の支援機関に意見を求めること（セカンド・オピニオン）が有効であると指摘されています。

なお、同ガイドラインの参考資料「仲介契約・FA契約締結時のチェックリスト」では、報酬に限らずその他の事項を含めチェックすべき主なポイントが列記されていますので、仲介契約・FA契約の締結に当たってはこのリストも活用するとよいでしょう。

【参考裁判例】

東京地判平28.12.16

⑬　仲介業者から紹介された売主側と直接自由に交渉できないことを知っている

【具体的ケース】

今回、M＆Aの仲介業者を通じて、長年にわたって優良経営を続けてきたものの後継者がいないために買収先を探しているという会社をご紹介いただきましたが、その会社の社長とは以前から面識がありました。

私としては、紹介のあった会社の事業に大きな魅力を感じており、一刻も早く話を進めて行きたいのですが、仲介業者の動きが悪く、なかなか話が進みません。そこで、紹介のあった会社の社長と直接会って交渉を進めていきたいと考えているのですが、それは許されないのでしょうか。

【トラブルの原因】

M＆Aの仲介・斡旋業者には、業者に独占的交渉権が認められていることが通常であり、契約の有効期間中は、直接売主候補者と交渉をすることは契約違反となることがあります。他の業者を通じて売主候補者と交渉することが、業者の独占的交渉権を侵害することは理解されやすいですが、以前から面識のある会社と業者を経由せずに交渉することは独占的交渉権を侵害することにはならないと考えている買主も少なくはありません。

このことは、業者から適切な売主候補者の紹介がなかなか受けられず、自分で売主を探そうとする場合に、買主にとって妨げとなることがあります。

【解説】

M＆Aの仲介・斡旋業者との契約で、業者に独占的交渉権が認められている場合に、自分が知っている会社と業者を経由せずに交渉することについて、独占的交渉権を侵害することになることまでは買主の理解が及ばないことがあります。

特に、もともと仲のよい友人であったり、仕事仲間であったりする場合には、どこまで話を進めていいのか境界がはっきりしなくなってしまうことが多くあります。

しかし、契約書上は、業者に独占的交渉権が付与されている以上、もともとよく知っている売主候補者であったとしても、独占的交渉権の効力が及ぶことになります。複雑に権利関係が錯綜するM＆A契約においては、交渉窓口が複数に分かれていると、売主候補者との間で信頼に値するような適切な交渉ができなくなり、契約の成立を妨げることになるので、業者に独占的交渉権が認められるのです。

このことの弊害は、契約をしたM＆Aの仲介・斡旋業者が適切な売主候補者を見つけている場合にはあまり問題にならず、なかなか適切な売主候補者を見つけることができない場合に発生する問題です。もっとも、自分で売主候補者を見つけてきたとしても、複雑なM＆A契約を進めていくためには、M＆Aの仲介・斡旋業者に参加してもらった方が便利なことがあります。

単純に自分が見つけてきた売主候補者をM＆Aの仲介・斡旋業者に紹介して手続を進めるのも一つの方法ですが、そもそもM＆Aの仲介・斡旋業者との間で契約を締結するに際して、売主候補者が見つからない場合に備えて、自分で売主候補者を見つけた場合に、独占的交渉権の例外をどのように認めるか、その場合の費用をどのように算定するかなどについても、予め協議しておき、必要があれば契約書で定めておいた方がいいこともあります。

なお、M＆Aの仲介・斡旋業者が売主候補者を見つけてきて、話を進めているにもかかわらず、自分で別の売主候補者を探してしまうことは、独占的交渉権を付与している以上、契約違反と言われても仕方がありません。

⑭　クロージング後に売主側との間で発生したトラブルを仲介業者が解決してくれることを期待していない

【具体的ケース】

M＆Aの仲介業者を通じて紹介してもらった会社の発行済み全株式を譲り受け、その会社を買収しました。ところが、買収にあたって前オーナー兼社長との間で締結した契約では、買収後も前オーナー兼社長を相談役として処遇するものの、会社運営には一切関与しないことを誓約してもらったにもかかわらず、前オーナー兼社長は、買収後も会社運営に口を出してきており、時には、従業員に対し、私の指示と正反対の指示をするようなこともあって、買収後の会社運営に混乱を来しています。

こうした混乱をできるだけ早く収束させるためにも、今回の買収案件を紹介してくれた仲介業者に間に入ってもらってトラブルを解決したいと思っているのですが、そのようなことはできるのでしょうか。

【トラブルの原因】

M＆Aによる事業承継のクロージング後に買主と売主との間でトラブルが発生した場合、M＆Aを仲介した業者がトラブルの解決に関与してくれると誤解している売主、買主も少なくないと思われます。

しかし、M＆Aの仲介・斡旋業者は売主と買主の双方と契約を締結していること

40

も多く、そのような場合には、M＆Aの仲介・斡旋業者がいずれか一方の立場でそのトラブルに関与することはできません。また、M＆Aの仲介・斡旋業者がトラブルの解決に関与した場合には、弁護士でない者が法律事務を取り扱うことを禁止する弁護士法72条に違反するおそれもあります。

【解説】

M＆Aによって事業承継がなされる場合において、クロージングに至るまでは売主と買主との間で大きなトラブルが生じなかったものの、クロージング後に売主と買主との間でトラブルが顕在化することも少なくありません。とりわけ【具体的ケース】に挙げた売主である前オーナーの処遇を巡るトラブルは、売主・買主間のトラブルとして比較的多い類型ではないかと思われます。

こうしたトラブルが最終契約締結前に明らかになれば、M＆Aの仲介・斡旋業者が事実上の仲介役となって双方の意向調整を図り、その結論を契約書に反映させることでトラブルを未然に防ぐことができますし、また、最終的に双方の意向調整ができなかった場合には、破談にすることもできます。しかし、クロージング後に売主・買主間でトラブルが発生した場合には、容易に契約解除をすることもできず、買収後の会社運営に混乱を来すおそれもあります。

このようにクロージング後に買主と売主との間でトラブルが発生した場合でも、最終契約締結前と同様に、M＆Aを仲介した業者がトラブルの解決に向けて調整を図ってくれると誤解している売主、買主も少なくないと思われます。ところが、M＆Aの仲介・斡旋業者は売主と買主の双方と契約を締結していることも多く、そのような場合に、M＆Aの仲介・斡旋業者がトラブルの解決に関与することになれば、利害が相反することになりますので、いずれか一方の立場でそのトラブルに関与することはできません。また、売主や買主より報酬を得ているM＆Aの仲介・斡旋業者が売主・買主間に生じたトラブルの解決に関与すれば、弁護士法72条に違反するおそれもあります。

以上のとおり、M＆Aによる事業承継のクロージング後に買主と売主との間でトラブルが発生した場合には、M＆Aの仲介・斡旋業者を通じてトラブルの解決を図ることはできなくなりますので、注意が必要です。

⑮　クロージング後に明らかになった売主側の表明保証違反により、対価が事実上減額されることになったとしても、仲介業者から成功報酬の一部を返還してもらえるとは限らないことを知っている

【具体的ケース】

M＆Aの仲介業者を通じて紹介してもらった会社の買収にあたって前オーナー兼社長との間で締結した株式譲渡契約において、前オーナー兼社長には、買収前に当社に開示した決算書や会計帳簿の記載に誤りがないことを表明保証してもらったにもかかわらず、買収後に決算書や会計帳簿の記載に重大な誤りがあったことが判明しました。そのため、前オーナー兼社長との間で、契約に基づいて株式譲渡代金を減額することで合意し、前オーナー兼社長から株式譲渡代金の一部を返還してもらいました。

このように株式譲渡代金が減額になったのであれば、株式譲渡代金を基準として算出されることになっていたM＆A仲介業者に対する報酬金も減額になるようにも思うのですが、仲介業者に支払った報酬金の一部を返還してもらうことはできるのでしょうか。

【トラブルの原因】

M＆Aの仲介・斡旋業者に支払う報酬金の額は、売主・買主間の譲渡対価に連動する場合が多いと思われます。

その場合に、クロージング後に明らかになった売主側の表明保証違反により譲渡対価が事実上減額されることになれば、それに応じてM＆Aの仲介・斡旋業者に支払った報酬金まで当然に減額されることになると誤解している買主もいるでしょう。しかし、M＆Aの仲介・斡旋業者との間で締結した契約の内容にもよりますが、クロージング後に明らかになった売主側の表明保証違反により譲渡対価が事実上減額されることになったからといって、当然にM＆Aの仲介・斡旋業者に支払った報酬金が減額されるものではありません。

【解説】

M＆Aによって事業承継がなされる場合において、クロージング後に売主側の表明保証違反が明らかになることもあり、中には、表明保証違反が譲渡対価に影響を及ぼすケースもあります。

売主・買主間で締結する最終契約では、クロージング後に明らかになった売主側の表明保証違反が譲渡対価に影響を及ぼすような場合に、譲渡対価を調整する条項や損害賠償に関する条項が設けられているのが一般的です。したがって、当該条項に基づいて売主・買主間の譲渡対価が事実上減額されることも十分あり得ることです。

ところが、クロージング後に明らかになった売主側の表明保証違反により譲渡対価が事実上減額されることになったからといって、当然にM＆Aの仲介・斡旋業者に支払った報酬金が減額されるものではありません。M＆Aの仲介・斡旋業者に支払う報酬金の額は、売主・買主間の譲渡対価に連動する場合が多いと思われますが、クロージング後に明らかになった売主側の表明保証違反により譲渡対価が事実上減額された場合に、それに連動してM＆Aの仲介・斡旋業者に支払った報酬金も減額されるか否かは、M＆Aの仲介・斡旋業者との間で締結した契約の内容如何で決まることになります。もっとも、仮にM＆Aの仲介・斡旋業者との間で締結した契約において、クロージング後に明らかになった売主側の表明保証違反により譲渡対価が事実上減額された場合に、それに連動してM＆Aの仲介・斡旋業者に支払った報酬金が減額される旨の定めが置かれていなかったとしても、M＆Aの仲介・斡旋業者が当該表明保証違反の存在を知り、又は当該表明保証違反の存在を知らなかったことについて重大な過失があったといえるような場合には、M＆Aの仲介・斡旋業者に支払った報酬金の一部の返還を受けられることもあり得ます。

税金のことをよく知っていれば避けられたトラブル

Q11. 株式譲渡による事業承継の場合に税金が原因で起こるトラブル

① 株式の譲渡価格が不相当に廉価である場合、株式の譲受人に贈与税がかかることがあるのを知っている

【具体的ケース】

私は、ある非上場会社のオーナー社長である父から、自分が所有している会社の株式を譲渡するので会社の経営も引き継いでほしいと言われました。私には手持ちの現金がなく、借金もしたくありませんが、父としては、譲渡価格はただ同然の低い価格でもかまわないということでした。このように低い価格で株式の譲渡を受けることに何か問題はあるのでしょうか。

【トラブルの原因】

株式の譲渡価格について当事者間で合意できたとしても、それが不相当に廉価である場合には、譲受人に贈与税がかかることがあり、事前にそれを知らずに取引をしてしまうと、後から予想外の負担が生じることになります。

なお、他にも遺留分権利者がいる場合、株式の譲渡価格が不相当に廉価で、それについて双方が遺留分権利者に損害を加えること（実質的に遺留分を侵害すること）を知っていたときは、当該対価を負担の価額とする負担付贈与とみなされ（新民法1045条２項）、時価との差額が遺留分算定の基礎財産に算入されることになっています（同条１項）。したがって、買主である後継者が遺留分侵害額請求を受ける可能性があるので注意が必要です。

【解説】

本設問では譲渡人と譲受人がいずれも個人です。譲渡人と譲受人がいずれも個人である株式譲渡の場合の課税は次のとおりです。

1　時価で株式譲渡が行われた場合

(1)　譲渡人については、譲渡価額から取得費及び株式の譲渡に要した費用を引いた金額を所得として、譲渡所得課税が行われます。税率は、2014年分以後については、所得税、復興特別所得税及び住民税を合わせて20.315％です。

(2)　それに対し、適正な時価で株式の譲渡を受けた譲受人には、新たな課税は生

44

じません。

2　時価より低額で株式譲渡が行われた場合

(1)　譲渡人については、基本的には上記1(1)と同様となりますが、時価の2分の1未満の価額で株式譲渡が行われた場合には、対価の額が取得費及び譲渡に要した費用の額の合計額に満たないときは、その不足額はないものとみなされます。すなわち、譲渡損が生じた場合でも、譲渡損はなかったものとみなされます。

(2)　譲受人については、時価と譲渡価額との差額に相当する金額を贈与により取得したものとみなされ、その金額が贈与税の対象となります。贈与税は、暦年課税の場合には年間110万円を超える部分に課税され、税率は10%から55%の累進税率となります。

このように、時価より低額で株式譲渡を受けた個人は、時価と譲渡価額との差額に相当する金額について贈与税を課されるリスクがあり、場合によっては金額的にも相当大きな負担となります。このような予想外の負担が生じないようにするためには、事前に税務専門家から助言を受け、税務上の負担についても理解した上で事業承継を進めることが推奨されます。

②　譲受人側に知らされていなかった未払いの税金の負担を求められたり、追加で税金が発生したりすることがあるのを知っている

【具体的ケース】

私は、知人が経営する会社の事業承継を受けるために、その知人が所有していた当該会社の発行済み株式全ての譲渡を受けました。ところが、株式譲渡を受けた後にその会社が税務調査を受け、株式譲渡より前の時期に法人税の申告漏れがあったことが発覚し、修正申告を行った上で税金を納めることになりました。株式譲渡を受ける前の申告漏れは当時の経営者の責任だと思いますので、譲渡を受けた後に税金を納めないといけないのは納得がいきません。しかし、株式譲渡契約には、このような場合に譲渡人である前経営者に対して負担を求めることができる規定がなく、結局、納税額は会社の負担となりました。どのようにすればこのようなことを避けられたのでしょうか。

【トラブルの原因】

事前に適切にデュー・デリジェンスを行うことにより、税金の申告漏れがあることを発見できた可能性があります。また、株式譲渡契約中に税金に関する表明保証条項を入れておくことにより、事後的に譲渡人の責任を追及できた可能性があります。

【解説】

M＆Aによる事業承継のうち、株式譲渡による場合には、承継する権利義務関係を当事者の合意によって定める事業譲渡とは異なり、法人自体を承継することになるため、株式譲渡の時点で対象会社が有する権利義務は株式譲渡後も引き続き当該対象会社が有し続けることになります。したがって、株式譲渡前の申告漏れが株式譲渡後に発覚した場合でも、それに伴う税金の支払い義務は事業承継を受けた側の負担となります。

このようなことを避けるため、事業承継を受ける側が元々対象会社の内情を知り得る立場にある内部者ではなく外部者である場合には、対象会社の株式譲渡を行う前に対象会社の状況を調査する「デュー・デリジェンス」（買収監査）を行うのが一般的です。税務デュー・デリジェンスでは、対象会社が納付するべきであるにもかかわらず未納付の税額がないか等を調査しますので、本設問の事例においても、適切な税務デュー・デリジェンスを行っていれば、申告漏れがあったことを事前に発見できていた可能性があります。もし事前に発見できていれば、具体的な事情に応じて、株式譲渡前に当該申告漏れの問題が解消されていることを条件に株式譲渡を実行する、事後的に税金の負担があり得ることを踏まえて株式譲渡価格を設定する、事後的に税金の支払いが生じた場合には当該支払分を譲渡人が負担することにするといった対応ができたでしょう。

しかし、デュー・デリジェンスを行った結果問題は発見されなかったとしても、株式譲渡の実行後に問題が発覚することはあり得ます。譲渡人側がデュー・デリジェンスの際に譲受人側が要請するすべての情報を開示するとは限らないからです。したがって、そのような場合に備えて、譲受人側としては、株式譲渡契約の表明保証条項の中に税金に関する表明保証を入れるよう交渉することが推奨されます。そもそもデュー・デリジェンスを事前に十分に行うことができないケースでは、このような表明保証条項を入れておく必要性はより高いでしょう。

表明保証とは、契約の一方当事者が相手方当事者に対して一定の事項についてその内容が真実かつ正確であることを保証するもので、株式譲渡契約等のM＆Aに関する契約では、表明保証の内容が真実かつ正確であることを取引実行（クロージング）の前提条件としたり、表明保証に重大な違反があった場合は契約の解除事由としたり、表明保証違反により相手方当事者に損害が発生した場合には表明保証違反をした当事者がこれを補償することなどを定めることがあります。

46

税金に関する表明保証条項の内容としては、納付すべき税金に関する税務当局への申告を全て適法かつ適時に行っていること、納付すべき税金をすべて納付期限までに納付しており、滞納がないこと、税務当局からの指摘がないこと、税務当局との間で何ら紛争や見解の相違がないこと、といった内容がよく見られます。

【参考裁判例】

東京地判平成18年1月17日［アルコ事件］（判タ1230号206頁）、大阪地判平成23年7月25日（判タ1367号170頁）

日本弁護士連合会
弁護士業務改革委員会
企業コンプライアンス推進PT
（2021年7月改訂）

47

事業承継法務のすべて【第2版】

2021年9月10日　第1刷発行
2023年2月13日　第2刷発行
(2018年3月1日　初版発行)

編　者　日本弁護士連合会
　　　　日弁連中小企業法律支援センター
発行者　加　藤　一　浩

〒160-8520　東京都新宿区南元町19
発　行　所　**一般社団法人 金融財政事情研究会**
企画・制作・販売　**株式会社 き ん ざ い**
出 版 部　TEL 03(3355)2251　FAX 03(3357)7416
販売受付　TEL 03(3358)2891　FAX 03(3358)0037
URL https://www.kinzai.jp/

校正：株式会社友人社／印刷：奥村印刷株式会社

ISBN978-4-322-13963-1